作業療法学

第3版

ゴールド・マスター・テキスト

作業療法学概論

[監修] 長﨑重信
文京学院大学 保健医療技術学部 作業療法学科 教授

[編集] 里村恵子
東京保健医療専門職大学 リハビリテーション学部 作業療法学科 准教授

MEDICAL VIEW

Gold Master Textbook : Introduction in Occupational Therapy, 3rd edition
(ISBN 978-4-7583-2041-2 C3347)

Chief Editor : NAGASAKI Shigenobu
Editor : SATOMURA Keiko

2012. 3. 20   1st ed
2015. 1. 30   2nd ed
2021. 10. 1   3rd ed

©MEDICAL VIEW, 2021
Printed and Bound in Japan

Medical View Co., Ltd.
2-30 Ichigayahonmuracho, Shinjyukuku, Tokyo, 162-0845, Japan
E-mail   ed@medicalview.co.jp

第3版 監修の序

　今回,『作業療法学ゴールド・マスター・テキスト』シリーズは2010年の発刊から2回目の改訂を迎え,第3版出版の運びとなりました。

　本テキストシリーズは「作業療法学概論」・「作業学」・「作業療法評価学」・「身体障害作業療法学」・「高次脳機能障害作業療法学」・「精神障害作業療法学」・「発達障害作業療法学」・「老年期作業療法学」・「地域作業療法学」・「日常生活活動学（ADL）」・「福祉用具学」の11巻に新しく「義肢装具学」を加え,全12巻となります。

　改訂作業が始まった2020年は作業療法教育の変革の年でもありました。臨床実習の形態においては,従来の,学生が臨床実習指導者の下で対象者の評価から治療まで行うものから,学生が実習指導者の行う対象者の評価から治療までを傍らで見学し,模倣してみる,一部対象者で実施するという流れで,その場で実習指導者が学生にフィードバックするクリニカル・クラークシップの作業療法参加型臨床実習への転換,地域実習の追加という大きな変更がありました。

　そこで執筆者の先生方には,教科書の内容が作業療法参加型臨床実習にどのように関連しているのか示していただき,一部ですが,動画も提供していただきました。

　また,2020年はコロナ禍により多くの学校が教育方法の変革を求められた年でもありました。対面授業を遠隔授業に切り替え,実習や実技科目が大きな影響を受けました。学外での臨床実習は模擬患者を用いた学内実習に切り替えたところも多かったかと思います。このような状況の中でアクティブ・ラーニングの重要性が再認識されたように思います。従来の,教室に学生を集めて講義し試験やレポート課すスタイルから,学生が自宅でネット配信された講義動画を視聴し,その都度,課題レポートを提出し,教員が評価とコメントをつけて返却することが毎回繰り返されました。こう書くと何がアクティブ・ラーニングなのかと思われるかもしれませんが,学生が講義動画から課題を理解するために自分のペースに合わせて動画を繰り返し観て,理解したうえで調べ,課題を分析するということを学生自身が行う授業形態です。これを進めるために,教員は個々の学生と双方向の情報をやり取りする機会を増やした結果,個々の学生への指導量は増えましたが,学生の主体的な学びが伸びたように思われます。

　eラーニングに関しては,文部科学省が2024年には小中高でデジタル教科書の配布を始めます。今回の遠隔授業の経験から,動画媒体がアクティブ・ラーニングにも役立つと考えます。作業療法学ゴールド・マスター・テキストシリーズも,時代の要請に応えられるよう変化させていきたいと考えています。

　本シリーズをよりよいものにするためにも諸氏の忌憚ないご意見を聞かせていただければ幸いです。

2020年12月

文京学院大学

長﨑重信

第3版 編集の序

　本書は,「作業療法学 ゴールド・マスター・テキスト」シリーズ内の「作業療法学概論」である。第2版の刊行から6年が経過し,時代に合わせた最新情報にアップデートすべく,このたび第3版を発行することとなった。今回の改訂では,理学療法士作業療法士学校養成施設指定規則の改正,職業リハビリテーションや特別支援教育等での新しい動き,COVID-19感染の広がりなど最新の情報を加え,また,欄外や囲み記事等で読者の理解が深まる工夫を行った。具体的には,難解な内容や用語などに対して解説する欄外の「補足」や「用語解説」を充実させ,学習内容の定着を図るための確認問題を「チェックテスト」に刷新し,さらに学生が主体的に学習を進められるよう「アクティブラーニング」をもうけた。また,新たな章として「作業療法研究」を新設し,上級学年に配置されている研究に関する科目内容のうち,低学年のうちから理解しておいてほしい項目について解説を行った。基礎医学や臨床医学の学習が進んでいない段階にある学生の状況を考慮し,特に「わかりやすさ」を心がけた。また,巻末には「事例集」をもうけた。ここでは,作業療法の各領域で実際に行われている評価,介入の流れを知ることができる。

　さらに,今回の第3版では,「4章 作業療法の対象」の一部の内容に関して,実際の各領域の作業療法がイメージできる動画をWebに掲載した。作業療法概論の講義を担当いただく先生には,是非この動画をご活用いただき,学生が「作業療法とはどのようなものか」を理解するためにお役立ていただければ幸いである。

　「作業療法学概論」の授業は,多くの養成校で入学直後の学期に15時間で設定されている。学生にとっては,自身の頭で考え,学習を進め,問題解決を図るという主体的な教育を初めて経験するこの時期に,是非とも本書を役立てていただきたい。また作業療法士は生涯主体的な自己研鑽を生涯続ける必要がある職種であることを知り,その姿勢を身に着けるために本書を活用していただければ,著者一同,大きな喜びである。本書が,上級学年で学ぶ専門科目の学習へのスムーズな橋渡しの手助けとなれば幸いである。

2021年8月

東京保健医療専門職大学
里村恵子

改訂第2版 編集の序

　本書は,「作業療法学 ゴールド・マスター・テキスト」シリーズのなかの「作業療法学概論」である。初版刊行以来3年が経過し,新たな時代の流れを反映させるべく,改訂版を発行することになった。初版との違いは,各章,最新の情報を加えたこと,読者の理解が深まる工夫を凝らしたことである。具体的には,難解な内容や用語などに対して欄外に「MEMO」欄や用語解説を増やして知識を補完できるようにし,また学習内容の定着を図るために項目ごとに「まとめのチェック」を充実させたことに表れている。また,第7章に「作業療法部門の管理」を新設し,上級学年に配置されている管理に関する科目内容の中から,早い時期から理解しておいてほしい項目について記述したことである。本書全体の構成については,1章から6章まで初版を踏襲する形とした。

　多くの養成校で「作業療法学概論」の授業は,入学直後の学期に15時間で設定されて進められている。この授業を受ける学生は,教師主導の教育を受けていた養成校入学以前の教育形態から,自分の頭で考え,学習を進め,問題解決を図るという主体的な教育を初めて経験するわけであり,これは大きな未知のチャレンジとして感じることであろう。学生がこのチャレンジに果敢に取り組み,成功感を体験できるよう,本書を役立てていただきたい。また同時に,作業療法士は主体的な自己研鑽を生涯続ける必要がある職種であることを知り,その姿勢を身に着けようとする入口ともなるこの科目の伴走者として,本書を活用していただければ,著者一同,大きな喜びである。もちろん,このような姿勢は,この「作業療法学概論」のみで形成できるわけではなく,すべての教科の学習や臨床実習の経過の中で育成されていくものであろう。だが,教育的な視点から,早い時期に自分が目指す職業のイメージをもつことの重要性が指摘されており,入学後最初に接する作業療法士が担当する科目の影響は大きいものと推察される。

　養成校の教育内容は,厚生労働省の定める指定規則や国家試験出題基準,また養成校の形態別の監督官庁の示すもの(例えば,文部科学省の設置基準など)によって枠が定められている。その中で,教師が基準や規則を満たしたうえで学生に応じた工夫ができるよう,また学生が上級学年で学ぶ専門科目の学習にスムーズにつなげられるよう,本書がその役割を果たしてくれることを期待して,改訂版の「編集の序」としたい。。

2015年1月

東京医療学院大学
里村恵子

第1版 編集の序

　本書は,「ゴールド・マスター・テキスト」シリーズのなかでも第1巻となる「作業療法学概論」である。この本は,作業療法についてまだなにも知らない状態で作業療法士養成校に入学してきた1年次学生が,いわゆる「専門書」として最初に手にする書籍になると思われる。そのため,本来的に本書には作業療法士のなすべき仕事やそれに関係のある諸々の知識を理解できる内容が求められている。

　ところで,1963年（昭和38）に日本において作業療法士養成教育が始まった当時といえば,専門科目の講義は欧米から派遣された作業療法士の教員により,外国人の手によって書かれた原文のままの教科書や配布プリントを使って英語で講義が行われていた。現在と比べると当時の学生の学習環境は困難の極みであったといえる。その後,作業療法士養成校や有資格者の増加もあり,作業療法に関する書籍は「作業療法学概論書」も含めて内容的にはより専門的で高度なものとなり,種類も数多く刊行されている。とはいえ,最初に述べたように,高校卒業後まだ職業の選択もおぼつかないときに最初に手にする概論書は,誰にもわかりやすく書かれていて,興味深いものになっていることが望ましいと考え,イントロダクションでは,まず1人の対象者に対する作業療法の経過を紹介するところから始めた。作業療法士としてどう関わり,その結果がどのようなものであったのかについて簡潔にわかりやすく紹介しているので,初心者でも容易に理解できるものと考える。

　第1,3章では,イントロダクションの内容を少し学問的な面から肉付けしたものとなっている。第2章は,作業療法の起源を世界的な源流から紐解き,また日本においても精神,身体,発達障害の各領域で自然発生的に行われていた治療法をもとに,欧米のリハビリテーションの思想や技術が導入されて日本に根付いていった経過などがかなり詳しく述べられているので,これから作業療法士を目指す学生達には,自分の目指す職業がどのような必要性によって生まれてきたかについて知ってもらい,一層の関心・愛着をもっていただきたいと思う。第4章の作業療法の対象では,対象領域（分野別）ごとに仕事の内容や方法をまとめているが,学生や初心者にもわかりやすくするためにあえてこの方法にした。第5章では,専門知識を補完する意味で広い視野をもつことを期待して,そして第6章は,作業療法の根底に流れる治療理論を1年次から学習してほしいとの思いで組み込んだ。

　本書は作業療法の入口の部分であり,これで作業療法についてすべてが理解できるというものではないので,不足している部分については本書のシリーズ他巻を利用してこれからも研鑽に努めていただきたい。

2012年2月

文京学院大学　栗原トヨ子
首都大学東京　里村恵子

執筆者一覧

監修

長﨑重信　文京学院大学 保健医療技術学部 作業療法学科 教授

編集

里村恵子　東京保健医療専門職大学 リハビリテーション学部 作業療法学科 准教授

執筆者（掲載順）

長﨑重信	文京学院大学 保健医療技術学部 作業療法学科 教授
栗原トヨ子	新潟リハビリテーション大学 名誉教授／一般社団法人 Natural子供発達支援センター はる
里村恵子	東京保健医療専門職大学 リハビリテーション学部 作業療法学科 准教授
森田浩美	世田谷区保健センター 専門相談課
加賀谷 一	元 淑徳大学 総合福祉学部 社会福祉学科 教授
齊藤一実	帝京平成大学 健康医療スポーツ学部 リハビリテーション学科 作業療法コース 講師
佐々木清子	東京保健医療専門職大学 作業療法学科 教授
岩崎也生子	杏林大学 保健学部 作業療法学科 准教授
安永雅美	文京学院大学 保健医療技術学部 作業療法学科 准教授
堀田英樹	国際医療福祉大学 成田保健医療学部 作業療法学科 准教授
伊藤祐子	東京都立大学 健康福祉学部 作業療法学科 教授
野際陽子	学校法人 日本教育財団 首都医校 作業療法学科／大田区立障がい者総合サポートセンターぴあ 居住支援部門 生活訓練室
山本裕佳里	寿泉堂松南病院 リハビリテーション室
佐藤 章	東京保健医療専門職大学 リハビリテーション学部 作業療法学科 教授
臼倉京子	埼玉県立大学 保健医療福祉学部 作業療法学科 教授
柴田貴美子	埼玉県立大学 保健医療福祉学部 作業療法学科 准教授
羽田舞子	筑波大学附属病院デイケア
齋藤久恵	東京保健医療専門職大学 リハビリテーション学部 作業療法学科 講師
畠山久司	東京保健医療専門職大学 リハビリテーション学部 作業療法学科
小川恵美子	元 東京医療学院 作業療法学科 専任教員
坂本俊夫	東京保健医療専門職大学 リハビリテーション学部 作業療法学科 准教授
秋元美穂	東京保健医療専門職大学 リハビリテーション学部 作業療法学科 講師
池田浩二	帝京平成大学 健康メディカル学部 作業療法学科 講師

目次

本書の特徴 xiv
動画の視聴方法 xv

0 Introduction — 1

1 イントロダクション　　長﨑重信　2
- ① 作業療法を知っていますか ………… 2
- ② 作業療法の過程をみてみよう ……… 3
- ③ おわりに ……………………………… 8

1 作業療法は難しいか — 11

1 作業療法とは何か　　栗原トヨ子　12
- ① 医療チームにおける作業療法士とは … 12
- ② 作業療法の意味と範囲 ………………… 13
- ③ 作業療法の制約と発展 ………………… 14

2 人と作業とのかかわり　　栗原トヨ子　16
- ① 作業とからだ ………………………… 16
- ② 作業とこころ ………………………… 18
- ③ 作業と意欲 …………………………… 19
- ④ 作業療法と社会的背景 ……………… 20

2 作業療法の歴史 — 25

1 作業療法の歴史　　里村恵子　26
- ① 作業療法の誕生 ……………………… 26
- ② ヨーロッパにおける作業療法士の教育 … 30
- ③ 米国の作業療法 ……………………… 31
- ④ 世界大戦と機能再建助手の誕生 …… 33
- ⑤ 作業療法士の組織 …………………… 34
- ⑥ 日本の精神科領域の作業療法の歴史 … 34
- ⑦ 日本作業療法士協会の50年 ………… 36

2 日本の作業療法①肢体不自由児の作業療法（高木憲次）　　森田浩美　38
- ① はじめに ……………………………… 38
- ② 肢体不自由児に対する関心のきっかけ … 39
- ③ 高木の生い立ち ……………………… 40
- ④ 夢の楽園「教養所」の構想まで …… 40
- ⑤ 療育事業の沿革 ……………………… 42
- ⑥ 療育のコツ …………………………… 47
- ⑦ 整肢療護園とリハビリテーション専門職 …… 48
- ⑧ 伝統の灯・療育の碑 ………………… 49
- ⑨ おわりに ……………………………… 50

3 日本の作業療法②結核の作業療法（野村 実・田澤鐐二・濱野規矩雄）　　加賀谷 一　52
- ① 戦前の身体（内部）障害「作業療法」の歴史 …… 52
- ② 野村　実による「作業療法」（Beschäftigungs therapie） …… 53
- ③ 田澤鐐二による「作業療法」の試みと「有益な点」 …… 54
- ④ 濱野規矩雄と「作業療法」への情熱 … 57

4 日本の作業療法③「リハビリテーション」と作業療法（砂原茂一）
加賀谷 一　63
- ① 砂原茂一と化学療法時代の「作業療法」 …………… 63

5 日本の作業療法④身体障害の作業療法（田村春雄・原 武郎）
加賀谷 一　68
- ① 戦後の身体障害作業療法の歴史 ………… 68
- ② 更生指導所と田村春雄の手作り職能療法 …………… 69
- ③ 九州労災病院の体系的職能療法と原 武郎 …………… 73

6 日本の作業療法⑤リハビリテーション学院の設立
加賀谷 一　80
- ① 職能療法から作業療法へ〜リハビリテーション学院設立の意義〜 …………… 80
- ② 「回復」から「創り出す」作業療法へ …… 82

3 作業療法の定義　85

1 作業療法という名称
栗原トヨ子　86

2 治療手段の「作業」の意味
栗原トヨ子　87
- ① 「作業」の定義 ………… 87
- ② 「作業」の意味と範囲 …………… 88
- ③ 作業療法の対象者・目的・手段と方法 …… 88
- ④ 作業療法の過程（手順） …………… 90

3 作業療法の定義
栗原トヨ子　92
- ① 日本の法律 ………… 92
- ② 「日本作業療法士協会」の定義 ………… 92
- ③ 「米国作業療法士協会」の定義 ………… 93
- ④ 「世界作業療法士連盟」の定義 ………… 94
- ⑤ 作業療法士が支援する作業内容 …………… 94

4 作業療法の対象　97

1 身体障害の作業療法
齊藤一実　98
- ① はじめに ………… 98
- ② 身体障害領域の作業療法 …………… 99
- ③ 対象となる疾患 …………… 99
- ④ 作業療法の流れ …………… 101
- ⑤ おわりに ………… 113

2 精神障害の作業療法
里村恵子　115
- ① 精神科領域の作業療法 …………… 115
- ② 精神科領域の作業療法の対象 …………… 115
- ③ 作業療法の治療手段 …………… 119
- ④ 作業療法の目的と課題 …………… 121
- ⑤ 今後の課題 …………… 122

3 発達領域の作業療法
佐々木清子　125
- ① 対象となる疾患 …………… 125
- ② 評価から対応への進め方 …………… 126
- ③ 発達障害領域の作業療法の実際　Web動画　…………… 132

④ おわりに ……………………………… 158

4 高齢期の作業療法
栗原トヨ子　160

① 高齢社会の課題 ……………………… 160
② 高齢期の特徴 ………………………… 162
③ 高齢期の課題 ………………………… 165
④ 高齢期障害に対する作業療法士の役割 ……………………………………… 165
⑤ 高齢期の課題としての認知症 ……… 170
⑥ おわりに ……………………………… 173

5 高次脳機能障害の作業療法
岩崎也生子　175

① はじめに ……………………………… 175
② 高次脳機能障害とは ………………… 175
③ 高次脳機能障害の特徴 ……………… 177
④ 高次脳機能障害の主要症状と評価 … 179
⑤ 高次脳機能障害の評価手順 ………… 192

6 地域作業療法
安永雅美　195

① 地域作業療法の定義 ………………… 195
② 地域リハビリテーションの定義 …… 195
③ 地域作業療法，地域リハビリテーションの歴史 …………………………… 196
④ 地域で働く作業療法士 ……………… 201
⑤ 事例でみる地域作業療法 Web動画 … 202
⑥ おわりに ……………………………… 207

7 医療観察法における作業療法
堀田英樹　208

① 医療観察制度の概要 ………………… 208
② 指定入院医療機関での治療 ………… 210
③ 医療観察制度における作業療法 …… 213

8 特別支援学校における作業療法
伊藤祐子　215

① 日本の特別支援教育 ………………… 215
② 特別支援学校とは …………………… 215
③ 特別支援教育における作業療法の背景 ……………………………………… 216
④ 特別支援学校における作業療法の実際 ……………………………………… 217
⑤ 今後に向けて ………………………… 222

9 職業リハビリテーションの新たな流れ
野際陽子　223

① 働くということ ……………………… 223
② 働き方改革の時代 …………………… 223
③ 障がい者の雇用について理解する … 224
④ 対象者と雇用者とのマッチングが大切 ……………………………………… 228
⑤ 作業療法士としての役割 …………… 228

10 学校養成施設の新規カリキュラム
山本裕佳里　232

① 「理学療法士及び作業療法士学校養成施設指定規則」について ………… 232
② 新規カリキュラム追加の背景 ……… 232
③ 新規カリキュラム …………………… 234
④ 臨床実習教育について ……………… 238

Case Study Answer …………………………………………………………………………… 241

5 作業療法の周辺 　　　　　　　　　　　　　　　　　　　　243

1 作業療法と関連する学問　　　　　　　　　　　長﨑重信　244
- ① はじめに　244
- ② 作業療法とは　245
- ③ 小学校から高校までに学んだことと作業療法のかかわり　246
- ④ 大学・専門学校のカリキュラムと作業療法　254
- ⑤ 主な一般教養の履修科目と作業療法との関連性　257

2 医学系科目と作業療法　　　　　　　　　　　長﨑重信　262
- ① 養成校で学習する医学系科目　263
- ② 作業療法の専門科目について　268

3 作業療法と関連する職種　　　　　　　　　　長﨑重信　271
- ① 作業療法士と他の専門職とのかかわり　272

6 作業療法の理論，モデル，ツール　　　　　　　　　　279

1 身体機能領域の作業療法と理論　　　　　佐藤 章，臼倉京子　280
- ① 身体機能領域の作業療法　280
- ② 身体機能の働きと障害　281
- ③ 身体機能領域の作業療法における治療理論　282
- ④ 身体機能領域の作業療法実践の場における技法と学習理論との関係　285
- ⑤ 身体機能領域の実践と各種理論との関係　287

2 心理・精神機能面からみた理論　　　　　　　　里村恵子　289
- ① はじめに　289
- ② Moseyの理論　289
- ③ 行動療法　292
- ④ 認知行動療法（CBT）　294
- ⑤ 社会生活技能訓練（SST）　297
- ⑥ 森田療法　299

3 発達理論と作業療法　　　　　　　　　　　　森田浩美　302
- ① はじめに　302
- ② アーノルド・ゲゼルの発達理論　303
- ③ ジャン・ピアジェの発生的認識論　309
- ④ エリック・エリクソンの発達理論　314
- ⑤ おわりに　320

4 作業科学　　　　　　　　　　　　　　　　柴田貴美子　322
- ① はじめに　322
- ② 歴史的背景　322
- ③ 作業と作業的存在　324
- ④ 作業の見方　325
- ⑤ 作業的公正と作業的不公正　328
- ⑥ 作業科学と作業療法の違い　329
- ⑦ 作業に焦点を当てた実践　329
- ⑧ 作業科学の知識を作業療法に活かす　330

5 作業療法実践のためのモデルとツール　　　　柴田貴美子　332
- ① はじめに　332
- ② 作業療法実践の枠組み　332
- ③ 作業遂行と結びつきのカナダモデル　335
- ④ 生活行為向上マネジメント（MTDLP）　338

7 作業療法部門の管理　343

1 専門職としての職業倫理　里村恵子　344
- ① 医療の倫理　344
- ② 専門職とは　347
- ③ 倫理綱領（社団法人日本作業療法士協会）　348

2 記録と報告　里村恵子　351
- ① 記録　351
- ② 報告　355
- ③ 管理的な記録と報告　356

3 診療報酬　里村恵子　358
- ① 診療報酬制度　358
- ② 作業療法の診療報酬制度　358
- ③ 診療報酬の改定　359
- ④ おわりに　364

4 リスク管理　里村恵子　366
- ① リスクとは何か　366
- ② 医療安全に関連する用語　366
- ③ 日本作業療法士協会による安全性への配慮・事故防止　367
- ④ リスクマネジメント項目　368
- ⑤ 日本リハビリテーション医学会のガイドライン　369
- ⑥ 精神科領域でのリスク　369

5 作業療法部門の管理　里村恵子　371
- ① 作業療法管理　371
- ② 作業療法管理学を学ぶ意義　375

8 作業療法研究　377

1 研究の種類　里村恵子　378
- ① 作業療法における研究　378
- ② 研究の種類　378

2 研究の流れ　里村恵子　383
- ① 研究疑問の設定　383
- ② 文献レビュー　384
- ③ 研究計画書作成　384
- ④ 倫理申請書作成，倫理申請　385
- ⑤ 研究の実施（データ収集）　386
- ⑥ データの整理，分析　386
- ⑦ 研究成果の発表（誌上発表，学会発表）　386

3 研究の倫理　里村恵子　390
- ① 研究倫理の変遷　390
- ② 国による倫理指針　391
- ③ 日本作業療法士協会による研究倫理　391
- ④ 利益相反（COI）　392

事例集　397

事例1 精神障害のケース（地域）：うつ病性障害（うつ病） ……… 羽田舞子　396

事例2 精神障害のケース（院内）：統合失調症 ……………… 齋藤久恵　399

事例3 発達障害のケース（小児，地域）：自閉スペクトラム症 ……… 畠山久司　402

事例4 発達障害のケース（支援学級）：自閉スペクトラム症・知的障害 ……………… 小川恵美子　405

事例5 身体障害のケース（院内）：急性心筋梗塞術後 ……… 坂本俊夫　408

事例6 身体障害のケース（地域）：脳血管障害（くも膜下出血）術後 ……… 坂本俊夫　411

事例7 高齢者のケース（地域）：アルツハイマー型認知症 ……………… 秋元美穂　414

事例8 高齢者のケース（施設）：アルツハイマー型認知症 ……………… 池田浩二　417

索引 ……………… 421

本書の特徴

本書では，学習に役立つ以下の囲み記事を設けております。

アクティブラーニング
学生の考える力を養う質問をご提案しています。

作業療法参加型臨床実習に向けて
新しい実習形式に役立つ解説を掲載しています。

試験対策 point
学内試験や国家試験に役立つ内容を掲載しています。

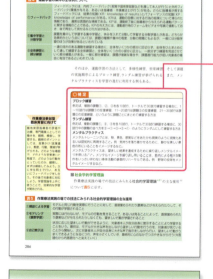

補足
本文の内容をさらに掘り下げた内容や関連情報，注意点などを解説しています。

Case Study・Question
授業や自習で活用できる，事例に関する質問を掲載しています。

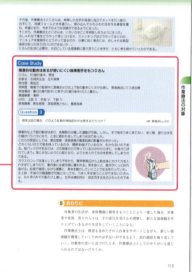

チェックテスト
各項目のまとめを質問形式でまとめた囲み記事です。質問の解答は，当社ウェブサイトに掲載しています。下記URLまたは右のQRコードよりアクセスしてください。

https://www.medicalview.co.jp/download/ISBN978-4-7583-2041-2

メジカルビュー社ウェブサイト

4章 作業療法の対象
動画の視聴方法

　本書「4章　作業療法の対象」に掲載の内容の一部は，メジカルビュー社ウェブサイト動画配信サービスと連動しています。動画を配信している箇所には マークが付属しています。動画は，パソコン，スマートフォン，タブレット端末などで観ることができます。下記の手順を参考にご利用ください。なお，動画は今後も追加していく予定でございますので，当社ウェブサイトを随時ご確認ください。

※動画配信は本書刊行から一定期間経過後に終了いたしますので，あらかじめご了承ください。

動作環境
下記は 2021 年 8 月時点での動作環境で，予告なく変更となる場合がございます。

- **Windows**
  - OS　　　：Windows 10 / 8 1 /（JavaScript が動作すること）
  - ブラウザ：Edge 最新バージョン，Internet Explorer 11
  　　　　　　Chrome・Firefox 最新バージョン
- **Macintosh**
  - OS　　　：10.15 〜 10.8（JavaScript が動作すること）
  - ブラウザ：Safari・Chrome・Firefox 最新バージョン
- **スマートフォン，タブレット端末**

  2021 年 1 月時点で最新の iOS 端末では動作確認済みです。Android 端末の場合，端末の種類やブラウザアプリによっては正常に視聴できない場合があります。
  動画を見る際にはインターネットへの接続が必要となります。パソコンをご利用の場合は，2.0 Mbps 以上のインターネット接続環境をお勧めいたします。また，スマートフォン，タブレット端末をご利用の場合は，パケット通信定額サービス，LTE・Wi-Fi などの高速通信サービスのご利用をお勧めいたします（通信料はお客様のご負担となります）。
  QR コードは（株）デンソーウェーブの登録商標です。

■メジカルビュー社ウェブサイトで動画一覧ページから動画を観る方法

インターネットブラウザを起動し，メジカルビュー社ウェブサイト（下記 URL）にアクセスします。

　　https://www.medicalview.co.jp/movies/

↓

表示されたページの本書タイトルそばにある「動画視聴ページ」ボタンを押します。

ここを押す

スマートフォン，タブレット端末で閲覧する場合は，下記の QR コードからメジカルビュー社ウェブサイトにアクセスします。

メジカルビュー社ウェブサイト

↓

パスワード入力画面が表示されますので，利用規約に同意していただき，下記のパスワードを半角数字で入力します。

55582633

↓

本書の動画視聴ページが表示されますので，視聴したい動画のサムネイルを押すと動画が再生されます。

0章

Introduction

Introduction

1 イントロダクション

長﨑重信

1 作業療法を知っていますか

この本のタイトルは『作業療法学概論』である。

すなわち，作業療法（occupational therapy）の入門書だ。

作業療法がいつ生まれ，どのようなことをするのかは，本書を読むとわかる。

では，作業療法は「こんなに魅力のある仕事だ」ということを知ってもらうために，早速話を始めたいと思う。

最近でも，よく「作業療法ってなに？」と聞かれるので，まだまだ世間には知られていないように思う。

ちょっと知ったかぶりの人は「陶芸とか木工，織物などの手工芸なんかを使って，治療をすることみたいだよ」と言うかもしれない。

これを言い換えると「作業療法って，患者に何かものをつくらせて，それを治療として使うんだよ」となるだろうか。

作業療法において実際に形になるものをつくるということもあるが，実は子どもの遊びやレクリエーションなどのように形として残らないものも作業療法の訓練に用いる。

もっと広くみてみると，作業療法の訓練の材料（治療媒体）は生活にみられるあらゆるもの，例えば，「ご飯を食べる」，「勉強をする」，「仕事をする」，「友達とおしゃべりをする」なども治療媒体として用いることができる。ときには作業療法士（OT：occupational therapist）が自分自身を治療媒体として，母親や友人のように患者に接することもある（これを自己の治療的使用"Use of self"という）。

作業療法士が治療媒体をどのように選択し，どのように訓練に使っていくかはこの本を読めば，おおまかなことを理解できるだろう。

作業療法士は現在，**身体障害**[*1]児・者，**精神障害**[*2]児・者，**発達障害**[*3]児・者，**老年期障害**[*4]者などの身体機能の改善，生活適応の訓練，職場適応の訓練，精神機能の改善，社会適応訓練などを行って，障害児・者の訓練，生活適応への援助をしている。

ここでは作業療法士がどんなことをしているのか，ある障害者の方の例を通して，みてみることにしよう。

＊1 身体障害
先天的，または後天的な理由で，身体の一部に障害をもつ。視覚障害や呼吸器の障害，手足がないなどの状態をさす。

＊2 精神障害
何らかの理由で精神状態に支障をきたす障害。統合失調症やうつ病，パニック障害や適応障害など。

＊3 発達障害
先天的な理由で起こり，新生児〜乳幼児期に特徴が現れる。精神的，知的，身体的発達に遅れがみられる障害。

＊4 老年期障害
高齢者（主に65歳以上）に起こる障害のこと。目が見えにくい，耳が聞こえにくい，記憶が曖昧になることをはじめ，脳卒中や関節症，認知症などの症状がある。

2 作業療法の過程をみてみよう

ここに登場する作業療法士，理学療法士[*5]，患者や病院などは架空の設定なので，実際には存在しない。作業療法の過程に沿って物語風にしてみたので，先に進んでみよう。

■ある障害者の家庭復帰・地域生活への作業療法のかかわり
● 事例について

とある下町のチューリップ病院に，佐藤さん（仮名）が脳の血管が詰まって右半身の麻痺のため入院している。20日前に脳血管障害を発症して，救急で入った急性期病院[*6]から転院してきたところである。

まだ，1人で立って歩くのは難しいので理学療法士（PT：physical therapist）が，治療用ベッド上で寝返りや起き上がりの訓練をしている。まだ，体力がもどっていないため，普段は看護師に手伝ってもらって，ベッドから車椅子に乗り移っている。車椅子は左手と左足を使って動かし，1人で訓練室にやってくる。

● 患者について

佐藤さんのことを少し紹介しよう。佐藤さんは現在，52歳の女性。高校を卒業後，デパートで働いていたが，24歳のとき同僚だったご主人と結婚し，その後，2人の子ども（長男，長女）の子育てもあり，ずっと専業主婦をしてきたとのこと。今回の件で倒れる前は家族の食事の支度，洗濯，掃除と家事全般をこなし，暇をみては趣味の編み物や新しい献立をつくって試してみるなど，自分なりに生活を工夫していた。

まだ，あまり身体を思うように動かせないが，退院後の希望を聞くと「家事が少しでもできて，朝晩の食事はできたら自分でつくりたい」とのことだった。実はお料理が大好きで家族も佐藤さんのつくった料理をいつも「おいしい，おいしい」と食べてくれるので，それが生き甲斐だったと作業療法士に話してくれた。

作業療法士は佐藤さんとの面接で上記のような話を聞いてから，今後の希望について聞いてみることにした。佐藤さんは，
①以前のように家族においしいご飯をつくりたいこと
②趣味の編み物に代わる趣味をもちたいこと
③1人で近所の友達の家に遊びに行きたいこと
の3つの希望を挙げてくれた。そこで佐藤さんに現状としてはどのくらいできているか10段階で表してもらった。
①料理は倒れてから経験がないのでゼロ
②趣味は訓練でゲームをやったりしているので2くらい
③外出はまだ一人歩きはできないのでゼロ

[*5] **理学療法士**
「理学療法」とは，身体に障害のある者に対し，主としてその基本的動作能力の回復を図るため，治療体操その他の運動を行わせ，及び電気刺激，マッサージ，温熱その他の物理的手段を加えることをいう（理学療法士及び作業療法士法より）。それを行うのが「理学療法士」である。

[*6] **急性期病院**
急性疾患や症状が重篤，または不安定な患者に対し，24時間体制で対応する医療機関のこと。

という。3つの希望について現状でどのくらい満足しているのか聞くといずれもゼロとの回答であった。

そこで作業療法士は佐藤さんの希望を中心に訓練を進めるために身体機能や精神機能の検査を行い，どのような訓練をしたら佐藤さんの希望に沿うか考えた。

まだ，倒れてから20日あまりで，腕や手指の動きの回復はこれからのため，まずは回復を促す機能訓練を中心に，それと左手で身の回りのことが少しでもできるようにと日常生活活動（ADL：activities of daily living）訓練を行って，何もできないと思って自信をなくしている状態から精神的にも回復することを目指した。もちろん，佐藤さんが希望する調理や外出が将来的にできることも目標としたプログラムであることを伝え，その内容について了解を得ている。プログラムを実践するにあたっては患者または家族の同意が必要で，プログラムの内容を十分説明して同意を得てから開始する。

● 退院までの作業療法
機能回復

佐藤さんも少しずつ手の指が動いてきたり，左手で身の回りのことが少しずつできるようになってきたので気持ちも上向いてきた。単調な機能訓練でも作業療法士と話し合い，目標を設定しながら少しずつ課題を多くするなど積極的になってきた。それに応えて，作業療法士は訓練の成果がみえるように，上肢の訓練としてサインペンをスタンプのように使ってスーラ（19世紀フランスの有名な点描画家）の絵のように点描で絵を描いてもらうことにした（図1）。画用紙に作業療法士が鉛筆で下絵を描いて，そこに麻痺している右手で太柄にしたサインペンを握らせて，それを左手で支え，色を替えながらサインペンの先を決めた位置に置いて色をつけてもらう。もちろん，サインペンの色は佐藤さんに選んでもらい，できあがったら作品はプレゼントすることにした。

図1　サインペンで絵を描く

病棟での身の回り動作についても佐藤さんと話して，「できそうなところは自分でできるようにしましょう」ということになった。そこでベッドでの起き上がりや車椅子への移乗，着替え，歯磨き，トイレ，食事動作などを病棟で作業療法士が確認して，できそうなところから訓練をすることにした。

ベッド上での起き上がり，ベッドから車椅子への移乗は作業療法室の訓練用ベッドで練習し，着替えや歯磨き，トイレ動作はADL室で行った。食事動作は病棟の食事時間に作業療法士が病棟へ出向いて，食事動作を見せてもらい，その様子から作業療法室で左手での箸操作訓練を行った。

理学療法では，右足に装具を着けてT字杖（図2）を突いて歩く訓練が始まっていて，だいぶ体力もついてきた。

図2　T字杖

入院して1カ月半が過ぎ，佐藤さんは身の回りのことは自分でこなせるようになってきた．最初に聞いた希望がどのくらい達成できているか，佐藤さんに作業療法士が訓練開始前と同じ質問をしてみたところ，

①「調理についてはまだやっていないが，簡単なことなら少しはできるかな」と答え，実行は2くらいで，満足度はゼロ
②趣味についてはネット手芸でティッシュカバーや小物入れバッグをつくって，少し自信がついてきたので5，満足度も5
③外出については歩行訓練でT字杖を突いて，院内は移動できるようになったので7で満足度は5

と答えてくれた．

　そこで，作業療法士は「そろそろ家に帰るための準備をしましょう」と佐藤さんに声をかけた．

　家事の訓練として，買い物，調理，洗濯，掃除を提案した．できることは自分で，できないことは家族やヘルパーさんにお願いするようにしましょう，と訓練を通して援助の要・不要を考えることにした．これも作業療法士が事前に佐藤さんから生活場面についてお話を聞いたり，運動機能の検査をさせてもらったりして必要な情報を収集していたからできたことである．新しいことをするときは必ず佐藤さんと相談しながら進めることにしていた．

料理をつくる

　では，佐藤さんの家へ帰るためのプログラムを始めよう．

　まず，右手は麻痺から回復してきているが，思うように物を持ったり，操作するのは難しそうだ．そこで作業療法士は左手での調理を提案した．「片手で調理をしましょう」と話すと佐藤さんは少し不安そうな顔をした（図3，4）．そこでADL室でジャガイモやニンジンの皮むきを試しにやることにした．作業療法士はあらかじめジャガイモやニンジンを固定するための道具［自助具（SHD：self help device）[7]という］を用意した．釘が

図3 片手での調理

*7 自助具
運動麻痺や骨・関節の障害などで身体を思うように動かすことができず，日常生活上の動作（料理や入浴，着替えなど）ができなくなった場合に，残存した身体機能を利用して日常生活動作を補助する役割をもつ道具のこと．市販されているものもあるが，作業療法士などのリハビリテーションスタッフが症例に合わせて作製することもある．

図4 片手での調理の工夫（例）

（文献1，図2より引用）

3本飛び出ているまな板とピーラー（皮むき器）だ。もちろん包丁も用意した。

最初に，佐藤さんに動作を説明するために，作業療法士が左手でまな板の釘にジャガイモを刺して，ピーラーで皮をむいて見せた。

「これなら自分でもできそう」と佐藤さんがやってみるときれいに皮がむけた。同じようにニンジンもやってみた。皮のむけたジャガイモもニンジンも包丁で切ってみた。うまく全部切れたので，作業療法士は隠しておいた豚肉を取り出して，佐藤さんに「ジャガイモもニンジンもきれいに切れたので，今日は肉ジャガにしましょう」と提案すると，それまでの過程もあり，少し緊張して疲れたようだったが，作業療法士が手伝うと言うと，少し休憩して先に進んだ。落ち着いて調理の手順を思い出しながらの作業だったが，さすがに味付けは上手で，おいしい肉ジャガができた。佐藤さんに味見してもらい，ほかのスタッフや患者にも味をみてもらったところ，みんなから「これならすぐにでも退院できるね」と褒めてもらうことができた。

佐藤さんは久しぶりの調理で，少し疲れた様子だったが，作業療法士が「来週からは献立を立てて，病院の近所のスーパーに買い出しに行って……というように，家に帰ってから行う手順に少しずつ近づけていきましょう」と提案すると，うなずいてくれた。

調理以外にも，洗濯をして物干しに干す，掃除機で床を掃除する，というように家事の訓練を少しずつ増やしていくことにした。

家事ばかりだけでなく，病室での過ごし方も考えて，作業療法士は佐藤さんの趣味である編み物を提案してみた。最初は難しそうに考えていた佐藤さんも，麻痺している右手の代わりに，右用の棒針を固定できる自助具を実際に見て，少しできそうな気になってくれた。そこで基礎的なところは作業療法室で練習し，その後は訓練のない時間に病室で行えるようにベッドテーブルに固定用自助具を取り付けられるようにした（図5）。

図5 ニッティングエイド（片手用棒針編み固定機）

● 退院にむけての環境整備

入院して4カ月が過ぎ，在宅生活の準備をする時期になった。

ここまでの訓練の進み具合を確かめるため，希望したことがどのくらい達成されて，満足度はどのくらいか佐藤さんに聞いてみた。

①調理は7くらい達成し，満足度も7

②趣味のほうは実際に編み物ができたので8くらい，満足度はまだきれいに編めないので6くらい

③外出は天気のいい日は病院の周りをT字杖で歩く訓練をしており，9くらい，達成度も9くらい

とのこと。このことからかなり訓練は進んできており，実際に家での生活を想定して退院の準備を始めることにした。

実はここまでみてきたのは対象者自身の希望とその希望がどのくらい可能になったか，その満足度はどうかということを10段階で表してもらったものである。これは患者中心のアプローチとしてカナダの作業療法士協会がつくったカナダ作業遂行測定（COPM：Canadian Occupational Performance Measure）という評価方法である。日本でも2013年より始まった生活行為向上マネジメントに組み込まれている。

佐藤さんの自宅は下町の住宅密集地にあり，路地も車1台分が通る幅しかなく，軒は隣家と接していて，日中でも1階には陽があまり当たらない。作業療法士はご主人にお願いして，家の写真を撮ってきてもらうことにした。また，「家を建てたときの図面があったら見せてほしい」とお願いした。撮影箇所は玄関の外，上がり框（かまち），ホール，廊下，居間，台所，浴室，洗面所，トイレ，2階への階段，2階の部屋，それと避難経路となるような家の周りなどである。

写真や図面をもとに担当の作業療法士と理学療法士で改修箇所を検討し，佐藤さんの知り合いの工務店と佐藤さん，ご主人と住宅の改修について話し合った。**ソーシャルワーカー**[*8]には佐藤さんとご主人に住宅改修への介護保険や自治体からの給付や補助の話をしてもらった。

改修のポイントとしてまず大切なのは移動がスムーズにできるような手すりの設置が可能かどうかである。それをふまえて台所の使い勝手，トイレと浴室の改良，それと日中日当たりのよい2階で過ごすための移動方法を検討した。

佐藤さんはT字杖を用いて歩けるので，玄関，廊下，トイレ，浴室はおおかた手すりの設置だけで改修を済ませることができた。玄関ドアはノブをレバーに換えてもらい，玄関のたたきには椅子を置いて，無理せず靴を脱げるようにした。浴室は手すり以外に浴槽の縁にお尻を下ろせるようにバスボード（図6）を渡した。さて，問題は2階に上がる手段だ。作業療法士は椅子型の階段昇降機（図7）を提案した。価格は70万円もするので介護保険や自治体の補助では足りないため，家族で相談し，子どもからの援助も受けて，取り付けることになった。

台所は調理動作の流れを考えて，麻痺していない左手で開けることができるように，冷蔵庫を以前とは反対側の右側に置き換えた。居室にはベッドを介護保険で借りて用意することにした。

家のほうも在宅の準備が整ってきたので，佐藤さんには退院前に介護保険の申請をしてもらい，**ケアマネジャー**[*9]（介護支援専門員）に介護計画をつくってもらう段取りになった。

---

*8 ソーシャルワーカー
社会福祉の立場から，あらゆる患者の精神的，社会的問題，また入院時〜退院後の経済的問題に関する相談支援を行う。患者が何を必要とし，また何が必要であるかを提案し，ほかの医療スタッフと連携して患者を支援する。

図6 バスボード

図7 階段昇降機

*9 ケアマネジャー
介護支援専門員のこと。介護が必要な患者を対象とし，介護保険施設などと連携しながら介護プランを提案する。

● 佐藤さんについての報告書

　リハビリのスタッフは，ケアマネジャーに病院で行ってきた在宅準備についての報告書を提出することになった。

　作業療法士は佐藤さんが主婦としてどのくらいの役割が行えるか，どんな点に援助が必要かについて，報告書にまとめた。

> 　病院では，主婦として，少しでも以前行っていた役割を復活できればと訓練してきました。調理動作は自助具などを使って行えるようになりましたが，買い物は近所のスーパーが歩いて行くには遠く，家族かヘルパーさんにお願いするのがよいと考えます。
> 　掃除は移動できる範囲はなんとか掃除機をかけられますが，たいへんなので，モップ式の化学ぞうきんで行えるようになっています。それでも，台所や居間などに限定されますので，浴室やトイレなどは家族にお願いするのがよいかと考えます。
> 　洗濯は全自動洗濯機で行えます。物干しが2階のベランダにあるので，洗濯物を運ぶのがたいへんなため家族にやってもらうのがよいと考えます（家での生活が慣れたら，階段昇降機を使って，洗濯物を2階へ運べるようにと考えています）。
> 　日中の過ごし方ですが，一応，趣味の編み物ができるようになっているので，時間の余裕ができたら行ってくれると考えています。ただ，日中，家の中に1人になってしまうので，体力の維持や気分転換，仲間づくりなどのため，デイケアの利用など外に出る機会を設けてほしいと考えます。

　佐藤さんが退院して在宅生活に移ると，地域で働く作業療法士や理学療法士，看護師，介護福祉士などが，自宅を訪問したり，通所施設の**デイケア**[*10]や**デイサービス**[*11]で訓練などを行って，在宅生活を援助する。

3　おわりに

　最後に佐藤さんの生活時間の変化をみてみよう（図8）。

　佐藤さんは病前は午前5時半に起きて夜の10時半に寝るまで，家事や趣味で1日の時間が埋まっていたが，入院するとかなり空いた時間が多くなった。退院して在宅したころは，デイサービスのない日は何もしない時間が多くみられる。デイサービスのある日は少し予定が埋まっている。在宅2カ月後では在宅生活にも慣れてきて，好きだった調理も朝昼晩と行い，1日の行動は病前に近い状態になり時間が埋まっていった。

　このように生活時間のなかには睡眠以外にセルフケア，仕事または勉強，遊びまたはレクリエーションの3つがある。作業療法ではこのバランスが大事と考えられ，**作業バランス**とよばれている。佐藤さんは障害を抱えながらも作業バランスを取りもどした。また，「**意味ある作業**」という，その人にとって意味のある活動，すなわち「生き甲斐」も大切な作業であ

[*10] **デイケア（通所リハビリテーション）**
老人保健法に基づき老人保健施設で行われる，認知症または脳血管疾患などの運動障害を有する人のための通所で行うリハビリテーションのこと。医師などが配置されるため病院などの医療施設に併設され，リハビリテーションを主として行う。利用者はそこに通い，作業療法士や理学療法士の指導のもとに，専門的なリハビリテーションを行う。

[*11] **デイサービス（通所介護）**
老人福祉法に基づき，自治体や社会福祉法人による日常生活の支援を主として行う通所介護のこと。入浴や食事，日常動作訓練など，デイケアと異なり日常的な生活面を支援する。基本的に医師をはじめ作業療法士，理学療法士は配置されない。

図8　佐藤さんの病前・入院中・在宅の生活時間の変化

時刻	病前	入院中	在宅当初 デイサービスのない日	在宅当初 デイサービスのある日	在宅2カ月後 デイサービスのない日	在宅2カ月後 デイサービスのある日
5:30	起床：洗顔					
6:00	朝食準備	起床	起床	起床	起床	起床
6:30	↓				朝食準備	朝食準備
7:00	朝食					
7:30	朝食片付け	朝食	朝食(長女が準備)	朝食	朝食	朝食
8:00	朝ドラ視聴	病室	朝ドラ視聴	朝食片付け	朝ドラ視聴	朝ドラ視聴
8:30	洗濯			朝食片付け		
9:00	掃除		テレビ・ラジオ	送迎	テレビ	送迎
9:30	洗濯もの干し	理学療法	↓	デイサービス		デイサービス
10:00	お茶			体操	掃除	体操
10:30	浴室掃除	言語療法		↓	趣味：編み物	↓
11:00		↓		ゲーム		ゲーム
11:30	昼食準備			↓	昼食準備	↓
12:00	昼食		昼食(作り置き)	昼食(お弁当)	昼食	昼食(お弁当)
12:30	昼ドラ視聴	昼ドラ視聴	昼ドラ視聴	↓	昼ドラ視聴	↓
13:00	昼寝		昼寝	昼寝	昼食片付け	昼寝
13:30		作業療法	↓	↓	昼寝	↓
14:00	趣味：編み物	入浴	↓	手工芸	趣味：編み物	手工芸
14:30	↓					
15:00			訪問入浴			
15:30	買い物	病棟回診		送迎：帰宅	夕食準備	送迎：帰宅
16:00		食堂でテレビ	テレビ・ラジオ			夕食準備
16:30		↓				
17:00	夕食準備				↓	
17:30	↓	夕食	↓		夕食	夕食
18:00			夕食(長女が準備)	夕食	夕食片付け	夕食片付け
18:30	夕食	病室でラジオ		テレビ	テレビ	テレビ
19:00	↓		テレビ			
19:30	夕食片付け			入浴(家族が介助)	入浴(洗体のみ介助)	入浴(洗体のみ介助)
20:00	団らん					
20:30						
21:00	入浴	消灯：就寝	就寝	就寝	就寝	就寝
21:30						
22:00						
22:30	就寝					

る。佐藤さんにとっては，家族に美味しい料理をつくってあげるのが生き甲斐であり，これも障害を抱えながらも可能になった。

　このように作業療法士は，対象者の方々が作業バランスを取りもどし，意味のある作業が行えるよう訓練・指導・援助を行っている。ここでは身体障害を取り上げたが，対象が変わっても，同じような目的をもって訓練・指導・援助にあたる。

　本書を読めば，作業療法士の歴史や作業療法士になるための知識を得られるので，是非この先を読み進めていただきたい。

【引用文献】
1) 上野喜世：訪問(2)家事動作などが中心の場合．作業療法 ゴールド・マスター・テキスト 9：地域作業療法学・老年期作業療法学, p293, メジカルビュー社, 2011.

【参考文献】
1. 吉川ひろみ, 上村智子 訳：COPM(カナダ作業遂行測定) 第3版, 大学教育出版, 2001.
2. 日本作業療法士協会：生活行為向上マネジメント(MTDLP)とは？（https://www.jaot.or.jp/ot_support/mtdlp/whats/）(2021年3月時点)

1章

作業療法は難しいか

作業療法は難しいか

1 作業療法とは何か

栗原トヨ子

> **Outline**
> - 作業療法士は，他の職種と協同的にリハビリテーションの中核を担う職種である。
> - 作業療法士がかかわる範囲・領域は，対象者が必要とする生活全般にわたっている。
> - 作業療法は「医師の指示のもとに…」という制約はあるが，行政，福祉，教育の場でのチームワークとしての治療形態も今後発展していく可能性がある。

　人間は，各個人によって異なるが，さまざまな経験をしながら生命活動を続けている。社会・文化的，経済的，科学的に高度に発達した現在のわが国において，2019年の国民の平均寿命は女性が87.45歳，男性が81.41歳で，過去最高を更新したことを厚生労働省の「簡易生命表」で明らかにしている。しかしながら，生まれてから亡くなるまでの80年以上もの間に，病気やけがをすることなく健康を維持できるという保証はまったくない。先天的，後天的を問わず，病気や事故によるけがなどのために身体機能に不自由さをもっていたり，学校や会社における複雑な人間関係のなかで心理・精神機能の不適応状態を余儀なくされる人たちもまれではない。通常はこれらの病気やけがによる不自由さも程度の差によるが，放っておくとさらに悪化することが懸念される。そのため，何らかの病気や障害の発症が認められれば，それ以上悪化させないためにも病院を受診するというのが一般的であろう。

1 医療チームにおける作業療法士とは

　リハビリテーションの領域では多くの職種がチームワークを組んで参加している。身近な病院においてリハビリテーションの中核を担っている職種についてその役割を概観してみると，医師は，患者の訴え（主訴）の聴取および，身体に現れた種々の客観的症状や変化の原因を突き止めるために必要な医学的検査を実施し，それらの結果を基に診断・治療を行い，看護師は，治療全般を通して患者を幅広くサポートする役割を担っている。理学療法士，作業療法士および言語聴覚士は，医師の処方に基づいて病気の発症した初期から治療にかかわることが多い。理学療法

士は主として起き上がる、立つ、歩くなどの基本的な動きを引き出すことを目的に運動機能へのアプローチ(働きかけ)をしている。そして、作業療法士はこの身体の動きを日常の活動(専門用語では「作業」という)に結びつけ、さらにその人の希望する生活の実現へと近づけていくことを目的とする。言語聴覚士は、言語の発声や嚥下障害の評価・練習を担当し、コミュニケーション手段の獲得を援助している。このほかにも、病気や障害の内容によっては食事管理指導の栄養士や退院後の生活の再構築を援助するソーシャルワーカーなどの職種もかかわる場合があるが、それぞれの立場から同じ目標に向かってアプローチすることが最も大切なことである。

2 作業療法の意味と範囲

作業療法士という職業的身分の根拠法は、理学療法士及び作業療法士法[1](昭和40年6月29日法律第137)に定められている。そのなかで、作業療法の「定義」第2条-2項の条文に、

> 「作業療法」とは、身体又は精神に障害のある者に対し、主としてその応用的動作能力又は社会的適応能力の回復を図るため、手芸、工作その他の作業を行わせることをいう

とある。しかしながらこの語句からは、「作業療法とは医療現場において種々の手工芸、工作その他の作業を用いて治療を行うこと」というように作業療法の意味および範囲が非常に狭く限定された表現であるという指摘が作業療法士の間でなされていて、「日本作業療法士協会」が当局に法改正を要望してきた経緯がある[2]。

これらの努力が実を結び、2010(平成22)年4月20日の厚生労働省医政局長通達[3]による「作業療法の範囲」は図1に示す6項目に拡大された。

ここでは作業療法のかかわる範囲は、対象者が生活していくうえで必要と認められる活動が広く入っており、治療方法が単に手工芸的作業だけを指しているのではない、という内容となっている。これらの経緯より、作業療法は従来の**医学モデル**[*1]に限定されるのではなく、保健・医療・福祉領域に幅広くかかわる職業であるという特徴をもっていることを認識し、対象者のニーズを注意深く把握し、生活を再獲得できるよう支援すること(**生活モデル**)[*1]ができるよう努力したい。

> [*1] 医学モデルと生活モデル
> 医学モデルとは、治療行為によって患者の病気や障害を治すことを重視する考え方。生活モデルとは、人間は家族や職場や学校という環境に存在するのであり、病気や障害を治す以外にも、その後の生活の構築にまで支援していく考え方をいう。

図1 作業療法士の種々のアプローチ

❶ 移動，食事，排泄，入浴などの日常生活活動に関するADL練習
❷ 家事，外出などのIADL[*2]練習
❸ 作業耐久性の向上，作業手順の習得，就労環境への適応などの職業関連活動の練習
❹ 福祉用具の使用などに関する練習
❺ 退院後の住環境への適応練習
❻ 発達障害や高次脳機能障害[*3]などに対するリハビリテーション

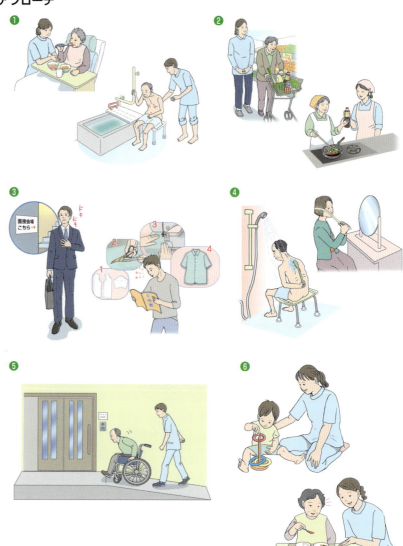

(文献4より作成)

＊2 IADL
IADLとは，「instrumental activities of daily living」の略で，手段的ADL，生活関連活動などをいう。ADLが，食事や着替えなどの身の回りの活動に対して，IADLは外出やコミュニケーション，日常の買い物など生活に必要な活動を含んでいる。

＊3 高次脳機能障害
脳卒中や頭部外傷など，主に脳の損傷によって起こる種々の神経心理学的症状。

3 作業療法の制約と発展

＊4 名称独占と業務独占
名称独占：法律上，無資格でもその業務をできるが，その資格の呼称の利用は禁止されている。
業務独占：医師や看護師，弁護士などはその資格がない者が当該業務を行うと処罰される。

　法律では，さらに第4項に『「作業療法士」とは，厚生労働大臣の免許を受けて，作業療法士の名称(**名称独占**[*4])を用いて，**医師の指示の下に**，作業療法を行うことを業とする者をいう』と定めている。名称独占とは「作業療法士」の国家資格をもつ人のみが「作業療法士」という肩書を名乗ることができ，「作業療法」を実施することができることをいう。しかし，作業療法は注射や手術のように身体に侵襲することはないので，資格のないアシスタントも作業療法士の指導の下で作業療法行為ができることになっている。ただし，**資格のない人は「作業療法士」またはそれに類似する名称**

（例：職能療法士，作業活動療法士など）の肩書を名乗ることは禁止されている。法律はさらに，「医師の指示の下に……」と続いているが，作業療法士の働く場所が医療中心の病院だけではなくなってきた現在では，**行政，福祉，教育の場でのチームワークとしての治療形態**も今後は大いに発展していくものといえる。

【引用文献】
1) 理学療法士及び作業療法士法．(https://www.mhlw.go.jp/web/t_doc?dataId=80038000&dataType=0&pageNo=1.)（2021年4月時点）
2) 寺山久美子：作業療法の過去・現在そして未来．作業療法，30：4-8，2011．
3) 厚生労働省：医療スタッフの協働・連携によるチーム医療の推進について．医政発0430第1号 平成22年4月30日．(https://www.mhlw.go.jp/shingi/2010/05/dl/s0512-6h.pdf)（2021年8月時点）
4) 長﨑重信 監：作業療法学 ゴールド・マスター・テキスト4 身体障害作業療法学，p330，369，メジカルビュー社，2010．

✓ チェックテスト

Q
① 医療チームのなかにおける作業療法士の役割は何か（☞ p.12）．　基礎
② 作業療法の治療手段とは何か（☞ p.13）．　基礎
③ 医学モデル・生活モデルとは何か（☞ p.13）．　基礎
④ 名称独占と業務独占の違いは何か（☞ p.14）．　基礎

作業療法は難しいか

2 人と作業とのかかわり

栗原トヨ子

Outline
- 地球上に生命が誕生してから現在までに，人間が獲得した手の作業と脳の発達との相互関係を理解する。
- 紀元前の偉人が考えたこころと身体の関係が作業療法の根源になっていることついて理解する。
- 作業療法は，その時代的背景により，対象者の特性（年齢，疾患など）や要望が異なってくることを踏まえて実施する必要がある。

1 作業とからだ

　われわれ人類は，生物学的にいえば霊長目のなかのヒト科ヒト属ということになる。霊長目とはサルの仲間である。約7千万年前に出現してからさまざまに進化，枝分かれし，地球上に広がってきた。霊長目のなかには，キツネザル科，メガネザル科，オナガザル科，テナガザル科など十数の科があり，ヒト科もそのなかに含まれる。ヒト科を他のサルたちと区別するポイントは，「直立二足歩行」をするかどうかということである。さらに，人類の発達史上で最も特徴的な点は道具の使用の獲得であるといわれている。二本足（後ろ足）で立つと，空いた前足（手）に何かを持つことができ，やがて道具の使用へと進化することになった。身体のなかで道具を使用するのは，もちろん「手」である。「手は第二の脳」や「手は脳の出店」と表現されることがある。

図1 Penfield map

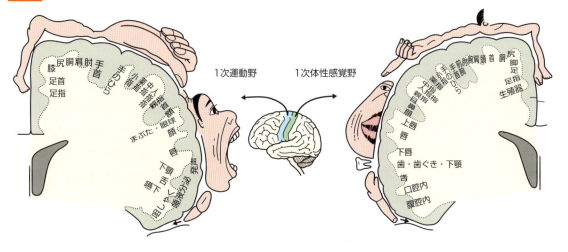

　Penfield（カナダの脳外科医）らによって作られた人間の脳の大脳皮質における運動野と体性感覚野の機能局在を示す模式図（図1）は，身体のそれぞれの部位が機能するために，脳のどの部分（場所）が，どの程度（面積）かかわっているかを部位の配列と部位の大きさで図示したものである。

　この図によると手は，運動野，体性感覚野の両方において細分化されながらかなり大きく描かれていることがわかる。すなわち，手が脳に占める広がりが大きいということは手と脳の関係が深いことを表していることであり，これが「手は第二の脳」と表現される理由でもある。

　ところで，手には道具の使用だけではなく，さまざまな働きがあるといわれている[1]。丸山の示す「手の働きと人間らしく生きる力の関連図」は，手が人間として生きる力を獲得する出発点になっていることをよく表現している（図2）。そして，手がそれぞれの目的にかなうように使用可能になる過程は，手の発達過程をみれば非常にわかりやすい。丸山は，人間の手のいろいろな働きのなかでも，中心は〈つくる手〉であると強調している。

　〈つくる手〉も乳児期（生後1歳まで）の単純な「つかむ・つまむ手」の獲得から，幼児前期の「つかう手」になり，やがて幼児後期は〈つくる手〉に発達する。この〈つくる手〉は，この時期にはさらに子ども同士の「あそぶ手」や粘土細工のような創作的意味をもつ〈つくる手〉，それ以外にも大人の仕事（家事など）を模倣する〈はたらく手〉へと発達していくのである。

　そして，手を巧みに操って細かい作業をするとき脳は最大限の指令を出しているが，細心の注意を払って指令を出す脳そのものも鍛えられているのである。

> **補足**
>
> **丸山の示す（　）と「　」の違いについて**
> 「つかむ・つまむ手」と〈つくる手〉の違いは，前者が生後の原始的反射の1つの形態（受動的反応）であるのに対して，後者は自らの手で環境を変えていく能動的な動きである。

図2 手の働きと人間らしく生きる力の関連図

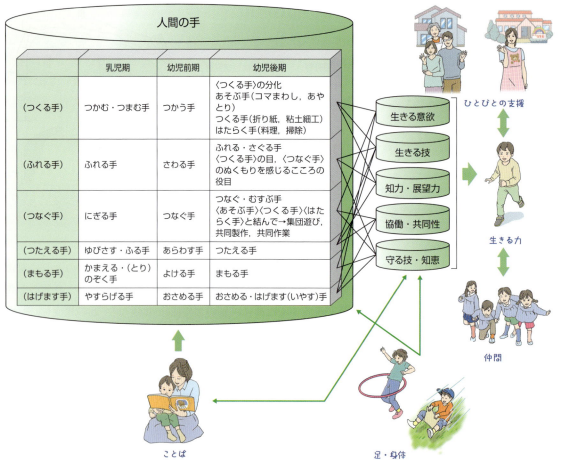

(文献1, p58-59, 図2-1より改変引用)

2 作業とこころ

　私たちは気分がよいと興味・関心は外界へと向かい，外出したり，スポーツをしたり，また仕事にも力が入るように積極的，行動的になることが多い。逆に，気分が沈むような出来事が自分または家族など身近なところで起こると，食事も喉を通らずに，物事が悪いほうへと進むのではないかと心配し，外出を控え，家に閉じこもるほど消極的な態度になることもある。このように，私たちのこころと身体は切り離すことのできない関係にあることは容易に理解できよう。

　ところで，医学や治療的な側面で「人間の身体は精神（こころ）と深く結び付いている（相互作用）」，という考えは，古くはギリシャのAsklepios（アスクレピオス）(B.C.600～？)やHippocrates（ヒポクラテス）(B.C.460～B.C.375)らが提唱したものであり，当時の医学の原点をみることができる。ヒポクラテスは精神を病む人々に農耕作業や木工作業などの身体を使う作業を処方し，また楽しめる作業としては歌唱や演劇，スポーツなどを処方した。

このように精神を病む人々が身体活動を伴う作業をすることにより身体を鍛えたり，歌や踊りに楽しみを見出すことにより意欲が湧くことにもつながった。そして，集団の中で他者の行動を見ることにより自身の行動修正も行えるようになるなどの効果を見出していた。Galenos（ガレノス）（A.D.129〜200）は「仕事は，自然のもつ最もすぐれた医師であり，それは人間の幸福に不可欠なもの」という有名な言葉を残している。人間は身体に変調をきたすと仕事や作業にも影響が出るので，何らかの仕事，作業をしていることが健康維持につながり，幸福の大きな要因となることを提唱したのである。これらの先人の考え方には養生法や鍛錬というものもあったが，作業療法の起源として明確に位置づけられるようになったのは，18, 19世紀に始まった精神障害者に対する人道的な道徳療法の発展からと考えられている。

私たちが何らかの行為をする場合に，まったく無目的に行うことはない。ある目的をもち，それを達成しようとして行動するのである。作業する場合，こころ（脳）は，自分の意志の中枢であり，「自分はいったい何をどうしたいのか」という願望や，「どうすべきか」という理性，知識，感情などのおおもとの部分である。つまり，脳は物事を秩序立てて考え，行動を決定する精神活動を行い，その考えを主として手足の動きを通じて具体化する。

このように，こころと身体は切り離せない関係にある。手や足の動きが脳で考えた通りにいけば，行動の企画や命令をした脳は成功体験として記憶され，そのときの満足度は上がるだろう。しかし，何度やってもうまくできないときの脳の状態は不快感情に支配され，失敗体験となってその作業を「再びやってみよう」という意欲が湧かないかもしれない。「作業とこころ」の関係を考えるときには，その作業がそれをする人にとってどのような気持ちをもたせるか，という心理面に及ぼす影響についても，あらかじめ分析をしておくことが作業療法士の大事な仕事である。

3 作業と意欲

人はどのようなときに快感情をもち，やる気を起こすか，ということを知ることは，対象者にある作業を動機づけるために重要なカギとなる。「その作業が必要であるから」とか，「面白そうであるから」という場合にはモチベーションが持続するが，難しそうなことや興味・関心があまりないことに対しては意欲が湧かない。しかし，多少難しいかもしれない課題に挑戦しているときに他者からほめられると，脳はよりいっそうの努力を試みるのである。誰でもほめられることは大きな快感が伴う。快感を伴う刺激を受けると，脳幹（脳から大脳を除いた部分）の前方から前頭葉につながる神経系でドーパミンという特殊な物質が出て，それが前頭葉のさまざまな働きを活発化させるのである。ドーパミンは大きな音や振動，ストレス

> **補足**
>
> **文化的背景**
>
> 長い歴史のなかで人間はさまざまな作業を獲得しながら発展してきたが、人間の生活は一様ではない。すなわち、国、人種、宗教、気候、慣習その他諸々の要因(条件)の違いにより、同じ1つの作業でも方法が異なる場合もある。例えば、食事を例にとると日本人は基本的に箸でご飯やおかずをつまんで口の中に入れるが、欧米式ではナイフ・フォーク・スプーンを使用し、つまむ動作は必要ない。さらには、道具をいっさい使用せず手で食べ物をつまんで口まで運ぶ民族もある。このように同じ作業でも要求される作業行動は違ってくることを理解し、対象者に必要とされる作業を分析して、その人に必要な作業行動の獲得を支援することが大切である。

が生じたときなどに分泌される一方、美味しいものを食べるなどの心地よさを感じたときにも分泌されるので、ドーパミンの分泌を促すような刺激を与えれば、前頭葉各部が担う頭の機能はよくなる。**他人にほめられるということは、脳(こころ)が喜ぶ刺激なのである。**

人は育つなかで文化的、社会的影響を受け、食べ物や日常生活用品その他の好みが決まってくる。同様に日常の作業にもその人独自のやり方や癖などができあがり、そのパターンが崩されると不快な感情や不全感が残ってしまう。その人にとって心地よい作業は長時間行っても疲労を感じないし、上達してもっとやってみたいと思うほどその作業に集中・没頭することもよく経験する。しかし、関心のない作業に対しては興味も湧かず、そのとき1回だけの経験で終わらせてしまうか、途中で投げ出してしまうかもしれない。そしてその内容は人によりまったく異なっている。

4 作業療法と社会的背景

作業療法士は、心身の機能を損なう直接の原因がその時代の特殊事情とも関係する場合があること、すなわちその時代の社会的背景や患者・障害者の置かれた立場や状況などもさまざまで、対象者の要望や必要性が多様であることを踏まえて作業療法を実施していくことが求められている。21世紀に入ってから起こった大きな社会的出来事を中心にまとめると以下のようなことが挙げられる。

■ リーマンショック

リーマンショックは、2008年9月にアメリカの投資銀行大手「リーマン・ブラザーズ」が倒産したことをきっかけに起こった世界的な金融・経済危機のことである。倒産のきっかけはサブプライムローンという「低所得者向けの住宅ローン」で、そのローンを借りていた人たちが景気の悪化などにより返済できなくなったため、サービスを提供(融資)していた「リーマン・ブラザーズ社」の経営が悪化・倒産した。そのため関連する多くの銀行等にも影響を及ぼし、やがてアメリカ経済だけでなく、世界経済へ不景気の波が拡大し、日本も株価下落等の影響を受け、不景気が続く原因のきっかけとなった。

非正規雇用者の契約更新をしない「雇止め」や派遣会社などの契約を打ち切る「派遣切り」などが起き、会社の寮やアパートを引き払わなければならない人々が東京・日比谷公園に設置された「年越し派遣村」で正月を迎えたなどのニュースも記憶に残る悲惨な出来事である。長引く景気低迷による失業率の増加に加えて、生活苦を理由とする「うつ病」の発症は20歳代、30歳代といった若年層の自殺率増加問題にもつながった。失業は精神的・肉体的疾患と同時に起こっていることが多く、複合された深刻な自殺の危険因子になりうる。

失業により生きる目的や意欲を失った若者が不安感を払拭して自尊感情を取り戻し，失業による自殺の増加を食い止めるような作業療法的アプローチが重要となる。

■ 東日本大震災

　2011年3月11日に発生した東北地方太平洋沖地震により引き起こされた東日本大震災の被災者たちの恐怖体験は，大津波により一瞬にして家や家族を失っただけでなく，引き続いて起こった原子力発電所の事故による放射線被曝による不安や恐怖，風評被害，仮設住宅への避難生活，県内外への移住という生活環境の変化なども含め，大人だけでなく子どもにとっても慢性のトラウマ性のストレスとなり，被災者たちの無力感をさらに大きくしている。

　日本作業療法士協会では，発災直後から災害対策本部を設置し，岩手県，宮城県，福島県の被災3県の作業療法士会および関連団体と連携しながら，さまざまな課題に取り組んできた。実際の支援活動例としては，仮設住宅の支援では，手すりや段差解消などのハード面に対するアドバイス，介護予防や閉じこもり予防の事業に対する協力および気分転換を目的に簡単な作業活動の導入を行った。特に創作的な作業活動を通して，手の機能評価やバランス機能評価の実施により，仮設住宅の多くの人々が何らかの問題を抱えていたことが明らかになったことを報告している。

　日本作業療法士協会は，これらのさまざまな経験を元に平成25（2013）年度には「大規模災害時支援活動基本指針」「災害支援ボランティア活動マニュアル」「災害支援ボランティア受け入れマニュアル」などの整備を行った。被災地で展開した支援活動からは，毎日繰り返す当たり前の作業がいかに被災者たちに安心感を与えるか，作業を通して実感する「楽しい，うれしい」といった感情がいかに人を元気にしていくかを実感したとの報告がなされ，日本作業療法士協会の「人は，作業をすることで元気になれる」というスローガンに改めて作業療法の意義深さを読み取ることができる。

■ 新型コロナウイルス感染症

　最も直近の問題としては，2019年末から世界的に急拡大した新型コロナウイルス感染症がある。ウイルスの感染力の強さや重症化する問題，死亡率の高さなど，従来のインフルエンザ感染症とはさまざまな点で異なっている。新型コロナ禍の問題は，感染した人々の不安，恐怖，隔離，行動制限に対するストレス，感染者に対する偏見と差別などに加えてさまざまな情報による社会的不安，混乱などもメンタルヘルス上の問題として挙げられている。

　新型コロナウイルスに感染すると，嗅覚・味覚障害が起こる例が多いといわれているが，健康成人の場合でも，症状が治まった後にも嗅覚，味

覚，呼吸器症状などさまざまな後遺障害が残る例が多いとの報告もされている。特に，高齢者や基礎疾患のある人が感染すると重症化および死亡リスクが高いということから，多くの高齢者は感染を避けるために身体の異変を感じながらも受診を控え，さらに高齢者施設でのクラスター（集団感染）発生によりデイサービスの一時中止や利用控えが目立ち，その結果，家での孤立した生活による心身のさらなる機能低下を及ぼしかねないことが懸念されている。

このような状況でも作業療法士は，アクセス可能な方法（訪問活動や動画配信機器利用，パンフレット配布など）で，機能維持活動の支援が可能である。その一例としてオンラインを活用することで，以下のようなメリットが期待できる。①施設への通所回数を減らすことで感染リスクを軽減させる，②障害の特徴により施設へ通うことが難しい人へリハビリテーションを提供できる，③その人の生活リズムに合わせたリハビリテーションを実施できる，④リアルタイムでの参加が難しい人にも対応できる，⑤在宅勤務のセラピストとのリハビリテーションを行うことができるなどである。このような方法で在宅リハビリテーション活動を支援することで，コロナ自粛をきっかけにして高齢者に起こりがちなサルコペニア[*1]，引き続いて起こるフレイル[*2]，やがて寝たきり，要介護状態になるという悪循環を阻止することができる。

最後に，ウイルス対策として最も効果的な方法はワクチン接種による免疫獲得であるが，急激な感染力拡大に対して安全性の高いワクチン開発には多くの時間や費用を要するため，まずは，感染しない，感染させないために厚生労働省が提唱している，3密（密閉・密集・密接）を避けて，他者と一定の距離を保つソーシャル・ディスタンス（社会的距離と訳されている）をとった生活行動が求められている。ただし，ソーシャル・ディスタンスという言葉からは心理的・社会的分断をイメージしやすいため，最近ではフィジカル・ディスタンス（身体的距離）という言葉の使用が推奨されている。

＊1 サルコペニア
加齢や疾患により筋肉量が減少することにより，全身の筋力低下または身体機能が低下することである。転倒やふらつきなどの原因になり，寝たきりになる可能性も高い。

＊2 フレイル
「加齢により心身が衰えた状態」をいう。高齢者の低栄養やサルコペニアを起因として疲労，筋力低下や身体機能低下，活動の低下につながり，やがて段階的に寝たきり，要介護状態になると考えられている。

◎補足

フレイルの定義
①体重減少，②主観的疲労感，③日常生活活動量の減少，④身体能力（歩行速度）の減少，⑤筋力（握力）の低下，以上の項目で1〜2項目当てはまるとフレイル前段階，3項目以上あるとフレイルと考えられている。

【引用文献】
1）丸山尚子：子どもの生きる力は手で育つ．黎明書房，2008.

【参考文献】
1. 理学療法士及び作業療法士法．（https://www.mhlw.go.jp/web/t_doc?dataId=80038000&dataType=0&pageNo=1）（2021年4月時点）
2. 寺山久美子：作業療法の過去，現在，そして未来．作業療法，30: 4-8, 2011.
3. 医療スタッフの協働・連携によるチーム医療の推進について．医政発0430第1号．平成22年4月30日．（https://www.mhlw.go.jp/shingi/2010/05/dl/s0512-6h.pdf）（2021年4月時点）
4. 久保田　競：手と脳，紀伊國屋書店，1985.
5. 橘　覚勝：手－その知恵と性格．誠信書房，1976.
6. 日本作業療法士協会：作業療法ガイドライン2018年度版，2019.
7. 廣川　進：リーマン・ショック後のリストラ失業の語りを聴く－失業が本人の心理と周囲に与える影響．日本労働研究雑誌，598(5)：48-57，2010.
8. 一般社団法人 福島県作業療法士会：福島県作業療法士会が行った支援活動－作業を通して

身体と心をほぐすー. 日本作業療法士協会誌, 24(3)：13-15, 2014.
9. 一般社団法人 日本作業療法士協会：東日本大震災における災害支援活動報告書. 2014年3月.（https://www.jaot.or.jp/disaster_prevention/saigai/）（2021年4月時点）
10. 加藤 寛：COVID-19パンデミックがもたらす心理的影響. 日本トラウマティック・ストレス学会.（https://www.jstss.org/ptsd/covid-19/page01.html）（2020年4月16日公開, 2021年4月時点）
11. 熊坂 聡, 足立 智：東日本大震災における災害弱者と支援者の心理的・社会的状況について～支援者への聞き取り調査を通して～. 宮城学院女子大学発達科学研究, 15: 19-31, 2015.
12. 厚生労働省：新型コロナウイルス感染症への対応について（高齢者の皆さまへ）.（https://www.mhlw.go.jp/stf/seisakunitsuite/bunya/hukushi_kaigo/kaigo_koureisha/yobou/index_00013.html）（2021年4月時点）

✓ チェックテスト

Q
①作業療法とは何か（☞ p.19）。 基礎
②作業とからだの結びつきとは何か（☞ p.16～17）。 基礎
③作業とこころの結びつきとは何か（☞ p.18）。 基礎
④作業と意欲との関係はどのようなものか（☞ p.19）。 基礎

2章

作業療法の歴史

1 作業療法の歴史

里村恵子

Outline

- ギリシャ時代には，ピタゴラス，ヒポクラテスが，ローマ時代には，アスクレピアデス，ソラヌス，ガレノスらが，作業を利用した活動を行った。
- 1793年，パリのビセートル病院で，精神科医のピネルが患者を拘束から解放し，「処方した身体運動と手仕事」を用い，これを道徳療法とよんだ。
- 19世紀末，ドイツのシモンは，「より積極的な治療」と名づけ，規則正しく，責任をもたせる活動を実施した。
- 米国では，ラッシュやカークブライト，マイヤー，ハス，スレイグルらが道徳療法を実践し，専門誌を創刊した。
- 呉 秀三はドイツ留学後，東京府巣鴨病院で作業療法と遣散療法の2つからなる移導療法を実践した。また，私宅監置の現状を調査し，「わが国精神障害者は精神病になった不幸に加えて，惨めな処遇しか受けられない日本に生まれ育った不幸をも合わせもっている」と述べた。

作業のもつ治療的な意義は，非常に早くから認識されており，人の歴史とともに歩んできた。作業療法は，時代や地域のもつ文化の強い影響を受けながら，盛衰を繰り返してきたことを歴史は教えてくれている。以下，表1，2に示す流れに沿って紹介する。

1 作業療法の誕生

■ 作業療法の起源

作業療法は精神科領域で始められ，「アメリカ作業療法の父」とよばれる，William Dunton（ウィリアム ダントン）(1868〜1966年)は，旧約聖書『サムエル記・上』の16章，ダビデ（David）とサウル（Saul）王の故事を作業療法の起源としている。それは，サウル王が父親を亡くして悲しみにくれていたとき，ダビデが琴を手にとり弾くと，サウルは気が静まり，安定を取りもどしたという内容である。

古代エジプトの医学では，紀元前(以下，B.C.)1550年ごろ，精神病は悪霊が憑いているか，あるいはその仕業であるとみなされていた。そして，

表1 作業療法の誕生からWFOT設立まで

	世界の状況		日本の状況
B.C.4世紀〜B.C.3世紀（ギリシャ）	ヒポクラテスが患者の回復のために作業を行わせ，精神と身体の相互関係を重視した		
A.D.1世紀（ギリシャ）	ガレノスが「仕事は天然の医師なり」と述べた		
18世紀後半（フランス）	ピネルが道徳療法の一環として，精神病治療のために作業を使った		
18世紀後半（アメリカ）	ラッシュが作業療法をアメリカに紹介した		
19世紀初（イギリス）	テュークが精神科において仕事療法（work therapy）と道徳療法を強調した		
19世紀初〜（ドイツ）	ライルが精神病治療のために仕事，演劇，手工芸などを利用した。ドイツではArberts-therapie, Beschäftigunstherapieとして作業療法が普及した		
		1916	呉 秀三が日本にドイツの作業療法を紹介した
1917（アメリカ）	バートンが作業療法（occupational therapy）と名づけ，作業療法のための組織が設立された		
1923（ドイツ）	ジモン「より積極的な治療」を実践		
		1924	高木憲次が身体障害者への作業療法を紹介し，肢体不自由児に手工芸練習を処方した
		1925	加藤普佐次郎による作業療法の実践
		1937	新井英夫が肺結核患者の作業療法について記載した
1945（イギリス）	公認作業療法士の免許の交付		
		1946	水野祥太郎が身体障害者公共職業補導所において，作業を使って評価，指導を行った
1950（アメリカ）	作業療法助手（COTA）の養成開始		
1952	アメリカ，イギリス，カナダなど10カ国が加盟する「世界作業療法士連盟（WFOT）」が設立された		
		1956	小林八郎が生活療法を提案

（文献1より改変引用）

作業療法の歴史

表2 世界作業療法士連盟（WFOT）の歴史

	WFOT
1952	アメリカ，イギリス，カナダなど10カ国が加盟する「世界作業療法士連盟（WFOT）」が設立された
1954	WFOT第1回大会がエジンバラで開催された
1958	WFOTが作業療法士教育最低基準を設定した
1959	WHOに加盟
1960	作業療法士倫理綱領を決定

（文献1より改変引用）

サターン（農業の神）の寺々には，比較的きれいな精神病患者の収容所があって，経験を積んだ僧侶が看護にあたり，患者はそこでのびのびと生活を楽しみ，遊戯をしたり，寺の庭を歩いたり，ナイルで舟を操ったり，ダンスやコンサートを開いていた。

■ ギリシャ・ローマ時代

ギリシャでは，B.C.9世紀ごろ，叙事詩『イーリアス』のなかで，「貴いクラフトの神」のことが語られている。身体が不自由で母に捨てられたヘパイストス（Hephaistos）はセティス（Thetis）とユーロニーム（Euronyme）に救われ，手工芸を作る材料が与えられた。その結果，「有益な」職業に就き成功することができた。まさに，職業リハビリテーションの実践といえよう。

Pytagoras（ピタゴラス）（B.C.584〜B.C.500）は，心身の調和を主として，精神の体操としての音楽を伴った作業で，精神を強め錯乱を防ごうとした。同じく，心身の調和を重視したHippocrates（ヒポクラテス）（B.C.460ごろ〜B.C.370ごろ）は，食餌療法や体操の運動療法を積極的に活用し，患者のなかにある自然の治癒力を尊重した。

ローマ人，Asclepiades（アスクレピアデス）（B.C.178またはB.C.124〜B.C.56）は，「安全に，すみやかに，心地よく」といった治療方針をとり，作業を治療として勧め，精神病室は十分明るくするよう指示し，「百種類の入浴法」を開発した。

紀元後（A.D.），Soranus（ソラヌス）（A.D.98〜A.D.138）は，「鉄の重しを用いて病者を押さえるよりは，人間の手でやったほうが適切である」と述べ，治療と処遇上での配慮を示し，また作業の処方に関しても「あらゆる種類の人の興味を引き起こすことは可能であるが，できれば患者を賞めて励ましてやるように注意すべきである」と発言している。

Galenos（ガレノス）（A.D.130〜A.D.200ごろ）は，「作業は自然が与えた最良の医師であり，人間の幸福について不可欠なものである」とし，農作業や，乗馬，狩猟などを健康維持のために推奨している。

■ピネル出現までの中世暗黒時代

　中世のヨーロッパでは，キリスト教の強い支配下に学問は完全に停滞し，医学もみるべき進展がなかった。精神障害者は，悪魔に取り憑かれた人として扱われ，熱狂的な排除の対象になり，「魔女狩り」として，多くの精神障害者が殺された。このように，人間が尊重されない時代には作業療法の発展は困難であった。しかしそのなかでも，修道院や避難所といった宗教的な共同体では，occupation（作業）とよばれる手仕事が活発に行われ，伝統が受け継がれていた。

　イスラム教圏であるモロッコのフェズやエジプトのカイロなどに，12世紀から精神障害者の収容所が建てられた。これらの地域では，精神障害者は神に魂を奪われている者で，幼いのは聖なるしるしと考え差別の対象にならなかった。イスラム教圏での医学は，キリスト教圏で学問が停滞していた時代に，ギリシャ，ローマ時代の医学を受け継ぎ次代につなぐ役割を果たした。

　1409年，スペインのバレンシアに精神病院が創立され，そこでは畑仕事中心の生活が展開され，ぶどうの棚づくり，ぶどうの採り入れ，オリーブの実の摘み取りなど季節ごとの作業が提供されていた。精神の乱れを規則正しく整えていくために作業が行われ，この病院の経験によると，理性の回復に対し作業療法が効果的であった。しかし多くの病院は，治療施設というよりは収容所，監禁所という表現のあてはまる場所であり，例えば患者は鎖でつながれたり，手かせ，足かせなどで自由を束縛されており，なかには見物料を取って患者たちを見世物にしていた「狂人塔」もあった。

　この時代，作業療法はヨーロッパを中心に特に精神障害者を対象に行われてきたわけであるが，1700年代以降，次第に対象が広げられ，治療に対しての科学的な理論づけも行われるようになった。

　そのなかの1人である，イタリアのRamazzini（ラマツィーニ）（1633～1714年）は，患者の職業へ関心をもち，職業医学を創始した。彼は織物作業に着目し，機能訓練的な価値を認め，そのほかにも，靴直し，仕立て作業，陶芸作業などを利用した。また，治療よりも障害防止の重要さを強調している。パリの整形外科医，Andry（アンドリー）（1658～1742年）は，上流社会の子どもたちに対して乗馬と狩猟を，そしてあまり裕福でない子どもには田舎仕事，例えば畑をすきで耕すことや荷物運びなどを処方した。

■ピネルによる改革，それ以降のヨーロッパ

　1793年，パリのBicetre（ビセートル）病院で，医師Philippe Pinel（フィリップ ピネル）（1745～1826年）は，患者を拘束していた鎖や足かせを取り除いた。精神医療史に新しい1ページを加えたこの患者解放は，フランス革命によってもたらされた自由民権の思想や，それを現実的に可能にした産業革命に支えられて行われた。彼は鎖から解放した患者に，「処方した身体運動と手仕事」を用いた。そして

＞ 作業療法の歴史

「厳格に行われる作業は，道義と規律を保つ一番よい方法である」と考えた。この働きかけの教育的・倫理的側面をとらえて「道徳療法（moral treatment）」，とよばれたが，これは，活動することの意味は人間本来の存在目的の再建にあるということも示しており，現在の作業療法の原型といわれている。

　ピネルと同時代，海を隔てたイギリスでは，クエーカー教徒であるWilliam Tuke（1732～1822年）が，1796年に病める人の休みの場所としてYork救護所を設立した。患者の人間的扱い，行動の自由，作業の処方が指導理念であった。この施設では，患者の社会復帰に大きな成果を上げ，1796年から1861年の5年間に発病後3カ月以内に入院した患者のうち71％が退院していた。やや遅れて，Conolly（1794～1864年）は，非拘束の原則を唱え，患者からあらゆる物理的な拘束の排除を主張し，患者の処遇に大きな改善をもたらした。また，ドイツでは，Johann Christian Reil（1759～1813年）が，作業の重要性を強調し，入院直後から遂行できる仕事を提供することで，健康，規律と秩序を達成させることに役立つと述べた。このように，ヨーロッパ各国に作業療法の考え方が普及していった。

　作業療法は，精神科の治療のなかで取り上げられてきたが，1906年には，Auguste Rollier（1874～1954年）が，結核患者の治療に作業療法を利用した。精神的な配慮をすることと，後療法的な意味をもって作業療法を実施することが，患者に非常によい影響を与えることがわかった。結核での作業療法は，治療の仕上げ，after careとしての意味合いが強く，精神病や運動障害の場合とは異なった発展を遂げている。

■道徳療法の衰退

　19世紀末から20世紀前半は，道徳療法衰退の時期であった。その理由としては，産業を中心としたシステムにより，障害者が排除される傾向にあったこと，身体的治療の発展，精神病院の大規模化などが挙げられる。
　そうしたなかから，ドイツのHermann Simon（1867～1947年）は，当時盛んだった臥褥療法が患者の孤立化と硬直化をまねくことを懸念し，ほとんどすべての患者に作業を課した。彼は仕事を決めて責任をもたせ，規則正しく行わせることの重要性や，知的刺激による指導，体育，歌唱教室の効果を強調した。この働きかけは，「Aktivere Krankenbehandlung（より積極的な治療）」と名づけられ，患者への作業を段階順に分割したり，心理的緊張を要する作業の後では音楽などリラックスしながら楽しめる内容を組み合わせるなど，きめ細かな配慮で作業を行っていた。

> **補足**
>
> **臥褥療法**
> 用便，食事以外，終日，臥床を続けさせることを長期間行う療法。森田療法では期間を限って（1週間），導入期に使われるが（p.299，表5参照），一般的には臥床を続けることで心身機能の低下をまねくことが指摘されている。

2 ヨーロッパにおける作業療法士の教育

　イギリスで作業療法士の養成校が開校されたのは1930年である。1936年には,「イギリス作業療法士協会」が設立され,1938年に機関誌を発行し,1945年には公認作業療法士免許の交付が始まっている。専門学校での養成教育が実施されていたが,1990年代に大学教育へと移行している。イギリスに続き,ドイツやスウェーデン,ポルトガル,オーストリアなどで作業療法士教育が開始された。1986年には,「ヨーロッパ諸国作業療法士会」が設立され,地域別のネットワークが生まれている。

3 米国の作業療法

■道徳療法の盛衰

　Benjamin Rush(ベンジャミン ラッシュ)(1745〜1813年)は,ピネルと同時代に生きた医師で,人間は生来活動的につくられており,心気的錯乱は心身の不活動と歩調を合わせていると考えた。その改善のためには,運動や労働(特に屋外で)の重要性に注目し,また患者の興味の大切さを強調している。独立戦争(1776年)以降,ヨーロッパの非拘束運動を学んだクエーカー教の牧師である,Scattergood(スキャッターグッド)は,1817年,作業と非拘束を共に実践する病院を設立した。また,ペンシルバニア病院の院長,Thomas Kirkbride(トーマス カークブライト)(1809〜1883年)は,病気のある段階で畑や庭園の規則的な労働をすることは病気を安定させるうえで本質的に有効であり,落ち着きのない興奮を鎮め,健全な食欲と消化を促し,安らかな眠りを与えると考え,病院の構造や組織,治療プログラムにも細かい配慮をした。

　しかし,1860年以降,道徳療法は急激に衰えていった。それは,前述したヨーロッパでの道徳療法の衰退の理由に加えて,作業を治療として利用したときの付随的果実である経済的収益に比較して,作業のもつ治療的価値に理解が得られず,正当な評価を得られなかったことも理由の1つであった。

■道徳療法の復活とその後の発展

　道徳療法は19世紀末ごろから,再び治療手段として精神科治療のなかで利用されるようになった。

　その復活を担ったのは,Adolf Meyer(アドルフ マイヤー)(1866〜1950年)や,March L(マーチ),Hass L(ハス),Eleanor Slagle(エレノア スレイグル)(1876〜1942年)らである。マイヤーは1922年,最初の専門誌『Archives of Occupational Therapy』を発行した。

　彼は,人間を精神身体的統一体としてとらえ,精神障害は個体の環境に対する適応不全と考え,個人の生活史からその障害の発生を力動的にとらえる精神生物学をうち立てた。図1に道徳療法学派の人々の考え方を紹介する。

図1　道徳療法学派の人々

マーチ(March)	ハス(Hass)	スレイグル(Slagle)
社会の価値観として存在した創造的で生産的な成人を目標として，無為自閉に陥った患者を，まず industrial therapy で指導した。そのために職業歴や技術，潜在能力を評価し，患者には作業活動を通じてプライドをもたせようとした	問題解決法を発展させ，治療方法として患者が病院を退院して直面する社会的，経済的，家族上の特定の問題を探求することに基本をおいた。治療プログラムとして，コントロールされた環境を与え，そのなかで，徐々に成功感や自信を深めていけるように，配慮された現実場面に直面するよう計画	作業療法推進のための全国組織，National Society for the Promotion of Occupational Therapy（作業療法推進全国協議会）の法人設立者7人のうちの1人。人生を習慣の連続としてとらえ，望ましい習慣の確立や，興味や耐久力の許容範囲を段階づけた

　スレイグルらの「作業療法推進全国協議会」は，後の「米国作業療法士協会」へと発展していく。
　その「作業療法推進全国協議会」が設立されたのは，1917年のことである。設立のメンバーは，精神科医，ソーシャルワーカー，建築家，教師，看護者，事務局長と，それぞれ異なった領域の人たちであった。主なメンバーを以下に紹介する。

● 「作業療法推進全国協議会」の主なメンバー
①スレイグル(1876～1942年)
　スレイグルは，ソーシャルワーカー出身で，マイヤー指導下のクリニックに就職し，看護者に「施療院患者のための手工芸」コースを教えた。また，1915年には最初の作業療法士の専門学校「Henry Fravil作業専門学校」をシカゴに開設し，専門職教育の土台を築いた。

②バートン(1871～1923年)
　初代協議会会長に就任したのは，建築家のGeorge Bartonであった。彼自身，結核の闘病経験から作業の有効性を認識し，職業に従事させることで，身体的な再建や再教育を目指すことが重要と考えていた。作業療法を以下のように定義した。

> 望ましい治療的効果を引き起こすような，エネルギーと諸活動を含む作業を病者に教え，励みを与えていく科学である。

　また，この作業を使った治療法に，occupational therapy（作業療法）と名づけたのも，彼の功績の1つである。

③トレイシー(1864～1928年)
　作業療法士第1号といわれているのはSusan Tracyで，もともとは看護者であった。1906年，看護者を対象に，患者に活動を教授する指導者の養成を目的に，作業についての系統だった訓練を開始している。また，1910年には，『病弱者のための作業－看護者の手引き』という作業に関する最初の本を出版した。彼女は選択された作業を通じて，患者が社会生活とのつながりを保ち，個人と他者との関係および他者の欲求との関係を現

実的に理解する機会を提供することができるとし，作業の治療的利用の普及に努めた。

④ダントン（1868～1966年）

　William Dunton（ウィリアム　ダントン）は精神科医で，多くの作業療法に関する著書を出すことで専門職の基礎づくりに貢献した。彼の著書は，作業療法の最初の教科書である『作業療法－看護者への手引き』(1915年)や『再建療法』(1919年)，『作業療法の処方』(1928年)などである。著書では，活動の分析や患者のニーズの分類，さらに治療者の接触の仕方などの提案を行っている。

4 世界大戦と機能再建助手の誕生

　米国は第一次世界大戦に参戦し，多くの戦傷者が発生した。その結果，戦傷者を対象とするリハビリテーションが国家的なニーズとして表面化してきた。このニーズを満たすために，作業によって望ましい治療効果を目指す機能再建助手（reconstruction aid）とよばれる女性が誕生し，戦地へ派遣された。その機能再建助手養成教育のために，陸軍医務局の指令で訓練プログラムが確立され，作業療法専門校において6～12週間の期間で行われた。その内容は，解剖学，運動学，個人衛生，障害者の心理，および各種の手工芸の応用などであった。助手の需要が高まるにつれ，緊急戦時養成コースが開かれ，コース修了者は整形外科や外科疾患，神経疾患，あるいは精神疾患の患者を対象にリハビリテーションに従事した。これは，身体障害の治療に対する科学的アプローチの開始と位置づけられる。第一次世界大戦終了までに，多くの軍人が作業療法を受け，作業療法が社会的に認められる契機となった。その後の第二次世界大戦を通じて身体障害領域で働く作業療法士が増え，作業療法士を含むチームアプローチが行われるようになった。

　1922年には，作業療法の専門雑誌『American Journal of Occupational Therapy』の前身となる『Archives of Occupational Therapy and Rehabilitation』が発刊された。1945年までに，作業療法士養成校は21校設立された。1947年には初めての作業療法士編集の教科書『Willard and Spackman's Occupational Therapy』が出版され，現在も改訂版が発行されている。

5 作業療法士の組織

　第二次世界大戦後,戦争を契機にしたリハビリテーションの急速な発展に関連して国際的な情報交換の必要性が生じた。世界各国におけるリハビリテーションプログラムの推進をしていた「The International Society for the Rehabilitation(国際障害者リハビリテーション協会)」は,国際的な作業療法士の組織を創立し,教育および実践面での国際的基準をつくることを奨励した。その結果,1952年イギリスのリバプールに6カ国の代表者が集まり,4カ国からの応援メッセージを得て,「世界作業療法士連盟:(WFOT):World Federation of Occupational Therapists」を設立した。そこで,加盟団体の資格認定を含め定款の原案を作成し,さらに作業療法士の基本教育基準を提案した。設立時に出席した国と,応援メッセージを寄せた10カ国は,オーストラリア,カナダ,デンマーク,インド,イスラエル,ニュージーランド,南アフリカ連邦,スウェーデン,イギリス,米国である。日本は1972年に加盟を果たしている。作業療法の水準を高めることはWFOTの重要な目的の1つであり,各国が教育に関する基準をもつために,作業療法士教育の最低基準を設けている。最低基準については表2に示すように,その後改正が行われている。最新の改正は2018年に行われた(詳しくは,p.233,表1を参考のこと)。1959年にWFOTは,「世界保健機関:(WHO):The World Health Organization」に加盟した。1960年,WFOTは作業療法士倫理綱領をまとめ,作業療法士が果たす責任を明確に述べている。日本作業療法士協会においても,1986年に独自の倫理綱領が決められた。

6 日本の精神科領域の作業療法の歴史

　1875(明治8)年,わが国最初の公立精神病院,京都府療病院付属癲狂院の規則のなかに,「患者ノ症緩カナル者ハ養生ノ為メニ是迄手馴レタル職業ヲ為サシムルコトアルベシ」とあり,作業療法の実践がなされた。本格的に作業療法を導入したのは,次に述べる呉　秀三である。

■呉　秀三による移導療法

　ヨーロッパ留学から帰国し,東京帝国大学教授に就任した呉　秀三(1865〜1932年)は,東京府巣鴨病院の院長を兼務し,作業療法と遣散療法(今日のレクリエーション療法)の2つからなる**移導療法**^{*1}を実践した。これは作業による病的観念からの転換を目指したものであり,明瞭な目的をもって能力により段階づけること,個性に合わせて選ぶことの重要性を述べている。当時の精神病院で行われていた患者の拘束具を一掃し,人間性の回復を目指し,作業を指導する職員や作業場の整備を行った。巣鴨病院は呉が考える療法を実践するため,広い土地を求め松沢村(現在の東京

> *1 移導療法
> 呉秀三は,ドイツ留学で学んだ作業療法を,作業療法と現在のレクリエーション療法である遣散療法から成る移導療法として巣鴨病院で実施した。作業としては,農業,園芸,裁縫などであった。

呉　秀三

都世田谷区)に移転し府立松沢病院となり，広大な敷地を利用して屋外へと作業の場を広げた。

　1902年，作業療法の実施に必要な材料購入などを支えるために，東京帝国大学教授夫人などで構成された「精神病者慈善救治会」を組織し，啓蒙的な役割も果たした。

　呉の業績として最も知られているのは，1918年に出版された「精神病者私宅監置ノ実況及ビ其統計的観察」のなかで述べられた言葉である。これは，1910年から1916年にかけて，私宅監置に関する全国調査を行った結果の報告書で，「わが国精神障害者は精神病になった不幸に加えて，惨めな処遇しか受けられない日本に生まれ育った不幸をも合わせもっている」[2]と述べた。私宅監置とは自宅の座敷牢などに幽閉することで，1900年に精神障害者に関する初めての法律，精神病者監護法のなかで，許可なく精神障害者を監禁することは禁止されたが，手続きをすれば私宅監置が許可されることになってしまった。

■加藤普佐次郎による作業療法の実践

加藤普佐次郎

　府立松沢病院で呉の実践を受け継いだのは，加藤普佐次郎(1888～1968年)である。加藤は作業療法は開放治療を目標に行われるべきで，それが病院機能の拡大にも役に立ち，そのためには作業療法の組織が必要であると述べた。広大な病院の敷地を利用し，同僚の医師から，「土方医者」「ドクトルモッコ」といわれながら，自ら患者とともに土木作業や園芸作業を行っている。都立松沢病院には，現在でも当時の作業療法の成果である将軍池とよばれる池や加藤山といわれている築山が残されている。学位論文としてまとめた「精神病者ニ対スル作業治療並ビニ開放治療ト精神病院ニ於ケル之レガ実施ノ意義及ビ方法」では作業と開放治療の効果について述べ，集団的屋外活動により患者の無為や行動異常が矯正され，治癒の難しい患者の残存能力が引き出され，院内での患者生活の充実に貢献していることが示されている。

　加藤と同時代，1924年にSimon(ジモン)の指導を受けた長山泰政(1893～1986年)は，府立中宮病院で作業療法を実施した。彼は作業療法の意義を，ただ院内で完結するものでなく，退院への過程や手段として活用する，リハビリテーションの視点に着目した。

　加藤の業績を引き継いだ1人が菅　修(1901～1978年)である。菅は豊富な臨床経験を基に，多くの事例検討を行い，作業療法の治療効果をまとめている。また1974年，作業療法が診療報酬として承認された後に起こった精神神経学会での作業療法への批判に対し，「作業療法の奏効機転」を発表し作業療法の意義を整理した功績は大きい。その論文のなかで，作業欲は人間の基本的な欲求の1つであるとし，その欲求の阻止は心身の障害をもたらすことを強調し，その欲求の充足の重要性を述べている。

■ 生活療法と作業療法士誕生

前述した日本精神神経学会の作業療法批判の背景を紹介したい。

第二次世界大戦中の精神科領域の作業療法は，例えば食料増産の手段として利用されるなど，本来の作業療法の治療的活動の意義を発揮させることに困難をきたしていた。戦後，1954年から向精神薬が使用されるようになり，同じ時期，国立武蔵療養所の小林八郎は「生活療法」を提唱した。この生活療法は生活指導（しつけ療法），レクリエーション療法（あそび療法），作業療法（はたらき療法）を総称したものとして定義されていた。当時，精神病院ブームとよばれる精神病院のベッド数の増加に対し，職員不足を患者の労働力で補うために，理論的な枠組みも未整備であったが，「生活療法」は多くの病院で広がった。具体的には，本来病院職員で行わなければならない病院作業や，個別の評価や計画のないまま画一的な内職作業などが，「使役作業」といった形で実施されるようになったのである。

欧米で実施されている作業療法の教育を受け，「理学療法士及び作業療法士法」に基づいて活動する作業療法士にとって，「生活療法」の影響のある臨床の場での「作業療法」の実践は大変困難であった。また，生活療法のなかでの作業療法と混同され，作業療法を受け入れられない患者や病院スタッフも多かった。1974年，作業療法の診療報酬が認められた際，日本精神神経学会で「作業療法点数化」に対する決議により，点数化への反対が決議された。一時多くの病院で点数化を凍結するなどの動きがあり，精神科領域での作業療法の停滞期であった。

7 日本作業療法士協会の50年

1966年9月に誕生した日本作業療法士協会は2016年，設立50年を迎え，「日本作業療法士協会五十年史」を編纂した。表3[3]※に示した設立前史を含めた年表から，職能団体しての，幅広い活動を読み取ることができる。設立前史としては，戦後の日本のリハビリテーションの状況や，国家資格化に向けての動きを知ることができる。自分たちの職種がどのように生まれ，現在に至るのかを認識することは，重要なことである。協会設立後は，作業療法学の発展，作業療法士の養成，作業療法の実践と普及，職能団体としての発展，国際交流の促進，診療報酬の新設等の政策の提案など，先人たちの努力を理解することが作業療法の歴史を学ぶ大きな意味である。

作業療法参加型臨床実習に向けて

臨床実習施設の沿革（創立年から現在までどのような経過を経たか）や作業療法士の導入時からの経過を調べてみよう。

※https://www.medicalview.co.jp/download/ISBN978-4-7583-2041-2 に掲載

試験対策 Point

作業療法に貢献してきた人々の名前と業績をきちんと覚えておこう。

アクティブラーニング ① 表3※の年表を参考に，不足分は調べて，作業療法士が国家資格化されるまでの出来事を整理してみよう。

【引用文献】
1) 岩崎テル子 編:標準作業療法学 作業療法学概論, p74-75, 医学書院, 2005.
2) 呉 秀三, ほか:精神病者私宅監置の実況, 医学書院, 2012.
3) 日本作業療法士協会:日本作業療法士協会 五十年史, 日本作業療法士協会, 2016.

【参考文献】
1. 加藤伸勝, ほか 編:作業療法, 創造出版, 1990.
2. 秋元波留夫 編:作業療法の源流, 金剛出版, 1975.

✓ チェックテスト

① 18世紀末にフランスで患者を拘束から解放し,道徳療法を開始した精神科医は誰か（☞ p.29～30）。 基礎

② 呉 秀三が東京府巣鴨病院で行った作業療法と遣散療法からなる療法は何か（☞ p.34）。 臨床

作業療法の歴史

2 日本の作業療法①
肢体不自由児の作業療法（高木憲次）

森田浩美

> **Outline**
> - 高木憲次は日本で初の肢体不自由児施設を作った人物であり，「肢体不自由児療育の父」とも称されている。
> - 高木の経歴を知ることは，発達障害領域における作業療法のルーツを知ることに通じる。また，高木の思想はまさに作業療法に直結している。

高木憲次の略歴

1888（明治21）年2月9日	東京に生まれる
1915（大正4）年12月	東京帝国大学医学部卒業
1916（大正5）年	肢体不自由児療育事業の創始を志し活動を開始する
1924（大正13）年12月	東京帝国大学教授に任ぜられる
1936（昭和11）年12月	ドイツ整形外科学会名誉会員となる
1942（昭和17）年5月	財団法人整肢療護園を開設，園長となる
1948（昭和23）年10月	中央児童福祉審議会委員となる
1950（昭和25）年3月	財団法人日本肢体不自由児協会会長となる
同年　　　4月	東京大学名誉教授となる
1951（昭和26）年9月	国際肢体不自由者福祉協会理事となる
1952（昭和27）年6月	中央身体障害者福祉審議会会長となる
1958（昭和33）年5月	国際肢体不自由者福祉協会日本国委員会会長となる
1960（昭和35）年9月	国際肢体不自由者福祉協会副会長となる
1963（昭和38）年4月15日	逝去。享年75歳
同年	正三位勲一等に叙せられ瑞宝章を授けられる

（文献1より引用，一部表記変更）

実際の顔をご覧になりたい方は心身障害児総合医療療育センターのホームページを参照
（https://www.ryouiku-net.com/about/treatment.html）

1 はじめに

＊1 肢体不自由児
身体に関する障害（四肢の麻痺，欠損，体幹の機能障害）のために，日常生活になんらかの支障をきたしている児童のこと。

　高木憲次は，**肢体不自由児**＊1の療育を体系化し，生涯を肢体不自由児の療育にささげたことから「肢体不自由児の父」と称されている[2,3]。「療育」，「肢体不自由」という言葉も高木によって生み出されたものである。
　わが国のリハビリテーションは，1930年代の高木の肢体不自由児の療

育に始まるといわれ[4]，つまり，高木の経歴を知ることは，わが国の肢体不自由児療育のルーツを探ることにとどまらず，リハビリテーション，さらには作業療法の誕生を知ることにもつながる。

　高木の最も大きな功績は肢体不自由児の療育事業の発展に寄与したことであるが，日本整形外科学会の設立やレントゲン研究の発展にも貢献している[2,5]。また，高木自身が「不自由克服治療器第一号[6]」と呼称した万年筆型スイッチ（p.48参照）をはじめとする「玩具式治療器」や，脳「レントゲン」検診法用装置[7]，口蓋破裂縫合針[8]，関節鏡[9]など，オリジナルの治療器具・訓練器具を開発するなど，ユニークな発想をもつ発明家としての才能ももっていたようである。

　何よりも素晴らしいのは高木の人柄である。高木について書かれた成書には，人間愛に満ちた思想と肢体不自由児に対する愛情，療育事業に対する情熱が伝わるようなエピソードがたくさん掲載されている。それらのエピソードを紐解きながら，高木の人物像，肢体不自由児療育の歴史をみていきたい。

2 肢体不自由児に対する関心のきっかけ

　高木の経歴について論じる前に，高木の肢体不自由児に対する関心の芽生えがうかがえるエピソードを紹介したい。それは，幼いころの父の記憶と，たまたま見かけた障害児の記憶である。

※ありのままの高木像を想像してもらえるように，話された言葉，書かれた言葉についてはできるだけそのまま引用し，□で示した。

＊尋常小学校4年のとき，鎌倉に遠足に行ったことについて，後年書いた文
（社会福祉法人日本肢体不自由児協会 編：高木憲次―人と業績，社会福祉法人日本肢体不自由児協会，1967.より許可を得て掲載）

　大仏へ行く途中，孤児院を見かけた。その頃普通の孤児院には健康な子供しかいなかったのに，そこには手足の不自由な子供がいた。引率の先生に質問したところ，そういう子供は乞食にでもなるよりほかないのに，ここでは世話をしてあげている。ここは大変立派なところだと言われた。**「乞食になるよりほかない」という言葉が幼い私の心に住みついてしまった。**

　佐助ヶ谷の孤児院を見て帰って，遠足の話をしていると，車夫が親父にひどく叱られていた。それは，車夫がかつておとし姉さまのお供をして孤児院に行った時，孤児達が姉さまの着物をみて，「きれいな着物ね」等と言って寄ってくるので，「きたないから寄って来るな」と寄せつけないようにしたと，得意になって話したのを聞いて，親父が「孤児院というところはきたないかもしれないが，これは大変立派な仕事で，可哀想な子供を助けてやっているのだから，きたないと蔑視してはいけないのだ」と言って車夫を叱っていた。そして**親父が「自分もそうした子供達を診てやりたい」と言っている**のを，自分は感心して聞いていた。

＊高校の入学祝いに父から買ってもらったカメラをもって富士山の撮影に行ったときのこと
（社会福祉法人日本肢体不自由児協会 編：高木憲次−人と業績，社会福祉法人日本肢体不自由児協会，1967．より許可を得て掲載）

たまたま吉原から田子の浦にかけて川添いの美しい富士を写した。その富士の美しさにひかれてその後も時々行くようになった。はじめて行った時（十六歳）に，吉原で三人の不自由な子供を見た。その後その地に度々カメラを持って行くが，その度その子供達に会い，だんだんその数がふえていった。或時，その子供達を集めて世話をしている方から，自分が富士を写して歩いているのを，不自由な子供達に興味をもって面白半分にそれを写したいと思い違いされて「あなたは度々ここへこの気の毒な子供を写しに来られる様だが…」と詰問された。色々話をするうちに，その方がこの不自由な子供達を集めて，縄をなったり，わらじ等を作らせて生活の世話をしておられることをきき感心した。

高木の父は近所では評判の医者であり，貧しい人たちには無料で診察を行うような人物であったという。このような父の影響だけでなく，幼いころから物事を敏感に感じ取る感性を備えていたのではないかと思われる。

3 高木の生い立ち

高木は1888（明治21）年2月9日，東京で生まれ，恵まれた環境で育った。小学校時代，虚弱であったが，成績は優秀で1年から3年へ飛び級している。中学，高校時代も病弱であり，おとなしくあまり目立つ存在ではなかったようである。1908（明治41）年9月，東京帝国大学（現 東京大学）医科大学医学科に入学し勉学に励むも，心臓病を患い3年間休学した。高校の入学祝いに父から買ってもらったカメラが図らずも障害児との出会いを生み，また大学休学中，写真に熱中し，このことが後年のレントゲン研究に役立ったという。

高木の活躍は大学卒業後から始まる。

4 夢の楽園「教養所」の構想まで

大学卒業後，医師として1916（大正5）年1月東京帝国大学医局へ入局する。ここでもたいへんな勉強家であり，患者との深い接触を通して，さまざまな問題を見つけ，解決策を考え実行に移していく。

■ 肢体不自由者の実態調査

家庭や地域での肢体不自由者の実態を知りたいと考えた高木は，1916（大正5）年から1917年にかけて，東京下谷区万年町（現 東京都台東区）において訪問による実態調査を行い，想像以上のひどい窮状を知ることになる。この調査は役所からは関心を示されず，現場では殴られかけたりけがをさせられそうになったりと難航したらしい。

「隠す勿れ」の運動－憲次のメモより

大正6年，入局して間もなくのころ，当時ドイツでは，股関節脱臼は3, 4歳になってからでないと治療できなかったが，それを私は生後間もなく整復すれば早いうちに治るということをはじめた。しかし当時はお金のある人でもそのような子供は家の奥深く隠して，治療すれば治るものも，また治してあげようとしても，「黙ってそっとしておいてくれ。よけいなことをしてくれるな。家の恥になる」というような時代であった。また怪我で不自由になった場合でも同様な時代であったので，いくら一生懸命にしても聞き入れてくれない。先づ世の中の人々のこの考え方から直さなくてはという事を痛感したので，「隠す勿れ」の運動を唱え出し，世の啓蒙をと思った。

（社会福祉法人日本肢体不自由児協会 編：高木憲次一人と業績，社会福祉法人日本肢体不自由児協会，1967.より許可を得て掲載）

「隠す勿れ」運動を提唱したのも，隠匿されることで障害の発見が遅れ，取り返しがつかなくなるのを危惧してのことであった。

■研究室だけの精進ではいけないと痛感させられた出来事

1918（大正7）年のこと，6, 7歳の**先天性股関節脱臼**[*2]の子どもと父親が受診した。高木が，父親になぜこの歳まで放っておいたか尋ねると，放っておいたわけではなく，治すことのできる病であることも知っていたが，その治療費を稼ぐために5年もかかってしまったという。

このことについて高木は，

> これは勿論経済面の問題が主なる理由となっているが，然し折角早期診断をくだし乍ら，早期治療の不可欠なる所以（ゆえん）が父親に徹底していなかったことが根本の因であったところの悲劇であった。

と述べている[10]。

＊2 先天性股関節脱臼
何らかの原因により出生前後に股関節がずれたり，はずれたりする病気。女児に多い。早期に発見，適切な治療が施されることによりほとんどのケースで治る。

■学童調査

さらには，整形外科的疾患が理由で入学を許可されない生徒がどれだけいるか，その種類と対策を考えるために，高木は本郷小学校（高木の母校）をはじめいくつかの小学校の実態調査を行った。この調査の結果からは，機能障害はほとんど出てこなかった。しかし，「近所に片輪の子がいる」「足首がない子がいる」という子どもたちの話が重大な暗示として耳に響いたという。障害をもつ子どもたちは小学校にすら通えない時代だったのだろう。

■夢の楽園「教養所」の構想

高木は，治療を受けながら教育を受けることができる「教養所」が必要だと主張し，その理由を次のように記している。

> 現在ではまだ「夢」の楽園でしかないけれども，将来治療に長期を要するところの整形外科的患児に就ては，同時にせめて小学校（尋常及高等）の免許状※を出せるだけの教育設備を具備していなければならない。現在の機構では，治療のため立派な頭脳を持ちながら修学の出来ない秀才がいる。他面，治療を受けるために来院し乍ら，永くかかると云う談をすると，それでは学校のことがありますからと連れて帰って了う。すなわち治療が遅れ，折角の好機を失って了う。ものによっては，最早一生不治に陥る例さへある。以上の二つが「教養所」の必要な所以である。
>
> ※卒業証書の誤記
> （社会福祉法人日本肢体不自由児協会 編：高木憲次―人と業績，社会福祉法人日本肢体不自由児協会，1967．より許可を得て掲載）

高木はこの夢の実現のためにさまざまな活動をし，東京市役所（現 東京都庁），文部省（現 文部科学省），内務省（1947年廃止，内政の大半を担う総庁）へもかけあっているが一筋縄ではいかなかった。

■決意を固めたドイツ留学

1922（大正11）年3月（34歳），「骨盤X線映像の研究」により医学博士の学位を授与され，同年5月，レントゲン学研究のためにドイツに留学する。このとき，クリュッペルハイム（Krüppelheim：肢体不自由児施設）を見学し，壮大な施設とその数，完備された設備に目をみはったという。そうして，いよいよ夢の楽園「教養所」設立の決意を固めた。そのときの決意を次のように語っている[11]。

> イザールの崖に立ち，当時戦勝国と誇りながら，唯一つのハイムさえ持たざる我国肢体不自由児の上を偲び，暗澹たる心の裡にかたく誓ったことは，「帰朝後（1）先ず肢体不自由児の精神的養護策を考えよう。（2）手術者たるものは，手術後，罹患肢体の恢復によって患児が生産能力を獲得したことを見とどけるべきである。それには療育施設が不可欠であるから，その設立に専念努力しよう。」と云ふ二つの念願であった。

「クリュッペル（肢体不自由者）」を精神的異常者扱いしている点は修正の必要があると考えたのである。

5 療育事業の沿革

高木は，ドイツ留学帰国後以降を，療育事業の沿革として，
①啓蒙期―1924（大正13）～1933（昭和8）年
②黎明期―1934（昭和9）～1940（昭和15）年

③停滞期—1941(昭和16)〜1945(昭和20)年
　　④復活曙光期—1946(昭和21)年〜

の4期に分けて振り返っている[11]。

■ 啓蒙期—1924(大正13)〜1933(昭和8)年

　この時期，厳しい社会情勢のなかで，高木はドイツでの決意を胸に夢の実現に向かって邁進していく。1924(大正13)年，35歳にして東京帝国大学第二代整形外科学講座教授に就任し，1926(大正15)年には日本整形外科学会を誕生させている。また，「肢節不完児福利会」(日本肢体不自由児協会の淵源)[5]，「母の会」，日本で最初の肢体不自由児学校である「光明学校」の設立などにも尽力している。

● 論文『「クリュッペルハイム」に就いて』

　まず，1924(大正13)年国家医学雑誌に『「クリュッペルハイム」に就いて』と題した論文を発表し，施設の必要性を説いたが，賛成どころか当時の警察は高木を社会主義者とみなして私服警官に尾行させていたという[10]。当時のことを次のように語っている[11]。

> …ハイムの必要性を説くと共に，クリュッペルは病人として養護すべきものなること。しかも治療可能なる病人であって，其(その)知能は健全であること。従って，これを治療すると同時に教育を授け，職業を教導するときは，独立社会人として生業能力を獲得しうるものなることを主唱した。ところが之に共鳴するものなきのみならず反対者が多かった。
> 今でこそ笑話となったが，当時としては職業指導を強調したことから，労働者に味方をする主義として敬遠されたのである。大正時代には唯それだけで末に所謂(いわゆる)主義者の疑(うたがい)をうけた。

● 三位一体

　社会情勢を心配したある先生から，ハイムの施設で行う内容を「職業」を除き「治療」と「教育」だけにしたらどうかと助言されたらしいが，高木は譲らなかった。その理由を次のように述べている[11]。

> 治療・教育・職能授与の三機関が何故同時に運営されておらねばならないか。その主因は，治療が長年月を要するからである。…主要手術，前療法期，要安静期，遊戯的収縮練習期，関節運動練習期，然し乍(しかしなが)ら，之れだけでは未だ手術の成功は現はれて来ないのであって，更に当該肢節に対する手工・手芸的の基礎訓練或いは肢体の機能をして，職業を習得するに足るように回復させる訓練(職能授与訓練)によって手術の仕上げをなさねばならない。然るにこの長年月の間，義務教育を等閑に附することは免にされないので，両親は治療を中止したり結局放棄するもののある我邦の状況を顧みると

作業療法の歴史

> き，整形外科臨床と教育・職能授与の三機関を具備している療育施設が絶対に望ましい。

　ここでいう三位一体とは，すなわち「治療」，「教育」，「職能」である。
　また，肢体不自由なものは，不自由な箇所そのものを駆使して，生業を営まなければならず，そこでその医療は，生命だけ保障すればそれでよいというわけにはいかない。不自由を克服し，職業的能力を，その肢体に与えるところまで面倒をみなければ完璧な療育とはいえないとして，「療育」を次のように定義している[6]。

> **療育**
> 療育とは，時代の科学を総動員し，肢体の不自由を出来る丈け克服し，それにより回復したる回復能力と残存していた残存能力と代償能力との三能力の総和である復活能力を，出来る丈け有効に活用させ，以って自活の途の立つように，育成することである。

> **◉補足**
> 「療育」の概念の大切なポイントである「三位一体」，「時代の科学を総動員して」の意味するところをしっかり理解しよう。

●好意の無関心

　1925(大正14)年，肢節不完児福利会を設立し，会司となった。この会において，高木はかねてより考えていた「隠す勿れ」運動(p.41参照)と好意の無関心について提唱している[6]。

> 好意の無関心とは…悪意の無関心ではない。好意を持ち乍らそれを表に表さず，患児に気取られるが如きことなきよう。即ち「あたかも感心無きが如き好意」が望ましい。…我邦法学界の権威我妻先生は，『出来るだけ無理をしない。人様が世話をして下さるときは，すなおに，お世話になる。世話をして貰えないときは，自分で工夫してやる。やってみると大抵のことは出来る』と説述しておられる。なんという自然な教訓であろう。この心境に達することが理想であり，克服の真髄であると申せましょう。

●「肢体不自由児」という名称

　1931(昭和6)年，高木は「肢体の不自由な児」という名称を提唱した。その後，1934(昭和9)年，日本医学会において「肢体不自由児」を定義した[11]。そこには，次のような思いと意図があった[5,6]。
　「畸形・不具というあまりにも侮蔑的な響きを何とかしたい。肝心の不自由な箇所の表現が皆無，不自由なのは四肢・体幹であること。機能がおかされていることを表現したい。なるべく短い言葉がよい」といい，加えて，**カリエス**[*3]であったと推測される某名士(橋本竜伍氏)のいった「姿や動作・形を批判・表現されるような名称で呼ばれたくない。自分はただ自分自身が不自由に感じているだけのこと」という言葉にも強く影響を受けたという。また，「疾は，肢体に在っても無くても，兎に角本人が肢体に不自由を感じていれば，肢体不自由である」といい[12]，次のように定義している。

> ***3 カリエス**
> 菌による骨の侵食のこと。身体のさまざまな骨で起こるが，その大半は結核の二次感染によるものである。進行すると寝たきりになり，神経の圧迫により激しい痛みを伴う。今日ではほとんどみられない。

> **肢体不自由**
> 四肢，体幹に不自由なところあるのみ，その知能は低下していない，之に整形外科（肢体科）治療を尽くし，且つ之を適当に教導する時は，独立，自活の途をたて得るようになる可能性のあるものである[6]。

■ 黎明期—1934（昭和9）～1940（昭和15）年

　長年の夢であった日本で最初の肢体不自由児療育施設「整肢療護園」を誕生させるまでの期間をさす。

● 講演：『整形外科の進歩と「クリュッペルハイム」』

　療育に関する願望を達成するためには，まず医師の認識を得ることが先決であろうと考えた高木は，1934（昭和9）年，日本医学会総会演説として『整形外科の進歩と「クリュッペルハイム」』と題した講演を行った[11]。これは，従来，不治と考えられていた肢体不自由者が，治療によってこんなによく治り，そして立派に社会人として生活していけるのだということを，映画239場面，スライド118枚で示したものだという[5]。どれほどの迫力であったのだろう。東大安田講堂で行われたこの講演は同時にラジオで全国に中継放送された。医師を対象とした学術的・専門的なものであったにもかかわらず，講演を直接聞きたいという投書が一般聴取者から多く寄せられたという[5]。このことがきっかけで朝日新聞社講堂にて一般大衆向けの講演会が開催され，少しずつ肢体不自由者に対する認識が深まっていく。

●「整肢療護園」誕生

　講演は世の識者の関心を喚起し，翌年の1935（昭和10）年7月，「日本肢体不自由児医治教護協会」が設立され，まもなく「財団法人日本肢体不自由児療護会（会長 木戸幸一，理事長 高木憲次）」の創立となり，全国有志の賛助によって，わが国最大の「クリュッペルハイム」として整肢療護園（園長 高木憲次）が板橋区根ノ上（現 板橋区小茂根）に誕生した[11]。敷地69,300 m^2（21,000坪），建物総面積6,600 m^2（2,000坪）。主な建物は診療棟，厚生棟，義肢装具研究所，看護婦宿舎，消毒洗濯棟，ボイラー室，ガス発生室，ガスタンク，汚物焼却炉，変電室，ガレージ，守衛所など。医療機器類についても特別に設計して作製させたものが多く，当時のいかなる病院にも及ばない立派な設備を誇ったという[5]。施設の全貌を目にしたときの高木の心境は，万感胸に迫る思いであっただろう。

■ 停滞期—1941（昭和16）～1945（昭和20）年

　整肢療護園の開園式は，1942（昭和17）年5月5日に挙行された。
　しかし時代は戦時下，第二次世界大戦は1941（昭和16）年全世界に拡大し，1944（昭和19）年よりさらに激烈をきわめていた。1945（昭和20）年3月

10日未明の東京大空襲により，整肢療護園も空襲を受けた。1945（昭和20）年8月15日の終戦を迎えるまでの間に6回の空襲を受け，看護婦宿舎，ボイラー室，ガレージを残しただけでほかはすべて焼失してしまった。

30年間の努力の結晶を一瞬にして奪われた高木の胸中は計り知れない。

■ 復活曙光期—1946（昭和21）年～

高木は，整肢療護園の被災を悲しむと同時に，直ちにその復興を決心し，必ず前よりも整った整肢療護園を再建することを固く誓ったという[5]。「療育の灯」を絶やすまいと戦火を免れた看護婦宿舎を修理して復興を目指し，1946（昭和21）年5月5日に整肢療護園の業務を再開した。

その後，児童局[*4]の誕生，児童福祉法[*5]の公布により，肢体不自由児は国民すべてより愛護されることとなり，療育施設が国および都道府県に設置されることになった。

● 児童憲章

1951（昭和26）年5月に制定された児童憲章の草案準備小委員会に提出された案の第11章には，

「すべての児童は，学校に入れられ，必要な設備を用意せられる。心身の機能に欠陥のある児童には，適切な治療と教育が施される」

とあった。

これに対して高木は，「いけません。欠陥があるのではない。不自由なだけだ。不十分なだけだ。欠陥があるなどと，子どもを特殊あつかいしてはいけない。子どもには，どの子どもにも，治療される権利がある。教育される権利がある。保護される権利がある。考え直してください」という意味のことを言ったという[10]。

その結果，児童憲章の第11章は，

「すべての児童は，身体が不自由な場合，または，精神の機能が不十分な場合に，適切な治療と教育と保護が与えられる」

というように変更されたという。

また，児童憲章の制定について，「これが一体役に立つのでしょうか？」という問いに，次のように答えている[13]。

> 児童憲章は，法律でもなければ，命令でもない。経済的裏付けもなければ，罰則も伴わない。単なる吾々（われわれ）の申し合わせなのですから，放っておいたら何の役にも立たない。然（しか）しすべてのおとなが，之を遵奉（じゅんぽう）すれば，非常な偉力を示す。これなしには，法律さえ生きてこない程大切な役を演じてもらえる。

高木が譲れない点は一貫しており，こうしたところにも障害をもつ人への愛情が感じられる。

---

*4 児童局
現在では厚生労働省の内部部局の1つ，「雇用均等・児童家庭局」である。ここで述べる当時の児童局はその後，児童家庭局となり，2001年の中央省庁再編に伴い，厚生省児童家庭局と労働省女性局が統合され，雇用均等・児童家庭局となり現在に至っている。少子化や虐待防止対策，家庭福祉，母子保健，男女雇用均等政策，職業家庭両立などを所管している。

*5 児童福祉法
第二次大戦後，多数生まれた要保護児童に対する要保護児対策と次代の社会を担う児童の健全育成を図ることを目的とする児童福祉に関する基本法。1947（昭和22）年に制定され，1998（平成10）年に改正された。当初，母子保健関係の事項を多く含んでいたが，これらは母子保健法（1995年）に移行され，現在は障害児対策，低所得者層への経済的援助などが主なものとなっている。

6 療育のコツ

　高木は、肢体不自由児の治療において、精神的側面を非常に大事に考えていた。子ども本人にとって、訓練の内容は子どもの興味に合ったものが望ましいことや、親をはじめとする周囲の理解・具体的な対応方法について述べている。

■ 心労・苦悩の分析

　高木は、肢体不自由児の心労・苦悩を、1. 蔑視、2. 悪意の関心、3. 誤解、4. 近親の心がまえ、5. 環境、6. 名称、7. 定義、8. 隠匿の側面から分析し、その対策として、患者自身よりも社会のあらゆる人が肢体不自由症は胃腸疾患などと等しく、単なる身体的故障のみで、何ら恥ずる必要もなく、隠匿する必要もないという考えに徹すべきであると述べている[10]。

> **アクティブラーニング ①** 障害をもつ子どもの作業療法においてどのような点を評価したらよいか、具体的に考えてみよう。

■ 本人の興味・意思の尊重

　訓練においては、本人の希望や必要性を非常に大切にしている。

- 或る疾（やまい）で、日本式正座位が執れなくなっても、それが欧米人ならば不自由を感じないから治療もうけまい。或（あるい）は日本人でも時代によって変遷し不自由と感じなくなるかもしれない。療育の実をあげるのには、本人の希望を顧慮する必要があるわけです[13]。

- 例えば肢体不自由児のための整肢療護園に於ける運動会は、運動会としての使命の外に「肢体不自由児がその不自由を克服する為めの訓練をうけ練習をしたその成果を発表する会」でもあるが、さて運動会の季節も近づき、色々の記録がすべて急にあがる。さらに運動会当日となると衆人環視裡（しゅうじんかんし）に、患児がトンデモない大記録を出して、審判をあわてさせることが珍しくない。…「児童を飽きさせないどころか、夢中で稽古させる方策如何？」[6]

　子どもの興味を引き出し、最大限に能力を発揮できるような方法を考えなさいということだろう。
　これはまさに今の「作業療法」である！

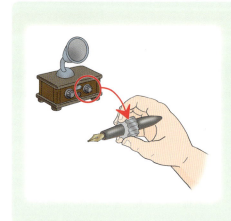

大正14年，未だ試験放送，開始後間もなきことなれば，ラジオは貴重品であった。親にかくれて，窃かにいたずらしていた両手とも不自由な脳性小児麻痺*6児が，「スウィッチ」が廻せた，音が出たという電話連絡に接し，両親を説得して「スウィッチ」の「ツマミ」に万年筆の軸を差し込んで，様子をみたところ，半歳にして鉛筆がつかめ，丸がかけたので，これを「不自由克服治療器第一号」と呼称した。万年筆型スウィッチをいじくり夢中になって，いたずらしていること自身が訓練になるのだからこれ以上熱意の凝った稽古はない[6]。…私は興味を持って面白づくでやらなければ本気で訓練にしたしまないということをつくづくさとったのです[13]。

> *6 脳性小児麻痺
> 脳性麻痺のこと。受胎から生後4週以内の間に生じた脳の非進行性病変に基づく，永続的な，しかし変化しうる運動および姿勢の異常[14]。

■ お母さん・本人・社会の三様の心構え

お母さんを訓練しないと，単なる愛だけでは科学性に欠けるところがあって，とても本当の治療はできないと考えた。それと，手術したあと，いつまでも施設の中におかないでもよい場合，お母さんを十分に訓練しておけば，家庭でやることができる。
1. 親御さんに対しては隠す勿れ運動。2. 本人に対しては超然としておのれの好むところへいそしめ。3. 社会に対しては「好意の無関心」ということです。このお母さん・本人・社会の三様の心構えが大切です[13]。

> **アクティブラーニング②** 現代の作業療法においては，①親御さんに対して，②本人に対して，③社会に対して，それぞれどのようなことが重要か，考えてみよう。

■ 障害の正しい理解と専門職の必要性

両親や指導者（教員）は，障害の特性（例えば，脳性麻痺は時と場合によって症状に差があること）を正しく理解したうえで子どもと接する必要があるとしている。しかし一人ひとり対処の方法が異なるため，そのような子どもたちの療育のためには，教諭のほかに養護指導員・克服指導員・整肢理療師など（現在の作業療法士，理学療法士に相当）の専門家を養成することが近道であろうと述べている。

7 整肢療護園とリハビリテーション専門職

表1は高木の考える「療育」を示したものであるが，高木が療育の体系を考えたときから，後の作業療法士，理学療法士に相当する職種の必要性を意図していたことがうかがえる（表1の3.B.「療育施設」の中の機能）。
1955（昭和30）年，整肢療護園が200床の肢体不自由児施設として軌道にのってきたころ，理学療法士，作業療法士などの職名はなかったが，機能訓練士が理学療法，職能療法を担当し，言語療法士が言語治療を行っていたという[15]。

表1 療育の体系

療育の体系
1. 整形外科学の進歩とその普及
2. 患児自身　克服の意欲と努力
3. 療育
A. 予防
1. 精神的，迷信打破，互励，隠す勿れ運動
2. 療育思想の徹底普及
3. 早期検診と早期治療
4. 登録制（母子手帳）と申告義務
B. 療育施設
1. 整形外科臨床
2. 日常生活活動動作訓練 ｛狭義の医療（手術・処置など）／後療法／克服療法｝
3. 職能動作訓練
4. 義務教育（小中学）
5. 労務教導
6. 職業紹介，授産 ｛適性奨導／適職予選／処世教導／職業訓練｝
C. 居宅の療育
整形外科臨床と肢体不自由児学校（または学級）

（文献6より改変引用）

補足

後療法・克服療法
現在でいう日常生活活動動作の獲得に向けたリハビリテーションであり，「後療法」は手術後の理学療法，「克服療法」はさまざまな道具や代償動作を利用した作業療法と考えられる。

適性奨導・適職予選
患児の運動機能，認知機能，性格などから職業適性を見出し（適性奨導），それに該当する具体的な職業を選び（適職予選），職業訓練を進めていくということであると考えられる。

*7 **経過措置**
法令・規程の類を改めるに当たって（ある期間だけ）新規定をゆるく適用し，新しい秩序への移行を滑らかにする扱い方。

1961（昭和36）年には整肢療護園の敷地内に療育技術者研修所が創立され，さまざまな研修が行われた。なかでも，**理学療法士及び作業療法士法施行時の特例経過措置**[*7]に対する厚生大臣指定講習会（2カ月間）は盛況を極め活気を呈したという[16]。講習会の内容は講義（総論，解剖・生理，臨床と病理，医療・心理・教育など），実技，関係施設見学など多岐にわたり，第1回の講習会には，全国の肢体不自由児施設16カ所よりマッサージ師，看護師，保育士など16名が参加した。この講習会は1962〜1965（昭和37〜40）年までに14回開催され，延べ282人が受講したという[15]。

その後，1963（昭和38）年には理学療法士・作業療法士の養成校（国立療養所東京病院附属リハビリテーション学院）が設立，1965（昭和40）年に理学療法士及び作業療法士法公布，1966（昭和41）年には第1回理学療法士国家試験，作業療法士国家試験が実施された[15]。

1963（昭和38）年4月15日，高木は脳軟化症により逝去した。享年75歳であった。高木の人生が終わりを告げる一方で，その功績を引き継ぐように作業療法士・理学療法士の歴史は始まったのである。

8 伝統の灯・療育の碑

高橋[17]は，高木が提唱した「療育」の概念について，冒頭に示した「時代の科学を総動員して」という部分は，「現実にわれわれが進めている"療育

のあり方"の基本にふれるきわめて重要なポイントといえる。すなわち，療育事業にかかわるすべての領域の専門職種が，その時代時代の知識と技能を常に研鑽し，提供し合い，全人的・全児童的視点に立ってトータル・アプローチする必要性とその責任を示したものであり，まさにこれは現代のリハビリテーションの"あり方"の基本理念と完全に一致する」と述べている。高橋のレビューは1984(昭和59)年の話であるが，それから約40年後の今でも，変わらない哲学であると感じる。

整肢療護園(現 心身障害児総合医療療育センター)の敷地内にある「療育の碑」には，高木の「療育の理念」が刻まれている[1]。石碑はひっそりと，しかし近くで見れば，どっしりと構えている。まるで，謙虚でありながら信念を貫く強さをもった高木そのもののようである。

> **図1** 療育の碑

石碑の文言

「たとえ肢体に不自由なところあるも，次の社会を担って我邦の将来を決しなければならない児童達に，くもりのない魂と希望をもたせ，その天稟をのばさせなければならない。それには児童を一人格として尊重しながら，先づ不自由な個処の克服につとめ，その個性と能力とに応じて育成し，以って彼等が将来自主的に社会の一員としての責任を果すことが出来るように，吾人は全力を傾盡しなければならない。」

9 おわりに

筆者は，整肢療護園(現 心身障害児総合医療療育センター)に作業療法士として16年間勤務した。恥ずかしながら退職するまで高木先生のことを詳しく知らなかった。しかし，今回このように高木先生を改めて深く知る機会をいただき，先生の思想が時代が変わっても脈々と受け継がれていることを実感した。

整肢療護園時代，高木先生や療育について何ら先輩方から講釈されたことはない。しかし，子どもに対する愛情，さまざまな職種が一丸となって療育に携わる姿勢を私は自然に学んでいた。そしてそれはここから出発していたのだ，と改めて感慨を深くした。

日本肢体不自由児協会のホームページ(https://www.nishikyo.or.jp)より，高木先生にまつわる動画が掲載されている。関心のある方はご覧ください。

> **補足**
>
> **適切なタイミング**
>
> 整肢療護園職員の高木についての追想[10]を引用する。
>
> 「自分のわずかな経験によって，子供に独断をやってはいけない，幅ひろくあらゆる可能性の芽を育てるように訓練しなければいけない，ただし病気によってさけるべきことをよく理解すること，それから現在の病状のみをみないで将来を見通して判断すること，そのうえで何でもやってみようという意欲をもたせる指導をすべきことを説かれました。そしてその機を逸せず指導することを，砕啄同機(さいたくどうき)という表現をなさいました。卵からヒヨコがかえるとき，機が熟してヒヨコがさきに嘴で殻を破るとき母鶏は上から殻をつついてやることだそうです。そしてそのどちらが早くても遅くてもうまくいかない，その呼吸を会得しなければと，子供に対する絶えざる観察を示唆されました。」
>
> 高木の数々の言葉からは，時代を超えて「本当に大切なもの」がみえてくる。

【引用文献】
1) 心身障害児総合医療療育センター「センターのあゆみ」編集委員会 編：心身障害児総合医療療育センターのあゆみ 整肢療護園50周年，むらさき愛育園25周年．心身障害児総合医療療育センター発行，1992．
2) 森山 治：戦前期における我が国の肢体不自由児施策と高木憲次の影響．福祉図書文献研究 9, p73-89, 2010．
3) 児玉和夫：脳性まひの療育概説．脳と発達，30：197-201，1998．
4) 上田 敏 編：リハビリテーションの理論と実際．p27，ミネルヴァ書房，2006．
5) 村田 茂：シリーズ福祉に生きる 8 高木憲次．大空社，1998．
6) 高木憲次：肢体不自由児の保護と指導．青少年問題，3(10)：12-19，1956．
7) 高木憲次：瓦斯注入による脳「レントゲン」検診法(Enzephalographie)用装置に就て．醫科器械學誌，2(7)：365-367，1925．
8) 高木憲次：醫科器械の發達と技工者(口蓋破裂縫合針，持針器，開口器供覧)．醫科器械學誌，6(4)：149-153，1928．
9) 高木憲次：關節鏡．日本整形外科學會誌，14(6)：360-384，1939．
10) 柴田善守：人物でつづる近代社会事業の歩み 高木憲次．月刊福祉，52(11)：40-43，1969．
11) 高木憲次：肢體不自由兒と共に三十有余年．厚生時報，3(6)：16-18，1948．
12) 高木憲次：兒童憲尤章と保健對策．体育，3(8)：5-8，1951．
13) 高木憲次，ほか：病気の綜合研究 肢体不自由児に光を．婦人公論，42(5)：196-202，1957．
14) 阿部浩美：姿勢と運動へのアプローチ 脳性麻痺を中心に．神作 実 編：作業療法学 ゴールド・マスター・テキスト7 発達障害作業療法学．p92-137，メジカルビュー社，2011．
15) 宮崎 泰：小児リハビリテーションにおける理学療法の変遷と概要．小児看護，29(8)：975-979，2006．
16) 五味重春：わが国肢体不自由児の療育にたずさわって．理学療法学，12(4)：237-244，1985．
17) 高橋孝文：療育の変遷とリハビリテーション．リハビリテーション医学，21(3)：186-188，1984．

✓チェックテスト

Q
① 療育という言葉に含まれる「三位一体」とはどういうことを意味するのか（☞p.44）。 基礎
② 高木は肢体不自由児が当時社会で生きていくうえで，周囲がとるべき望ましい態度を何と表現しているか（☞p.44）。 基礎
③ 児童憲章第11章を述べよ（☞p.46）。 基礎
④ 肢体不自由児の訓練において，最も大切にするべきことは何か（☞p.47）。 臨床
⑤「時代の科学を総動員して」という言葉が示していることは何か（☞p.49〜50）。 臨床

作業療法の歴史

3 日本の作業療法②
結核の作業療法（野村 実・田澤鐐二・濱野規矩雄）

加賀谷 一

＊本項では，第二次世界大戦前・中・後を戦前・戦中・戦後と表記する。

Outline
- 戦前の結核の蔓延と結核病床の絶対的不足による患者の早期退院の促進は，退院準備としての「作業療法」の必要性を浮かび上がらせた。
- 戦中，軍隊における結核患者の施設として傷痍軍人療養所が国によって建設され，作業療法が積極的に導入された。
- 生物学的な医学的治癒に対して，社会的観点からの結核の治療（社会的治癒）にかかわる活動として「作業療法」の役割が取り上げられた。

作業療法参加型臨床実習に向けて

結核に対する治療・援助として始まった戦前「作業療法」を現代のリハビリテーション・作業療法と比較すると，その役割・目的の共通点と違いは何だろうか。医療との関係，福祉との繋がりにおいて具体的に考えるなかでリハビリテーション・作業療法の現代的役割を浮かび上がらせることができる。

1 戦前の身体（内部）障害「作業療法」の歴史

「作業療法」という言葉がわが国の医学雑誌に初めて登場したのは精神障害の分野で，呉　秀三（1865〜1932年）が1898年8月から3年間，ドイツとオーストリアの2カ国に留学し，帰国後にその成果を発表した論文「癲狂村（精神病者の作業療法）に就きて」（1902）においてであろう[1]。これに対して結核領域では，その30年後に日本結核病学会発行の『結核』誌に掲載された野村　実（1901〜1996年）の『肺結核患者ノ作業療法』（1932）[2]という文献を訳して紹介したもののうちに初めてこの「作業療法」という言葉が登場した。ではこのとき野村が「作業療法」に託した思いとは，どのようなものであったのだろうか。ここではまず，その背景を探ることから「作業療法」のもつ意義・役割についてみていきたい。

■結核について

結核は今でこそ恐ろしい病気という認識はないが，暮らしも貧しく，効

補足　作業療法という言葉

本論に入る前に少し，「作業療法」という言葉について説明をしておきたい。
「作業療法士」とは『理学療法士及び作業療法士法』（1965）によって規定された養成校で教育を受け，国家資格を与えられたものをさし，その活動を「作業療法（名称独占）」とよぶ。
従ってそのように考えると，わが国の作業療法の歴史は戦後のリハビリテーション学院の成立以降か，せいぜいその成立にかかわる背景に遡る程度にとどまる。しかし，はたしてそのように法律のうえでの言語の使用をもって作業療法の歴史を語ることが作業療法を理解するうえで適切なことだろうか。作業療法にはその内容からすれば戦前にも多くの人の関与があり，豊かな理論もあれば実践もあり，しかも，そのなかには「作業療法」とよばれていたものも少なからずあったということを忘れてはいけない。
そこで，この項目では『理学療法士及び作業療法士法』成立以前の作業療法を表記する場合はそれを「作業療法」と括弧をつけ，その由来が現在の制度化された作業療法とは異なることを示した。
また引用はひらがななど現代表記を取り入れ，また一部をわかりやすい表現に改めた（※本文中の『源流』：富岡詔子・秋元波留夫編著：『新作業療法の源流』三輪書店，1991.より許可を得て掲載）。

く薬もなかった戦前においては，結核は一般に長期の療養を要する「死病」として恐れられた慢性伝染病であった．特にその蔓延は都市化とともに著しく，1895(明治26)年の東京ではすでに人口10万人当たりの死亡者数が江戸時代の推定50〜60人を大きく上回る354人に達し，また青年層が多く犠牲になったことが大きな問題となっていた．

　そのため，国もこれを放置することができず，1919年に結核予防法を制定し，貧しく「療養の途なき」者に対して，治療費のかからない公的な療養所の設置を東京や大阪などの大都市から進めた．しかし，その病床数は昭和初期においても5,000床程度であり，とうていその必要を満たすことはできなかった．結核に対する「作業療法」が生まれる背景にはそのような結核対策の遅れがあった．

2　野村　実による「作業療法」(Beschäftigungs therapie)

　野村　実は1925(大正14)年に九州帝国大学医学部を卒業した後，福岡市屋形原病院副院長となるが，その後1934(昭和9)年に東京府北多摩郡砧村(現 東京都世田谷区砧地区)に病床数7床の野村医院を開業．以来17年間にわたって地域で結核患者と生活をともにしながら，治療に携わった．

　先に挙げた『肺結核患者ノ作業療法』はその彼が屋形原病院に勤務したときに，ドイツの医師ドールン(E. Dorn Chalottenhöhe)の"Beschäftigungs therapie Tuberkulöser"を訳し，訳者序を付したものである．

　その序には悲惨な結核患者の状況を前にした彼の，「作業療法」の必要性を訴える切々たる思いが次のように記されている．

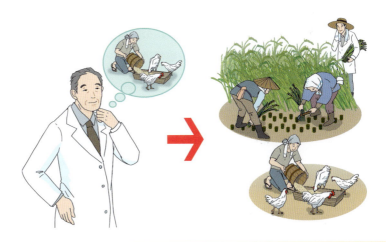

「昨年の公立療養所長会議にも，「退院患者の職業指導」が上っているし，ようやく少し良くなった程度で患者が早くも医師の監視を離れて，実生活に入らねばならぬような場合が，我國の公立療養所退院患者中には多数あって，これらの人々の結核の再発や悪化が頻発する現状を思うと，まず試験的でもいいから，療養所と社会の中間に作業療法ができる施設を設立することは，本当に切望される」

ただ，この野村の切実な願いは，当時の公的療養所の財政難を考えれば実現できるはずもなく，野村はその後しばらくして副院長を退き，彼自身の医療を目指して個人病院を開業することとなる。

　なお野村はアフリカで医療奉仕をしていたシュバイツァー博士を敬愛していた敬虔なクリスチャンであり，戦後はキリスト教系の白十字会病院に勤め，そこで彼独自の「作業療法」ともいえる「**転換療法**」と名付けられた結核治療法を実践した。これは，結核療養において過度に安静を強いることは，人間に「無為の空虚，自らを無用と感ずる精神的空白」をもたらすおそれがあるとして，それを**転換**し，人間としての尊厳を得るには療養を妨げない程度の適度な作業による心の平安・充実，あるいは生きる喜びを与えることが必要であると説いたものである。この野村の試みがいかに工夫に満ち，真剣であったかは，教育作業（読書，英語，珠算など）と手工芸作業（各種手芸，楽焼き，木工，ラジオなど）を合わせた18種類におよぶ作業指導にスキルの専門家を交えたことにも示されているが，またそれを実際の援助に生かすケースワーカーの配置や結核回復者によるピアサポートの参加も見逃すことができない。**ここには単に病気だけをみるのではなく，その奥にひそむ人間性にこそ目を向けなければならないとする，今日のターミナルケアにも通じる先駆的な試みを読みとることができる**。野村の生涯をみると，その一生は「作業療法」にはじまり「作業療法（転換療法）」に終わる人生そのものであり，その「作業療法」は人間性を第一に考える「**人格的作業療法**」とでもよぶことができるのではないかと思われる。

3　田澤鐐二による「作業療法」の試みと「有益な点」

　前述のように公的病院ではその制度上・財政上の制約もあり，また作業に適さない重症患者が多いことから作業療法の実施がきわめて困難であった。それにもかかわらず，実際に試み，当時の医学的方法によって検証しようとした医師がいたことは，考えてみると驚くべきことである。その医師こそ，東京帝国大学医学部を卒業し，当時の東京市療養所（病床数1,170）所長となった，田澤鐐二であった。これは歴史的にいえば，結核治療におけるわが国初めての本格的な「作業療法」の取り組みであった。

　ただし，このことは決して「作業」がそれまでに結核治療においてまったく用いられていなかった，ということを意味するものではない。

　例えば，東京市大森で呼吸器専門病院を開いていた医師の永井秀太はその著『肺患者養生法秘訣』（1924）において，少し結核の病状が安定してきた回復期の患者に，散歩，園芸，徒歩旅行などの「愉快をともなう簡易な運動」を自主的に行うことを勧め，それを「仕事療法」や「労役療法」と名付けている。

　また小田部荘三郎は，英国のサナトリウムで7年間に1,000名あまりの結核患者の治療にあたった経験をもとに，『働きながら治せ』（1931）を著し

ているが，その特色は治療の過程を「静臥療法，静動的起居療法，歩行運動療法及び勤労（労役）療法」の4段階に分け，安静から徐々に活動を取り入れながら回復を目指すというものであり，永井の治療よりきめ細かな配慮がなされていた。

しかし，これらの「作業を用いた療法」とでもよぶべきものは，その動機を主に運動や勤労・作業自体に価値があり，それを尊重しなければならないという点に置いていて，必ずしもその効果が科学的に確かめられていたわけではなかった。

例えば永井は「仕事療法」の目的を「一つは健康増進，一つは**勤勉力行の風習涵養**に資せんとする，二様の目的をもつ」と述べているし，小田部は労役は手段であるとともに目的であり「患者はまた**労役を神聖視する**と共に，之に対して大いなる親しみを持っていなければならぬ」としている。この意味でこれらの「作業を用いた療法」を「**自然的作業療法**」とよぶこともできる。

従って，田澤の試みた「作業療法」とそれ以前の「作業を用いた療法」との違いはまず，その内容であるよりは方法においてであり，もし作業療法の重要な要件がその科学性にあるとするならば，田澤の実施した「作業療法」こそがわが国における近代「作業療法」の初めての実践であるとみなすことができる。

ではその内容とはどのようなものであったのだろうか。少し詳しくみていきたい。

■「作業療法」の方法と内容（表1）

『結核』誌上に掲載された1934（昭和9）年第12回日本結核病学会総会発表の『作業療法に就いて』[3]によると，田澤鐐二は部下の中野真夫，伊藤秀三の協力を得て，野村と同じくドイツでの結核療養所の例を参考に，1933（昭和8）年に，それまで病院内において「アルバイト」（病舎や食堂の掃除などの仕事）をさせていた症状の軽い一部の患者に，2回に分けてあらかじめ決められた作業を試験的に行わせた。

1回目は1933（昭和8）年6月17日より7月20日までの期間で9名に実施。その内容は隔日に20分ずつ掃除，磨きもの（拭き掃除）など筋肉労働と簿記練習などの精神作業の2種類を行い，その療養成績をその後4〜5カ月にわたって観察した。

2回目は1933年12月より1934年3月までの3カ月あまりの期間に16名に実施。その内容は1回目とやや異なり，第1組には掃除，磨きものなどの手伝いをさせ，第2組には竹籠を作らせ，精神労働としては簿記の練習をさせた。2組ともいずれもはじめは隔日に20〜30分，後には毎日行わせた。

表1 「作業療法」実施内容

	1回目	2回目
期間	1933年6月17日～7月20日	1933年12月～1934年3月
対象	9名	16名
内容	・筋肉労働(掃除, 磨きものなど) ・精神労働(簿記練習など) ・隔日に20分間ずつ 　→それぞれの療養成績をその後4～5カ月観察	・2組に分ける ・第1組に掃除, 磨きものの手伝い ・第2組に竹籠を作らせる ・精神労働として簿記練習 ・いずれも隔日20～30分, 後に毎日

(文献3より引用)

■「作業療法」の結果と評価

　田澤らはこれら作業の影響についてわが国の結核作業療法史上初めて医学的メスを加え、胸部所見、X線写真、栄養、体重、体温、咳嗽(せき)、咳痰(たん)、自覚症状、合併症、赤沈、血球(白血球数、杆状核、リンパ球)において作業開始時、開始後1カ月、終了時の3回の成績を比較した。

　その結果についての報告は「各種の徴候を列挙して通覧すると、不良徴候が相当多いという者もありますが、どの徴候に注意すればよいと簡単に標準を定めるのは困難である」と、その治療効果を疑問視している。結核治療において安静を重視する田澤の従来の立場からすれば、これは「作業療法」の意義を否定するのに十分な内容だったと思われる。

　しかし、注目すべきは、田澤らが「作業療法」を行ったほとんどの患者に治療上の変化がみられなかったことを述べた後で、それにもかかわらず「有害影響が起こらずに行き遂げることができさえすれば、一方において有益な点の多いことは事実でありますから、仕事をさせ得る患者の範囲を広めることは、観察をなるべく精細にして悪影響を見落とさないようにすることは最も肝要であります」と作業療法を行うにあたっては治療的効果よりむしろ悪影響のないことを重視し、治療的効果以外でこれを評価していることである。

　ここで問題となるのは「有益な点」とは何かということであるが、この報告の前半で「作業療法」の役割として「将来の生業のために仕事をさせる場合」を挙げているところから、医学的治癒効果がたとえ乏しくても、田澤らは社会的意味において「作業療法」(あるいは職業療法)を有益であると評価したものと思われる。このことから、従来の医学の枠を越えて、退院後の患者の生活にまで思いを馳せた医師の姿が浮かび上がってくる。

■田澤の「作業療法」のその後

　東京市療養所での最初の科学的「作業療法」の試みは先駆的ではあったが、「作業療法」が可能な軽症者がそもそも少ないため、最初の「作業療法」から4年後の1937年においても「作業療法」を行っていた患者は1日平均5名にとどまり、必ずしもその成果を上げることはできなかった。

ただし，だからといってその患者の窮状を田澤が手をこまねいて見ていたわけでは決してない。少し遡るが，「作業療法」以前に医療における社会的活動の必要性を痛感した田澤は，1925（大正14）年に療養所内に「ソーシャル・サーヴィス」（社会部）を設置し，相談業務の充実を期して専任者を置くなどしていたが，さらに兄弟親戚の協力によって私費を投じて1928（昭和3）年に成器寮医館なる予防施設を東京市本郷区に設立した。これは**医師は病気にかかってから診てもらうものとの従来の考えを改め，予防医学を中心として結核の早期診断および早期健康生活の普及を一貫して行うため，健康相談所，健康診断所，入院部を備えた総合施設**であった。1935年に同施設に寄宿していた医師の田中助一によれば，田澤は東京市療養所の勤務を終えてからこの成器寮で患者の相談と診療に携わり，その診察はいつもマスクをせず実に懇切丁寧で，遅くなったときには宿泊もしていたとのことであった。

　だが，田澤の「作業療法」と入れ替わるようにして，あるいはそれを受け継ぐようにして，設立当初から積極的に「作業療法」を取り入れた療養所建設が，1人の留学帰りの医師・行政官によって成し遂げられようとしていた。「作業療法」はその人，濱野規矩雄（きくお）によって国を後ろ盾に，大々的かつ急速に全国の傷痍軍人結核療養所に普及していった。

> **補足　田澤鐐二の言葉**
>
> 「結核の治療は，用心深くやらねばならないことはもちろんですが，それだけでは，そのひとの大きな社会的犠牲ということは全く考えないということになります。以前には皆そうで，結核病にかかった，それなら田舎へいって遊んでいた方がいいという言い方であった。そうすれば医者はそれによって病気をくいとめ得たという功績をになうことが出来るけれども，その人は学業等の一生涯を棒に振らなければならないことになる。（中略）肺結核患者も運動ができるようになれば，職業の意味でやらせることが重要な一つの精神療法で，即ち絶望状態に陥らせないよう，世の中に希望を持たせるようにするのである。それを職業療法（作業療法）といい，最も有効な治療の一つであります」（講演「工場結核予防について」1938[4]）
>
> なお，先に挙げた野村　実は田澤について追悼集『平和の父　田澤鐐二』のなかで次のように述べている。
>
> 「結核を学問の対象とした人は数多くあったし，今後も少なくないだろう。しかし，結核病人を対象としかつ学問的探求を惜しまなかった先生は偉大であった」[4]
>
> ともに苦労を味わった野村ならではの簡潔にして的確な言葉である。

アクティブラーニング①　田澤の「作業療法」が現代の作業療法に通じる「科学性」に果たした役割とは何か。

4　濱野規矩雄と「作業療法」への情熱

　昭和初期において，結核の蔓延と問題の深刻化を受けて，結核療養所が次第に整備されるなかで，新たに回復者の社会復帰が避けて通れない課題として浮上してきた。当時これに対しては東京府立静和園や民間の救世軍療養所附属コロニー（東京都），白十字会恩賜保養農園（茨城県），南知多

共生園（愛知県）などの「作業療法」を採り入れた療養所があったが，その定員はすべてを合わせても500名に満たず，多くは静和園を除いて個人的努力によってかろうじて維持されていた。

　従って，そのような状況のなかで1935（昭和10）年に国の主導により「作業療法」を重視した療養所として村松晴嵐荘（現茨城県東海村）が設立されたのは画期的なことであった。田澤により東京市療養所で始められた「作業療法」は，村松晴嵐荘においてより組織的に行われるようになり，その方式は村松晴嵐荘方式として1938（昭和13）年から順次設立された傷痍軍人療養所の治療方針に大きな影響を与えた。この療養所設立に大きくかかわったのが英国留学で各国の結核対策を学んできた内務省結核担当技師の濱野規矩雄であった。

■ 濱野の体験した英国「作業療法」（occupational treatment）

　濱野は千葉県印旛郡佐倉町（現在の佐倉市）に1897（明治30）年に生まれ，1924年に慶應義塾大学医学部卒業と同時に助手として細菌学教室に勤務した後1926年に内務省衛生局事務取扱（嘱託）となった。その後しばらくして国際連盟の留学生に内務省から推薦され，欧米に派遣された。

　濱野が留学に際して選んだテーマは，「欧米における結核予防ならびに治療の現状」であり，1930（昭和5）年5月，日本を出発し，ロンドンの衛生学校に入学し，英国を中心に世界各国の結核事情と予防，治療について研究し，1932（昭和7）年8月に帰国した。留学中に濱野が最も感銘をうけ取り組んだテーマは結核における「作業療法」であった。濱野の結核「作業療法」に対する理解と評価は，帰国後まもない1934（昭和9）年の『臨床医学』に寄せた「結核の職業療法に就て」によって知ることができる[5]。

　そのなかで濱野はまず「職業療法」（occupational treatment）について，

> 「職業療法は，英国のいずれの結核療養所に行つても，ただちに見ることが出来るが，今日のように結核予防に著しく効果をあげ，患者の素質の向上は療養所のみならず結核病院においても，また結核予防相談所においても，これを上手に応用して，患者を指導しておる」[5]

と高い評価を与えた後で，彼自身が驚かされたことを挙げている。

> 「仕事を許すのは院長で，働く仕事を決めるのは患者自身であるところがいかにも面白い。だいたい10人内外の患者が一組になっていて，交互に班長を交替で決めている。患者は医者から散歩が許されるようになると，自分のやってみたいような事を班長に話しておくと，週の初めに院長が回診してくるので，その折りに班長は，自分たちの組の患者のやって見たい仕事を，院長に申し出て許可を受けるのであるが，院長が患者より聞いて，お前には無理だと思うとか，まだ早いとか，よく話してきかして，希望者の仕事を上手

> に見て行ってやつているが，このところの微妙な点がいかにも面白いところである」[5]

　患者自身が自分でどのような作業をしたいのかを決める，それはかつて東北で，農家の納屋に閉じ込められていたみじめな結核患者を目の当たりにした濱野にとって，驚きだったに違いない。そして濱野の見出したものはそれまでの医学とは違う方向だった。

> 「結核の治療法は，学問的にばかり行かない事は，だれでも知っている事ではあるが，薬にのみ，医学の力にのみ頼りすぎるような傾きあることは否定できない。しかし精神的療法のみにでも不可である事は，いうまでもない事である。両者をよく応用して，初めて好結果をえられるのである」[5]

　それが彼の出した，ゆるぎない結論であった。ここには，英国という当時の西洋文明の中心地にあって，わが国では「死病」と恐れられ，忌み嫌われていた結核患者が，「職業療法」(作業療法)を通して社会のなかで立派に活躍している姿を目にした濱野の，「職業療法」への強い思い・カルチャーショックが読みとれる。そして帰国後，濱野に与えられた仕事は，当時大きな社会問題となっていた，結核にかかった兵士のための傷痍軍人結核療養所建設という，まさにうってつけの国家的大事業であった。

■ 傷痍軍人療養所の建設と「作業療法」

　理想の結核療養所建設に，情熱を燃やしていた濱野が最初に手がけた療養所が村松晴嵐荘(病院という名称を嫌いあえて「荘」とした)であった。これは最初，結核予防会によって1935(昭和10)年に設立され，1937(昭和12)年に国に移管されたわが国初の傷痍軍人を対象とした国立結核療養所であり，作業種目は養鶏や農作業が中心で参加者も17名と入所者の1割程度であったが，最初から「作業療法」を積極的に取り入れた初めての施設であった。

　そして晴嵐荘での「作業療法」の実績を足がかりにそれをモデルとした，わが国で最初の治療から社会復帰までを視野に入れた本格的な療養所の建設が，その後1938年12月から1940年1月にわたって急ピッチで進められた。そしてその結果1年あまりで全国25施設，12,500床というそれまでの20年間でわが国が建設した病床数を上回る，かつてない病院群が出現することとなった。これはおそらく米国における空軍リハビリテーションセンターの建設と同じく，わが国の「作業療法」史上，類をみない国家的規模で行われた最初で最後の大事業であった。

　しかしその実現には，それらの施設で実際に行われる「作業療法」の内容と方法をあらかじめ検討し，決めておかなければならない。すなわち実施のための指針の作成が早急に求められた。

◎補足
結核による傷痍軍人の増加
戦前は国民皆兵で多くの人々が戦争で負傷し，傷痍軍人として各地の軍の病院で治療を受けていた。しかし，昭和初期ごろより結核などが原因で直接戦闘によらず退役させられた除役軍人が増え，その対策として国の結核療養所建設が急がれた。

■「作業療法」の指針

　傷痍軍人療養所を管理・指導していた軍事保護院は，医学界の指導的立場にある20名と濱野を含む幹事の4名をもって，1939年7月に傷痍軍人医療委員会を組織し，同年12月にそれまでの治療方法を見直し，新たな療養所における治療方針を決定した。そのなかでも注目すべきは，特に「作業療法」についてはその実施を強く求め，具体的手順を示した「作業療法指針」[*1]を1942年に定め，「作業療法」に初めて取り組む場合であっても容易に実施できるようになっていたことであろう。

　そしてこのようなハードとソフトの両輪を得て，わが国における「作業療法」は急速に全国の傷痍軍人療養所に普及し，「濱野時代」ともよばれる時期が一時期，出現することになる。

　しかし，これはその「作業療法」がただ特殊な時代の特殊な過去の遺物にすぎない，ということを意味するのではない。例えば，先の「作業療法指針」の後で濱野が1944年に作成し，各療養所に通達された「作業療法指導要綱」は，外国からの何の情報もない時代において，いわば独力でその経験と知識から「作業療法」を次のように的確に定義している。

> 「作業療法とは入所中の患者に一定の作業を課し，すみやかにその精神力，体力の恢復をはかり，もって治療効果を促進するとともに，自己の病態に適する正しき生活方法を会得させるものである」

　以上のように戦前戦中に種がまかれ，発展してきた結核「作業療法」は，傷痍軍人療養所が戦後の改革で新たに国立療養所として生まれ変わった後でも，しばらくはその光を放っていた。しかし「作業療法」を含む旧来の結核治療は，戦後わが国にもたらされた新たな化学療法によって，そのあり方を一変させられることとなる。

■濱野と「作業療法」自体への関心

　濱野は戦後，厚生省（現在の厚生労働省）に移り，1949年に予防局長を最後に退官した後，ハンセン氏病患者の運動に深くかかわるなどしていたが，1966年に決して長いとはいえないその波乱に満ちた生涯を閉じた。

　本項では結核「作業療法」を中心に濱野の足跡をたどってきたが，最後に**その活動は結核領域にとどまらなかったこと**を特に強調しておきたい。それは理論的にいえば「作業療法」の独立性にかかわることであり，**作業療法は個々の疾患，例えば精神病，結核，整形外科的疾患の治療に付随するものではなく，独立して存在する治療法の1つである**ことをその実践のなかで示した，ということである。

　例えば，わが国において「作業療法」を実践した医師として，精神科における呉　秀三，加藤普佐次郎がいる。また結核においては野村　実や田澤鐐二がそれぞれ大きな役割を果たしてきた。これは1つの分野を専門とする臨

[*1] 作業療法指針

「作業療法指針」で挙げられている作業には除草，種まき，廊下掃除，農園の手入れ，養鶏，窓ガラス掃除，開墾，土木，木工などがあり，それを症状に合わせて選択し，時間を調節しながら実施するようになっていた。

補足　濱野と戦後のリハビリテーション学院との結びつき

戦後米国のoccupational therapyがわが国に導入され，その教育の場（リハビリテーション学院）として最初に精神科の武蔵療養所が候補として選ばれ，最終的にそれが予算の関係から理学療法と同じ国立療養所東京病院で行われるようになった。奇しくも，そのいずれの療養所も濱野が精魂を傾けて「作業療法」を実施していた施設にほかならない。そのことを思うと，改めて濱野と「作業療法」の今日に至る深い結びつきを思わずにいられない。

床家としては当然の姿勢であり，「作業療法」それ自体を意識し，追究するといった発想は，彼らにしてみれば生まれる余地のないことであった。

しかし濱野が見出し，興味を抱いたのは，むしろそこで用いられる「作業（職業）療法」によって人々が病気から立ち直り，それまでの医療にはみられなかった生き生きとした人々の結びつきが生まれること，そのことであった。

この濱野の「作業療法」に対する情熱は，精神病者の傷痍軍人を対象とした武蔵療養所の設立（1940年）においても，いかんなく発揮されている。

初代の武蔵療養所の所長であった関根真一は濱野の追悼集『誠心』[6]のなかで，

> 「濱野はその建設にあたって将来の作業療法の発展に重点をおき，その用地として農地と山林をあわせて4万坪あまりを買収し，非常に熱心に「作業療法」に取り組んでいた」

と述懐している。

この意味で，濱野はわが国の「作業療法」の歴史において疾患の領域を越えて「作業療法」そのものに着目した先駆者であった，とみることができよう。

■ 宮本　忍の「社会的治癒」の提唱

濱野が「作業療法」の種をまいた国立療養所には，数多くの若手の医師が集められ，治療と研究が活発に行われていた。そのなかの1人に宮本　忍がいた。濱野が注目した「作業療法」の社会的意義は彼によって理論的に深められ，その意義が明らかにされることとなった。

宮本　忍は1911（明治44）年，静岡県生まれ，1937年東京帝国大学医学部医学科を卒業後，1940年傷痍軍人東京療養所に勤務した。彼の専門は胸部外科であったが，「作業療法」にも並々ならぬ関心を寄せ，その最大の功績は，結核の治療において全治（結核菌がまったくなくなる状態）が医学的に困難視されていた戦時中に，新たに「社会的治療・治癒」という概念を『日本の結核』（1942）[7]において提唱し，その一環としての「作業療法」の意義を明らかにしたことにある。

すなわち，それまで「作業療法」には，はたしてそれが治療であるのか，あるいは職業（生活）訓練であるのかという疑問が絶えずつきまとっていた。ある医師はそれが自然治癒力を増すという説を唱えて，治療としての「作業療法」の効果を主張していた。しかし田澤が明らかにしたのは，「作業療法」には積極的な医学的治癒効果は認められないが，それが社会生活に有効であればそれを活用することが必要である，ということであった。それらに対して宮本が主張したのは，治癒や治療の意味を単に生物学的にとらえるのではなく，社会的観点から「社会的治療・治癒」としてとらえ直

すことが必要ではないかということであった。

> 「作業療法は，肺結核治療に社会性を盛り込むものである。肺結核の外科的療法が，開放性患者[*2]の社会的治療をめざすものであると同様に，作業療法は肺結核患者のあらゆる時期にわたって，社会生活との関連性をもたせ，社会への復帰を準備させるものである」[7]

＊2 肺結核の外科的療法，開放性患者
肺結核の外科的療法とは肺の病巣を手術によって取り除く療法であり，開放性患者とは，結核菌を咳や痰などで現に排出している患者をさしている。

ここで彼が述べていることは，簡単にいえば現実に治癒困難とされていた結核患者において重要なことは医学的に治ることより，「社会的治療」において実際に社会生活が営めることであり，そのために「作業療法」は社会と患者をつなぐ重要な役割を担っている，ということである。

おそらくこれは「リハビリテーション」も「リハビリテーション医学」も知られていなかった，戦時中のわが国の結核治療と「作業療法」が到達した最も重要な理論的到達点であったといえよう。

最後に，戦前・戦中における「作業療法」はその内容からすれば，今日の「ハビリテーション」にほぼ重なる活動であり，昨今のリハビリテーションの一領域としての作業療法とはその意味が大きく異なることを強調しておきたい（p.68，「日本の作業療法④　身体障害の作業療法」の原　武郎の言葉も参照のこと）。

試験対策 Point
作業療法の目的としてすでに身体的のみならず心理的，職業的，社会的な面での重要性が結核作業療法の先駆者によって指摘・重視されていることは，作業療法の役割を知るうえで銘記されてよい。

補足　宮本の「社会的治癒」の普遍性

宮本が用いた「社会的治療・治癒」という言葉は，1957年2月にジュネーブで開かれた「医学的リハビリテーションに関するWHO専門家会議第1回報告」の「医学的リハビリテーションの基本的原則と目的」のなかにも見出すことができ，宮本の提唱した理念の普遍性を図らずも示している。

【引用文献】
1) 野村　実：診療の眼，川島書店，1970．
2) 野村　実：肺結核患者の作業療法．結核，10：637-644，1932．
3) 田澤鐐二：作業療法に就いて．結核，12(5)：330-332，1934．
4) 田澤鐐二伝刊行委員会：平和の人　田澤鐐二，財団法人平和協会，1969．
5) 濱野規矩雄：結核の職業療法に就いて．臨床医学，22：129-132，1934．
6) 濱野規矩雄先生追想記編纂会 編：誠心，1967．
7) 宮本　忍：日本の結核，朝日新聞社，1942．

【参考文献】
1. 宮本　忍：医学とは何か，南江堂，1977．
2. 加賀谷　一：結核作業療法とその時代，協同医書出版社，2003．

✓ チェックテスト

Q
①わが国の結核作業療法において，それが必要とされた背景と理由は何か（☞p.53）。　**基礎**
②田澤の「作業療法」とそれ以前の「作業を採り入れた療法」との違いは何か（☞p.55）。　**基礎**
③昭和10年代に結核作業療法が盛んに行われるようになった理由は何か（☞p.59）。　**基礎**
④「社会的治癒」とは何か（☞p.61）。　**基礎**

作業療法の歴史

4 日本の作業療法③ 「リハビリテーション」と作業療法（砂原茂一）

加賀谷 一

＊本項では，第二次世界大戦前・中・後を戦前・戦中・戦後と表記する。

※戦前の作業療法を表記する場合は「作業療法」と括弧をつけ，その由来が現在の制度化された作業療法とは異なることを示した。なお，引用は原文の表記をひらがな化するなど現代表記を取り入れ，また一部をわかりやすい表現に改めている。引用文中の下線は筆者による。

作業療法参加型臨床実習に向けて

結核治療は，戦後の化学療法の成立により，作業療法がその治療としての役割を終えたが，それはその役割が否定されたわけではない。では新たに見出された作業療法の役割とは何か。「後保護」や「更生」「回復期管理」にとどまらない今日のリハビリテーションに通じる作業療法の意義を実習を通して改めて考えてみよう。

Outline

- 「作業療法」は結核の治療法ではなく，社会生活の可能性を実際に確かめる手段である（治療は薬剤）。
- ただし全身の機能を高めることで病巣の治癒にかかわることがある。

1 砂原茂一と化学療法時代の「作業療法」

　結核治療において，戦後に米国よりもたらされた抗結核薬による化学療法の登場は，それまでの大気安静栄養療法を基本とする治療のあり方を根本的に変える画期的な出来事であった。簡単にいえば「不治の病」とされ，感染症でも「結核は別」と長く思われてきたそれまでの常識がくつがえり，結核はほかの感染症と同じように薬で治る普通の病気となった。

　砂原茂一はその時期における結核「作業療法」の最も積極的な病院の1つにあって，その全過程をつぶさに経験し，新たな時代の「作業療法」のあり方について臨床の立場から検討を加えた代表的人物である。

■「作業療法」の治療的意義の否定

　東京帝国大学医学部講師を経て，1944（昭和19）年から傷痍軍人東京療養所（後の国立療養所東京病院）の所長となり，また国立療養所東京病院附属リハビリテーション学院長として作業療法士養成に貢献した砂原茂一（1908～1988年）は，戦後まもなく新たに発見された抗結核薬の有効性を自ら確かめ，それによる治療を東京病院において開始した。その過程で砂原が直面した問題の1つは，旧来から行われてきたさまざまな療法，特に「作業療法」をどのように評価するかということであった。

　砂原による「作業療法」の当時の評価は，長沢誠司とともに書かれた『肺結核作業療法の実際』[1]のなかで以下のように示されている。

　まず注目すべきは「作業療法」の役割について，その「治療」としての意義を否定し，次のように断言していることである。

> 「作業療法をストレプトマイシンや人工気胸術と同列の「治療法」と考えこれによって結核症を積極的に治そうとするような試みがあるとすれば，それは作業療法の正しい理解をさまたげ作業療法の普及の障碍となることを私たちは恐れるのである。療法という文字にこだわらないがいい」[1]

それでは「作業療法」の役割はどこにあるのだろうか。砂原がまず挙げているのは，結核は治癒の判定がきわめて難しい疾患であり，「作業療法」にはその判定の手段としての役割があるということである。つまり，

> 「結核に再発の多い理由の一つは，社会生活に耐え得ない患者を耐えうるものと誤って判断したためである。（略）私たちは病理解剖学的な治癒を直接証明できないとすればベッドの上で一応治ったように見える患者を実際に動かしてみて，それに耐えうるかどうかを観察することが極めて重要である。自動車が役に立つかどうかを知るためには百の議論よりも一つの試運転にしかない」[1]

ということであり，それが「作業療法」ということになる。
　この砂原の，治療とそれ以外の「作業療法」を含むほかの領域を厳格に区別する立場は，

> 「作業療法の段階に入るまでにあらゆる手段をつくして病気を治しておかなくてはならない。つくしうる手をつくさないで漠然と作業に入ってはならない」[1]

という主張につながっている。作業療法が砂原において「後保護（アフターケア）」や「更生（リハビリテーション）」と同様に回復期管理の一部として位置づけられているのはこのためである。
　すなわち，砂原が言いたいのは「作業療法」がたとえ治療と時期的に重なっていたとしても，**「作業療法」と治療はあくまで一線を画すべきであって，その両者を混同してはならない**，ということであり，そのうえで「作業療法」には重要な役割があるということである。そしてそれは決して容易なことでないと砂原はあえて次のように強調している。

> 「狭義の治療と一般社会事業の中間に正しく自らを位置づけ，結核患者であると共に，社会人であろうとする具体的な一人一人の患者を見失わないためには，作業療法はその独自の領域をきびしくまもると共にたえず隣接分野との接触を深めることを忘れてはならないだろう。考えようによっては，結核の回復期の管理は結核患者のうち，もっとも困難なかつ最も重要な部分であるといわなくてはならない」[1]

自らの役割をしっかりと認識すること，そこから真の貢献が生まれる。砂原が模索したその答えは，この著書が出された後で砂原が新たに出会ったリハビリテーションの思想によって，より明確にされることとなる。

■ リハビリテーションの登場と「作業療法」

砂原は『肺結核作業療法の実際』（以下『実際』）から6年後の，すでに結核の化学療法が確固たる地位を得ていた時期に，彼の結核治療にかかわる主著である『転換期の結核治療』（以下『転換期』）[2]を著した。

まず，ここでタイトルともなっている「転換期」とは，戦後の化学療法の普及と生活環境の改善などにより，結核による全国の死亡者数が1951（昭和26）年に93,307人と1909（明治42）年以来初めて10万人を割り，死亡率においても1952年には10万人当たり82.2人と初めて100人を下回るなど，結核領域における大きな変化があったことをさしている。

その結果，従来の結核治療の回復期において長期慢性患者の管理と社会復帰の促進に必要とされた「作業療法」は，次第に低肺機能者など特殊な場合を除いて医療の場から退場していくこととなった。砂原の『転換期』はこのような結核治療全体の流れを振り返り，彼の臨床経験のいわば総決算として書かれたものである。まずそこで掲げられている「作業療法」の目標をみてみよう。

> 1. 病気が治ったかどうかを動的に判断するため（治癒の動的判定）
> 2. 作業能力を医学的管理のもとに段階的に増進させるため（作業能力の判定と増進）
> 3. 精神的立ち直りのため（精神的効果）
> 4. 職業生活への適応性の判定と準備のため（職業的な社会復帰準備）
> 5. 全身の機能を高めて病巣の治癒に役立たせるため[2]
>
> ※（　）内は『実際』で示された言葉

「作業療法」の目標において『実際』で記された4項目と比べ，『転換期』ではさらに，「5. 全身の機能を高めて病巣の治癒に役立たせるため」を加え，「作業療法」の治療的関与に言及していることが注目される。

しかし，重要なのは『実際』において，治療とそれ以外の後療法，更生，作業療法を区別して，後者を治療が終わった後の回復期管理として位置づけていたものを『転換期』においては否定し，次のように述べていることである。

> 「かつてわたしは『回復期管理』という言葉がその平明さと内容の広さのゆえに，最も適当ではないかと考えたことがあったが，後に述べる『入所と同時にはじめるrehabilitation』という概念を受け入れるためには不適当な器であると思われる。後保護という言葉も同じ意味で狭すぎるのが難点であろう。わたしは『更生』という言葉をこれにあてて見たこともあるが，必ずしもしっくりしない」[2]

　砂原は言葉にこだわる人である。「言葉というものは大切なものである」というのが彼の思考の根底にある。そのようなこだわりの人であったからこそ，新たなリハビリテーションという考えがそこに登場できたといえよう。おそらく，リハビリテーションという言葉は，そのとき初めて砂原のなかで1つのはっきりしたイメージとなって結実したのではないだろうか。それは次の言葉に示されている。

> 「一人の患者を発見してからそれを社会に送り返すまでのすべての道程がrehabilitationに関連し，またはrehabilitationそのものであると見なすことができるのであって，『治療の一つの見方，側面』と考えられるのである。化学療法，外科療法などの狭い意味での治療は一応別としても，結核患者について行われるその他すべての配慮はrehabilitationという概念に含めうるであろう」[2]

　ここで言われていることは，リハビリテーションとは決して治療の後にくる「後療法」ではないということである。
　従って砂原にしてみれば，戦後の混乱で帰るところを失った患者は退院しても生活苦のなかで再発するものが多く，たまたま隣接していた土地建物が入手できたので，1949年にそこを「国立療養所東京病院附属作業所薫風園」と名付けて職業補導的作業療法を行う中間施設としたことは，決して医師の本分と別のことではなかった。
　ただ結核治療の進歩によって，結核「作業療法」は，それを必要とする患者数の減少に伴い，1960年代には医療の立場から次第に退場していくこととなった。
　しかし，こうして歴史の表舞台から，いわばその役目を終えて立ち去った結核「作業療法」と入れ替わるようにして，米国流のoccupational therapyが新たな作業療法として登場することとなる。

試験対策Point

砂原のいう「一人の患者を社会に送り返すまでのすべての過程がリハビリテーションである」という言葉は作業療法の目的でもある。この場合の社会とは地域とか家庭といった場所をさしているのではなく，社会の一員として患者（「障害者」）が受けいれられること，すなわち「全人間的復権」（上田　敏）あるいは1981年に定められた国際障害者年のテーマである「完全参加と平等」のことである（p.196，表1参照）。

アクティブラーニング①　「作業療法は後療法ではない」ということを実際の今の作業療法の活動において考えてみよう。

> **補足　砂原茂一の言葉**
>
> 「日本では一般に作業療法という言葉が用いられ，内容的にはドイツのArbeitsthrapieに最も近いようである。『気晴らし』的な要素も少ないが，同時に『職業的』な要素も極めて少ないものになっている。戦時中の傷痍軍人療養所を主な地盤として発生したためもあって訓練的な色彩も強かったが，今日でもなおそのような傾向が少なからず残っているようにみえる。一方従来の結核予防法の治療方針のどこにも『作業療法』という文字がみつからなかったこと，また，アカデミックな結核学者の理解と関心の外にあるため，結核の治療体系の継子の位置を現在も抜け出し得ないのである。作業療法などという『療法』はあり得ないといわれ，療養所内における患者の無意味なあるいは有害な温存としてしか一般には考えられていない現状である。実際に系統的な扱いをしないで軽快患者を好き勝手な状態に放置し，単なる入所期間引き延ばし戦術だと誤解されても仕方のない状況の存在することも決して否定できない。
>
> しかし，いわゆる臨床的治癒の状態で社会に放り出したのでは再発が極めて多く，また特に現在の日本では社会復帰にまでもって行くのではなくして結核の治療は全然無意味であることは自明の理であるから，むしろこの方面への医学的ならびに社会的努力が今後強く要請されるべきである。また実際そのような方向への理解と努力がようやく芽生えはじめたように思われるのである」[2]
>
> 50年あまり前の言葉であるが，いま読み返してみても，作業療法の使命を改めて思い起こさせる言葉ではないだろうか。

【引用文献】
1）砂原茂一，長澤誠司：肺結核作業療法の実際，p13-22，研究書院，1952．
2）砂原茂一：転換期の結核治療，p373-384，南山堂，1958．

【参考文献】
1．砂原茂一：リハビリテーション，岩波書店，1980．

✓ チェックテスト

Q ①戦後に結核作業療法が行われなくなった理由は何か（☞ p.63）。 基礎

②後療法とリハビリテーションの違いは何か（☞ p.66）。 基礎

作業療法の歴史

5 日本の作業療法④ 身体障害の作業療法（田村春雄・原 武郎）

加賀谷 一

※戦前の作業療法を表記する場合は「作業療法」と括弧をつけ，その由来が現在の制度化された作業療法とは異なることを示した。なお，引用は原文の表記をひらがな化するなど現代表記を取り入れ，また一部をわかりやすい表現に改めている。

*本項では，第二次世界大戦前・中・後を戦前・戦中・戦後と表記する。

Outline

- 戦後，身体障害者福祉法により都道府県に一般障害者を対象とした更生指導所が開設され，「職能療法」として公的な障害者援助が開始された。
- 「職能療法」は仕事において要求される各種動作を利用し，障害部位の機能の改善を主な目的としていた。

1 戦後の身体障害作業療法の歴史

これから取り上げる身体障害に対する「作業療法」が行われるようになったのは，主として戦後のことである。戦前は障害者を対象とした現在のような社会福祉制度はなく，1929（昭和4）年に制定された救護法にしても，はじめて「障碍者」がその対象として明記はされていたが，その対策は生活困窮者の一部としてとらえられているにすぎなかった。

その戦後において身体障害者に対して作業療法が行われるきっかけとなったのが，新たに制定された「身体障害者福祉法」（1949年）の成立であった。

■ 戦後の身体障害作業療法の原点

戦前と戦後の医学界における大きな出来事は，ドイツ医学から米国医学へとその主流が移ったことであろう。その流れのなかに結核の特効薬ストレプトマイシンや「リハビリテーション」という新たな技術・思想もあった。

このうち，ストレプトマイシンは1948（昭和23）年にわが国に輸入され，それを結核患者に用いると治療効果があり，その製造も2年後には国内で行われるようになった。しかし，ほぼ時を同じくして1950年に当時の大阪市立医科大学整形外科教授の水野祥太郎によってわが国に紹介された「リハビリテーション」はその言葉だけは知られていても，その理解はストレプトマイシンと同じようにはいかなかった。

だが，戦後の混乱がようやくおさまりつつあった1949（昭和24）年に，

わが国のリハビリテーションの歴史において残る2つの大きな出来事が生じた。

1つは戦前のように傷痍軍人を特別扱いするのではなく，広く一般人を対象とした身体障害者福祉法が成立し（p.196，**表1**参照），またそれに伴い，その実施機関として国立身体障害者更生指導所（後の国立身体障害センター：東京都新宿区戸山町）および各都道府県に更生指導所が設立されたことである。すなわち，これによって，それまで言葉のうえでしか知られていなかった「リハビリテーション」という理念と活動が，現実に「更生指導所」という公的な場を得て，当時は職能療法とよばれていた作業療法も一部で試みられるようになった。

もう1つの出来事としては，同じ1949（昭和24）年に，わが国のリハビリテーションならびに作業療法の発展に大きく寄与してきた九州労災病院が開設されたことである。この病院の最大の特徴は，最初から従来の各診療科とならんで理学療法科，義肢科，職業再訓練部門を備えていたことであり，わが国の草創期の身体障害を中心とするリハビリテーションと作業療法の実践・研究において果たしたその先駆的役割はきわめて大きかった。

本項ではこの2つの施設での作業療法（職能療法）を紹介し，改めて身体障害における作業療法のあり方について考えてみたい。

2 更生指導所と田村春雄の手作り職能療法

戦後，わが国でも身体障害者福祉法によって各地に更生指導所が設立されるようになったが，実際にはその多くはもともと就労が可能な，比較的軽い障害者を対象に，従来の職業訓練を行う場合が多かった。しかし，そのなかにあって，リハビリテーションの立場から積極的に作業を用いて機能回復を目指す新たな試みを開始した更生指導所が大阪府に生まれた。

田村春雄（1911～1989年）は当時，大阪市立医科大学整形外科助教授であり，先にふれた大阪市立医科大学整形外科教授の水野祥太郎の勧めによって，1951（昭和26）年に設立された大阪府立更生指導所に開設時からかかわり，職能療法（occupational therapy）の確立を通して，わが国のリハビリテーションの発展に大きく寄与した先駆者の1人である。彼の作業療法（職能療法）に対する熱意と学識は，初代作業療法士協会会長の鈴木明子とともに『リハビリテーション医学全書』第9巻『作業療法総論』[1]の編著者となったこと，またその作業療法への関心の高さは同著の「作業療法の歴史」の大部分を本人が執筆していることによってもうかがうことができる。

ここでは，彼が1964（昭和39）年の第1回日本リハビリテーション医学会において，その13年にわたる職能療法（作業療法）の経験をふまえてなされた報告「肢体不自由者の職能療法」によってその内容と背景，意義をたどることにする。

■ 職能療法とリハビリテーション

　田村の用いていた「職能療法」という言葉は，今ではほとんど使われていないが，もとをたどればOTの訳語であり，かつては「作業療法」よりも多く用いられていた。それはその当時の身体障害者福祉法が「職業更生」を第一に掲げていることと無縁ではないが，注意すべきは「職能療法」は決して就労という限られた目標を目指していたわけではない，ということである。

　先の「肢体不自由者の職能療法」は，肢体不自由者のOTの目的についてその治療的役割をきわめて具体的に次のように説明している。

> 「（職能療法は）身体的機能改善の一つの手段としてもちいられるもので，その意義は，何か仕事をする過程において，要求される各種の動作を利用し，それをすることにより障害部位の機能の改善をはかることが主になり，さらに理学療法，言語療法，心理社会的指導，その他特殊療法などとともにリハビリテーションの全分野に相互関連性をもつ一つの治療体系」であり，それによって終局的には「自信をもたせ，社会活動に参与できるような効果を期待するものである」[2]

　これは整形外科医である田村らしい職能療法のきわめて限定的な意義の解釈である。というのも，田村においては，リハビリテーションの目的（自信をもって社会活動に参与する）は職能療法だけで達成できるものではなく，あくまでも，理学療法などほかの職種との協力によってはじめて成し遂げられるものとされているからであり，そこにおけるリハビリテーションチームの役割がきわめて重要だということである。

　では具体的に，田村は新たな時代の職能療法・作業療法の役割をほかの職種との違いにおいて，どのように考えていたのだろうか。

■ 理学療法と職能療法の違い

　更生指導所の組織は地方によって大きな差があるが，田村の属する大阪府立更生指導所はさまざまな専門職の協力によって成り立つ組織であった。医師以外の専門職としては職能療法士のほかに心理判定員，ケースワーカー，理学療法士，言語療法士などが挙げられている。このうち職能療法の場合，特にそれが問われるのは，密接な関係にある理学療法との違いだろう。

　田村によれば，理学療法の役割は「生理学的に可能な人体の運動能力にできるだけ近づけること」であり，それに対して職能療法は「その運動能力を個人生活，社会生活に必要な機能に転換する」という役割を担っているとされている。簡単にいえば，今日でもしばしば用いられている理学療法は「基本動作訓練」，職能療法は「総合的または応用動作訓練」ということにもなるが，田村の意図はあくまでそれを生活のなかに活かすのが職能療法の役割であり，決して単なるADL訓練にとどまるものではないことに注

意したい。

■職業訓練と職能療法の違い

これまで，大阪府立更生指導所における田村の活動を紹介してきたが，田村によれば，全国の大部分の更生指導所では職能療法と職業訓練が同一視され，作業療法と称されているものはまったくその名に値しないものであった。では，職能療法は職業訓練と本質的にどのように違うのだろうか。

田村はそれを，職業訓練がその作業に求められる部分的機能の向上を目指すのに対して，職能療法は総合的機能の向上を目指していることとして説明する。

田村の強調しているのは，特に障害が重度な場合に，職能療法がその総合的な機能にかかわるということであり，それは単なる職業訓練では望みえないということである。

> 「(障害が重度な場合には)その人の全身的な機能の向上をはかり，その能力を拡大し，できるだけ就業可能な職種の数を増やし，その中から適職を選定しえるような状態をつくりあげなければならない。これはわずか一職種の限定された職業的訓練には望み得ないものである」[2]

すなわち田村のいう職能療法とは，ただ職業更生(就労)だけを目的としたものにとどまらず，そのなかに人間のさらなる可能性を追求した，今日の言葉でいえばまさに「リハビリテーションそのもの」であったとみることができる。

では，そのために必要な職能療法独自の知識・技術とは何だろうか。そこで田村が開発に取り組み，周囲の協力を得てまとめあげたのが，身体障害職能療法に欠くことのできないわが国最初の手作りの作業分析であった。

■手作り作業分析

職能療法の目的は，ただ四肢の機能の改善することにとどまらない。職能療法の役割はその改善が障害者の就労，日常生活の向上に結びつき，その基礎となるものでなければならないが，またその方法は合理的・科学的でなければならない。そのために田村が取り組んだものが作業についての科学的分析すなわち作業分析である。

田村はまず作業を5つの側面から以下のように分析している[2]。

①必要な材料(木，金属など)による分類
②要求される動作能力(つまみ動作，歩行動作など)による分類
③作業能力(作業範囲，筋力など)による分類
④訓練目的(道具の使用，下肢機能の向上など)による分類
⑤作業の系統(モザイク作業系列，粘土作業系列など)による分類

作業療法参加型臨床実習に向けて

障害を補うための道具の工夫をみる
さまざまな障害に対して作業道具が使いやすいように工夫されているところを実際に見い出し，その必要性を確かめる。

戦後，わが国の作業療法は米国からの多大な影響下にあったことは事実であるが，その一方でそれをわが国の社会と文化のなかで活かし，日ごろの実践のなかで独自の展開を試みていた田村のような開拓者が確かにいたことを，私たちは忘れてはいけない。田村は60種類あまりの作業を取り上げているが，そのどれもが私たちの生活と結びついていることについて，次のように述べている。

> 「OTの種目としてとり上げた諸材料はすべてわれわれの周辺でもっとも容易に，しかも安価で入手できるものから選定した。この意味においてわれわれのOTはかなり日本色豊かな組紐になっている」[2]

　図1はその木工で使用された道具の一部を示したもので，そのいずれにも，田村独自の作業分析の成果がいかんなく発揮されている。

　ただ，その幅広い人間的な職業更生を目指す意気込みとたゆまざる実践をもってしても，公的機関としての更生指導所の予算，人員の制約は大きかったため，歴史的にみればその成果はリハビリテーションの新たな理念のもとに設立された九州労災病院の職能療法に引き継がれ，そこで大きく飛躍を遂げることになる。

図1　木工道具の1例

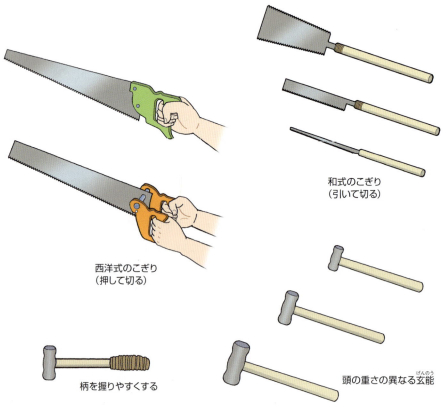

和式のこぎり
（引いて切る）

西洋式のこぎり
（押して切る）

柄を握りやすくする

頭の重さの異なる玄能（げんのう）

3 九州労災病院の体系的職能療法と原 武郎

　九州労災病院で職能療法(作業療法)部門が開設されたのは1960(昭和35)年のことであり，病院と理学療法部門の開設からすでに10年あまりを経過していた。しかし，この10年の間に，ようやくわが国でもリハビリテーションや作業療法についての情報や技術が関係者の間で知られるようになった。九州労災病院はそのような下地のうえで，それまでのいわば原野を開拓するのにも似た職能療法の草創期を脱し，十分な準備を整えたうえで，総合病院として初めて本格的な職能療法の導入に取り組むことになった。従って九州労災病院の職能療法を語るには，まずその背景をみておかなければならない。

■1950年代のリハビリテーションと職能療法をめぐる動き

　1951(昭和26)年，わが国が世界保健機関(WHO)に加盟したことは，それによるWHOの専門家の視察や技術指導を可能にし，医学界における新たな交流をもたらした。作業療法の分野でいえば1953(昭和28)年ごろ，米国カリフォルニア州のOT顧問マリアン・デービスが来日し，またWHOの留学生派遣の斡旋により，医師が米国で6カ月の研修を受け，帰国後は整肢療養園に開設された上肢訓練室で脳性麻痺に対する作業療法が開始された。

　また，身体障害の分野では，先にみた大阪府立更生指導所の先駆的職能療法がすでに10年の実績を積み重ねており，その独自の職能療法は九州労災病院の職能療法部門開設にあたり，職員が研修に派遣されるなど参考にされた。

　そして，そのように国内外の成果を採り入れて九州労災病院で始められた職能療法は，全国の労災病院のモデルとしての役割を担うだけでなく，揺籃期の当時の作業療法に対して，多大な影響を与えることになった。

■九州労災病院における職能療法の一般的目的

　九州労災病院における職能療法は，労災病院という施設の設立目的に沿って，当初より職業能力の向上が重視されていた。

　またその内容においては，労働災害を主因とすることから，その大半が整形外科疾患で，特に上肢の機能障害が多く，職能療法の果たす役割が大きかった。

　なお，3年間のアメリカ・ニューヨーク大学リハビリテーション研究所での留学を終えて帰朝し，九州リハビリテーション大学校の設立に深くかかわった当時の同病院のリハビリテーションセンター部長であった原　武郎は**職能療法の一般的目的**として，以下の4点を挙げている[3]。

> **補足**
>
> **職能療法**
> 九州労災病院では作業療法部門開設からしばらくはoccupational therapyに対して「職能療法」の用語を用いていた。ここでは当時の作業療法の受け止め方に従い，あえてこの言葉を使用した。訳語としての「作業療法」が確定したのは1965(昭和40)年の「理学療法士及び作業療法士法」からのことである。

> ①機能回復：筋力増強，関節可動域増大，協調運動性改善，耐久性増進，代償機能増強
> ②心理的効果：疾患・環境および障害に適応，感情・緊張のはけ口を与える，**依頼心**[*1]除去，レクレーション的効果
> ③日常生活動作の評価と訓練：おもに上肢使用の日常生活動作，自助器具および手副手，家事動作
> ④職能評価と訓練：興味・適正・能力の観察，職場での障害部位の適応，仕事に対する耐久性，特殊技能の維持および復職可能性

*1 依頼心
障害のため，何事においても消極的になること。

　このうち職能療法において特に重視されていたのが①の機能回復における作業の利用であるが，原はそこでの職能療法の意義を次のように述べている。

> 「理学療法士が行う機能訓練は，無味乾燥，かつ単調な1，2，3の号令によることが多いが，作業療法では，作業動作に伴う自然のリズムを利用するので，疲労が少なく，長時間行える上，患者のアクティーブな参加による動作で，一つの目的を果たすこと，患者の創造性を駆り立て，しかも作業という動作自体その完結を迫る性格上，その心理的効果と相まって，全リハビリテーションプログラムで果たす作業療法の役割は実に見るべきものがある」[3]

　このような作業に対する評価をみても，九州労災病院の職能療法の存在が特別なものであったことがわかる。

■ 職能療法の実際

　九州労災病院における職能療法の特色は，職業更生を意識した，その作業の治療的活用の徹底性と体系性にある。ここでは職能療法の過程に沿ってその内容を具体的にみていきたい。

①職能療法の目的を決める

　職能療法の目的は医学的要因（病状と予後，身体機能など）と個人的要因（予定されている職種で欲求される能力，教育，心理，経済状態など）を総合し，医師が患者と話し合いながら，患者のニードに応じて決めていた。

　この目的は一般には心身機能障害の回復のために，筋力増強，筋再教育，関節可動域改善，筋・関節・廃用変化予防，耐容性増大，協調運動の改善，代償機能の助長，巧緻性の増大，全身調整，特殊訓練，心理的障害の改善，などの個別目的が掲げられていた。

②目的に適応した作業種目の選定

　職能療法の目的が決まれば，それに応じた作業種目を選択する。**適応のある作業とは，その動作のなかに治療に効果的な，必要とされる動作が含まれている**ということである。といっても，無から考えるのではなくて九

州労災病院では，特に労災患者に多い骨折，切断，下半身不随などの各種障害に適した作業種目を研究し，表にまとめて参考にしていた（**表1**）。

この表には，九州労災病院における当時の職能療法の規模の大きさと綿密さが示されている。対象となる障害は全身にわたり，さまざまな部位と程度に応じた作業種目がここに名を連ねている。もちろんこれらはただ教科書に名前が挙がっているだけではない。それらが，実際に行われていたところに九州労災病院における職能療法の取り組みの徹底さがうかがわれる。

③**作業開始前のオリエンテーション**

患者に適した作業を選定したとしても，それで直ちにその作業が開始されるわけではない。選定の後で最初に行わなければならないのは，患者にその作業の必要性を十分に説明し，理解を得ることである。

特に職能療法の場合，その手段として日常や仕事のなかで行われる作業が使われるので，それがあくまでも治療の手段であることを患者によく理解してもらうことが大切になる。

これは，職能療法に限らずリハビリテーションにおいては，**本人の取り組む意欲がその結果を大きく左右するからであり，それに深くかかわる患者に対する説明と理解の過程は決しておろそかにすることが許されない**からである。では，そのようにして選ばれた作業はどのように実施されたのだろうか。

■ **作業を活かし治療的効果を高めるための工夫**

作業には繰り返される動作が多くの種目でみられる。その代表的な例が機織り作業の使用であるが，九州労災病院ではそれが上肢だけでなく体幹，下肢の訓練手段として幅広く利用されていた。その繰り返し作業の治

表1 作業負荷量と対象部位による作業の分類の例

	軽度作業	中等度作業	重度作業
肩部障害に対して	シャッフルボード ピンポン 輪投げ ダーツ 壁画 紐かけ（高位置） 織機 手編機 かごあみ サナダ紐あみ 鉄枠あみ 黒板かき 竹割り（短材） 彫刻 卓上ドリル チェーンブロック	ペーパーがけ 電機ドリル 木工ロクロ 鋸びき（高位置） 家具みがき（広範囲） ノミ・ハンマー作業（頭上） 荷挙げ（ホイスト） 壁洗い 頭上枠組み 荒なわ結び 床拭き バレーボール ショベル作業	壁塗り ペンキ塗り 建築大工 金切り鋸 両挽鋸 荷挙げ（上位） パイプつなぎ（頭上） シャベル クワ ツルハシ 木割り 大ハンマー 木材積み 荷挙げ（重量物・ホイスト）

（文献3より引用）

療効果について，原は次のように述べ，その効果を評価している。

> 「OTで使用される筋の運動パターンは，多くの交互の緊張あるいは，収縮と弛緩の繰り返しであり，自然のリズムに従うので疲労が少ない。また能動的な運動（Active Exercise）には，患者の意欲的な労作が基本的条件となるのであるが，この点OT本来の特性である目的のある，あるいは創造的アプローチは，必然的に患者の能動的意欲を駆り立てるものであり，心理的にもはなはだ効果のあるExerciseが行われる」[3]

　九州労災病院における職能療法の特色は，その作業のよさを活かしながら，しかも治療効果を高めるためのさまざまな工夫が随所になされているところにある。

工夫その①：障害に応じたさまざまな道具の用意

　九州労災病院で用いられた多種多様な道具は，患者の障害に合わせ，治療上必要とする動作を引き出すために集められたものである。例えば，木工における金槌の重さ，のみの太さ，押して切るのこぎりと引いて切るのこぎり，押すかんなと引くかんな，資材固定する道具などは，障害の部位や程度に応じて患者が用いることができるように工夫がなされている。

工夫その②：抵抗や治療上必要な動きを引き出す仕掛け

　いかにその作業が治療に必要な動きを含んでいるものであっても，これをそのまま整形外科的な治療目的に利用しようとする場合には，ややもの足りない部分が生じることがある。もっと筋力を強化したい，もっと動きを大きくしたい，さらには特定の筋や特定の動きを引き出したい，などの必要が生じる場合である。例えば普通の作業ではわざわざ重りで抵抗を加え，より力を必要とさせることなどはありえないが，必要な作業強度を得るためにそのような調整が，場合によりあえて採用される場合がある（図2）。

　ただし，この方法は原も認めているように動作が不自然になることが避けられないし，場合によっては興味がそがれることも考えられる。従って，これを採用するにあたっては，そこから得られる治療的効果と，作業の全体的効果の兼ね合いがきわめて大切となる。しかし，そのさじ加減は多くは経験を通してしか得られない部分であり，それをあえて行うには，何よりも作業のもつ効果に対する治療者側の十分な知識と創意工夫がなければならない。

> **アクティブラーニング①** 作業療法室を見学したときは，障害に応じて工夫がほどこされた道具にどのようなものがあるか，確かめてみよう。

図2 機織り作業における負荷の1例

重り

■ 重度作業（heavy work）療法と職能評価

　九州労災病院での職能療法と一般病院での職能療法との違いとして，中等度よりさらに負荷の大きい重度作業療法がある．これは以前に重労働を行っていた者などが，同じ重労働の職場に復帰しようとする場合に行われるもので，炭鉱や工場，土木などの労働に従事していた患者が多い，労災病院ならではのプログラムであり，その指導は職能療法士によって行われた．すなわち単なる職業訓練ではなく，あくまでも治療の一環として行われていたところにその特色がある．

　その過程で重要なのは，患者が退院後に従事する予定の仕事の内容について正確な情報を得ることである．その情報に従って訓練は想定された仕事に必要な能力の獲得を目指して，患者の状態に合わせて負荷を徐々に増やしながら進められた．

　また用いられる訓練は，障害の部位により上肢障害，下肢障害，体幹障害の3つに分けられ，障害の程度に応じて調整されつつ行われた．例えば重量物の運搬においては，大きさと重量が異なるさまざまな組み合わせの箱が用意され，2週間ごとになされる評価の結果を参考に，持ち上げる高さ，重さなどを変えながら進められた．

　図3はその一場面であるが，この重度作業療法が実際の職場復帰に大きな役割を果たしていたことが想像される．しかし，トーテムポール作業には職能療法ならではの一種の楽しさが感じられる．

作業療法の歴史

図3 重度作業の1例

■九州労災病院における職能療法の意義

　九州労災病院における職能療法は，あくまでも労災患者の職業的更生を中心に，主として整形外科的疾患を対象に考えられ，工夫を積み重ね，周囲の協力もあり計画的に発展してきたものであって，それがただちに全国の一般病院でそのまま行える，というわけにはいかない。

　しかし改めて確認しておきたいことは，九州労災病院において職能療法が重視されていたことは，ただそれが職業リハビリテーションと内容において共通点が多いといった実用的観点からなされただけではなく，また時代背景や機運がそれを可能にしたわけでもない，ということである。

　作業は作業療法にとって大切な手段であるが，九州労災病院における職能療法における作業の利用は，例えば先に挙げたように作業場面でのさまざまな「不自然」な工夫をみると，作業本来の意義を損ない，あるいは軽視していると感じさせるかもしれない。筆者自身，過去にはそのように思ったこともある。

　しかし，よくよく当時の文献を読むと決してそうではなく，原らが作業のもつ心身への多大な効果を何よりも実感し，それがさらに職業復帰へとつながる重要な要素となることを認識していたからこそ，あのような微に入り細にわたる一見「不自然」とみえる工夫が生まれた，ということがわかる。この意味で九州労災病院における職能療法の理論と実践はその対象と環境の違いはあれ，「作業療法の原点とは何か」という問いに対して，今後も多くの貴重な示唆を私たちに与え続けるものと思われる。

　また，九州労災病院における職能療法はその効果を科学的に検証し，絶えずその見直しを行い，改善に努めていたことも特筆しておかなければならない。それによって得られた貴重な経験は，次のリハビリテーション学院の創設という事業において引き継がれ，作業療法は，はじめて本格的な飛躍のときを迎えることになる。

試験対策 Point

作業療法の一般的な目的として，身体障害に対する機能回復（筋力，関節可動域，協調運動，耐久性，体力）にとどまらず，心理的効果においても障害への適応を高め，能動的意欲を引き出すものとしてきわめて重要である。

補足　原　武郎の言葉

「患者の治療というものは，疾患を改善し再び患者を最終的に社会で独立し生活して働ける状態にする迄終わるものではないという進んだ医療の考え方から出発するのがリハビリテーション医療である。

　作業療法の歴史自体を振り返ってみても，従来の医療の中ではこれは長い間多くの人々から無視され，最近やっと陽の目を見るようになったものである。これはすなわち，従来の医療が患者を一つの全人格的な対象として取り扱うことの重要性を無視し，単なる患者のある部分にのみ興味をもって治療の目的を果たそうとした事実を考えると，作業療法の歴史はそのままリハビリテーション医療の歴史であったとすらいえる」[3]

【引用文献】
1) 田村春雄，鈴木明子：作業療法総論，医歯薬出版，1976．
2) 富岡詔子，秋元波留夫 編著：新作業療法の源流，p334-349，三輪書店，1991．
3) 原　武郎：作業療法．リハビリテーション講座2，p69-85，一粒社，1967．

【参考文献】
1. 杉本　章：障害者はどう生きてきたか：戦前・戦後障害者運動史，p41-45，現代書館，2008．
2. 小川恵子：身体障害作業療法の歴史．理学療法と作業療法，10(11)：833-836，1976．

✓ チェックテスト

Q ①戦後，リハビリテーションの社会的発展（特に身体障害）において大きな役割を果たした制度と施設は何か（☞ p.68〜69）。 基礎

作業療法の歴史

作業療法の歴史

6 日本の作業療法⑤
リハビリテーション学院の設立

加賀谷 一

> **Outline**
> - 1963年，世界保健機関（WHO）の指摘を受け，リハビリテーションの専門技術者（理学・作業療法士）養成のための専門学校が東京都清瀬市に開設された。
> - このとき「作業療法士」が「職能療法士」をおさえて新たな職種の名称となったが，これにより「作業療法」は個別の障害に対する技術を越えて独立した1つの技術として新たな一歩を踏み出した。

1 職能療法から作業療法へ～リハビリテーション学院設立の意義～

　九州労災病院における職能療法は職業更生を主眼に，着々とその実績を重ねていた。しかし，歴史の進歩はとどまるところを知らない。作業療法にはまだ，一般の施設で広く小児や精神疾患，高齢者などを対象としたさまざまな領域で，その活動の場を広げるという課題が残されていた。

　次はこのことに目を転じて，学院設立にかかわる内外の状況をみながら，作業療法にとっての学院設立の意味とは何か，ということについて考えてみたい。

■学院設立の背景と経過

　作業療法士という職種がなかった時代では，作業療法は医師が直接関与し，実際の指導にあってはそれにふさわしい人材を自ら獲得し教育して進められていた。例えば，先に挙げた大阪府立更生指導所では，田村医師のほかに手工芸の技術をもつ者と必要な道具の製作技術に心得のある職員を採用して指導が行われていた。養成機関設立の必要性は，戦前から話題にはなっていたが，実際には財政的な理由などからなかなか実現しなかった。

　しかし，そのような状況のなかで，世界保健機関（WHO）がわが国の医学的リハビリテーションと専門技術者養成の立ち遅れを指摘したことがきっかけとなり，1962（昭和37）年6月には，厚生省内に設置されていたリハビリテーション研究会の中間報告「医学的リハビリテーションに関する現状と対策」において，専門職の養成と1965（昭和40）年末までに身分を法制化することが提言されるに至った。そしてこの提言に沿って急遽1963（昭和38）年にわが国最初の国立療養所東京病院附属リハビリテーション学院が設立され，初代学院長として砂原茂一がつくことになった。

■学院における作業療法の内容とその意義

　開設後の作業療法学科の教育体制における最大の問題は，まず国内に有資格者がそもそも存在していなかったことから，教官についてはこれを外国人に求めざるをえず，その確保がきわめて困難なことであった。その数は開設後10年間（1964〜1973年）で17名で，そのすべてが米国人であり，平均勤務期間は10.7カ月であった。

　では，そこで行われた当初の作業療法学科の授業とはどのような内容だったのだろうか。創設当時（1963〜1965年）のカリキュラムをみると，全体は3,710時間で，その半分近くを臨床実習（1,800時間）が占め，残りの半分を解剖・生理・運動学を中心とする基礎医学（950時間）が占め，さらにその残りを教養科目（510時間，そのうち英語300時間）と専門科目（450時間，そのうち工芸などの作業療法実技300時間）がほぼ分けあっている。

　これをみてまず気づかされることはその授業の大半が基礎医学と英語を含む基礎学科と臨床実習で占められ，身体障害を主な対象とした作業療法が想定されていたことであろう。

　しかし重要なことは，長期的にみればリハビリテーション学院の設立は，それまでの作業療法の個別的なあり方とは異なる，理論的立場における「作業療法一般」あるいは「作業療法とは何か」，という今日の作業療法にかかわる基本的な問いかけを提起したということではないだろうか。

　それゆえその意味において，学院の創設と最初の教育は単なる一時期のエピソードとして見過ごしてはいけない重要な出来事であったといえよう。

■日本語名称としての「作業療法」の意義

　学院が創設されて日も浅い1963年6月に，戦後の作業療法にとって重要な意味をもつ会議が開催された。それが砂原茂一を座長とした「PT・OT身分制度調査打合会」である。この会議はPT・OTの日本語名称，業務内容，資格要件，養成所の基準などを審議決定するものであったが，なかでも紛糾したのがoccupational therapyの日本語名称をどうするかという問題であった。これは当時すでに新たな取り組みのなかで広く使われていた「職能療法」と，旧来のなじみのある「作業療法」のどちらを採用するかで意見が分かれ，結局14票対15票という僅差で「作業療法」が採択され決着をみたが，これはある意味で戦後の作業療法のあり方を決める出来事であったとみることができる。

　すなわちこのことは，表面的には単なる言葉のやりとりのなかで，旧世代の懐古的，保守的な思いがそれを選ばせたとも解釈できるが，そこにはこれからのOTは，職能に限らずもっと広い立場で考えていかなければならない，とする気持ちが最後に勝り，それがわずか1票差という僅差で「作業療法」が選ばれた理由ではないかと思われる。ともあれ，こうしてOT，「作業療法」は「職能療法」という衣を脱ぎ捨てて広い海へとその船首

作業療法参加型臨床実習に向けて

リハビリテーション学院創設時と現在の作業療法のあり方の比較

リハビリテーション学院創設時は主に身体障害を対象とした作業療法が行われていたが，その対象の多様化によって，現在はさまざまな障害が作業療法の対象となっている。それを具体的に挙げ，作業療法を取り巻く障害のあり方と援助の多様性について理解し，これからの作業療法の役割について考える。

試験対策 Point

ある療法とその専門職が社会に定着するには法的な制度化を欠くことができない。この意味で1963年のリハビリテーション学院創設と1965年制定の「理学療法士及び作業療法士法」の存在はわが国の作業療法にとってきわめて重要な出来事であり，「作業療法」という名称もこれによって確定し，社会的に認知され今日に至っている。

を向けることになった。

　しかしそれは，砂原がかつて指摘していたように，決して楽な航海ではなかった。むしろそのような独立を主張する時代であればこそ，作業療法はそのアイデンティティをこれまで以上に明確にすることが求められたといえよう。

　ではこれからの作業療法に求められるビジョンとは何か。最後にこのことに触れて，この作業療法の歴史の学びの幕を閉じることにしたい。

2 「回復」から「創り出す」作業療法へ

　これからの作業療法のあり方を考えるうえでまず大切なことは，作業療法の原点に立ち返って，作業療法に託された役割を問い直すことではないだろうか。

　戦後の社会的変化，作業療法に対して求められてきた歴史を振り返ると，そこには2つの役割があったように思われる。1つは回復にかかわる役割，もう1つは障害から再出発して新たに創りだすことにかかわる役割である。

■ 回復を目指す作業療法

　これまでのリハビリテーションあるいはリハビリテーションの部門としての作業療法の目指していたものは，簡単にいえば回復，復帰，元にもどす，ということにあったのではないだろうか。これにはrehabilitationにおける"re"の一言がどうしても関係し，それがかつては大きな意味をもっていたことは否定できない。

　大きな災害が起これば，元にもどすことや復興が叫ばれ，戦争によって身体が損なわれれば，その回復・再建が求められる。またそうでなくても病気や怪我によってそれまでできたことができなくなれば，機能の回復が期待され，元の職場へ復職することが期待される。しかし，それらの障害の治療には限界があることも確かである。それに対して，疾患自体を治すことだけでなく，環境や方法，手段や道具の工夫・改良などによって機能を補うこと（補填）が行われるようになった。

　これがリハビリテーションの始まりであり，その理念には医学的のみならず，社会的なあらゆる手段によって障害を軽減し，できれば正常で元の状態にもどす，あるいは少しでもそれに近づけようとする思想が含まれている。

　これはある意味で，医学が治せなかったところを，ほかの手段や方法を用いて少しでも元にもどし，治そうとするのがリハビリテーションであり，治療の延長としてのre-construction（再建），re-conditioning（再調整），re-education（再教育）である，という考え方であった。

　しかし，矛盾するようだが，そのことに異議を唱えたのもまた，リハビ

リテーションではなかっただろうか。それは障害を治すのではなく、それを出発点として人間そのものに目を向け、新たな生き方、生活を考えようとする理念である。

人間は、何か目標をもつためにはゴールが必要であるし、それは正常とか元の機能の回復という基準がその目安となることは容易に考えられることである。しかし、**ときとして「正常」とは異なる身体（例えば先天的に「障害」をもった身体）においては一般的に「正常」とされている運動が、その人にとっては「異常」であることがありうる。それゆえ、何が「正常」なのかを、その人の障害において考えなければならない。**

戦後、復興が叫ばれ、リハビリテーションもそのような考え方で、戦争の傷跡を少しでもなくし、社会に復帰することが目標に据えられた時代があった。「職能療法」というかつての作業療法の名称はおそらく、その時代の雰囲気に近かったのではないだろうか。

それゆえ「正常」を超えて問われていることは、本当の健康とは何か、どのような状態を目指すのか、ということをその人の状態に即して考えることではないだろうか。そして、その答えは「正常」や元の生活のなかに見出されるものではなく、新たに創り出すことのなかにしか見出されないものではないだろうか。

■ 創りだす作業療法

「創りだすリハビリテーション」あるいは、「創りだす作業療法」とは何か。それは「障害」を普通のこととみて、そこから出発するリハビリテーションである。回復しようとすれば、それはすでにマイナスを埋めようとする意味がそこに込められてしまう。そうではなくゼロからの出発であれば、すべては新しいものであって、失われたものを取りもどすことには決してつながらない。それが創りだす作業療法の原点である。

従って、そこでは「代償」動作、「自助具」、「維持期」、「残存能力」といった回復や正常を物差しにした言葉は、見出すことはできない。それに代わるのは「やりやすい」動作、「便利な」道具、「普通の状態」、「もてる能力」という言葉である。

しかし、これは別に新たに創り出された作業療法の姿・ビジョンというわけではない。例えば、米国の作業療法士Marie-Louise Franciscusはその『作業療法士案内』（Opportunities in Occupational Therapy）において occupational therapyの目的を

> 「身体的あるいは精神的病気にある患者のrehabilitationあるいはhabilitationを助けること」[1]

としている。

この「occupational therapyにはrehabilitationのほかにhabilitationの意味が含まれている」という指摘は重要である。もどすこと，再現することにとどまらず，habilitationとは，新たに創り出すこと，今より能力を高めるということである。

　戦中戦後の結核「作業療法」からOT制度の確立に至る作業療法の歴史的変遷に身近にかかわり，その臨床から教育に至る幅広い視野をもって思索を重ねてきた砂原は，そのもう1つの主著ともいえる『リハビリテーション』[2]において，作業療法について次の言葉を残している。

> 「リハビリテーション医学のもっとも重要な治療技術の一つである作業療法は，たんに身体障害だけではなく精神障害にも盛んに用いられている。つまり作業療法についていえば，リハビリテーション医学のワクなどは一向におかまいなしに自分自身の領域を設定しているのである」[2]

　だが，そのような作業療法の理念・目指すところは最初からどこかにあるものではない。科学的に証明されるものでもないし，統計的に決まるものでもないし，多数決によって決まるものでもないし，もともとある権利という考え方によって生まれるものでもない。それは絶えず創り出されるその作業の過程そのものであり，手段であると同時に目的でもあるもの，それぞれの内にありながら，その外に存在しているものではないだろうか。「作業療法」に深くかかわった歴史上の人々の一人ひとりを思い起こすとき，私たちの胸に浮かぶのはそのようなことではないだろうか。

アクティブラーニング ① 現在，さまざまな障害が問題となっているが，作業療法の今日的対象としてどのような障害があげられるだろうか。

【引用文献】
1) Franciscus ML: Opportunities in Occupational Therapy, Vocational Guidance Manuals inc, p17, 1952.
2) 砂原茂一：リハビリテーション，p77，岩波書店，1980.

【参考文献】
1. 天児民和，ほか：理学療法士・作業療法士教本 作業療法，医歯薬出版，1966.

✓ チェックテスト

Q ①戦後，国によりリハビリテーション学院が創設され，作業療法学科が学科として成立し，作業療法士が国家資格となった意義は何か（☞p.82〜83）。 基礎

3章

作業療法の定義

作業療法の定義

1 作業療法という名称

栗原トヨ子

　作業療法という名称は,「occupational therapy(頭文字をとってOT)」を訳したものとして使用されている。このoccupational therapyという名称は,「アメリカ作業療法士協会」設立に貢献し,初代の協会長にもなったGeorge E. Barton(ジョージ バートン)(1871〜1923年)の命名によるものである。鈴木[1]の紹介によれば,バートンは優秀な建築士であったが,肺結核,左足首の切断に加え,左半身麻痺も起こり,心身ともにどん底につき落とされた経験のなかで,ある神父の「同じような苦しみのなかにある人に,もし何かをして助けてあげられるならば,あなたの人生はより価値のあるものになるでしょう」という励ましで,結核患者や身体障害者のために医学を学び,家屋を改造し,片手で使える木工自助具,園芸用具などを考案して患者に適用していったという。そして,「職業遂行上で人が病気になるならば,職業遂行過程で病を治せるにちがいない」という自身の体験のなかから生まれた信念で,この治療法を「occupational therapy」と名づけたという。この考え方はまさに,心身の健康は作業する習慣を身につけることで可能となる,と考えた古代ギリシャ・ローマ時代の治療の考え方そのものといえる。これらのことを考えると,occupationはwork(仕事)に近い概念ともいえる。

　occupationの言葉が意味することをもう少し探ってみると,occupationalの名詞形はoccupationであり,従事している活動や仕事,職業などを意味している。その動詞形のoccupyは,〈空間・時間・場所を〉占める,とか〈専心(従事)〉させる,といった意味をもつことから,「その人にとって何らかの意味ある作業や仕事に専心(従事)することにより健康を取りもどし,健康を維持する治療方法」(図1)という解釈が成り立つといえる。

図1 occupational therapy(OT)

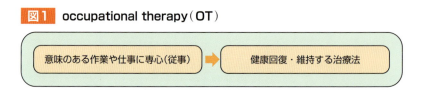

【引用文献】
1) 鈴木明子:日本における作業療法教育の歴史, p36-37, 北海道大学図書刊行会, 1986.

作業療法の定義

2 治療手段の「作業」の意味

栗原トヨ子

> **Outline**
> ● 治療手段の「作業」とは，対象者が生きていくうえで必要な，さまざまな活動を指している。
> ● 作業療法で用いる作業活動について，具体例を示している。
> ● 作業療法は，すべての過程で対象者側の視点に立って進められることが基本である。

1 「作業」の定義

　治療手段として使用するものが「作業」であるが，この「作業」についてまず知る必要がある。『広辞苑』によれば，「作業」とは，「肉体や頭脳を働かせて仕事をすること。また，その仕事」となっている[1]。すなわち，作業をするということは，身体の全身または一部分を計画的に動かして，何らかの変化を生みだすことだと考えられる。そのため，無意味・無目的な身体の動きは，極端に考えれば「作業」には該当しないともいえる。

　病気やケガにより身体機能の一部分または全体に及ぶような損傷を負っている身体障がい者や心理的に過剰なストレスを抱え，抑圧された状態のまま周囲に適応できずにいる精神障がい者がその不自由さや生きづらさのために，自分にとって意味のある活動，またはしなくてはならない日々のルーティン・ワークを遂行することが困難な状態にある場合には「生活機能が制限されている状態」にあるといえる。生活機能とは「人が生きていくこと」を指していて，生活機能が制限されているとき，人の生活には何らかの「障害」が伴っていると考えることができる。

　背景因子や個人因子の違いやそれぞれのかかわり方が健康や障害と密接に関係していることについては，WHOが発表した「ICF（国際生活機能分類：international classification of functioning, disability and health）」の説明によって理解できる。すなわち，社会のなかで「生きづらさ」を感じている人がより良い生活を送るためには，患者自身の努力だけではなく，患者を取り巻く社会全体のサポート体制の構築が欠かせないことを示している。

　ICFと作業療法との関連について，『作業療法ガイドライン（2018年度版）』では，「作業療法の過程では，基本的能力，応用的能力，社会的適応能力という視点から対象者の生活機能をとらえ，制度や社会資源の利用等，対象者の個人特性に応じた治療，指導および援助を重視している。こ

れらの視点は，それぞれICFにおける「心身機能・身体構造」「活動」「参加」「環境因子」「個人因子」と親和性があり，それぞれに対応させて考えることができる。」としている(図1)。

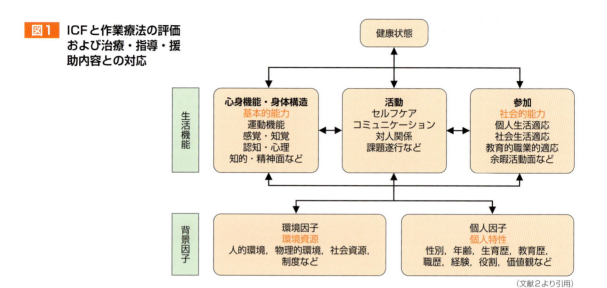

図1 ICFと作業療法の評価および治療・指導・援助内容との対応

(文献2より引用)

2 「作業」の意味と範囲

作業療法士が治療手段として使う「作業」ないしは「occupation」にはどのようなものが含まれるのであろうか。

日本作業療法士協会では作業を「対象となる人々にとって目的や価値を持つ行為」と定義している。作業療法では治療，指導および援助の手段や目的として種々の作業活動を用いる。『作業療法ガイドライン』ではその具体例として表1を示している。この表においては，対象を1．基本的能力，2．応用的能力，3．社会的適応能力，4．環境資源，5．作業に関する個人特性，と分類し，それぞれにICFの分類を当てはめている。さらに，各々の分類項目に「作業活動の種類」を対応させて，具体的な作業活動を紹介している。

3 作業療法の対象者・目的・手段と方法

■ 作業療法の対象者

対象者は乳幼児から高齢者まで，病気や事故により身体的または精神的機能に障害をもつ人，および障害をもつ可能性のある人すべてである。心身機能の障害は，日常生活の諸活動に支障を及ぼす。小児期に重度障害のある子どもは，ベッドや車椅子での生活が多くなり，身体活動や子ども同士の遊びなど外界からの刺激が遮断されやすい。そのため，正常な発達過程を経験できないことも起こる。高齢者も心身の衰えにより外出の機会が減ると，家に閉じこもりがちとなって近隣との交流が減り，また認知症の

表1　作業療法で用いる作業活動の具体例

対象	作業活動の種類	具体例
1. 基本的能力 （ICF：心身機能・身体構造）	感覚・運動活動	物理的感覚運動刺激（準備運動を含む），トランポリン・滑り台，サンディングボード，プラスティックパテ，ダンス，ペグボード，プラスティックコーン，体操，風船バレー，軽スポーツなど
2. 応用的能力 （ICF：活動と参加・主に活動）	生活活動	食事，更衣，排泄，入浴などのセルフケア，起居・移動，物品・道具の操作，金銭管理，火の元や貴重品などの管理練習，コミュニケーション練習など
3. 社会的適応能力 （ICF：活動と参加・主に参加）	余暇・創作活動	絵画，音楽，園芸，陶芸，書道，写真，茶道，はり絵，モザイク，革細工，籐細工，編み物，囲碁・将棋，各種ゲーム，川柳や俳句など
	仕事・学習活動	書字，計算，パソコン，対人技能訓練，生活圏拡大のための外出活動，銀行や役所など各種社会資源の利用，公共交通機関の利用，一般交通の利用など
4. 環境資源 （ICF：環境因子）	用具の提供，環境整備，相談・指導・調整	自助具，スプリント，義手，福祉用具の考案作成適合，住宅等生活環境の改修・整備，家庭内・職場内での関係者との相談調整，住環境に関する相談調整など
5. 作業に関する個人特性 （ICF：個人因子）	把握・利用・再設計	生活状況の確認，作業のききとり，興味・関心の確認など

（文献3より引用）

症状が出現しやすくなるなど，介護の必要度が高まる．

■作業療法の目的

作業療法の目的は，作業活動を媒体にして対象者の基本的能力の改善を図り，生活に必要な応用的能力，社会的適応能力を向上させ，究極的には社会参加を促進することにある．それぞれの能力獲得に対する介入方法は，対象者の状況（年齢や性別，疾患，障害の程度，発症後の経過など）によって異なるので，対象者の希望を尊重して目的達成を図る．そのために社会資源を最大限に利用することも求められる．

■作業療法の手段と方法

作業療法として治療・指導・援助するときに使用する手段は「作業」活動である．

例として，病気や事故による身体機能の低下や欠損に対しては，低下した部分を回復させるための単純な方法としてエクササイズを選択する方法もある．しかし，作業療法士は，機能の低下や欠損した部分の回復のために，その人の興味・関心のある「作業」活動を探し出し，やり方を変更したり，道具の工夫・考案によって遂行しやすくし，その遂行過程で機能回復が得られるようにプログラムを組むことが求められる．また，対象者が現

在最も必要とする「作業」が生活活動の獲得である場合，その獲得練習のなかで，補助的手段として福祉用具の紹介や使用練習も重要なプログラムとなってくる。

4 作業療法の過程（手順）

作業療法士は対象者の主体的な生活を支援していくことを基本としており，作業療法のすべてのプロセスで対象者側の視点に立つ姿勢が必要であるという考え方から，2018年度版の『作業療法ガイドライン』においては作業療法の過程を図2のように示している。医療の受け手である対象者は，作業療法について，その効果や限界などの十分な説明を受けられること及び作業療法を受けることを承諾した後に作業療法評価（検査・測定）を受けることになる。作業療法士は，評価の結果を基に作成した作業療法プランを対象者に提示し，対象者が納得した場合に双方に契約関係が成立して作業療法が開始される。このように，対象者の自主性，自律性が最大限尊重されるような過程（手順）となっていることがわかる。

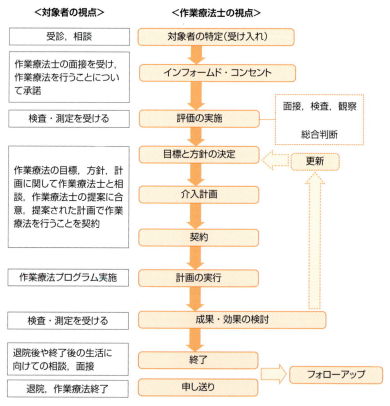

図2 作業療法の過程

（文献3より引用）

【引用文献】
1) 広辞苑 第7版(新村 出 編),岩波書店,2018.
2) 日本作業療法士協会:作業療法ガイドライン実践指針2013年度版,2013.
3) 日本作業療法士協会:作業療法ガイドライン2018年度版,2019.

✓チェックテスト

Q ①「広辞苑」によると「作業」とはどのようなことをさしているか(☞p.87)。 基礎

②ICFと作業療法の評価および治療・指導・援助内容との対応で「心身機能・身体構造」「活動」「参加」に該当する評価内容はどのようなものか(☞p.88)。 基礎

③作業療法の対象者は誰か(☞p.88)。 基礎

作業療法の定義

3 作業療法の定義

栗原トヨ子

Outline
- 1965年に制定された「理学療法士及び作業療法士法」では，「作業療法」の対象・目的・方法が具体的に示されている反面，限定的に受け取られる懸念がある。
- 2018年5月に改定された日本作業療法士協会の作業療法の定義は，対象が障害者とその予備軍だけでなく，一般の人々へと拡張されている。
- 日本作業療法士協会，米国作業療法士協会，世界作業療法士連盟のそれぞれの定義を全体として見ると，健康の維持，促進のために作業が必要不可欠なこと，そして何よりも対象者の主体性が尊重されているといえる。

1 日本の法律

　日本の法律では，1965年に制定された「理学療法士及び作業療法士法」[2]の第2条第2項で「この法律で「作業療法」とは，「**身体又は精神に障害のある者に対し，主としてその応用的動作能力又は社会的適応能力の回復を図るため，手芸，工作その他の作業を行わせることをいう**」と定義しているように，身体的あるいは精神的に障害のある人に手工芸的作業を用いて治療することを作業療法と定めている。この法律による定義は対象・目的・方法が具体的に示されている反面，限定的に受け取られがちである。

2 「日本作業療法士協会」の定義

　2018年5月に開催された「日本作業療法士協会 平成30年度定時社員総会」において，以下のように作業療法の定義を改定し，公表した。
　改定前の定義が，「身体または精神に障害のある者，またはそれが予測される者…」というように，現在障害を持つ人や将来明らかに障害が予測される人に対する援助という印象が拭えなかったが，今回の改定では，対象者を「人々」としている。その理由として，高齢社会における地域の健常高齢者に対する予防的なかかわりや，特に明確な診断はついていないものの，発達上の偏りが顕著なため特別な支援を必要とする子どもたちやその家族への対応，そして，地域包括ケアシステムにおける生活圏域のケアマネジメントなど，作業療法の対象が多様化している現状がある。これを踏

まえ、作業療法の恩恵を受けられる人が、障害者とその予備軍だけでなく、一般の人々へと拡張され、究極的には「作業療法」は、人々の健康と幸福のために、ライフサイクルの中で起こりうるすべての出来事に関与・貢献できる行為である、というように大幅に拡張されている。なお、新定義は、定義をできる限り短い文章でまとめる工夫をしたため、以下に示すような作業療法の複雑性を表現するための註釈を含めたことも斬新であるといえる。この定義を引用したり、説明したりする際には、誤解を避けるためにも、できる限り本文とそれに対応した註釈も含めて一体的に使用することが推奨されている。

> 作業療法は、人々の健康と幸福を促進するために、医療、保健、福祉、教育、職業などの領域で行われる、作業に焦点を当てた治療、指導、援助である。作業とは、対象となる人々にとって目的や価値を持つ生活行為を指す。
> （註釈）
> - 作業療法は「人は作業を通して健康や幸福になる」という基本理念と学術的根拠に基づいて行われる。
> - 作業療法の対象となる人々とは、身体、精神、発達、高齢期の障害や、環境への不適応により、日々の作業に困難が生じている、またはそれが予測される人や集団を指す。
> - 作業には、日常生活活動、家事、仕事、趣味、遊び、対人交流、休養など、人が営む生活行為と、それを行うのに必要な心身の活動が含まれる。
> - 作業には、人々ができるようになりたいこと、できる必要があること、できることが期待されていることなど、個別的な目的や価値が含まれる。
> - 作業に焦点を当てた実践には、心身機能の回復、維持、あるいは低下を予防する手段としての作業の利用と、その作業自体を練習し、できるようにしていくという目的としての作業の利用、およびこれらを達成するための環境への働きかけが含まれる。
>
> （文献1より引用）

3 「米国作業療法士協会」の定義

> 作業療法とは、作業能力の回復・強化・向上、適応と生産に必要な諸技能の学習の促進、障害の軽減と矯正、ならびに健康の保持・増進を目的として作業活動を選択し、人をそれら作業への参加へと導いていくところの技術であり、科学である。
>
> （文献2より引用）

Hopkins（ホプキンス）らはさらに、この定義の根底に流れているものとして、人間は自身の内的動機によって目的活動を行い、そのことにより身体的・精神的健康

や社会的・物理的環境に影響を与えていくことのできる存在であること，そして作業療法の基本原理として，人的環境的要素を包含する目的活動(作業)は障害を予防・軽減し，最大限の適応状態を引き出すために利用されるべきで，作業療法士により使われる作業は，それ本来の目的のほかに治療的目的をも有するとしている。作業療法は経験的な治療法にとどまるのではなく，科学的に裏づけられている治療法であることを強調しているのである。

4 「世界作業療法士連盟」の定義

「世界作業療法士連盟(WFOT：World Federation of Occupational Therapists)」では，

> 作業療法は，クライエント中心の健康専門職で，作業を通して健康と安寧を促進する。作業療法の基本目標は，人々が日常生活の活動に参加できるようになることである。作業療法士は，人々や地域社会と一緒に取り組むことにより，人々がしたい，する必要がある，することが期待されている作業に結び付く能力を高める，あるいは作業との結びつきをよりよくサポートするよう作業や環境を調整することで，この成果に達する。
>
> (文献3より引用)

としている。

WFOTの定義は，作業療法が対象者中心の健康専門職であることおよび健康と安寧(無事平穏の意)を促進するために作業を用いることを強調している。この表現からは，国際生活機能分類(ICF)の関係図式が重なって見えてくる。すなわち，健康状態に関係するのは，心身の機能状態だけではなく，基本目標にあるように日常生活や地域社会への参加が可能になることが必要で，そのために作業療法士は，本人が望む，あるいは本人が必要と考え，しかも地域社会から期待されている作業を適確に選択・指導していくことが求められている。

5 作業療法士が支援する作業内容

以上，いくつかの「定義」をみてきたが，**大切なのは，作業療法は決して外から押しつけるものではなく，あくまでどのような生活をしたいのか，という本人の希望が第一に尊重されるべきである**，ということである。本人が望む生活の獲得のために，作業療法士が治療に関する最も効果的な情報を入手するとともにあらゆる手段や知恵を出し合い，対象者が主体的に選択すること，実行していくことを側面から支援していくことが作業療法であると考える。

これらの「作業療法の定義」を通じて，作業とは，日々の生命活動をするために必要な活動や課題で，その具体的内容や方法は一人ひとり異なる部

分はあるが，まとめると以下のようになる。

日常生活活動	：食事や着替え，排泄，入浴などの身辺処理，生活管理の活動
仕事	：職業，学業，家事，育児
遊び・余暇	：発達に伴う遊び，余暇活動，社会的活動
社会生活	：近隣との交流などの生活拡大，情報伝達

　作業とは，日々生活で行われている一群の活動や課題で，個人と文化によりその価値と意味が形成され付与されたものをいう。自分の身の周りのことを自分で行うセルフケア（self-care），生活を楽しむレジャー（leisure），社会的，経済的活動に貢献する生産活動（productivity）など，人が行うすべての営みのことである。

　作業療法の対象は，理学療法のそれがもっぱら身体機能面に働きかける治療行為であるのに対し，精神機能面に障害がある人に対しても治療を行うことを明言している。このことは，作業療法の起源が古代エジプト，ギリシャ時代にあり，精神の病に身体を使う作業や運動が効果があると認められ，種々の作業が処方されていたことや，人間のこころと体は相互関係にあり，互いに切り離すことは困難であるという当時の哲学的思想の表れでもある。

【引用文献】
1) 学術部定義改定班：日本作業療法士協会における作業療法の定義改定手続きと新定義の解説．作業療法 38(1)：3-17, 2019.
2) Hopkins HLほか 編著：作業療法 改訂第6版（鎌倉矩子 訳），p35，協同医書出版社，1994.
3) 日本作業療法士協会：WFOTの作業療法定義(2012)．作業療法白書2015，p149, 2017.

【参考文献】
1. 鈴木明子：作業療法教育の歴史，北海道大学図書刊行会，1986.
2. 理学療法士及び作業療法士法（https://www.mhlw.go.jp/web/t_doc?dataId=80038000&dataType=0&pageNo=1）（2021年4月時点）
3. 鎌倉矩子：作業療法の世界 第2版，p175，三輪書店，2005.

✓チェックテスト

Q ①作業療法の定義の種類を挙げよ（☞ p.92～94）． [基礎]
②作業療法士に高い倫理観が要求される理由はなぜか（☞ p.94～95）． [基礎]

4章

作業療法の対象

作業療法の対象

1 身体障害の作業療法

齊藤一実

> **Outline**
> - 身体障害領域の作業療法で取り扱う疾患は多岐にわたる。疾患により出現する障害の特徴や経過に着目することが重要である。
> - 同時に，患者の生活に焦点を当てることを忘れず，支援内容を考えていく。
> - 作業療法の流れについて自身で説明できるよう理解を深める。

1 はじめに

　皆さんは，今朝，目覚めてから，この本を手にするまでに，どのような活動をしてきただろうか。例えば，眠さのなかで目覚まし時計を止め，布団から起き，食事・排泄をすませる。着替えが先の場合もあれば，水分補給を一番に行う人もあるだろう。

　一人ひとり行った活動はさまざまだと思うが，それらを，どのように遂行したのかは，気にも留めておらず，自然の流れで行ってきたはずである。

　このように，私たちの日常は，一つひとつの動作や作業活動の連続で成り立っている。これに加えて，楽しみや役割に関する一連の活動は，私たちの生活を豊かにするものである。

　まずは，一度自分自身の生活を振り返り，日々，どのようなことを行いながら過ごしているのかを考えてみよう（図1，2）。それによって，自身が生活のなかで大事にしていることが，見えてきたであろうか。

図1 1日のスケジュールの例

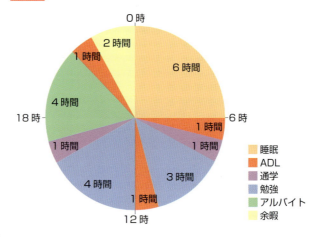

図2　1週間のスケジュールの例

時間／曜日	日	月	火	水	木	金	土
6:00	睡眠	起床	起床	起床	起床	起床	睡眠
7:00	睡眠	ADL	ADL	ADL	ADL	ADL	睡眠
8:00	起床	通学	通学	通学	通学	通学	睡眠
9:00	ADL	勉強	勉強	勉強	勉強	勉強	睡眠
10:00	余暇	勉強	勉強	勉強	勉強	勉強	睡眠
11:00	余暇	勉強	勉強	勉強	勉強	勉強	起床
12:00	余暇	ADL	ADL	ADL	ADL	ADL	ADL
13:00	余暇	勉強	勉強	勉強	勉強	勉強	勉強
：	余暇	勉強	勉強	勉強	勉強	勉強	勉強
（省略）	余暇	通学	通学	通学	通学	通学	余暇
：	ADL	ADL	ADL	ADL	ADL	ADL	余暇
21:00	勉強	勉強	アルバイト	余暇	アルバイト	勉強	余暇
22:00	勉強	勉強	アルバイト	余暇	アルバイト	勉強	余暇
23:00	勉強	余暇	余暇	余暇	余暇	余暇	ADL
0:00	勉強	睡眠	睡眠	睡眠	睡眠	睡眠	睡眠
1:00	勉強	睡眠	睡眠	睡眠	睡眠	睡眠	睡眠
2:00	睡眠	睡眠	睡眠	睡眠	睡眠	睡眠	睡眠
3:00	睡眠	睡眠	睡眠	睡眠	睡眠	睡眠	睡眠
：							

2　身体障害領域の作業療法

　病気やケガによって，身体が思うように動かせなくなったとき，私たちは，日常生活の変化を強いられる。

　例えば，朝起きて右半身が動かなくなっていたとしたら，これまで行ってきた日常の活動は，同じように遂行できるのだろうか。

　可能なこともあるだろう。また，動く左手で工夫してできることもきっとある。もしくは，どうやっていいのか，まったくわからなくなり，途方に暮れる活動もあるだろう。

　そのようなとき，作業療法士は，対象者一人ひとりの身体に起こった不自由さの原因を把握し，必要な諸機能の回復や，日常生活活動（ADL）・生活関連活動の支援などを行っていくのである。

　本項では，成人で，かつ何らかの疾患によって不自由となった原因が身体にあるものに対し実施される作業療法を，身体障害領域（図3）の作業療法としてとらえ，流れを解説していく。

3　対象となる疾患

　身体障害領域では，多くの疾患が対象となる。
　表1は，作業療法の診療報酬からみえてくる対象疾患である。皆さんの知っている疾患はあるだろうか。骨折や関節・靱帯の損傷のような整形外

図3　身体障害領域のイメージ

人は発達・成長をしていく。そのため，領域の区分は難しいが，本項では，身体障害領域を，成人で身体に障害を生じた場合として示す。

表1　疾患別リハビリテーション（診療報酬）の対象疾患（診療報酬からみえてくる対象疾患）

心大血管疾患リハビリテーション	心大血管疾患患者に対し，心機能の回復および安全な社会復帰と再発予防を目指す。	
	対象疾患	急性心筋梗塞，大動脈解離，解離性大動脈瘤，狭心症，開心術後，経カテーテル大動脈弁置換術後，大血管術後，慢性心不全，末梢動脈閉塞性疾患（間欠性跛行を呈する）
脳血管疾患等リハビリテーション	脳血管疾患や神経疾患，高次脳機能障害，言語聴覚機能障害などの患者に対し，機能回復訓練および実用的で自立的な日常生活活動の獲得を目指す。	
	対象疾患	脳梗塞，脳出血，くも膜下出血，脳外傷，脳炎，急性脳症（低酸素脳症など），髄膜炎，脳腫瘍，脊髄損傷，てんかん重積発作，多発性神経炎（ギランバレー症候群等），多発性硬化症，末梢神経障害，パーキンソン病，脊髄小脳変性症，皮膚筋炎，多発性筋炎，筋萎縮性側索硬化症，遺伝性運動感覚ニューロパチー，失語症，失認および失行症，高次脳機能障害，音声機能，構音障害
廃用症候群リハビリテーション	急性疾患などに伴う安静による廃用症候群の患者に対し，実用的および自立的な日常生活活動の獲得を目指す。	
	対象疾患	急性疾患に伴う安静により，一定程度以上，基本動作能力，応用動作能力および日常生活能力が低下した状態の患者
運動器リハビリテーション	関節の変形や外傷などにより運動機能が低下した患者に対し，運動機能の回復や日常生活活動の自立を目指す。	
	対象疾患	骨・筋・腱・靱帯・神経・血管のうち3種類以上の複合損傷，脊椎損傷による四肢麻痺，体幹・上下肢の外傷・骨折，切断・離断，運動器の悪性腫瘍，関節の変性疾患，関節の炎症疾患，熱傷瘢痕による関節拘縮，運動器不安定症
呼吸器リハビリテーション	呼吸器疾患や胸腹部外科手術前後の患者に対し，呼吸機能や運動機能の回復，あるいは維持を目指す。	
	対象疾患	肺炎，無気肺，肺腫瘍，肺塞栓，胸部外傷，肺移植，慢性閉塞性肺疾患，気管支喘息，気管支拡張症，間質性肺炎，塵肺，気管切開下，人工呼吸器管理下，胸腹部などの手術前後で呼吸機能訓練を要する患者
難病患者リハビリテーション	難病（厚生労働省が定めるもの）が原因で日常生活に著しい支障をきたしている状態の患者に対し，社会生活機能の回復を目的に実施される。	
	対象疾患	ベーチェット病，全身性エリテマトーデス，スモン，ハンチントン舞踏病，プリオン病，アミロイドーシス，ライソゾーム病，もやもや病，後縦靱帯骨化症
がん患者リハビリテーション	入院中のがん患者に対し，疼痛，筋力低下などに対する二次的障害の予防や運動機能・生活機能低下の予防・改善を目指して実施される。	
	対象疾患	入院中のがん患者，治療を予定または実施している患者，緩和ケアで一時的な入院後，在宅復帰を目的としたリハビリテーションが必要な患者

対象疾患は一部を抜粋して記載

科疾患，脳卒中などの脳の血管の病変やパーキンソン病などの中枢神経系の疾患，さらに，心臓疾患や呼吸器疾患，また，その治療中の安静臥床により機能的な低下を引き起こした廃用症候群の人にも行われる。これら心臓や肺などの内臓の問題は内部疾患といわれ，見た目では疾患をもっているかわからないことも多く，その障害は理解されにくい。

また，原因不明で治療が難しく慢性の経過をたどる難病や，がん患者のリハビリテーションも行われるようになっている。身体的な運動機能のみでなく，生活を遂行するための工夫や，心理面でのサポートなども求められる。

> **アクティブラーニング①** 今までに聞いたこともないような疾患があれば，一度調べてみよう。そして，その疾患によって，身体的・認知的にどのような障害が出現するのか，どのような経過をたどるのか，理解していこう。

4 作業療法の流れ

作業療法を展開するにあたり，実際にはどのように進めていくのかを学んでみよう。

作業療法の流れを，図4に示す。

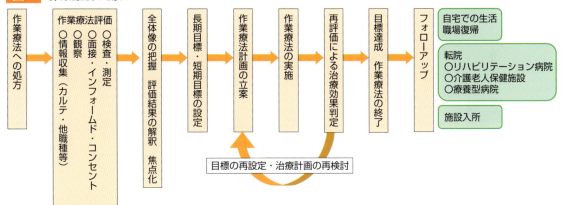

図4 作業療法の流れ

■ 情報収集

● 作業療法への処方

まずは，医師からの処方を受け，作業療法が開始される。医師の診療記録（カルテ）や処方内容を十分に確認し，どのような疾患であるか，医学的な治療状況はどのようになっているのか，どのような症状が表れているのかなど，できるだけ具体的に把握しておく。

例えば，診断名，障害名，現病歴，既往歴，治療経過，禁忌事項などは熟読し，わからないことは事前に調べておく。また，リスクになることは

何か，予後はどうなっていくのかなどにも着目し，不明な場合は，医師への問い合わせも必要である．作業療法にはどのような目的で医師からの依頼がきているのか，確認することを忘れないようにしたい．

● 情報収集

処方箋の情報のみでは，対象者を十分に理解していくことが難しい．

ここで集めておく情報とは，対象者の生活歴，1日の過ごし方や1週間の過ごし方，生育歴，住まいの環境や地域特性，趣味・特技や経済状況，家族構成や関係性，職業人であれば，業務内容や通勤方法などである．

対象者の生活スタイルや大切にしている価値観，家族との関係性などを知ることで，どのような支援方法がよいのか吟味し，対象者やその家族が満足できるものにしていく．

例えば，同じ障害をもつ対象者が2人いても，同じ治療内容というわけにはいかない．それは，症状の程度が違うのみでなく，その人らしい生活が異なるからである．

一人ひとりの人生における大切なことを丁寧に把握し，介入計画の立案につなげていくのである．

また，これらの情報は一度で集められるとは限らない．対象者と何度か接するうちに，または，家族と会った際に，または，病棟でかかわる他職種から得られる情報もあることを念頭に置いておきたい．

■ 面接

対象者との初めての対面では，作業療法士（自分自身）の自己紹介とともに，作業療法の説明を十分に行う．対象者の理解が深まるように，わかり

Case Study

同じ疾患・障害のAさんとBさんについて考えよう
事例紹介：同じ疾患で，同じ障害をもつAさんとBさん．

Aさん　50歳代後半，女性
夫と2人暮らし
専業主婦
日中独居

Bさん　50歳代後半，男性
妻・子どもとの4人暮らし
ホテル内レストラン勤務
職場復帰

ニード：料理ができるようになりたい
運動機能：左片麻痺
BRS：上肢 Ⅴ　手指 Ⅴ　下肢 Ⅴ

BRS：Brunnstrom Stage

Question 1

例えば，2人が「料理ができるようになりたい」というニードだった場合，作業療法士は，AさんとBさんに同じアプローチをするだろうか．

☞ 解答例 p.241

試験対策 Point

インフォームド・コンセント

作業療法を実施するにあたり，作業療法評価・治療・援助・支援の目的や手段について，対象者・家族にわかりやすく説明し，十分な理解を得たうえで，協力への同意を得ること。

やすい言葉で説明し，作業療法の開始は同意を得てから行う。また，一度の説明で，対象者が理解できるとは限らないということも覚えておきたい。作業療法士は，説明した「つもり」でも，対象者に伝わっていないということもある。**相手に理解してもらって初めて，伝えたことになる**と思っておこう。

対象者の状況によっては，意識レベルや認知機能の影響で，説明が理解できる状況にないこともある。その場合には，対象者本人のみでなく，家族へも十分な説明と同意が必要となる。これを，インフォームド・コンセントという。

身体への障害を抱えた場合，今までと異なる自分の身体への戸惑いや，将来への不安な気持ちを抱えていることも多い。作業療法士の一方的な説明にならないように，相手の話や気持ちを汲み取りながら，進めていくことを忘れないようにしていきたい。

また，面接のなかでは，どのようなことに困っているのか（ニード），自分自身の障害や能力についてどのように感じているのか，今後の希望などについても聞き取っていく。対象者の気持ちや考えを引き出すための，作業療法士の技術が求められる。作業療法士の態度や説明から，**対象者が安心感を得て，「やってみたい」という気持ちにつながっていくような面接**にしていけるとよい。

■観察

作業療法の場面では，観察は重要な役割をもっている。対象者と会ったときの顔色や声のトーン，表情，姿勢や動き，生活場面[ADL／生活関連活動（APDL：activities parallel to daily living）]などの観察から得られる情報はたくさんある。

観察でみられた事柄から，問題点を推察することもできる。例えば，起き上がり動作がうまくできない場合，できない部分がどこにあるのかを把握し，原因を考える。この際，対象者の動きは，静止画のように停止しているわけではない。どこに視点を向けて観察を行うのかは，作業療法士の技量に左右される。そのため，一部分の場面だけで判断するのではなく，作業療法室での状況，病棟での状況など，さまざまな場面を観察して総合的に判断していくよう心がけたい。

先輩作業療法士は，対象者を観察しながら，さまざまなことを考えている（図5）。

例えば，表情や会話中の様子などから認知機能面について，姿勢や動きの様子などから身体機能面について**スクリーニング**[*1]している。

観察から得られた情報を確認するために，検査・測定を実施し，現状を正確に把握していくのである。

作業療法参加型 臨床実習に向けて

対象者と初めて会ったときから，評価がスタートする。まずは，観察をしてみよう。
・姿勢はどうか？
・コミュニケーションは成立しているか？
臨床実習教育者の先生は，どのような視点で対象者を観察しているのか，聴いてみよう！

＊1 スクリーニング
疑いのある症状を簡易的な検査で抜き出すこと。

作業療法の対象

図5　対象者を考えるときの作業療法士の頭の中では…

- ○病気の治療はどうしているかな
- ○どんな症状が出ているかな
- ○既往歴があったかな
- ○再発の可能性はあるかな

- ○困っていることはあるかな
- ○やりたいことはあるかな
- ○不安に思っていることはあるかな

- ○姿勢はどんな感じかな
- ○コミュニケーションはとれるかな
- ○身体機能の問題はどこかな
- ○認知機能に問題はあるかな

- ○病棟ではどう過ごしているかな
- ○セルフケアはどうしているかな

- ○発症からの期間はどれくらいかな
- ○病期は急性期・回復期・生活期のどこかな
- ○入院期間はどのくらいあるかな

- ○これまではどんな暮らしかな
- ○大切にされている価値観はあるかな
- ○誰かと暮らしていたかな
- ○この後は，どこで暮らすかな
- ○誰か手伝ってくれる人はいるかな
- ○ご家族の希望はあるかな

- ○リハビリのこと，わかっているかな
- ○私のこと，わかるかな

■ 検査・測定

　検査・測定を実施する場合に考えてほしいのは，目的である．この検査・測定をすることで，どんなことがわかるのかを理解するところから始まる．得られた結果には，それぞれ意味があり，患者状況の判断基準となる．対象者の負担を考えると，やみくもに実施すればいいわけではないと気づいてほしい．

　また，検査・測定には，さまざまな方法がある（**表2**）．検査器具を用いるものや，特定の評価用紙があり問診しながら進めるもの，作業療法士の手技で行うものなど，さまざまである．手順が決められている手法は，その手続きに沿って行う必要があり，それに従うことによって，正確な検査結果を導くことができ，信頼性や妥当性が高まる．

■ 全体像の把握・統合と解釈・問題点の焦点化

　これまで実施してきた観察や面接，検査・測定結果は，そのものだけではただの情報，ただの数値にしかならない．各検査結果の意味を解釈し，なぜその状況にあるのか，なぜその結果に至ったのか，どこが問題か，どう改善すればよいのかなど，問題となっている部分の原因を分析し，着目点を見出していく．原因の分析には，解剖学的・生理学的・運動学的・心理学的な基礎知識が重要となってくる．例えば，関節可動域測定において，可動域が少なかった場合，なぜ，可動域が少ないかの理由を探していかねばならない．このときに，関節を構成している骨や関節包，靱帯の影響なのか，それとも筋緊張による影響か，痛みによる影響なのかなど，可動域が少なかった理由を，基礎知識のなかから探していかなくてはならないのである．

作業療法参加型臨床実習に向けて

評価中のポイント
- 自分のやりたい検査・測定ばかりを推し進めていないか？
- 対象者の言葉を聴きながら進めていこう．
- 例えば，対象者に「疲れた」と言われたら，どうするか？今日中にやらなければならない検査があったら，やらせてもらう？中断する？考えてみよう！

表2 ICF分類による身体障害領域の評価体系

- 健康状態
    疾病，変調，障害など：ICD10分類による

- 心身機能・身体構造
    1. 身体機能検査
        - 関節可動域測定（ROM-T）
        - 筋力検査（MMT，握力，pinch力）
        - 知覚検査
        - 反射検査
        - 姿勢反射検査
        - 協調性検査
        - 筋緊張検査
        - 脳神経検査
    2. 上肢・手指機能検査
        - 上肢機能検査（STEF，MFT，上肢運動年齢）
        - Brunnstromステージ
        - 片麻痺機能テスト（12段階片麻痺グレード法）
        - 手指機能検査（Purdue pegboard test，FQほか）
        - 疼痛検査（Schultz・上肢痛みの評価法など）
    3. 内部障害評価
        - 呼吸・循環・代謝・消化器・泌尿器検査の解釈
        - 運動耐容能検査
        - METs，Borg指数（自覚的運動強度）
        - 各疾患に対応した作業療法評価
    4. 知的機能検査
        - WAIS-R（Wechsler成人用検査・改訂版）
        - HDS-R（長谷川式認知症スケール）
        - MMSE（ミニ・メンタルステート試験）
    5. 高次脳機能障害検査
        - 行動性無視検査（BIT）
        - TMT（トレイル・メイキング・テスト）
        - 標準高次動作性検査（SPTA）
        - 標準高次視知覚検査（VPTA）
        - WAB失語症検査
        - 注意障害の評価（PASAT，AMMなど）
        - 標準注意検査法（CAT）
    6. 心理・精神機能検査
        - 標準意欲評価法（CAS）
        - 脳卒中うつスケール（JSS-D）
        - うつ性自己評価（SDS）
        - ほかのうつ検査法
        - 性格特性検査：YG性格検査など
        - 一般の心理検査

- 活動
    1. ADL（basic ADL）
        - 機能的自立度評価法（FIM）
        - Barthelインデックス（BI）
        - Katzインデックス（Katz ADL index）
        - Kenny身辺処理評価（Kenny self-care evaluation）
        - PULSESプロフィール
        - Klein-BellのADLスケール
        - 障害老人の日常生活自立度（寝たきり度）
        - ADL-T（生田ら）
    2. 手段的ADL（IADL）または拡大ADL（EADL）
        - ESCROWスケール
        - Frenchay Activities Index（FAI）
        - 老研式活動能力指標
        - 自立生活自己評価表（ヒューマンケア協会）
        - CHART-J
        - 細川らの拡大ADL尺度
        - PULSESプロフィール
        - パラチェック老人行動評定速度

- 参加
    1. 就労評価
        1) 職業適性評価：VPI職業興味検査
        2) 職業能力適性評価
            - 障害者用就職レディネス・チェックリスト
            - 厚生労働省編一般職業適性検査
            - ワークサンプル法，その他
    2. 興味・役割の評価
        - NPI興味チェックリスト
        - 役割チェックリスト

- QOL
    - PCGモラールスケール
    - 生活満足度指標（LSI）
    - WHO QOL26
    - 自己評価式QOL質問表（QUIK）など

- 作業（活動＋参加）
    - カナダ作業遂行測定（COPM）
    - 作業に関する自己評価（OSAⅡ）

（文献1より引用）

基礎知識の大切さをよく説かれるが，このように，原因を追究する際にも重要になってくるのである．

また，単に可動域の少なさに焦点を当てるのみにとどまらず，この可動性が，更衣や整容などのADLなどに影響するのか，社会生活に影響するのかなど，生活と関連づけて問題となるかどうか，解釈していきたい．

さて，結果のなかには，利点となるものもあるはずである．**問題点は比**

較的着目しやすいが，利点を伸ばすという視点も忘れずに，得た情報の整理を行う．

情報の整理の際には，国際生活機能分類（ICF）を参考にしてみるとよい（図6）．自分の得た情報が，心身機能に偏っていないか，情報不足の部分はないか，プラス面・マイナス面の関連性を俯瞰しながら，視点を広げるためにも一度ICFで整理することをお勧めする．問題点や利点の焦点化がしやすくなる．

また，集まった問題点や利点，自身の思考をまとめる際には，相互関連マップを作ってみるのもよい．どんな点が各部に影響をもたらしているのかを検討するためのツールである（図7）．

生活行為向上マネジメント（MTDLP：management tool for daily life performance）は作業療法士の1つの臨床思考過程を説明したものであり，本人にとって，「やりたい」と思っている生活行為に焦点を当てたマネジメントツールである．これらを用いながら，対象者ができるようになりたいことに沿い，対象者を取り巻くものの全体をみながら，どこに焦点を当てて介入を進めていくかを考えていくとよい．

作業療法士の仕事は，この思考過程の部分がとても重要である．

■ 目標の設定

● リハビリテーションゴールの設定

担当する対象者には多くの職種がかかわっており，医師や看護師，理学療法士や言語聴覚士，医療ソーシャルワーカー，ケアワーカーなどさまざまである．対象者へのリハビリテーションでは，それら専門職の知識や技術が連携し合うことで，より充実したサービスを提供することになる．

他職種の仕事を知りつつ，作業療法士（自分自身）の役割を明確にして，対象者を援助していくのである．

対象者に対し，作業療法士が評価してきたように，他職種もそれぞれの視点で対象者を評価している．評価結果からの総合判断や疾患に対する医学的知識などを踏まえて情報を共有し，対象者の方向性を考えるカンファ

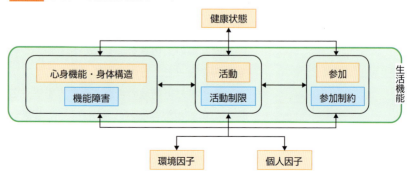

図6　国際生活機能分類（ICF）

図7 相互関連マップの例

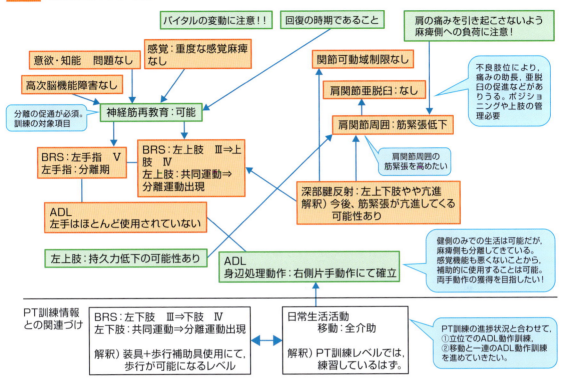

評価結果データを基に，思考・解釈を加えた関連性を表現した簡易マップ。考察や統合解釈をする際の基として用いることができる。
　　　は脳梗塞による左片麻痺患者の急性期病院入院中における評価結果の例。上肢機能とADLの関係に着目して記載した。
　　　は気に留めておきたい部分
　　　は作業療法士として着目し，こうしていきたいという考えを示している。プログラム立案の基盤。

レンス（会議）を行う。心身機能の改善の見込みやADLの到達度の見込みを加味して，退院や転院の時期を決めていく。このように，対象者に関するチームの共通目標を設定していく。これがリハビリテーションゴールとなる。

● **作業療法の目標**

　リハビリテーションゴールという目標達成を目指すにあたり，作業療法士として，かかわる範囲を検討し，作業療法目標を立てていく。対象者の訓練を計画するうえで，どこを目指して進めていくのかの指標となる。
　目標には大きく分けて短期目標と長期目標がある。
　短期目標は，評価結果を踏まえて，おおよそ1～2週間で到達可能な具体的な目標を設定する。また，数値で表すことが可能な目標が立てられる場合は，目標への到達状況が見えやすく，対象者にとっては理解しやすい。例：「右肘関節屈曲の可動域が20°から90°へ変化する」など。
　必要以上に高い目標は，失敗感が生じやすく，到達できないかもしれな

いうネガティブな感情も生まれやすいため，注意が必要である。

　長期目標は，転院時や退院時など，転機となる時期を想定し設定していく。気を付けたいのは，例えば，「自宅退院」「転院」自体が目標になるのではなく，自宅退院や転院をする際に，どのような生活設定で帰っていくのかを踏まえた具体的な目標が必要なことである。移動手段やADLの自立度，環境設定や社会参加状況なども踏まえて設定していく。退院前後の生活像を本人・家族などと共有しながら，設定していくことが望ましい。
例：「自宅での日中セルフケア（食事・排泄・一部更衣）が可能で，日中は留守番（電話対応など）ができる生活。屋内は，T字杖または，伝い歩きにて移動が可能。入浴は，家族の一部見守りにて実施できる」など。

　短期目標とは違い，1カ月後，3カ月後，6カ月後などの期間が長い目標となる。そのため，不確実な要素も多く，短期目標の到達度によっては，長期目標の見直しをすることも必要である。

■ 治療方法の決定

　作業療法では，さまざまな手段を使いながら治療・指導・介入を行っていく。生体力学を踏まえた，関節可動域訓練や筋力増強訓練，協調性訓練などの機能面へのアプローチ，中枢神経系の疾患では，神経生理学を踏まえ，Bobath（ボバース）法や固有受容性神経筋促通（PNF：proprioceptive neuromuscular facilitation）法などの治療手技を用い，中枢神経系の活動促進・抑制のための感覚入力，協調運動パターンの獲得を目指すこともある。機能的な回復が緩徐な場合や悪化の経過をたどる場合もある。その際には，代償的な方法を検討し，「作業」に焦点を当てた活動でアプローチをとることもある。対象者の生活やQOLの向上を目指す際の手段は，多岐にわたる。目標に沿って，必要な手技や概念モデルを検討し，対象者の状態や時期に合わせ，組み合わせながら計画を立てるとよい（表3～5）。また治療手技などは，簡単に身につくものではない。卒業後，研修会などに積極的に参加し，自身の技術を磨いていこう。

● 介入計画の立案

　介入計画を立てていく際，頭の中では，同時に多くのことに思考を巡らせていく必要がある。人の生活は，機能面だけで成り立っているのではない。

　生活をつくる体の動きもあれば，そのときの対象者の思考もあり，気持ちや動機づけ（motivation）も影響してくる。環境自体の影響もあるため，対象者全体や目標をとらえながら場面を設定し，具体的方法や指示の出し方，難易度等を細かく設定していくのである。

　転帰先や時期が決定しているならば，退院までに何ができなければなら

表3 作業療法の実践モデルと対象とする現象

	モデル	対象とする現象	代表的概念	取り組まれる問題
身体的 ↕ 心理社会的	生体力学	身体的運動	筋力 関節可動域 持久性	筋力，関節可動域，持久性の制限
	運動制御	運動の協調性[*1]	筋緊張 反射 運動パターン	運動の協調性の問題
	感覚統合	運動行為を計画し，導くための感覚処理[*2]	行為 両側的 協調性	感覚処理と適応的運動の問題
	認知-知覚	知覚と認知	図地弁別[*3] 計画 問題解決	知覚と認知の機能障害
	人間作業モデル	遂行に対する動機づけ，組織化[*4] 能力	興味 価値 役割	作業の選択，組織化，遂行に影響する個人および環境の問題
	カナダ作業遂行モデル	感情的，認知的，身体的，スピリチュアル的	自己決定 意味 結びつき	作業遂行を制限する人，環境，作業の間のミスマッチ

（文献2より引用）

＊1 運動の協調性
運動の練習において，はじめにフォームを繰り返すのは協調を完成するためであり，その後に制御として運動の力や速さを鍛える。
例えば，ボールを蹴るとき，下肢の筋群から1群の筋群を選び出す。この筋群の選択は協調の1つの側面である。

＊2 感覚処理
感覚を取り入れた後に，感覚の統合と組織化をする過程。

＊3 図地弁別
絵柄の中から，背景と図を別のものとして認知すること。

＊4 組織化
まとまりのない個々のものを1つの組織にまとめること。

＊5 グループワークモデル
集団の一部として，活動に参加したり討議に参加するといった，集団の特性から得られる効果に焦点を当てたモデル。

表4 作業療法実践の概念モデルの焦点と対象とする現象

焦点領域	対象とする現象	理論						
社会・文化	文化 集団							
心理学	動機づけ 認知・知覚				認知運動療法	グループワークモデル[*5]	人間作業モデル	カナダ作業遂行モデル
生物・医学	動作 協調的運動	生体力学	運動制御	感覚統合				目標指向的アプローチ

（文献3より引用）

ないのかを逆算し，今，何をすべきかに落とし込んで思考することも必要である。例えば，あと1カ月で自宅に退院する方向であれば，それまでに外泊の練習を行いたい。外泊をするのであれば，それまでに家族指導をしておきたい。家族指導をするならば，自宅の設定を考えながら，ADLやIADLの練習をしておきたい，など，逆算して今すべきことを考える思考方法が重要である。

● 介入計画

計画は，より具体的に立てる必要がある。

1つの治療につき，何の目的で，どの場所で，どのような姿勢で行うのか，必要な道具は何か，どのような方法で実施するのか，回数や時間，注

表5 作業の連続性概念

作業の分類	目的と治療形態	用いる手段の例
補助的手段 (adjunctive methods)	根治的治療で作業遂行要素を高め準備活動を行う ※根治的治療は生体力学アプローチ，感覚-運動アプローチなどにより，作業遂行要素の改善を目的としている	・Bobath（ボバース）アプローチによる対称姿勢の獲得 ・バランス訓練 ・筋力増強訓練 ・知覚再教育訓練 ・装具療法 ・物理療法 など
準備活動 (enabling activities)	主に根治的治療法として目的活動を治療に使えるようにするために行う（目的活動のシミュレーション的活動）	・パズルやドリル，単純なぬり絵などの机上の知覚，認知訓練 ・寝返り・立ち上がり訓練 ・ワイピングやサンディングボードによる肘や肩の可動域・筋力の訓練 ・コーンでの机上での左右移動や積み重ねの上肢機能訓練 ・模擬ボード（服のボタンやファスナー・家庭内器具を取り付け）による現実課題の前操作訓練 ・ワークシミュレーター〔BTE プライマス RC などの機器による仮想運動（作業）シミュレーター〕 ・パソコンによる認知・操作訓練
目的活動 (purposeful activities)	根治的治療や適応的治療として，目的活動を用いて作業役割の準備をする ※目的活動にはそれ本来の目標と治療目標とがある。例えば，鋸挽きには本棚の部品を作るという本来の目標（適応的治療）があり，肩や肘の筋群の筋力を増強するという根治的治療の目標にもなる ※適応的治療方法は，ADLを含めた作業遂行へ実際場面でその適応を促し，改善を目指すものである	・食事，整容，更衣，移動などのセルフケア活動 ・仕事活動各種（例えば整理整頓） ・ゲーム，手工芸，工作，絵画などの余暇活動 ※目的活動の訓練のねらい・内容 ①筋力，持久力，作業耐久性，ROM，協調性を向上または維持する ②感覚，知覚，認知を改善する ③目標指向型の課題を利用し，随意的な自動運動の練習や活動場面にする ④障害部位の目的をもった活動や全般的な訓練の機会にする ⑤職業的な可能性を探り，また職業適性能力を訓練する ⑥社会適応技能を改善し，情緒的な成熟や発達を強化する ⑦作業役割遂行における自立度を高める
作業遂行 (occupational performance)	適応治療や根治的治療として作業役割を実際場面で果たす	・実地訓練 ・作業役割を担う

(文献4より改変引用)

> **補足**
>
> **動機づけ（motivation：モチベーション）**
> 「意欲」「やる気」などと表現されるが，動機づけとなるものである。
> 例えば作業療法士の声かけで，動機づけが向上する場合もあれば，下がってしまうこともある。人が，行動を起こすためには，目的がみえやすく変化が感じられるとよい。常に意識しながら介入していきたい。

意点は何で，どのような声かけやサポートが必要なのかまで，具体的に計画を立てるとよい（図8）。

● 治療の実際（表6）

　対象者の介入時期によっては，まだ医学的治療が主体の場合もある。点滴やドレーンが留置されていることもあるので，リスク管理を徹底し，抜去などのアクシデント，インシデントがないよう留意する。

　また，転倒やケガなどにも気を付けたい。疾患上の禁忌事項がある場合には，それらを守りながら，慎重に進めていく。リハビリテーションの中止基準については，頭の片隅に常に置いておき，対象者の変化をみながら，休憩を入れる，中止するなど判断が必要であることを忘れない。

　近年，ロボット技術やAI技術の発展がみられている。臨床場面での普及が増えていくことも予想される。さまざまな技術を作業療法に取り込み

図8 介入計画の立案の例

声かけのポイント，作業療法士と患者の位置，注意点なども書く．図示するなど，わかりやすく記載する．

訓練名：リーチ訓練

目的：前下方へのリーチ動作の獲得
　　　装具操作に向けた準備的リーチの獲得
　　　立ち直り反応の向上

場所：作業療法室プラットホーム

姿勢：端座位～体幹前屈位

使用道具：10cm台，お手玉5個

方法：プラットホーム端座位で，前下方にある
　　　台からお手玉を左手で取り，座面に置く．
　　　台は床から10cmの高さにセットする．
　　　1回ごとに体幹を起こし，姿勢を整える．
　　　＊めまいなどがないか注意を払う．
　　　＊セット間に血圧測定を行う．

頻度・回数：お手玉5個×3セット
　　　　　　間に休憩をはさむ

表6 作業療法で用いる作業活動の具体例

対象	作業活動の種類	具体例
1．基本的能力 （ICF：心身機能・身体構造）	感覚・運動活動	物理的感覚運動刺激（準備運動を含む），トランポリン・滑り台，サンディングボード，プラスティックパテ，ダンス，ペグボード，プラスティックコーン，体操，風船バレー，軽スポーツなど
2．応用的能力 （ICF：活動と参加・主に活動）	生活活動	食事，更衣，排泄，入浴などのセルフケア，起居・移動，物品・道具の操作，金銭管理，火の元や貴重品などの管理練習，コミュニケーション練習など
3．社会的適応能力 （ICF：活動と参加・主に参加）	余暇・創作活動	絵画，音楽，園芸，陶芸，書道，写真，茶道，はり絵，モザイク，革細工，籐細工，編み物，囲碁・将棋，各種ゲーム，川柳や俳句など
	仕事・学習活動	書字，計算，パソコン，対人技能訓練，生活圏拡大のための外出活動，銀行や役所など各種社会資源の利用，公共交通機関の利用，一般交通の利用など
4．環境資源 （ICF：環境因子）	用具の提供，環境整備，相談・指導・調整	自助具，スプリント，義手，福祉用具の考案作成適合，住宅等生活環境の改修・整備，家庭内・職場内での関係者との相談調整，住環境に関する相談調整など
5．作業に関する個人特性 （ICF：個人因子）	把握・利用・再設計	生活状況の確認，作業のききとり，興味・関心の確認など

（文献5より引用）

ながら，可能性を模索し，提供できることの選択の幅を広げていけるとよい。

対象者の状況によっては，必ずしも自立を目指すというわけではない。改善や自立が困難な場合もある。そのようなときは，自助具・福祉用具の活用や家屋改修，ヘルパーなどの人的代償なども取り入れることがある。作業療法士は，対象者や家族が，自身の生活を再構築できるよう援助していくのである。

■ 再評価

アプローチが進んだら，定期的に再評価をしてみよう。

これまで行ってきた作業療法の効果を判定することも作業療法士の大切な役割である。一定期間介入をしてみても，目標に近づかない場合や，改善がみられない場合には，治療，指導，援助の方法にずれがある可能性もある。また，目標が高すぎる可能性もある。逆に，想定した目標よりも，改善・上達がみられることもある。対象者の現状の見直しと介入計画，目標の見直しも行い，対象者に適したアプローチになるよう努めていただきたい。

Case Study

「泡立てた洗顔フォームで顔を洗いたい」と話すCさん

Cさん，10歳代後半，女性
診断名：もやもや病（Willis動脈輪閉塞症）による脳内出血　左片麻痺
現病歴：突然の頭痛，左片麻痺が出現し，緊急搬送にて入院加療
家族構成：父（50歳代前半），母（50歳代前半），妹（10歳代）の4人暮らし
専門学校へ通う予定であったが，入学を辞退し，治療に専念
意識障害：清明
BRS：左上肢Ⅳ　手指Ⅳ　下肢Ⅳ～Ⅴ
感覚障害：表在・深部ともに中等度鈍麻
高次脳機能障害なし
移動は，T-caneと短下肢装具にて可能であり，深部感覚の影響で，足関節のコントロールに不安があるため，オーバーブレースとなっていた。

右片手動作で，病棟内ADLは自立していた。
…と思っていた，ある日…
Cさん：「先生。私，今までね，顔洗うとき，洗顔フォームを泡立てて，ふわふわにして顔を洗っていたんだよ。また，できるかな…」
作業療法士：「…。ごめんなさい！」

Question 2

作業療法士は，なぜ，謝ることになったのか。　☞ 解答例 p.241

その後，作業療法士とCさんは，麻痺した左手の母指に泡立てネットを引っ掛け，右手にて，洗顔フォームと水を垂らし，揉み込んでふわふわの泡を作る練習を重ね，希望どおり，今までのような洗顔ができるようになった。
そこから，作業療法士とCさんは，いろいろなことを相談し合うようになった。おしゃれな下着をどうやって身につけるか，ストッキングはどうやってはくのか，マニキュアを健側手にどうやって塗るのか，仕事に就く場合には，おしゃれな靴型装具があったほうがいいのではないか…。
Cさんの生活に必要な，大切にしている価値観に寄り添うことを学び，ともに考え続けていったのである。

Case Study

随意的な動きはあるが使いにくい麻痺側手をもつDさん

Dさん，50歳代後半，男性
診断名：右視床出血　左片麻痺
既往歴：高血圧
現病歴：職場での勤務中に頭痛および左上下肢の動きにくさが出現し，緊急搬送にて入院加療
家族構成：妻（50歳代前半）と息子（20歳代後半）の3人暮らし
意識障害：清明
BRS：上肢Ⅴ　手指Ⅴ　下肢Ⅴ
感覚障害：表在感覚・深部感覚ともに，重度鈍麻

Question 3

視床出血の場合，どのような局所神経症状が出現するだろうか？　　　☞ 解答例 p.241

随意的な上下肢の動きはあり，各関節の分離した運動が可能。しかし，手で物をうまく持てない，歩く際，振り出す足の幅がバラバラになり，ときに膝折れをしてしまう状況であった。
これらの原因としては，表在感覚・深部感覚の重度鈍麻の影響が大きかった。
どれくらいの力で物を持っているのか，関節を曲げているのか，わからないのである。紙パックの牛乳などは，どの程度の力で持っているのかわからずに，中身がこぼれてしまう。落とさないように心配となり，より力を入れてものを把持してしまうのである。
ガラスのコップは落としてしまう不安から，肩甲帯周辺から上肢全体にかけて力を入れすぎてしまうので，動作後には疲労感に襲われる。気を抜くと，膝ががくっと折れ曲がる。目視で確認しながら慎重に，身体を動かしていくことで生活を行っていた。
左上肢・手指の分離運動が可能となっても，うまく手を使うことができないDさんは，右片手のみでの動作が上達し，左手は補助的に一部使用する生活となったのである。

5　おわりに

対象者の生活が，身体機能に障害をもつことにより一変した場合，対象者や家族，周りの人々は，その変化を受け止め理解し，新たな価値観を作り上げていきながら生活をしていくことになる。

作業療法士は，障害も含めたその人自身をサポートしながら，新しい価値観を構築していくためのお手伝いができるよう，試行錯誤を繰り返していく。対象者の思いに近づけたとき，作業療法士としてのやりがいも感じられるのではないだろうか。

【引用文献】
1) 大嶋伸雄 編：身体障害の作業療法, p9, 中央法規出版, 2010.
2) 山田 孝 監訳：作業療法の理論, 原書第3版, p208, p211, 医学書院, 2008.
3) 宮前珠子, ほか：作業療法理論の成り立ちと特性, OTジャーナル, 37: 686-690, 2009.
4) 清水 一：治療と援助の実践過程. 作業療法学全書, 8 作業治療学5 高次神経障害 改訂第2版, p42, 協同医書出版社, 1999.
5) 日本作業療法士協会：作業療法ガイドライン（2018年度版）, 2019.（https://www.jaot.or.jp/files/page/wp-content/uploads/2019/02/OTguideline-2018.pdf）（2021年5月時点）

【参考文献】
1. 本橋隆子 編：2020（令和2）年度改定対応版 リハビリテーション診療報酬＆介護報酬マニュアル 制度のしくみと算定のきほん, 医歯薬出版, 2020.
2. 中川法一 編：セラピスト教育のためのクリニカル・クラークシップのすすめ 第3版, 三輪書店, 2019.
3. 大嶋伸雄 編著：クリニカル作業療法シリーズ 身体領域の作業療法 第2版 プログラム立案のポイント, 中央法規出版, 2016.
4. 日本作業療法士協会：事例で学ぶ生活行為向上マネジメント 第2版, 医歯薬出版, 2021.
5. 山口 昇, 玉垣 努 編：標準作業療法学 専門分野 身体機能作業療法学 第3版, 医学書院, 2016.
6. 長崎重信 監：作業療法学ゴールド・マスター・テキスト 4 身体障害作業療法学, メジカルビュー社, 2010.

✓ チェックテスト

Q
①作業療法はどのような流れで進められるか説明してみよう（☞ p.101）。 基礎
②対象者との面談時に留意することは何か（☞ p.103）。 臨床
③多くの情報を整理し, 焦点化するために用いることができるツールとして, どのようなものがあるか（☞ p.104〜107）。 基礎
④長期目標・短期目標はどのようなことに留意して考えればよいか（☞ p.107〜108）。 臨床
⑤作業療法実践のモデルにはどのようなものがあるか（☞ p.109）。 基礎

作業療法の対象

2 精神障害の作業療法

里村恵子

Outline
- 精神科領域の作業療法の目的，対象者，作業療法の適応を理解する。
- サービスの実施形態，分野の概要を理解する。
- 対象者の統計的な情報として，精神障害者数の現状，疾患の種別構成，病床数，在院日数，長期入院への対策を理解する。
- 精神科領域の作業手段として，作業種目，集団，作業療法士自身の利用について理解する。
- 作業療法の目的と課題を回復段階に沿って理解する。
- 作業療法の治療の流れを理解する。
- 精神科領域の作業療法の課題を理解する。

1 精神科領域の作業療法

精神科領域の作業療法では，

①機能障害の軽減
②心身の基本的機能の回復
③生活関連技能の改善・習得
④生活の質の維持・向上
⑤社会生活・社会参加

などを目標とした治療・指導・援助を行う。

2 精神科領域の作業療法の対象

■作業療法の適応

作業療法では，狭義の精神疾患だけでなく，さまざまな原因によって社会のなかで短期あるいは長期にわたって生活面での不適応を示す人々を対象にする。

具体的に対象となる主な疾患，時期，経過は**表1**のとおりである。

表1 対象となる疾患，時期，経過

対象となる疾患	精神障害領域 統合失調症，気分（感情）障害，神経症性障害，ストレス関連障害，精神作用物質使用による障害（アルコール依存症など），器質性精神障害（認知症など），成人の人格および行動障害，その他
ライフサイクル	乳幼児期〜学童期，思春期，成人期，老年期に至る幅広い期間
経過	疾患の急性期，回復期，維持期，終末期に至るほぼすべての経過

（文献1より改変引用）

■ サービス実施形態

- 病院や施設内で実施する入院，入所サービス
- 対象者が退院，退所後に実施する通院，通所サービス
- 作業療法士が対象者の自宅や，職場などの関連施設を訪問し，対象者自身または関係者へ援助を行う訪問サービス

現在の作業療法士の医療分野，地域生活支援分野での役割を図1に示した。

図1 作業療法士が活躍する分野と概要

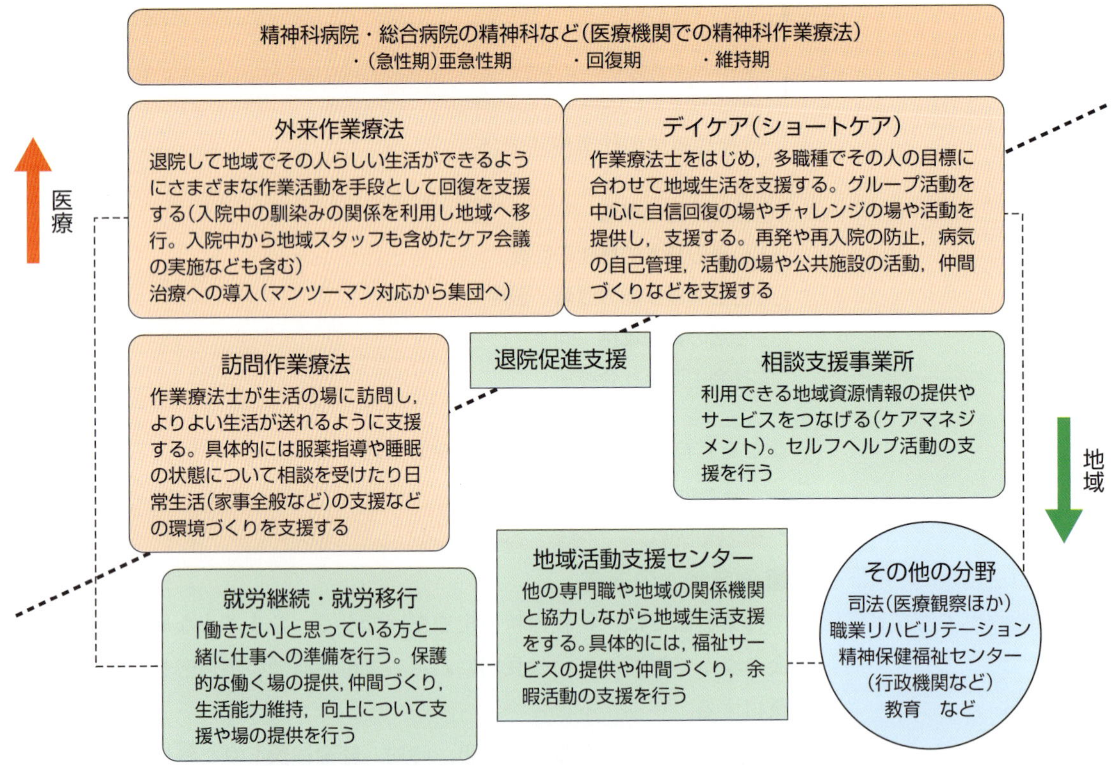

精神科病院・総合病院の精神科など（医療機関での精神科作業療法）
・（急性期）亜急性期　・回復期　・維持期

外来作業療法
退院して地域でその人らしい生活ができるようにさまざまな作業活動を手段として回復を支援する（入院中の馴染みの関係を利用し地域へ移行。入院中から地域スタッフも含めたケア会議の実施なども含む）
治療への導入（マンツーマン対応から集団へ）

デイケア（ショートケア）
作業療法士をはじめ，多職種でその人の目標に合わせて地域生活を支援する。グループ活動を中心に自信回復の場やチャレンジの場や活動を提供し，支援する。再発や再入院の防止，病気の自己管理，活動の場や公共施設の活動，仲間づくりなどを支援する

訪問作業療法
作業療法士が生活の場に訪問し，よりよい生活が送れるように支援する。具体的には服薬指導や睡眠の状態について相談を受けたり日常生活（家事全般など）の支援などの環境づくりを支援する

退院促進支援

相談支援事業所
利用できる地域資源情報の提供やサービスをつなげる（ケアマネジメント）。セルフヘルプ活動の支援を行う

就労継続・就労移行
「働きたい」と思っている方と一緒に仕事への準備を行う。保護的な働く場の提供，仲間づくり，生活能力維持，向上について支援や場の提供を行う

地域活動支援センター
他の専門職や地域の関係機関と協力しながら地域生活支援をする。具体的には，福祉サービスの提供や仲間づくり，余暇活動の支援を行う

その他の分野
司法（医療観察ほか）
職業リハビリテーション
精神保健福祉センター
（行政機関など）
教育　など

医療／地域

※オレンジ色の網掛け部分は診療報酬の対象となる医療分野での作業療法，緑色の網掛けの部分は「障害者総合支援法」に基づく地域生活支援分野での作業療法

（文献2より引用）

■ 対象者の統計的情報

精神疾患は，2013年に**5大疾患**（癌，脳卒中，急性心筋梗塞，糖尿病，精神疾患）の1つとして認定された。

● 精神障害者数の現状

　令和2年版の厚生労働白書[3]によれば，精神疾患の総患者は，2017（平成29）年は419.3万人（入院患者数30.2万人，外来患者数389.1万人）となっており，いわゆる5大疾患のなかで最も多い状況となっている。

　2017年の419.3万人は，2002（平成14）年の約258.4万人に比べ，約1.6倍と大きく増加している。このうち，入院患者数については2017年で約30.2万人と2002年の約32.9万人に比べ減少傾向にあるのに対し，外来患者数は2002年の約223.9万人と比較して，2017年には約1.7倍の約389.1万人と大きく増加しており，外来患者の数が大幅に増加していることがわかる。

● 疾患の種別構成[4]

　平成26年の精神疾患の総患者数は，気分障害が最も多く，次いで，統合失調症である。

　一方，入院患者に関しては，統合失調症が約5割を占め，次いで，アルツハイマー型認知症，血管性認知症が続く。外来では，気分障害が約3割，続いて神経症性障害が2割，次に統合失調症と続いている。

　統計的には，気分障害や認知症の患者数が増加し，薬物依存や発達障害への対応などの社会的要請が高まっているなど，作業療法士が対象とする疾患は多様化している。

試験対策 Point

受験年度の最新の資料で，精神疾患の種別構成を確認しておくことが必要である。入院と外来に分けて理解しておく。

● 病床数

　日本における精神病床数は約31万床であり，直近約10年間は減少傾向にある。しかしながら，経済協力開発機構（OECD：Organization for Economic Co-operation and Development）の調査によれば，2016年時点で日本の人口1,000人当たりの精神病床数は2.63となっており，2番目に多いベルギーの1.38を大幅に上回っていることから，国際的にみても病床数が多い状況にある。慢性期病床への入院患者の積極的な地域移行を促進するため，病床削減を条件として，2016年度からは地域移行機能強化病棟を創設しているが，0.2万床と算定病床はわずかに留まっている。

● 在院日数

　2019年度精神保健福祉資料[5]によると，近年の，精神病床における新規入院患者の入院後1年以内の退院率は約9割でほぼ横ばいであるが，退院患者の平均在院日数は減少傾向にある。1年以上の長期入院患者も減少傾向にあるが，2017年は17.1万人であり，入院患者の過半数を占めている。精神病床における平均在院日数は1989年時点の496日と比べ，2018年時点では265.8日と，この約30年間で大幅に減少しているものの，一般病床の16.1日と比較すると長い現状にある。また，諸外国の精神科病院と比較すると，2015年のOECD Health Dataによれば，日本285日に対し，

フランス5.8日，ベルギー10.1日，アジアでは韓国の124.9日と，きわめて長期となっている。

● 長期入院への対策[6]

　2004（平成16）年に，厚生労働省に発足した，精神保健福祉対策本部において，「精神保健福祉施策の改革」を決定し，「入院医療中心から地域生活中心へ」という基本理念を示した。その後，2014年には，「長期入院精神障害者の地域移行に向けた具体的方策に係る検討会」で，今後の方向性が取りまとめられた。長期入院患者の実態を踏まえ，退院意欲の喚起や本人の意向に沿った移行支援といった退院に向けた支援と，居住の場の確保などの地域生活の支援に分け，それぞれの段階に応じた具体的な支援を徹底して実施することが盛り込まれた。さらに，この基本理念をより強力に推進する観点から，2016年から開催された「これからの精神保健医療福祉のあり方に関する検討会」が取りまとめた報告書の内容および社会保障審議会障害者部会の議論を踏まえ，「精神障害にも対応した地域包括ケアシステムの構築」が新たな政策理念として掲げられた。

　これを受けて，2017（平成29）年度より，精神障害者が地域の一員として安心して自分らしい暮らしをすることができるように，第5期障害福祉計画（2018（平成30）～2020（令和2）年度）において，保健・医療・福祉関係者による協議の場の設置を成果目標とすることとした。障害保健福祉圏域ごとの保健・医療・福祉関係者間の顔の見える関係を構築し，地域の課題を共有化したうえで，「精神障害にも対応した地域包括ケアシステムの構築」に資する取り組みを推進している（図2）。

　最近では，地域生活支援連携体制整備の状況を評価するため「精神病床から退院後1年以内の地域における平均生活日数」（地域平均生活日数）が指標として設けられ，第6期障害福祉計画から新たに成果目標として導入された。

　今後，**高齢化による認知症患者の増加，職場におけるうつ病の増加**など，作業療法対象者の増加が予想される。

補足　障害福祉計画

障害者総合支援法に規定される，障害福祉サービス等の提供体制及び自立支援給付等の円滑な実施を確保するための基本的事項を定めるもの。策定にあたっては，障害者自立支援協議会の意見を聞き，障害者福祉サービスに関する3年間の実施計画的位置づけも有する。現在，第6期障害福祉計画[2021（令和3）～2023（令和5）年度]が進行中である。

図2 精神障害にも対応した地域包括ケアシステムの構築（イメージ）

○精神障害者が，地域の一員として安心して自分らしい暮らしをすることができるよう，医療，障害福祉・介護，住まい，社会参加（就労），地域の助け合い，教育が包括的に確保された地域包括ケアシステムの構築を目指す必要がある。
○このような精神障害にも対応した地域包括ケアシステムの構築にあたっては，計画的に地域の基盤を整備するとともに，市町村や障害福祉・介護事業者が，精神障害の程度によらず地域生活に関する相談に対応できるように，圏域ごとの保健・医療・福祉関係者による協議の場を通じて，精神科医療機関，その他の医療機関，地域援助事業者，市町村などとの重層的な連携による支援体制を構築していくことが必要。

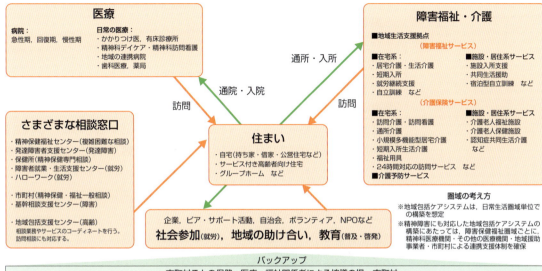

詳細は文献5を参照。

（文献5より抜粋して掲載）

3 作業療法の治療手段

主な手段は**作業種目，集団の活用，作業療法士自身の利用**である。

■作業種目

多くの作業種目から，治療目的を達成するために適した種目を選択する。

> **作業療法参加型臨床実習に向けて**
>
> 実習中に見学や接した対象者が実施していた作業種目について，作業療法士はどのような意図で選択したか，指導者に質問してみよう。

● 種目選択のポイント
①評価によって明確になった治療目標と一致させる。
②対象者との適合性として，年齢，性別，興味，関心，文化的背景を知る。
③作業分析の実施では，作業のもつ特徴や特性と治療的要素との関係を検討する。
④対象者の問題点の解決に適合した作業方法の工夫をする。

■集団の活用

①対象者の目標や特性を考慮して，個別か集団かの治療形態の選択をする。
②判断の要素としては，治療目標，発達段階，集団適応性（集団過程の受け入れの程度）などである。

③集団のもつ治療的要素を基盤にして，さまざまな作業種目や言語的コミュニケーションを工夫する。
④集団療法の原則で集団の運営が行われる。
⑤言語を主とした集団と比較すると，作業を媒介にした集団はより広く対象者を受け入れることが可能である。

■ 作業療法士自身の利用

作業療法の重要な手段として，作業療法士自身の治療的活用がある。作業療法士自身を利用するとは，作業療法士が対象者との関係を理解し，対象者がよりよく機能できるよう行動パターンを修正するために，その関係を利用することである。山根[7]は，「治療者の年齢，性別，人生経験，職業上の役割や，長所にも短所にもなりうる自己のパーソナリティの特徴など，自分自身の特性を，治療・援助における対人関係の中で，自然に活かすことをいう」と述べている。

治療目標で示された患者にとって望ましい方向に向かうように，作業療法士がその役割を担う。例えば，治療目標が「自己表現を促進する」ことであるならば，作業療法士は対象者が自己表現をする相手として，緊張を必要としない関係を確立できる対応を行う。どのような患者・作業療法士関係に発展させようとするにしても，受容的態度，共感的態度を維持することが必要である。受容的態度とは，相手を肯定し，「自分が受け入れられ，理解されている」と患者に感じさせることである。また，共感的態度とは，他人である自分が，相手の立場に立って，気持ちや感情を理解しようとすることである。ただし，相手の感情に巻き込まれないことが必要である。自分自身を活用して，よい治療関係を維持するために，以下のような項目が参考になる。

①自分自身について，よく知っておくこと。自分のできることと，できないこと。自分の特性や考え方や物事の捉え方など。
②人間関係において，温かさと柔軟性をもつこと。
③個別，集団の経験や実践。

患者との関係が円滑に進まない場合には，自分の特性がどのように影響を与えているかを，指導者と検討を行うスーパービジョンを受けるのも，解決法の1つである。そのような指導者が得にくい場合は，職場内のスタッフで相互に検討できる関係が望まれる。

> **アクティブラーニング ①** 「作業療法士の利用」のためには，自分自身について，知ることが必要である。自分の特性や考え方，物事の捉え方などについて，自己評価したうえで，友人から見てどのように捉えられているか，話し合ってみよう。自己評価と違いがあれば，その差についても考えてみよう。

4 作業療法の目的と課題

表2に回復段階に応じた作業療法の目的と課題(役割)を示す。

疾病の経過をみると,作業療法は亜急性期から開始され,対象者の回復段階に沿って,対象者と作業療法士との対人関係,作業種目,個別や集団の形態を変化させながら,プログラムを設定する。

表2に示された維持期に続く終末期には,人生の最終段階を迎えている対象者に,本人にとって意味ある作業の提供や,最期までその人らしい生き方ができるように支援することを考えていく。

作業療法の目標に対する具体的な援助の例を表3に示す。

■ 作業療法実施の流れ

作業療法の実際の流れを図3に示す。評価→治療目標の決定→治療内容の決定→作業療法の実施→結果の再検討といった流れで実施する。

実際には,評価,治療の遂行の過程は,重複しながら進行している。評価をしながら治療を実施し,また,評価をするといったサイクルを繰り返している。

> ***1 危機介入**
> 対象者にとって,今までの経験では対処できない問題や課題に直面している状況に積極的に介入し,その状況から回復させること。

表2 回復段階に応じた作業療法の目的と課題

	回復段階	治療・リハ目標	作業療法の目的と課題(役割)
急性期	要安静期 (1,2週)	救命・鎮静・安静	基本的に作業療法は実施しない
	亜急性期 (1,2週〜1カ月)	病的状態からの早期離脱 2次的障害の防止	①安全・安心の保障　②症状の軽減　③欲求の充足 ④衝動発散　⑤休息援助　⑥基本的生活リズムの回復 ⑦現実への移行準備　⑧鎮静と賦活
回復期	回復期前期 (2,3カ月)	心身の基本的機能の回復 現実生活への移行援助	①身体感覚の回復　②基本的生活リズムの回復 ③楽しむ体験　④基礎体力の回復　⑤身辺処理能力の回復 ⑥自己コントロール能力の改善　⑦退院指導・援助
	回復期後期 (4カ月〜1年)	自律(自立)と適応 生活関連技能の改善・習得	①生活管理技能の改善・習得　②対人交流技能の改善・習得 ③役割遂行能力の改善・習得　④自己能力の確認 ⑤達成感の獲得　⑥自信の回復　⑦社会性の獲得 ⑧職業準備訓練　⑨家族調整・環境整備 ⑩社会資源利用の援助　⑪障害との折り合い・受容
維持期	社会内維持期 (自室・グループホーム)	生活の質の維持・向上 社会生活・社会参加の援助	①社会生活リズムの習得　②社会生活技能の習得 ③病気とのつきあい方　④仲間づくり　⑤地域社会との交流 ⑥生活の自己管理　⑦余暇の利用　⑧環境調整 ⑨相互支援ネットワークづくり　⑩就労援助 ⑪適切な**危機介入**[*1]
	施設内維持期 (医療・福祉施設など)	生活の質の維持・向上 施設内自立生活と社会参加の促進	①生活の自己管理　②病気とのつきあい方　③仲間づくり ④役割・働く体験　⑤楽しむ体験　⑥趣味を広げる ⑦基礎体力の維持　⑧他者との生活上の交流　⑨環境整備

※回復段階は直線的に進むとは限らず,一進一退を繰り返すこともあり,各期の作業療法の目的も固定したものではない。( )に示した期間は,入院を起点とするおおよその期間を示しており,個人差が大きい。

(文献8より引用)

試験対策 Point

回復段階に応じた作業療法の目的と課題を確実に理解しておくことが重要である。臨床実習中に見学したり接したりした患者の回復段階と状態像，作業療法の目的を整理しておくとよい。

表3 作業療法の援助と目標の例

病的状態からの早期離脱，二次的障害の防止	● ゆっくりした時間を過ごす ● 身体を動かしてみる ● 取り組める活動を探す ● ほかの人との交流ができる ● 不安やイライラを解消する
現実への移行の援助，心身の基本的機能の回復	● 楽しめる時間をつくる ● 体力をつける ● 自分の気持ちを表現する ● 疲れ具合を確認しながら作業に取り組む ● 起きる時間，寝る時間を一定に保つ ● 得意な活動を通して自信を回復する
自律と適応への援助	● 相談相手をみつける ● 対人関係のもち方を学ぶ（断り方を練習する） ● 自分の病気や薬のことを知る ● 利用できる制度について知る ● 身の回りのことができるようになる ● 簡単な調理ができるようになる ● 自分の特徴と傾向を知る
社会参加に向けた援助	● 仕事復帰に向けた準備をする ● 家のなかでの役割を探す ● 近所の人とのつきあい方を学ぶ

（文献8より引用）

図3 作業療法の流れ

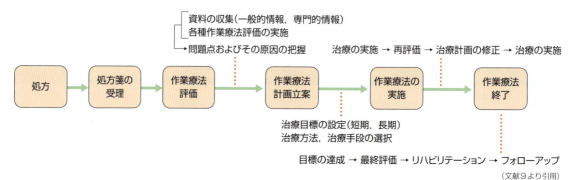

（文献9より引用）

5 今後の課題

① 精神障害にも対応した地域包括ケアシステムに寄与する作業療法のあり方の確立

前項，「長期入院への対策」で述べた「精神障害にも対応した地域包括ケアシステムの構築」で求められている，退院意欲の喚起，本人の意向に沿った移行支援といった退院に向けた支援，居住の場の確保，地域生活定着への支援は，対象者の健康的な側面から援助できる点，対象者が望む生活のための環境を整備できる点など，作業療法士が大きな役割を果たせる領域である。

地域包括ケアシステムでは，多職種連携，多機関連携を中心に進められ

ていくが，リハビリテーションを基盤とする作業療法士は，チームメンバーとして貢献できる人材である。日本作業療法士協会でも，作業療法の考え方を他職種に理解してもらう機会とするため，2021年度重点活動として取り組み，研修会や書籍の発行も予定している。

②多様性への対応
- 疾患別
- 病期別
    予防から急性期，回復期，維持期，終末期
- 実施場所
    医療機関，居宅，地域における施設

③作業療法士の配置の適正化

精神科領域での作業療法士のマンパワーの不足が顕著である。

> 2020年3月末における日本作業療法士協会会員：62,294名(7,078名休業中)
> 精神科領域での勤務者：7,021名(11.3%)[10]

「入院医療中心から地域生活中心へ」という大きな流れのなかで，医療施設以外で直接援助する人材の育成が急務である。その実現のためには，就労環境の整備や教育カリキュラムの検討が必要となっている。

④作業療法の学問としての体系化

対象者へのサービス向上や作業療法の普及を進めるために作業療法の効果の検証をより充実させる必要がある。その実現のためには，専門職として学術的成果の蓄積や他職種との交流，組織的な研究体制の構築が重要である。

⑤診療報酬の適正化(1974年，作業療法の診療報酬承認時の課題)

診療報酬「精神科作業療法」の取り扱い人数(1日，1人の作業療法士が扱える人数)は，75人(25人×3単位)まで認められていた。大集団のみの治療形態は，治療的な視点でみると非現実的であった。2006年度診療報酬改定により，2単位50人が標準となった。ようやく，大集団のみの治療形態から対象者の障害内容や程度などの個別性を尊重した治療形態をとれる可能性が出てきた。

しかし，急性期の個別作業療法を例にとれば，早期からの個別介入や個別対応を基礎にした小集団活動などが必要となる。その実現には現行の診療報酬体系に新たな枠組みが必要である。

【引用文献】
1) 日本作業療法士協会学術部 編:作業療法ガイドライン(2006年版), p8, 日本作業療法士協会, 2006.
2) 日本作業療法士協会 監修:作業療法学全書, 作業療法概論 改訂第3版, p13, 協同医書出版社, 2010.
3) 厚生労働省:令和2年版 厚生労働白書－第9章 障害者支援の総合的な推進. (https://www.mhlw.go.jp/wp/hakusyo/kousei/19/dl/2-09.pdf)(2021年8月時点)
4) 厚生労働省:参考資料(社会保障審議会障害者部会). (https://www.mhlw.go.jp/file/05-Shingikai-12201000-Shakaiengokyokushougaihokenfukushibu-Kikakuka/0000108755_12.pdf)(2021年8月時点)
5) 日本医療政策機構(HGPI)メンタルヘルス政策プロジェクトチーム:メンタルヘルス2020 明日への提言－メンタルヘルス政策を考える5つの視点. 2020. (https://hgpi.org/wp-content/uploads/Recommendations_MentalHealth2020-Proposal_for_tomorrow_JPN.pdf)(2021年8月時点)
6) 第1回精神保健福祉士の養成の在り方等に関する検討会:最近の精神保健医療福祉施策の動向について(平成30年12月18日 資料2). (https://www.mhlw.go.jp/content/12200000/000462293.pdf)(2021年8月時点)
7) 山根 寛:精神障害と作業療法, p119, 三輪書店, 2017.
8) 日本作業療法士協会 監修:作業療法学全書, 作業治療学2 精神障害 改訂第3版, p.110, 135, 協同医書出版社, 2010.
9) 金子 翼, 鈴木明子 編:作業療法総論 第2版, p.170, 医歯薬出版, 2003.
10) 日本作業療法士協会事務局 統計情報委員会:2019年度 日本作業療法士協会会員統計資料. 日本作業療法士協会誌, 102号:5-18, 2020. (https://www.jaot.or.jp/files/page/jimukyoku/kaiintoukei2019.pdf)(2021年8月時点)

【参考文献】
1. 上島国利 編:精神医学テキスト 改訂第3版, 南江堂, 2012.

✓チェックテスト

Q ①精神障害の作業療法の主な治療手段は何か(☞p.119〜120)。 臨床
②回復段階に応じた作業療法を実施する際, 開始する時期はいつからか(☞p.120)。 臨床
③診療報酬「精神科作業療法」で, 1人の作業療法士が1日に扱える人数は何人か(☞p.123)。 臨床

作業療法の対象

3 発達領域の作業療法

佐々木清子

> **Outline**
> - 発達障害領域全体で行う評価内容，介入理論を把握することが重要である。
> - 疾患の特徴および疾患の特徴に合わせた主な治療目標と評価，対応を理解することが重要である。

1 対象となる疾患

*1 脳性麻痺
生まれたときから筋緊張の異常がみられ，反り返ったり足首が伸びて歩くことが難しかったりするなどの症状や状態が表れる運動機能の麻痺で，発達が遅れる（p.132参照）。

　発達障害領域では，かなり多くの疾患が対象になる（図1）。また，医療の進歩に伴い対象疾患は変化している。**脳性麻痺**[*1]だけでなく，医療ケアを必要とする重度の障害をもつ子どもや，歩行はできるが，不器用，読み書きが難しい，友達とのトラブルが多いなど学習や社会性の問題をもった発達障害児といわれる子どもが増えてきた。病院の特徴によって対象とする疾患が異なるが，一般的に脳性麻痺や精神発達遅滞，重症心身障害，発達障害が多い。症状やその障害の程度，年齢もさまざまである。

　1人が複数の診断名をもつこともある。重症心身障害児施設では乳幼児期から長い期間，療育を受けている成人が対象となることもある。

　疾患の多様性に伴い，作業療法士がかかわる場も変化し，病院，肢体不自由児施設，重症心身障害児施設から，学校，幼稚園，保育園，児童発達支援や放課後デイサービスの事業所，保健所など医療だけでなく教育，福祉領域にかかわるようになってきた。

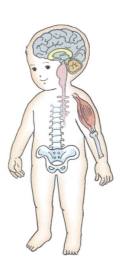

図1 発達障害領域で主にかかわる疾患

発達障害
自閉スペクトラム症
注意欠如・多動症
学習症（LD）
その他の発達障害

知的障害
染色体異常 など

その他の疾患
四肢奇形や欠損 など

中枢神経系疾患
脳性麻痺・脳炎後遺症・精神発達遅滞 など

筋系統疾患
筋ジストロフィー など

骨系疾患
骨形成不全・多発性関節拘縮症 など

脊髄性疾患
二分脊椎症 など

（文献1より一部引用）

2 評価から対応への進め方

はじめに①対象児と家族の要望（ニーズ）を聞き，次に②目標を達成するために心身機能，活動，参加，環境を評価する，③家族と目標設定を行う，④作業療法を実施する，⑤再評価し介入方法を検討する。

例を挙げてみると，①家族の要望が「スプーンで食事ができること」であったら，②子どもがどのように姿勢を保ち，上肢を使っているか，食欲はあるかなどの運動や感覚・知覚・認知機能や，動機づけなどの心身機能面から評価する。さらに，食事以外のADL，学習状況などの活動，自助具や家族の介護状況などの環境も評価する。例えば，更衣動作や排泄動作，書字動作などの活動を評価し，皿やスプーン，椅子や机，道具や自助具の使用や家族の介護状況などを評価する（図2）。そのうえで，③子どもと家族と話し合いながら目標を設定し，④作業療法を実施する。⑤再評価では，食事動作が改善するだけでなく鉛筆をうまく持てるようになるなど，1つの活動ができたことで他の活動への応用も検討する。うまくいかないときは，自助具を変更するとか，練習時間を多くするなど変更を加える。

■ 対象児の評価

評価は，①面接やカルテからの情報収集，②発達検査，③観察による評

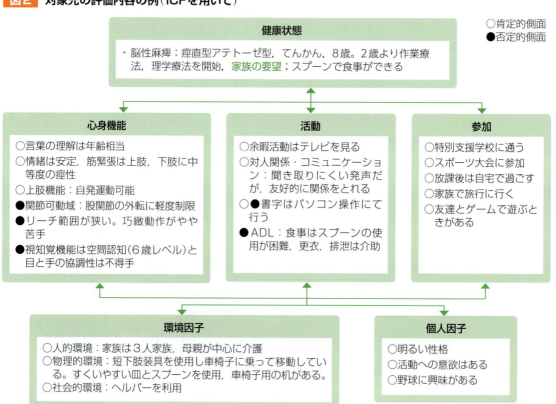

図2 対象児の評価内容の例（ICFを用いて）

試験対策 Point

- 遠城寺式乳幼児分析的発達検査は0〜4歳7カ月の移動運動，手の運動，基本的習慣，対人関係，発語，言語理解の6領域を評価できる。
- 日本語版デンバー式発達スクリーニング検査（JDDST-R）は，4領域（個人社会，微細運動-適応，言語，粗大運動）に分けた104の検査項目から構成されている。

いずれも結果が通過率（パーセンテージ）で表され，帯状図で示される。国家試験では「生後○○カ月で75〜90％の通過率…」という表現で出題される。

価がある（表1）。会話が難しい子どもでは指示に応じられないこともあるので，家族への面接や質問紙による情報収集と子どもの遊び場面の観察による評価を多く用いる。観察では，発達検査や特定の機能を評価する検査を用いることで作業療法の介入の効果を判定できる。発達検査が難しい場合は，個々の子どもに応じて設定した目標に対する介入効果をみるものもある。

表1 心身機能と活動の評価内容（※可能であれば発達検査と併用する）

全身の運動機能	筋緊張，関節可動域，原始反射，姿勢反応，筋力，姿勢保持能力，移動能力，粗大運動機能，眼球運動，口腔機能
上肢の機能	リーチ，把持，リリース，手先の巧緻動作，目と手の協調性，両手の使用，支持性，筋力
感覚知覚認知機能	感覚，感覚調整能力，視知覚認知機能：抽象概念の理解（大きさ，色，数）
心理・社会機能	集中力，対人関係，積極性，主体性
日常生活活動	食事・更衣・排泄・整容
学習関連活動	読み，書字，教科学習（音楽・家庭科・図工など）
遊び，余暇活動，社会的活動	好きな遊び，趣味，サークル活動，お金の管理，買い物，交通機関の利用

● 評価のポイント

心身機能の評価

【全身の運動機能】

- **筋緊張**：他動運動に対する抵抗で評価する。筋緊張は高すぎても低すぎても姿勢保持に影響し上肢活動の妨げとなる。筋緊張が高いと関節の可動域が制限され，筋緊張が動揺していると目と手の協調性の困難さがみられる。
- **関節可動域**：他動運動による関節の可動域を評価する。可動域の制限は更衣動作や運動技能に影響する。例えば肘の屈曲制限は上着の着脱を難しくし，足部の可動域制限はジャンプした後の着地を困難にする。
- **原始反射，姿勢反応**：原始反射，立ち直り反応，平衡反応，さらに，倒れそうなときにうまく手で体を支えられるのか（保護伸展反応）をみる。
- **姿勢の特徴，運動発達の状況**：腹臥位，背臥位，側臥位，座位や四つ這い，立位，歩行などの姿勢の特徴と運動発達の状況を評価する。
- **粗大運動技能**：階段昇り，ジャンプ，片足立ち，けんけん，三輪車や自転車乗り，ブランコや滑り台遊び，ボールやラケットなどの道具操作などを評価する。
- **眼球運動**：提示した目標物の動きに対する目の動きを評価する。注視，輻輳，追視，サッケードを評価する。ものに注視できることで玩具に興味をもち，手伸ばしが発達する。追視は読むことや書字に関連する。
- **口腔機能**：食物の取り込み，送り込み，咀嚼，嚥下の過程における口

唇，舌，下顎の機能を発達的に評価する。異常な反射はないか，年齢に合った口腔機能であるかを評価する。口唇を閉鎖できないと流涎(よだれ)が多くなり，口を開けたままの食事は社会性に影響する。また，舌や下顎をうまく動かせないと嚥下や咀嚼が難しくなる。

【上肢の機能】：リーチ，把持，リリース，目と手の協調性，両手動作，道具操作を評価する。リーチ，リリースでは，空間のどの位置のリーチやリ

補足

つまみの発達

1．側腹つまみ　　　　2．指腹つまみ　　　　3．指尖つまみ

ペン・道具の把持形態の変化

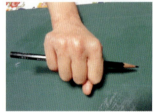 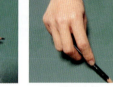  

手掌回内握り　　　　手指回内握り　　　　静的3指握り　　　　動的3指握り

補足

口腔運動機能評価の要点(1〜4段階を評価)
①準備期：適度な開口
②取り込み期：下顎の適度な開閉，口唇の閉鎖，舌の保持
③送り込み期：口唇閉鎖，舌の送り込み運動，押しつぶし，咀嚼
④嚥下期：飲み込み，むせの有無

手の操作評価
①握り，②すくう・さす，③口に運ぶ，④食具の引き抜き
このほかに座位姿勢(体幹，頭部)，肩や肘の動き，反対の手の補助動作を観察

リースができるか，把持では，どのような握りやつまみであるか，握りやつまみの際の状態や姿勢の変化を評価する．幼児では入れる，叩く，押す，つまむなどの遊び，学齢児では書字，コンパスなどの学習に関連した操作を評価する．

【知覚認知機能】：年齢にあった知覚認知機能を，発達検査をもとに評価する．幼児では形態，色，大きさなどの違いや言葉の理解，例えば「大きい」「赤」といった言葉と実物を一致できるか（言葉の概念の理解）は，学習機能に影響する．検査ができないときは，パズル，描画や製作活動，まねて組み立てるブロックなどの遊びから評価する．

【心理面，対人関係】：S-M社会生活能力検査など社会交流技能に関する検査と並行して，会話や作業療法場面の観察，情報収集から評価する．社会的交流が多くなることや家庭状況が要因となり，障害受容や自己肯定感の難しさがみられるようになり情緒的に不安定になる子どももいるので，会話や動作の観察から環境の情報と合わせて評価していく．

活動の評価

【ADL】：Wee-FIM(p.131)，PEDI(p.130)や発達検査で評価できる．食事（口腔機能やスプーンの道具操作），更衣（服の脱ぎ着，ボタンはめ，紐結びなど），排泄（排尿の予告やトイレの使用状況など），整容（髪をとかす，洗面や洗髪など）を，どのように行っているか動作分析する．ADLの難しさに，感覚の過敏さが関係していることがある．

【学習活動】：書字（枠を意識して書くことや文字のバランス，筆圧）や読み（行をとばすことがないか），音楽（笛などの楽器の操作），家庭科（包丁を使えるか，縫う動作），工作（はさみの使用），算数（コンパスや定規の使用，図形の理解），そのほか（紐結び，はちまきやエプロンを結べるか）の教科学習の状態を評価する．「姿勢が崩れやすい」「運筆が難しい」「補助手の押さえ」「空間関係の把握」の難しさが書字や読みに影響している場合もあるので心身機能と関連づける．

【遊びや余暇活動】：興味のある遊びを知ることで，他の遊びの広がりを持たせることができる．例えば，車が好きなときは，車の絵をもとに塗り絵活動に誘うことができるし，音楽が好きなら，楽器演奏で上肢機能を高めることができる．また，余暇活動をもつことで，生活を豊かにすることができる．重度な障害をもつ子どもでは，自発的に活動を探すことが難しいので特に必要である．

参加の評価

対象者が参加している学校や幼稚園，保育園における参加状況を知ることで，子どもがうまく適応できるよう支援を進める．良好な家庭内における兄弟間の交流や役割は対象となる子どもの健全な生活の支援となる．また，年齢が高くなると社会参加が増え家族の役割も変わってくるので，お金の管理，買い物，交通機関を利用できる技能と関連させて評価する．

補足
三間表，生活の地図の例

●三間表

時間	6：00	8：30
空間	家庭	学校
活動	起床	
姿勢	仰向け	
介護者	母	

●生活の地図

環境因子・個人因子の評価

環境因子では，介護の中心は誰で，協力体制は整っているかを情報収集する。例えば母親の介護負担が多いときには，装具や椅子，ヘルパーの利用などの物理的・社会的環境により介護の負担を軽減できる。三間表や生活の地図を用いることで生活をイメージすることができ，無理のない目標設定やプログラムを立案できる。個人因子では，活動への意欲や興味などを評価し好きな活動を取り入れることで，子どものスムーズな活動参加を促すことができる。

● 主な検査

知能検査

- WISC-Ⅳ知能検査：5～16歳11カ月を対象。言語理解，知覚推理，ワーキングメモリー，処理速度，の4つの指標がある。
- WPPSI知能診断検査：2歳6カ月～7歳3カ月を対象にした幼児用知能検査。
- 田中ビネー知能検査Ⅴ：2歳～成人が対象。同年齢児の70～75％が解決できる課題を当該年齢の標準とした。
- K-ABC心理教育アセスメントバッテリーⅡ：2歳6カ月～12歳11カ月が対象。2つの尺度（認知処理過程尺度，習得度尺度）からなり，教育や指導に活かせるように作成された。

特定の領域の検査

- 重症度
  - 粗大運動能力分類システム（GMFCS）：脳性麻痺児の粗大運動能力を基に，6歳以降の年齢で最終的に到達するレベルを5段階に分類した。上肢機能については上肢運動能力分類システム（MACS）がある。
- 運動機能
  - 粗大運動能力尺度（GMFM）：粗大運動能力の評価であり，脳性麻痺児の評価として開発された。
  - エアハート発達学的把持能力評価（EDPA）：3つのセクションがある。不随運動，随意運動，前書字動作を評価できる。
  - エアハート発達学的視覚評価（EDVA）：発達遅滞，脳性麻痺，ほかの運動障害を伴う子どもたちのための視覚運動機能評価。
- 生活機能
  - リハビリテーションのための子どもの能力低下評価表（PEDI）：ADLの評価で，課題を行うための子どもの技能と活動の介助量の両方を測定する包括的機能評価表である。対象は生後6カ月～7歳半までの子どもで，その年齢相当の機能レベルの子どもも対象である。
  - 運動とプロセス技能の評価（AMPS）：日常生活上の83課題のなかから任意に選んだ複数の課題をどのように遂行するかを観察し，16の

運動課題，20のプロセス技能を評価する。スクールAMPSもある。
- 機能的自立度評価表(Wee-FIM)：成人用のFIMを基に6カ月～7歳程度の子どもの能力を評価，日常の活動の自立度と介護度を測定し，現在の機能の達成と変化を記述する。

- 知覚・認知機能
  - 日本版フロスティッグ視知覚発達検査(DTVP)Ⅰ，Ⅱ：学習に困難を示す子どもの視知覚の評価に役立つ。検査Ⅰでは4歳～7歳11カ月までの標準データがある。
  - WAVES(wide-range assessment of vision-related essential skill)：9つの基本検査と4つの補助検査で構成されている視覚関連基礎スキルを評価する検査である。
  - Goodenough人物画知能検査(DAM)：おおまかな身体像や知能の評価ができる。

- 感覚統合機能
  - 日本版ミラー幼児発達スクリーニング検査(JMAP)：2歳9カ月～6歳2カ月の幼児を対象。感覚-運動，協応性，言語，非言語，複合能力の5つの領域を評価できる。
  - JPAN感覚処理・行為機能検査：4～10歳までを対象とする。①姿勢，平衡機能，②体性感覚，③行為機能，④視知覚・目と手の協調の4領域を検査する。
  - 日本版感覚統合インベントリー改訂版・SP感覚プロファイル：感覚情報処理の状態を評価するための質問紙である。対象は，日本版感覚統合インベントリー改訂版は4～6歳，SP感覚プロファイルは3～82歳である。

行動の評価
  - 日本版Vineland-Ⅱ適応行動尺度：0～92歳までの発達障害や，知的障害，精神障害を対象に4つの適応行動領域(コミュニケーション，日常生活スキル，社会性，スキル)と不適応行動領域を評価できる。
  - S-M社会生活能力検査第3版：身辺自立，移動，作業，コミュニケーション，集団参加，自己統制の6領域を評価する質問紙，1～13歳が対象。
  - CBCL(子どもの行動チェックリスト)：子どもの行動，情緒，社会性の問題を評価する質問紙，1歳半～18歳が対象。
  - SDQ(strengths and difficulties questionnaire)：子どもの行動，情緒，社会性を評価する質問紙，3～16歳が対象。

その他の評価
  - カナダ作業遂行測定(COPM)：子どもの課題を家族や対象児のインタビューを通して設定し，介入後に，その重症度，達成度と満足度を10段階で評価する。

○ 補足

- **痙直型**（筋緊張の亢進）：錐体路障害で，伸筋，屈筋の一側の筋肉の筋緊張が高まる。
- **固縮型**：伸筋，屈筋の両方の筋肉の筋緊張が高まり著しい動きが著しく制限される。
- **不随意運動型**：手を伸ばすときに揺れがみられ，揺れ幅は変動する。反り返る緊張を示す座位が困難なタイプ（ジストニック型）とじっと座っているときにも絶え間ない不随意運動が現れるタイプ（舞踏様型）がある。
- **失調型**：じっと座っているときには不随意運動は現れないが，随意運動時に揺れがみられ揺れ幅の変動は少ない。
- **混合型**：痙直型と不随意運動型の両方の特徴をもち，下肢に痙縮がみられることが多く，リーチの際の振れがみられる。
- **弛緩型**：いくつかの文献では分類されていない。しかし，臨床的には摂食嚥下機能との対応に有用である。

*2 **筋緊張の動揺**
目の前に置かれた玩具を取ろうと手を伸ばした際，手が小刻みに揺れ，思うように物に手が届かないときに観察される。手だけでなく，全身にもみられることがあり，歩行も不安定となる。

- **GAS**（goal attainment scaling）：対象者自身と家族とともに具体的な目標を設定し，介入前後の効果を判定する。採点は－2〜＋2までの5段階で，現在の能力を－1か－2にし，期限までに達成できる目標を0に設定する。
- **ADOC-S**：面接時に使用できるiPad®アプリである。重要だと思われる活動を生活，交流，学校，遊びの4つの生活場面のイラストから選択して目標の優先順位をつける。

3 発達障害領域の作業療法の実際

■ 目的の設定

　発達年齢，症状，環境要因を総合的にみて目標を設定する。発達年齢からみると，乳幼児期は発達全般を促すこと，幼児期後半はADLの自立や学習基礎能力を獲得すること，学齢期以降では，ADLや学習課題の自立，余暇活動の参加に向けて作業療法を行うことが多い。症状からみると，両麻痺児では自立に向けて取り組めるが，四肢麻痺児は部分的な自立を目指すことが多い。重度心身障害児では，機能を維持することや介護負担の軽減が目的となる。発達障害児では，学校や家庭における社会性，行動も含めた目標を設定することが多い。評価内容も目標に合わせて変える必要がある。

■ 脳性麻痺に対する作業療法　Web動画

● 脳性麻痺とは，どのような疾患か

　生まれる前から新生児期までの間に生じた脳の損傷により運動障害がみられる。非進行性で，成長とともに機能の変化がみられる。厚生省脳性麻痺研究班による定義（1968年）では，以下のようになっている。

> 脳性麻痺とは，受胎から新生児期（生後4週間）までの間に生じた脳の非進行的病変に基づく，永続的なしかし，変化し得る運動および姿勢の異常である。進行性疾患や一過性の運動障害，または，将来正常化するであろうと思われる運動発達遅延は除外する。

　出生時の仮死分娩，未熟児出生，核黄疸によって筋緊張の異常が生じる。**筋緊張の異常は亢進，低下，動揺**[*2]に大きく分かれ，**図3**のように分類される。代表的なのは痙直型，不随意運動型，弛緩型である。杖を使って歩いている人や話すときに特徴的な話し方をしている人を見かけたこともあるだろう。そのような動作は，自分で動こうと思っても筋緊張がうまくコントロールできないために起こる。障害部位によって四肢麻痺，三肢麻痺，両麻痺，片麻痺などに分類される。筋緊張と障害部位の組み合わせにより，例えば痙直型四肢麻痺のようによばれる（**図3**）。しかし，臨床的には左右差の筋緊張の違いがみられるなど，いくつかの症状が重なり合

っていることが多い。また，近年の周産期医療により，臨床的に両麻痺や四肢麻痺の症状が多くみられる。

図3　脳性麻痺の筋緊張と障害部位による分類

筋緊張による分類
- 痙直型（筋緊張の亢進）
- 不随意運動型（筋緊張の変動）
- 弛緩型（筋緊張の低下）
- 失調型（筋緊張の動揺）
- 混合型
- 固縮型

障害部位による分類
- 四肢麻痺
- 三肢麻痺
- 両麻痺
- 片麻痺
- その他（重複片麻痺・単肢麻痺・対麻痺）

● 脳性麻痺の特徴

　全身の筋緊張の異常により随意的な運動（上肢や口腔，眼球の運動）が制限され，ADLに制限を受ける。例えば，物を取るときに手を伸ばせないのはその部位だけの問題ではなく，全身の筋緊張が影響している。また，筋緊張は姿勢や心理的要因，活動，上肢の使用の有無によっても変わる。例えば，絵本を見るだけでは筋緊張の高まりはみられなくとも，ペンを持って描こうとすると，肘が曲がり緊張が高まることがある。また，手を伸ばした側と反対に首を向けるなど非対称性緊張性頚反射が残存することもある。筋緊張のタイプや麻痺の部位によっていくつかの臨床像に分かれる。よくみられるのは**表2**に示す痙直型の四肢麻痺型・両麻痺型・片麻痺型，不随意運動型（アテトーゼ型），弛緩型であるので，以下このタイプについて説明する。脳炎後遺症も同じような機能障害が現れるので参考になる。

表2　主な脳性麻痺児のタイプと作業療法のポイント

タイプ	症状の特徴	対応
痙直型四肢麻痺型	頭部，体幹，上肢は屈曲した姿勢。拘縮・変形をもちやすい。少しの姿勢の変化に緊張が高まる。介助座位可能	座位では骨盤を後ろに位置し，脊柱を伸ばすように介助する。自発的上肢の運動を促す
痙直型両麻痺型	下肢に痙縮があり体幹は低緊張。立位では股関節は屈曲，内旋，内転傾向を示す。上肢は支えとして使用することが多く，手指の巧緻動作の難しさをもつ。上部体幹は屈曲し円背し上肢の可動性が軽度低下。四つ這いは交互性乏しく，介助歩行可能	正中位の保持を促しながら両手動作，手先の巧緻的な操作や学習関連機能・食事動作，更衣動作などの向上を目指す。文房具や食具の工夫をする
痙直型片麻痺型	片側の上肢下肢の麻痺がある。座位姿勢に左右差がある。健側のみを使い患側を無視しがちとなる。患側の拘縮変形が起こる。集中できない傾向もある	体幹の対称性を維持しながら患側上肢の可動性，自発運動を促す。患側への意識を促す。集中できる環境に配慮する
不随意運動型（アテトーゼ型）	身体を反らし伸展が優位で非対称性の姿勢となる。手は不随意に動き両手の使用，頸部の正中位保持が難しい。感覚刺激への過剰反応がある。舌の押し出しなど摂食嚥下の問題をもつ	座位では身体を丸めるように背部の筋緊張を弱め頭部や体幹の対称的な保持を促す。両上肢を前に出し自発的運動を行えるように介助する。環境刺激を調整し興奮しすぎないようにする。食事への対応
弛緩型	全身的に筋緊張の低下を示す。頭部や体幹の保持困難。上肢や下肢を持ち上げる抗重力伸展活動が困難。弱々しい嚥下で覚醒は低い傾向がある	安定した座位を保持し，覚醒の維持や自発的な活動を促す。食事では力強い嚥下を促す

試験対策 Point

粗大運動能力分類システム（GMFCS）[2)]
各レベルの特徴と区分けを覚えておこう。
- レベルⅠ：制限なしに歩く

  レベルⅠおよびⅡの区分け：レベルⅠの子どもに比べてレベルⅡの子どもは1つの動作から他の動作に移行することが困難で，屋外と近隣を歩くことに制限があり，歩行開始時の歩行補助具の必要性が大きく，運動の質が低下しており，歩行や跳躍を行う能力などの粗大運動スキルに制限がある

- レベルⅡ：歩行補助具なしで歩く

  レベルⅡおよびⅢの区分け：実用的な移動能力の程度に違いがみられる。レベルⅡの子どもは，4歳以降は歩行補助具を必要としないのに対して，レベルⅢの子どもは歩くために歩行補助具および装具を頻繁に必要とする

- レベルⅢ：歩行補助具を使って歩く

  レベルⅢおよびⅣの区分け：補完的な技術（電動車椅子や環境制御装置）を広範囲にわたって使ったとしても，座位の能力と移動能力に違いがある。レベルⅢの子どもは1人で座り，床上での移動は自立しており，歩行補助具を使って歩く。レベルⅣの子どもは，（普通支えられての）座位能力はあるが，自立した移動能力は非常に制限される。レベルⅣの子どもは移送されるか，電動車椅子を使うことがより多い

- レベルⅣ：自力移動が制限

  レベルⅣおよびⅤの区分け：レベルⅤの子どもは，基本的な抗重力的な姿勢コントロールですらも自立性に欠ける。自力による実用的移動は，子どもが電動車椅子を操作する方法を覚えたときだけ達成される

- レベルⅤ：電動車椅子や環境制御装置を使っても自動移動が非常に制限されている

図4 痙直型四肢麻痺型の特徴（座位姿勢）

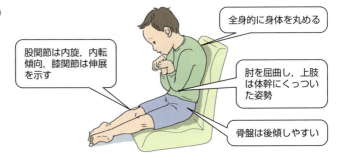

- 全身的に身体を丸める
- 股関節は内旋，内転傾向，膝関節は伸展を示す
- 肘を屈曲し，上肢は体幹にくっついた姿勢
- 骨盤は後傾しやすい

作業療法参加型 臨床実習に向けて

脳性麻痺児の筋緊張の測定では，指導者が模擬患者に対しMASを用いてデモンストレーションを行う。その後，実習生は模擬患者に対して他動運動を行い，抵抗感を体験する。次に，対象児に行い指導者にMASの結果を伝える。

①痙直型四肢麻痺型

図4のような姿勢の特徴をもつ。筋緊張の高まりが四肢や体幹にみられるため自力での座位は難しい。体幹は過緊張や，低緊張の場合がある。口腔機能では飲み込み（嚥下）はできるが，口を開けにくい。年長では，身体が曲がり，側彎や上肢の関節可動域制限がみられる。少しの姿勢の変化に緊張が高まることもあるので，介助に注意が必要である。

【対応】
ADLや学習活動の部分的な自立を目指す。体を伸ばした状態で，外方や上方にある玩具へのリーチを誘導することで痙縮の軽減を図ることができ，

拘縮の予防と自発運動の促進につながる。椅子に座るときは胸ベルトで胸郭を開くよう介助するとよい。食事動作では，机の上に台を置き，すくいやすい皿や柄を持ちやすくした食具を使用すると，体が伸び上肢の動きが楽になり，わずかな動きでも食べやすい（図5）。緊張の測定にMAS（modified Ashworth scale）を用いる。関節可動域評価に包括的評価マニュアルにおける変形拘縮評価法がある（表3）。

図5　持ちやすくした食具と皿

柄を太くしループをつけたり，ベルトやゴムで手から抜けないように工夫したもの

取り込み，すくう動作に合わせて柄の向きを変える　　すくいやすい皿

補足　アシュワーススケール（MAS：modified Ashworth scale）

他動的に関節を動かしたときの抵抗から6段階で評価する。
- 0：筋緊張に増加なし
- 1：軽度の筋緊張の増加あり。屈曲にて，引っかかりと消失，あるいは可動域終わりに若干の抵抗あり
- 1＋：軽度の筋緊張あり。引っかかりが明らかで可動域の1/2以下の範囲で若干の抵抗がある
- 2：筋緊張の増加がほぼ全可動域を通して認められるが，容易に動かすことができる
- 3：かなりの筋緊張の増加があり，他動運動は困難である
- 4：固まっていて，屈曲あるいは伸展ができない

表3　脳性麻痺に対する主な介入方法・理論

介入方法・理論	主な対象疾患	概要
Bobathによる神経生理学的アプローチ	脳性麻痺	「反り返ってしまう」といった異常姿勢・運動パターンを抑制し正常な姿勢・運動を経験させる。ハンドリングを通して，骨，関節，筋のアライメントを整え，使いやすい状況に整えていく。例：食事がうまくできるよう姿勢を整えながら上肢の運動を促していく
Vojtaによる発達運動学的治療	脳性麻痺・二分脊椎	反射性移動運動を用いた運動療法。一定の出発肢位を保持し，筋活動を促す身体部位に刺激を加え反応を導く
麻痺側上肢に対する拘束運動療法（CI療法）	脳性麻痺片麻痺	麻痺側上肢の機能改善，両手動作の向上に有効といわれる。口頭指示の理解が必要，拘束によるストレスがある

Case Study

痙直型四肢麻痺型の子どものケース

- 痙直型四肢麻痺，10歳，Aくん。骨盤は後傾し下肢は伸展，内旋，体幹は円背，さらに左に屈曲した姿勢になる。上肢は肘が屈曲し手関節は掌屈した肢位になる。徐々に変形拘縮が進んできた。
- 長く車椅子に乗っていられることと，好きな音楽活動ができるようにという家族の希望に対し，体幹の動きを出しながら上肢の自発運動を引き出すことが作業療法の目標であった(図6)。Aくんは音楽を聴くことが大好きなのでピアノを弾こうと手を伸ばそうとするが，全身の筋緊張が強く，身体全体が屈曲してしまう。そのため，体幹の回旋の動きを出し，胸を広げるようにすると徐々に筋緊張が和らいできた。その状態で，キーボードに手を伸ばせるよう肩から介助すると，わずかであるが指を動かすことができた。
- 車椅子は，胴ベルトだけでなく肩ベルトも使い，椅子や車椅子でもできるだけ胸を広げ，体幹を伸展位に保てるようにした。

図6 体幹の回旋と伸展の自発運動の促し

胸を開くようにベルトを上方向に引いて留める

座面に滑り止めマットを敷き骨盤を安定させる

補足

脳室周囲白質軟化症（PVL）とは？

早産児(主として在胎32週以下)の脳室周囲の白質に起こる虚血性脳病変である。両麻痺となる例が多い。

補足

両麻痺型の座位

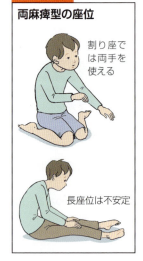

割り座では両手を使える

長座位は不安定

②痙直型両麻痺型

下肢に痙縮があり体幹(特に下部)は低緊張となりやすい(図7)。四つ這いはできるが，座位では骨盤が後傾し下肢は膝が伸展，股関節が内旋，内転傾向を示し保てないため，床上座位は割り座で可能となる。座位や立位では左右の前後の重心移動に対して体幹を保ちにくく，上肢を支えとして使用することが多く，両手の空間での使用や巧緻動作が困難となる。超未熟児出生により，皮膚・筋・骨格系，肺呼吸器系・循環器系が未熟なまま出生するため，脳室周囲白質軟化症，脳室内出血などによる脳障害を起こしやすい。視知覚障害をもちやすい傾向がある。

図7 痙直型両麻痺型の特徴

腕は身体を支えるために使うことが多い

足部は底屈する

下部体幹の筋緊張が低い

【対応】

　ADLの自立，学習技能の獲得のため，上肢の巧緻動作や知覚学習機能を評価し，安定した座位のなかで治療を進める。体幹の伸展位の保持を保ち両手の空間保持，巧緻動作を促す。

　安定した椅子に座り，斜面台を用いて体を伸ばしやすくする。短下肢装具を使うと足で体を支えやすくなり上肢の使用が楽になる（図8a〜d）。幼児期には，下肢の運動を促すために三輪車を導入することもある（図8e）。

　知覚認知活動では，大小，形態の区別，数，色などの認識を高め書字や読みの発達を促す。また，文房具（はさみ，笛，定規，コンパス）などの操作の援助では，動作の練習と使いやすい道具を発達段階に合わせて利用する（図9a〜c）。

　ADLでは，食具は親指の付け根を支えるように工夫したT字型のものを使うと持ちやすくなる（図9d）。更衣動作では，足へのリーチが難しいため三角椅子や部屋のコーナーを利用し，膝の下に枕を置くなどリーチしやすい環境設定を考える（図10）。また，ボタンはめ，紐結びといった巧緻動作の指導では，大きめのボタンから始め，段階づけて活動を提供する。評価ではGMFMによる運動発達評価，DTVPによる視知覚機能の評価を用いるが，実際は身近な教材を使って発達評価することが多い（図11）。

図8　姿勢の援助の例

身体が傾き，骨盤が前にずれてしまう。

a　空間での両手活動を促す

c　股パッドつきの座面

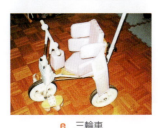

e　三輪車
座面とベッドの使用により安定させる

b　斜面台

d　滑り止めを置くと腰の位置が安定する

図9 文房具や食具の工夫

a　ペンやペンホルダー使用による工夫：T字型にしたり柄を太くしたりする。　　三角柱の鉛筆は持ちやすい

b　握りやすいはさみ　　　　　　c　開きやすいはさみ

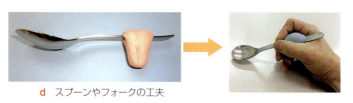

d　スプーンやフォークの工夫

図10 更衣動作の練習

膝の下にローラーを置き，膝の屈曲を助ける。介助者は，お尻をしっかり支える。1人で行うときは部屋の角の壁を利用する。

作業療法参加型臨床実習に向けて

指導者は，痙直型両麻痺の姿勢調整を実習生に対しデモンストレーションする。指導者が骨盤を側方から圧迫し感覚刺激を入れると，実習生は体が伸びることを体験する。その後，実習生が指導者に行いうまくできたかどうかを意見交換する。その後，左右への重心移動は徐々に行う。

図11 視知覚機能評価のための教材の例

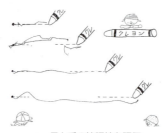
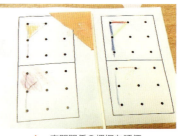

a　目と手の協調性を評価　　　　b　空間関係の把握を評価

c　形態認知の評価　　　　　　　d　形態の模写

Case Study

痙直型両麻痺型の子どものケース

①8歳のBさんは，お話が得意で，歩行器での歩行もできる（図12a）。しかし，下肢の緊張が高く，足を持ち上げられずズボンをはくことができなかった。また，脊柱は円背傾向で，肘がやや屈曲しがちであった。ベンチには座れるが，床では股関節が伸展し，後ろに倒れてしまうため割座だった。食事はスプーンにて自力摂取できるが，食べこぼしが多かった。文字は読めたが，書字や文章を作ることが苦手だった。

②本人と目標を話し合い，まずは，トイレの移動が1人でできることを目指した。これまで，トイレの際は，四つ這いで移動し，椅子便器に移乗する形を取っていた。そのため，床上でズボンの上げ下げができず介助を要した。車椅子から洋式便器での排泄に変更し，立位姿勢でのズボンの上げ下げの上肢運動を練習した（図12b）。さらに，輪投げなどを使って，側方へのリーチを促し，体幹の伸展と肩関節の外転，肘の伸展の運動を促した。

③半年後には，1人でトイレに行けるようになった。そこで，次の目標の食べこぼしの軽減に進むことができた。食事のときに使う机が低かったので，円背したまま顔は下を向き食べていた。そのため，流涎もみられ，皿と口との距離が遠くなり，こぼすことが多くなっていた。そのため，机の上に台を置くと脊柱は伸展し（図12c），食べこぼしが減った。さらに補助箸も取り入れ（図12d），巧緻動作を促した。本人は，箸が使えたことでうれしそうだった。書字は書き取り練習とパソコン入力による文章作りを行い，徐々に文章を作れるようになった。

図12 両麻痺Bさんのトイレ動作，食事動作の改善

a

b

c

d 補助箸［箸ぞうくん（斉藤工業）］

作業療法の対象

図13 痙直型片麻痺型の特徴

患側の体幹が短縮しがち
患側の意識が弱くなる

図14 片手笛

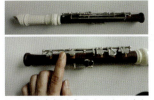

1つの穴を押さえるとほかの穴も押さえることができ，いろいろな音が出せる。

③痙直型片麻痺型

片側の上肢下肢の麻痺がある。座位では左右差がみられ麻痺側が曲がった姿勢になる。体幹を保持できず重心を麻痺側に移せないために起こる。健側のみを使い，**患側を無視しがちになる**（図13）。歩行が可能でADLも比較的問題ないが，定型的な姿勢が繰り返されることで，肩は後ろに引かれ，肘が屈曲し手首は掌屈尺屈傾向を示し，外見上の問題が出てくる。また，幼児期は一側しか上肢を使えず，**両手活動が制限**され，遊びに**集中できない傾向**もある。学童期には，笛，書字，工作など教科学習の問題がみられる。

【対応】

患側の拘縮予防と両手を使った学習技能の向上に向けて，対称的姿勢づくりのなかで両手への意識を高める。上肢だけでなく，**体幹の対称性**を維持しながら上肢の可動性の維持に努める。**両手を前に出し視野のなかに入れながら遊びを行う**ことで患側を意識でき，かつ筋緊張は軽減する。集中が途切れやすいときは個室で行う。拘縮予防のため装具を使用する。片手笛（図14）や滑らない定規などの便利な道具を使い，両手活動の自立を図る。

139

> **補足** 痙直型片麻痺型で用いられる装具

- 手首背屈保持装具(コックアップスプリント)を使うことが多い。
- ①手背型、②手掌型を使用することが多い。
- 手掌型は物を把持することができる利点がある。対象は、片麻痺に限らず、四肢麻痺、あるいはほかの疾患でも使用する。

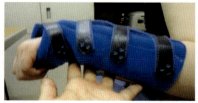
①手背型

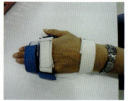
②手掌型

④不随意運動型

例えば、肘の伸筋と屈筋の協調した運動が難しく、手を伸ばそうとしたときに不随意に動いてしまう(図15)。痙縮がある場合は痙直型アテトーゼという。絶えず不随意運動がみられるタイプや急激に全身の強い反り返りが現れるタイプがある。非対称性緊張性頸反射(ATNR)の影響により上肢や下肢は、**非対称性**を示す。リーチしようとすると肘が屈曲し頭部がいったん反対に向いてしまうため、玩具などを**見た状態で上肢を操作する**ことや**両手を前方で使用する**ことが難しい。座位保持ができる子もいるが、**頸部の正中位保持が難しく**後屈しやすい。**食事の難しさを伴う**ことが多く、舌を押し出し(舌突出)、顎を開けたまま(過開口)になりやすい。

図15 不随意運動型の特徴

頸部は正中位に保ちにくい
股関節は伸展し曲げにくい
腕は後ろに引いてしまう
体幹、また伸展方向の動きが優位となり体幹が反り返りやすい。

【対応】

食事における摂食嚥下機能の改善とADLの部分的な自立、余暇活動の参加を目標に進める。評価では、全身の運動機能評価、摂食嚥下機能評価が重要となる。

座位では**骨盤をしっかり支えながら身体を丸めるような介助が必要**である(p.142のCase Study参照)。**上肢を前に出すことで、頭部や体幹を対称的に保持**しやすい。物を握ると肩を後ろに引く傾向が強まるため、はじめは絵本を見るなど視覚的な活動にし、徐々に握る要素を取り入れた**活動へと段階づける**とよい。視覚や音刺激、揺れなどに過剰に反応することもあるため、環境刺激を調整する。**頭部の動きは全身に影響**するため、声を

かけるときは上からしないとか，机は高すぎないよう低めにするなど頭部が後方に倒れないようにする。食事介助する場合は，**下顎のコントロールを行い舌の押し出しや過開口を防ぐ**（図16）。刻み食はむせやすいのでまとまりのある食材を選ぶ。自分で食べる場合は，机の高さ，食器の形や素材，大きさを配慮し，すくいやすく口に運びやすい設定を考える。

⑤弛緩型

全身的に筋緊張が低下し四肢麻痺の状態を示す。座位にすると頭部や体幹を支えられない（図17）。上肢の動きも少ない。食事は，取り込みができても弱々しい嚥下のため食事に時間がかかることもある。重度なケースでは，誤嚥がみられることもある。覚醒が低い傾向がある。乳幼児期は低緊張を示していても，成長とともに痙縮がみられるようになることが多い。

【対応】

安定した座位を保持し，覚醒の維持や自発的な活動を促す。それが，加齢に伴う機能の低下を防ぐことにつながる。椅子や車椅子は頭部の支え，体幹を支えるベルトや机，**クッション**（図20）を利用し隙間がないように埋め**安定**させる。**覚醒の維持**には腕を動かす（固有感覚刺激），声をかける，音楽を聴く（聴覚刺激），ブランコ・トランポリンでの遊び（前庭系），バイブレーターに触れる，ギロをならす（振動感覚）など，本人の好きな**感覚刺激**を提供する。また，興味をもつ遊びを見つけ，豊かな表情や自発運動を引き出す。食事での力強い嚥下を促すため，咀嚼運動のための練習を取り入れる。その際は食材を工夫する（図21）。

補足

「食事の難しさ」でよくみられる異常パターン

- **丸飲み込み**：咀嚼が必要な食物を咀嚼せずに飲み込んでしまう。
- **舌突出**：口唇よりも強く突出する舌の力強い前後運動。口に入った食物を飲み込めない。全身の伸展パターンの一部として起こる。
- **過開口**：大きく口を開けてしまい，閉じることが難しい。全身の伸展パターンの一部として起こる。
- **緊張性咬反射**：歯肉や歯への刺激で力強く下顎が閉じ，その状態が持続する。筋緊張の亢進に伴い起こる。

作業療法参加型臨床実習に向けて

指導者は人形に対して下顎のコントロールのデモンストレーションを行う。実習生は模倣し，うまくできているか指導者から助言を受ける（図16）。

図16 食事介助（下顎のコントロール）

a-①
舌突出の軽減のため椅子座位での前方からの介助

a-②
下顎を介助し頸部の前屈を保持することで舌の押し出しが減る（下顎のコントロール）。

b むせにくい食事の提供

図17 弛緩型の特徴

頭や身体を支えられない

Case Study

不随意運動型の子どものケース

年齢相当の理解力がある5歳の脳性麻痺，Cちゃん。手を使おうとすると骨盤が床から浮き，体を反らせてしまう。手を使うことが好きなのでうまく遊べるよう骨盤の位置を安定させ，体幹を丸めるように姿勢を作り，両手は前に出せるようにした（図19a）。椅子は，股関節の屈曲を多くした椅子を使用し体の反り返りを軽減した（図19b）。

図19 5歳，脳性麻痺の子どもに対する作業療法の実際

a 股関節は伸展して反り返りにつながるため外転・屈曲した位置を持続する。

b 椅子では，座面の前方を上げるなどする。

Question 1

不随意運動型脳性麻痺児に対して，座位で以下の活動を取り入れるときに，どの順番で行うか。また，その理由は何か【ままごと遊び，絵本，積み木倒し】。

☞ 解答例 p.241

試験対策 Point

むせにくい姿勢と食材を覚えておこう

- 頸の角度は前屈がよい（図18）：スプーンを使って子どもに食事介助するときは，上から口に向けて入れるとむせやすい。
- むせにくい食材について：粒がないものがよい。具入りのみそ汁，刻み食はむせやすい。

補足

脳性麻痺の座位姿勢援助のポイント

- 骨盤の位置を整える。頭部や体幹を安定させたうえで上肢活動を行う。
- 道具，装具，姿勢保持具の利用。

図20 体幹の支え

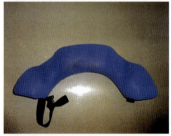

U字クッションは身体を支えるのに有効。

図18 体幹に対する頸の角度

軽度前屈がよい。

図21 咀嚼運動を促す工夫

ガーゼにリンゴや野菜を長く切ったものを入れ，口角から奥歯に入れて咬ませる。

Case Study

弛緩型の子どものケース

- 8歳のDくんは低緊張で，いつもうとうとしがちで，声をかけても反応がないことが多い。しかし，歌を歌うこと，身体をくすぐられること，トランポリンでジャンプさせてもらうことが好きで笑顔がみられていた。また，自分の指をしゃぶることが頻繁にあった。生活のうえで困ったのは，食事が進まないことで，経管栄養になってしまうこともあった。
- 食事の様子をみてみると，覚醒が低いとむせがちであるが，取り込みや送り込みはうまくできていたし，ハンバーグなど好きな物ならしっかり飲み込むことができていた。
- そこで，覚醒を高める工夫をした。音楽をかけ，眠そうなときは，手を動かし，身体への触刺激をし，声をかけるようにすると覚醒が保たれることが多くなった。さらに，ガーゼでくるんだお菓子を奥歯に置くと咬み始め，積極的に口を開けるようになった。また，スプーンを持たせて口に運ぶようにし，咬むことを取り入れながら，スプーンでの摂食介助を行うとさらに覚醒は高まった。
- 姿勢は，むせにくい姿勢を検討した。体幹は床に対して45°がよく（図22），それより高いと頭部が支えられなかった。両手は前に保持できるようクッションを使った。嚥下造影（VF）検査も実施し，頭部を軽度屈曲位に保つようにした。その後も介助方法と姿勢を継続し，摂食量が多くなっていった（図23）。

図22 車椅子の姿勢

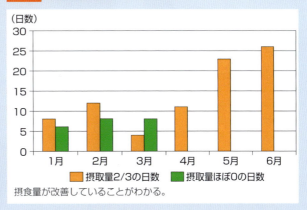

図23 摂食量の推移

摂食量が改善していることがわかる。

■重症心身障害児への作業療法

重症心身障害児は知的な障害と運動障害をもっている。脳性麻痺など多様な疾患を含み，症状は多様である。運動障害が重度な場合，動きが少ないことや定型的な運動が繰り返されることで，加齢とともに変形，拘縮などの二次障害をもつようになる（図24）。加齢に伴う症状の悪化だけでなく，身体も大きくなり家族の介護負担が重くなるので，家族の介護状況を聞き，ニーズに合わせて支援を行う。

てんかんがあると，発作をコントロールするための投薬の影響で，覚醒が変動する。

拘縮，変形の評価をする。変形・拘縮は摂食嚥下，呼吸，排泄，睡眠，消化器系に影響を与える。**摂食嚥下**については，未熟な食べ方や全身の反り返りが繰り返されることで，舌の押し出しが強まっていく。そのため食物の取り込みや嚥下が難しいだけでなく，長く続くと下顎の咬合不全（上下の歯が咬み合わない）などの口腔周囲の構造的な変形を生じてくる。また，**サイレントアスピレーション（むせない誤嚥）**[*3]がみられることがある。その場合は，嚥下造影検査（**VF**[*4]：videofluoroscopic examination

---

[*3] **サイレントアスピレーション**
誤嚥は一般的に咳によって確認するが，むせのない誤嚥をいう。

[*4] **VF（ビデオ透視嚥下造影検査）**
造影剤またはそれを食物や水分に混ぜて経口摂取される状態をX線で透視して観察する。水分や食物を取り込んで送り込み，嚥下などの状態を直接画像で観察できる。誤嚥を確認できる。作業療法士は姿勢や食事形態を医師とともに検討する。

図24 重症心身障害児の症状の例

a 側彎はS字カーブ，C字カーブなどがある

b 膝が伸びない

c 肘，手関節，手指の運動制限

d 下顎が引かれ呼吸が苦しくなる

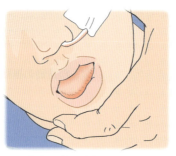
e 舌の押し出しが続くと咬合不全が起こる

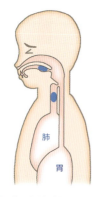
f 嚥下機能が低下して気管に食物が入りやすくなる

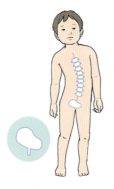
g 側彎によって膀胱が圧迫される

h てんかん発作：急に意識がなくなったり，頭が倒れたり手足が伸びたままになったりする

of swallowing）が必要である。**呼吸**では，筋緊張の低下や過緊張，仰向け姿勢の影響で下顎や舌が落ち込み，空気の通りが悪くなる（閉塞性呼吸障害）。また，胸郭の運動性の制限も起こる（拘束性障害）。脊柱の変形や緊張の亢進は，内臓の位置を変化させ**排尿や排便**（尿や便が出ない），**胃食道逆流症**（胃の内容物が食道に逆もどりをしてしまう）に影響する（図25）。

　重症心身障害児の判定には一般的に大島の分類が用いられる（図26）。

【対応】

　主な目標は二次障害の予防と機能の維持，介護負担の軽減，余暇活動の参加で，合併症，全身の姿勢と運動（随意運動），介護を含めた生活状況の評価が重要となる。日常姿勢に配慮することで合併症の悪化を防ぐことができる。特に摂食嚥下機能の維持は重要で，姿勢，食事形態も考慮する。

図25 関節の拘縮・変形の進行による影響

- 肩甲骨の内外転・肩関節の挙上・肘関節の屈曲伸展・手首の背屈・掌屈の制限，下顎の偏位（下がる）
- 左右非対称な姿勢が続くことによる，側彎，胸郭の運動性の制限，腰椎の過伸展，下肢の運動制限，股関節脱臼

図26 大島の分類

21	22	23	24	25	71〜80
20	13	14	15	16	51〜70
19	12	7	8	9	36〜50
18	11	6	3	4	21〜35
17	10	5	2	1	0〜20
走れる	歩ける	歩行障害 運動障害	座れる	寝たきり	知能指数(IQ)

■ 定義上の重症心身障害児
■ 周辺児：
　①絶えず医療管理下に置くべきもの
　②障害の状態が進行的と思われるもの
　③合併症のあるもの

（文献1, p.306より引用）

また，身体的な健康だけでなく，精神的にも**健康な生活**を援助することが求められる．食事，トイレなどの椅子の工夫は介護の助けになる（図27）．

余暇活動の提供は生活を豊かにする．良肢位で**スヌーズレン**[*5]などの視覚的な活動，スイッチ操作，パソコン操作の導入により，対象者は，わずかに動かせる部分を使って楽しむことができる．製作活動，ゲーム活動，調理活動では，少ない介助でできるよう器具を工夫する．手を使うことが感覚の過敏性の軽減や手指の可動域（握ること，開くこと）の維持にもつながる（図28）．

> *5 **スヌーズレン**（snoezelen）
> 心地よい感覚刺激を用いてリラックスする空間．snoezelenはオランダ語で，「クンクンとあたりを探索する」「ウトウトくつろぐ」という2語を合わせた造語（日本スヌーズレン協会ホームページより）．

Case Study

反り返りの強い重症心身障害児のケース

反り返りの強いEさんは身体も大きくなり介助が難しくなったので，家のトイレで使える便座（図27a）をつくった（乗ったまま後ろからトイレにセットできる）．その後，さらに緊張が強まり椅子には座れなくなったが，それまでの一時期は介護の助けになった．食事用の椅子は背もたれを後ろに傾け，頸を前屈できるものにし誤嚥を防げるようにした（図27b）．

図27 反り返りの強い子どもへの椅子の工夫

a　トイレ用の椅子

b　食事用の椅子

Question 2

重症心身障害児の日常姿勢でマットを使った腹臥位がよいとされるがその理由は何か．日常姿勢で背臥位姿勢が多くなるとどのような二次障害がみられるか．　☞ 解答例 p.241

図28 重症心身障害児の日常姿勢と活動の工夫

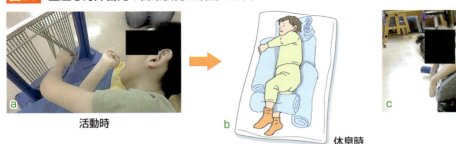

活動時　　　b　　　休息時

a, b **側臥位**：身体が前に倒れないように支え，腕を前に出せるよう動きを促す。日常生活では，身体の前後にタオルなどを置き，身体を安定させることで腕が前に出しやすい。下肢も対称的になるように膝の内側にタオルを挟む。
c **腹臥位**：マットを使うことで両手を前に出して遊びやすい姿勢となる。身体を対称的に保つことで側彎の予防になる。下顎は前方に出やすいので気管の閉塞を軽減するなど呼吸しやすくなり，排痰も促す。

玩具や補助具の紹介

 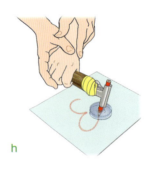

d **ベルが回る楽器**：バチを持っているだけで音が鳴る。
e **紐を引くと入力できるスイッチ**：横向きやうつぶせ姿勢では両手が前に出しやすいので，手で操作しやすい。
f **スプリントにつけたスイッチ**：手を良肢位にすることでスイッチを押せる。
g **iPad®とトーキングエイドのキーガード**：枠をつけて打ちたい文字だけを打てるようにするもの。
h **ペンホルダー**：棒に目玉クリップをつけたもので，握るだけでペンを使うことができる。

■二分脊椎症への作業療法

脊柱の背側の一部が欠損している状態である。発症部位により症状が異なる。好発部位が，腰椎，仙椎であるため，下肢麻痺や膀胱直腸障害などを生じる。水頭症があると認知的な発達や上肢操作が遅れる。体幹の保持が難しいため，上肢の空間での使用に難しさが出てくる。変形拘縮は下肢に現れる。また，麻痺レベルに応じた**触覚や痛覚の鈍麻や脱失**がみられる。脊髄分節の麻痺レベルに応じた運動・活動範囲はSharrard分類（シャラード）を用いる（**表4**）。

【対応】

排泄動作などのADLと学習課題の自立に向け，障害部位に応じた評価を行う。下肢や体幹の機能を補うために上肢の筋力を強化する（**図29**）。さらに箸操作や紐結び，更衣動作など上肢の巧緻動作を高める（**図30**）。上肢が

図29 筋力の強化

手押し車での筋力アップ

図30 箸の工夫

a はじめてサポートおはし（LUコンビ）
箸の動きがバネのようになり，開くときの助けとなる

b 子ども用 きちんと箸（イシダ）
2本の箸が離れないようになっている

表4 シャラード分類

分類	脊髄分節の運動レベル	運動・活動範囲		
		学童期	思春期	成人期
Ⅰ	Th12	起立装具	車椅子	車椅子
Ⅱ	L1, 2	松葉杖・長下肢装具	車椅子	車椅子
		車椅子	家庭内歩行	非機能的歩行
Ⅲ	L3, 4	松葉杖・長下肢装具	松葉杖	50％車椅子
		車椅子	家庭内歩行・車椅子	松葉杖・家庭内歩行
Ⅳ	L5	松葉杖・短下肢装具	松葉杖	松葉杖
		地域社会内歩行	地域社会内歩行	地域社会内歩行
Ⅴ	S	地域社会内歩行	地域社会内歩行	地域社会内歩行
				50％松葉杖または杖

（文献3より引用）

使いやすいように姿勢を整えるための椅子や机の工夫が必要である（図8）。認知面では，数や左右，上下の概念，書字などの**学習面や社会性への評価と対応**が必要となる。人物画にて身体像を評価することができる。座位ができるレベルであれば，排泄以外（異なった方法で）は自立しやすい。排泄指導は，看護師と連携して行うが，認知面，手先の巧緻性の問題が影響する場合もある（図5, 8, 9, 30）。下肢の感覚障害から下肢への意識が薄れるので安全面，整容動作の指導も行う。

■筋ジストロフィーに対する作業療法

筋自体に原因があり，進行性の筋力の低下と筋の萎縮が起こる遺伝性の疾患である。遺伝形式でいくつかに分類される。筋力の低下，低緊張を示し，徐々に歩行や座位ができなくなり，寝たきりになる（表5）。筋力低下は腰部，下部近位部の筋群から始まり，床からの立ち上がりでは**登攀性起立**[*6]（Gowers徴候）がみられる。歩行時は**動揺性歩行**[*7]がみられる。さらに呼吸不全や心不全で亡くなる可能性が高い。よく知られているのがDuchenne型筋ジストロフィーである。

【対応】

残存機能を有効に活用し二次障害を起こさないよう活動性を維持する。また，呼吸や筋機能も評価し，活動量に配慮していく。運動機能だけでなく移動，コミュニケーション，余暇活動の評価と対応が重要である。できる能力を活用していく。具体的には以下のような対応が挙げられる。

①拘縮や変形を助長させない活動の工夫

上肢機能の低下により，机の縁を利用して上肢を支える様子や，両手を組んで高さを補う代償動作をよく見かける。座位保持機能が低下し，背中を反らせた無理な方法で行うと，筋肉への負担となり脊柱の変形や関節拘

---

*6 登攀性起立
腰部，下肢，近位部の活動を補うため，膝や大腿に手をついて床から立ち上がること[4]

*7 動揺性歩行
両足を広げて腰椎を突き出し腰を左右に振りながら歩くこと

試験対策 Point

- 下肢装具：二分脊椎では長下肢装具の適応が多い。
- 両麻痺では，短下肢装具（図31a）を使用することが多い。股関節の手術後に長下肢装具（図31b）を使用することが多い。

図31 下肢装具

a　短下肢装具

b　長下肢装具

図32 背中を反らせた座位姿勢

表5 筋ジストロフィー機能障害度の厚生労働省分類（新分類）

ステージⅠ	階段昇降可能	a 手の支えなし b 手の膝おさえ
ステージⅡ	階段昇降可能	a 片手手すり b 片手手すり膝手 c 両手手すり
ステージⅢ	椅子からの起立可能	
ステージⅣ	歩行可能	a 独歩で5m以上 b 1人では歩けないがつかまれば歩ける（5m以上） 　1）歩行器　2）手すり　3）手びき
ステージⅤ	起立歩行は不可能であるが四つ這いは可能	
ステージⅥ	四つ這いも不可能であるが，いざり行は可能	
ステージⅦ	いざり這行も不可能であるが，座位保持は可能	
ステージⅧ	座位の保持も不可能であり，常時臥床状態	

（文献5より引用）

縮の原因にもなる（図32）。道具を工夫したり，課題を変更したりするなど，さまざまな解決方法を提案し，活動量に配慮していく。

②床生活を避ける

歩行ができなくなると床生活になるが，下肢の筋の短縮が助長されやすいので椅子姿勢に切り替える。

③機器の導入で活動範囲を広げる

無理な姿勢での活動とならないよう日常生活，コミュニケーション，移動などの場面を評価し，機器の利用，活動手順を提案する（図33）。

④心理面への配慮

幼少期から，できないことの体験が多く消極的になったりする。その結果，あらゆることに興味がないなど受け身的な生活になりがちとなる。活動を通して有意義な生活ができるよう導く。

⑤生産的活動の獲得

写真，絵画，工芸，音楽など対象者の興味に合わせ，自己表現の機会を作っていく。

■精神発達遅滞への作業療法

18歳未満で，認知，言語，運動，社会的能力の障害が起こる。知能指数（IQ）70以下をいい，知能の程度によって軽度・中等度および重度・最重度に分ける。筋緊張の低さもあり運動発達が遅れる場合がある。手先の巧緻動作，学習，ADL，集団活動，運動技能の遅れをもつ。発達障害児にみられる感覚調整の問題をもつケースもある。

【対応】

言葉による指示理解が難しい場合は，繰り返し動作のなかで獲得できるよう家庭や学校との取り組みが技能獲得につながる。評価は，手先の巧緻

図33 筋ジストロフィーの対象児への対応(できる能力の活用)

手首の下に物を置くことでペンの位置が高くなって描きやすくなり，肘の動きで描くことができる。

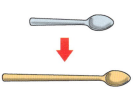

柄の長いスプーンの利用

回転テーブル

孫の手を使って物を取る

アームサポートで描画活動

パソコン入力(棒で打つ)

動作，目と手の協調性，両手活動，知覚認知機能や姿勢の保持，粗大運動技能など全般的領域をみるが，目標は家族のニーズを聞きながら設定し進めていく(p.150のCase Study参照)。例えば，更衣動作で裏表がわかるよう目印をつけたり，ペンや食具などの物の工夫を行ったりする。運動面では，筋緊張の低下から成長とともに側彎などの姿勢の変化がみられることや，片足立ちバランスが苦手なため立位でズボンをはく動作が難しくなることもあるため，運動への支援を行う。また，問題行動として，指を咬

Case Study

精神発達遅滞の子どものケース①

8歳のFさん。何でも咬んでしまうため，家具も傷んでしまうほどである。口内炎も頻繁にあった。母親が家事をしているときには，目が離せず困っていたので，椅子と机を改良し，椅子に座っているときには，口に物を運ばなくても楽しめる環境をつくった(図34a)。家で使う玩具は回転式で楽しめる物(図34b)など，口に持っていかなくても楽しめる物を提案した。それにより，母親の介護の負担は軽減し，口内炎も減少した。

図34 何でも咬んでしまうケースへの工夫

a 机の工夫：玩具を固定
b 回転式の玩具の提案

Case Study

精神発達遅滞の子どものケース②

物を容器に入れるということが苦手な中学生のGさん。容器や容器に入れるものを大きなものから小さいものへと段階づけ，また，本人の好きな音のする玩具を利用して目と手の協調性を練習してきた。時間はかかったが，将来農家の仕事（ミニトマトのパック詰め）を手伝えるようになってほしいという家族の希望が達成できそうであった。3cmのボールから始め，コイン入れ（図35）やビー玉を入れて転がる様子を見て楽しむ遊びを活用した。成長してからは，肥満とともに腰椎の前彎がみられ，姿勢の問題が出てきた。並行して，階段の上り下り，片足立ちバランスなどのホームプログラム，学校でのプログラムを取り入れた（図36）。

図35 コイン入れ

学童期：丸い球 → コイン，容器は広口 → 横広がりの細口へ段階づけ

図36 片足立ちバランス，階段上り

a 片足立ちバランス

b 階段上り

む，玩具を咬む，投げる，大声を出すなどの行動がみられることもある。その場合は，問題行動につながる原因を感覚機能，上肢操作から分析し対応するが，解決できない問題も多くある。

■ 発達障害児への作業療法

2005年4月に発達障害者支援法が制定され，発達障害児として認知されるようになって作業療法士がかかわることが増えてきた。

● 発達障害とは

発達障害者支援法において，「発達障害」は

> 自閉症，アスペルガー症候群，その他の広汎性発達障害，学習障害，注意欠陥性多動障害，その他の脳機能障害であってその症状が通常低年齢において発現するもの

と定義されている[1]。発達障害者は、発達障害があるものであって，発達障害及び社会的障壁により日常生活または社会生活に制限を受けるものをいい，発達障害児とは18歳未満のものをいう。

2013年に米国の精神医学会の診断基準DSMが改訂され，DSM-5では，「広汎性発達障害」は「自閉スペクトラム症／自閉症スペクトラム障害」に分類されるようになった。発達障害は，知的障害，コミュニケーション障

図37 粗大運動技能

正しい姿勢

↓

姿勢保持が持続しない

バランスボードの上で左右に傾けると立ち直れない

けんけんの遅れ

＊8 発達性協調運動症
例えば，はさみがうまく使えない，ダンスが苦手など手先や全身運動の不器用さや学習面の苦手さをもつ。

＊9 運動企画能力
例えば，縄とびをまねるときに，どのようにひもを回したらよいか，どのタイミングで跳んだらよいかなど，身体の使い方を順序立てて計画する力をいう。

害，自閉スペクトラム症，注意欠如・多動症，限局性学習症，発達性協調運動症の7つに分けられている。臨床的には，歩行は可能で知的な遅れはないが，自閉スペクトラム症では，知的な遅れがみられることがある。

臨床的には，発達障害児には，感覚の調整の難しさ（過敏さと反応しにくさ），運動の苦手さ（ブランコに乗れない，こげないなど），手先の不器用さ（紐が結べない），認知，言語，学習などの機能障害や，友達とうまくいかない，集中できないなど社会性の問題ももつ。

自閉スペクトラム症では，言葉の遅れ，会話が成り立たないなどのコミュニケーション障害，こだわり，感覚の偏りがみられる傾向がある。注意欠陥・多動症は，集中できないなどの不注意と待てないなどの多動性が年齢よりも強くみられ，家庭や学校などにおいて活動に障害をきたす。学習障害は読み書き，算数などの障害が多くみられる。**発達性協調運動症**[*8]では，運動や手先の不器用さがみられることが多い。

運動面では，四つ這いをしない傾向や一人歩きが2歳以降になるなど運動発達の遅れがみられ，筋緊張の低下や原始反射が残存している場合がある。座位で姿勢保持が持続しなかったり，立ち直り反応，平衡反応の不十分さがみられたりする。保護伸展反応が遅れ転倒して頭を打つこともある。粗大運動技能では，階段上り，ジャンプ，片足立ち，けんけんの遅れがみられることがある（**図37**）。

スキップ，三輪車や自転車乗り，ブランコこぎなどの連続動作や四肢の協調を必要とする運動の苦手さがみられることがある。特に新しい運動では**運動企画能力**[*9]（どのように体を動かしたらよいか）の不十分さがみられる。上肢の支持性が弱い傾向があり鉄棒にぶら下がれるようになるのが遅れることもある。

感覚面では，前庭感覚，固有受容感覚，触覚，視覚，聴覚に感覚の偏り（過敏・低反応）がみられることがある。高いところに登ることやブランコなどの揺れる遊びを怖がったり，糊などのべたべたしたものを触るのを嫌がるなど感覚に過敏な傾向がみられたり，反対にブランコを繰り返し何度も乗ったり，なんでも触りたがるなど感覚遊びを持続的に，頻回に行う傾向がみられることがある（**図38**）。聴覚では，わずかな音に反応し集中が途切れやすいとか，反対に，声掛けに気づきにくい。視覚的には，周りに見えるもの，動くものがあると気が散りやすいとか，気づきにくい傾向がみられる。

手の操作は，幼児では入れる，叩く，押す，つまむなどの遊び，学齢児では書字，紐結び，コンパスなどの学習に関連した巧緻動作，目と手の協調性，両手動作などが苦手である。読みや書字に関連する眼球運動（注視，輻輳，追視，サッケード）が苦手な場合もある（**図39**）。口腔機能は，通常は問題ないが，流涎（よだれ）が多かったり咀嚼が苦手な子どももいる。

ADLでは，食事（スプーンや箸をうまく持てない），更衣（ボタンはめや

作業療法の対象

紐結びが苦手)，排泄(排尿の予告がないとか，特定のところでしかしない)，整容動作(髪を切ることや洗面や洗髪を嫌がる)などのADLの難しさがみられ，運動や感覚の過敏さが関係していることがある。

また，友達とトラブルを起こすなど社会性の問題がみられることがある。技能面の遅れにより自信をなくし自己肯定感が低くなりやすい(図40)。

> **アクティブラーニング ①** 自閉スペクトラム症，注意欠如・多動症，限局性学習症について厚生労働省のホームページで調べてみよう。

図38 ブランコに乗るのが他の子に比べて著しく好む傾向のこども

前庭系の刺激に対して，「探求」の子どもは，ブランコ遊びをいつまでもやっていたいという傾向をもち，ときには，やめられないこともある。

○補足

眼球運動評価

日本感覚統合検査のなかに眼球運動評価がある。首を固定して眼球だけを動かせるかを評価する。物を見るときに首の動きを伴う場合や，追視が途切れる場合，ボール遊びを嫌がったり，読むときに時間がかかったり，板書に時間がかかってしまうことがある。

図39 眼球運動

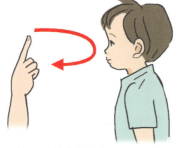

a 追視：対象物を近づけたり遠ざけたときの目の動きを見る

b 輻輳：対象物を左右上下など動かしたときの目の動きを見る

図40 子どもの背景の理解

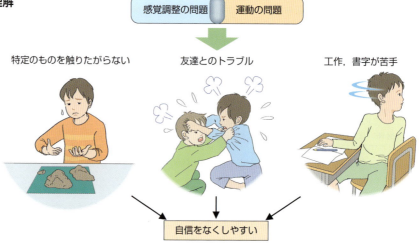

【対応】

　主な目標は，ADL，学習活動，社会的活動への適応となる。子どもや家族が困っている生活上の具体的問題を解決していくために，子どもの行動の背景を理解して対応する。例えば，友達と遊ばないのは，触覚の過敏性や力の調節ができず乱暴になってしまうからなのかもしれない。また，ルールがわからないために遊べないからなのかもしれないし，家族の問題があるからなのかもしれない。したがって，評価では，子どもの感覚，運動，認知機能などの心身機能の評価とともに，家庭，学校，幼稚園，保育園など生活状況を評価する（p.127を参照）。

　介入には，感覚統合理論，認知行動療法，社会生活技能訓練（SST）などいろいろな方法があり，支援形態も個別や集団での指導があるので，子どもに合わせて取り入れる（表6）。

表6　発達障害児の臨床における介入方法・理論

介入方法・理論	概要
感覚統合療法	外界や身体のさまざまな情報を活動を通して子どもの状態に合わせて適切に調整しながら提供することで脳の情報処理機能が組織化されることを促し，子どもの成就感や達成感という適応反応を導き出す
社会生活技能訓練（SST）	ソーシャルスキルを，意識的にトレーニングを行い身につけていく。基本訓練モデルではいくつかの構成で行う（例：手本をまねる→自分でやる→うまくできたことをほめる→さらにやってみる）
TEACCHプログラム	1人で活動できることを目標に「構造化」といわれる考え方を取り入れており実践的な方法である
認知行動療法	行動療法を基に発展したもの。取り扱う認知対象をわかりやすく視覚化する

Case Study

発達障害の子どものケース

　小学4年生のHくんは，人と話すときにも緊張しがちでおとなしい子であった。不登校気味で，プールの授業や音楽会が近づくと，学校に行きたがらなかった。感覚統合検査で評価をしてみると，運動では手先操作の不器用さや感覚の過敏さがみられた（図41）。作業療法では，顔を水につけることや笛を吹くための指の動きも含めて練習した。家庭でもできる運動や地域で開催している水泳教室も紹介した。学校にはHくんの様子を伝えた。できることが増え積極性が増し，学校にも行くようになっていった。

図41　不登校になる過程の1例

また，子どもの自己肯定感が低下しやすいので成功感を積み重ねるように活動を段階づけて進める。また，興味のある活動を用いて主体性を引き出したり得意な技能を伸ばしたりしていく。また，子どもへの直接的対応だけでなく，周囲の人たちや物理的環境の調整が重要となる。家族や教員など子どもとかかわる人に対し，子どもへの接し方などの助言を行う。家族は，子どもと同じ行動傾向をもっている場合もあるので家族の特性に合わせて対応する。物理的環境の調整では，積極的に補助具を用いる。

具体的な作業療法の実際について感覚調整の難しさと不器用さのある子どもへの対応について説明する。

- 感覚調整の難しさへの対応

感覚調整の難しさには，過敏や感じにくい傾向がみられ，運動，手先の操作性，対人関係などの不適応行動につながることが多いので，介入では，まず感覚特性を周囲の人たちに理解してもらう。そして，段階的に活動を提供できるように進める。例えば，ブランコなどの不安定な遊具に乗ろうとしないと，姿勢保持や，子どもでは運動技能の発達が遅れることもある。前庭感覚に対する過敏性がある場合は，揺れを少なくし，抱っこして乗るところから始め，徐々に慣れるようにしていく（図42）。大人が無理に乗せようとするときには，感覚の過敏性があることを伝え，少しずつ慣れさせていくように対応を変えてもらう。時間になってもいつまでもブランコに乗ってやめようとしないときには，前庭感覚を求める傾向があるかもしれないので，日常的にブランコ遊びを別の時間に多く取り入れることを家族に提案し，その場では，子どもにやめる時間を早めに予告しておくようにしたり，別の興味ある活動を提案したりするなどの方法を試みる。

学校では，視覚刺激に気が散りやすい傾向があると教科学習では落ち着きがなくなり，教師から注意を受けることが多くなりがちとなる。集中できる環境や周囲の人のかかわり方などを学校と連携していく。感覚刺激を求めている子どもには，覚醒が低く覚醒を上げるために離席がみられることもあるので，運動を取り入れることや役割の提供を提案する。地域のサークル活動も活用していく。

感覚過敏の子どもでは，情緒的に不安定になりやすい子どもが多いの

> **補足**
> **指の対立位**
> Ⅰ指とⅡ～Ⅴ指の先を順番につける動作である。手先の操作性を評価する際に目安となる。

> **補足**
> **前庭感覚系の遊び**
> ブランコに乗って揺れたり，坂を滑り降りたりするなど，身体が上下，左右，前後，回転する遊びがある。
> **感覚調整能力と対人関係**
> 人は外からさまざまな感覚刺激を受けている。感覚刺激に対して過敏に感じたり，反対に同じような刺激でも感じにくい人もいる。うまく日常生活を送るためには，不必要な刺激を抑えるような調整能力が必要である。調整がうまくいかないと，例えば触刺激に過敏に反応して集団に入れないこともある。

図42 感覚の過敏をもつ子どもに対する遊びの段階づけ

怖がるときは，低めのジャングルジムに乗る。　　　ブランコでは，初めは座って乗る。

図43 バブルチューブ

図44 咬めるペンダント

で，落ち着ける環境を作り，便利な補助具，活動を取り入れる。例えば，机の上に仕切り板をつけることや，日常的な散歩，同じリズムでブランコに乗ること，トランポリンで跳ぶこと，タオルやムートンなどの柔らかい布に包まれること，バブルチューブ（図43）を見ること，抱いてもらうこと，噛むこと，人がいない空間にいること，自然に触れることを取り入れることで精神的に落ち着く子どももいる（図44）。

- **不器用さへの対応**

運動が不器用な場合は，発達段階で到達できる運動課題を評価し，できない要因をみつけ，①**できる課題から練習を行い**，②**補助具を取り入れながら**成功体験を積み重ねていく。不器用さが自己肯定感を低くし，ときには，欲求の不満の形として暴力で表れることもあるので技能向上に努めるとともに得意な遊びも行う。感覚過敏があると物に触れる機会が少なく不器用さにつながりやすいので，触れる遊びを広げていく。

例えば，縄跳びができない場合，ジャンプ力が弱い，手で縄を回すのがぎこちない，足と手のタイミングが合わないなどの理由があるので，繰り返しの縄跳び練習だけではなく，はじめはトランポリンに乗りながらジャンプ力を高めて縄跳びができるように進めることも1つの方法である。手を回すことが苦手な場合は，手を回す練習や新体操のように縄を回す活動から始めてみる（図46）。

手の操作や学習面では，ボタンはめやスプーン，箸の使用が苦手な子どもが多い。ボタンは，大きめのもので，子どもが興味をもちやすい絵柄のものを使う（図47）。スプーンではT字型スプーンを使用し指先の使用を促す。箸は，トングなどのばね付きのものから始め，補助を段階的に減らしていくことで箸を使えるようになる（図48）。書字や読みに関連する知覚学習能力，姿勢の保持や眼球運動（頭を動かさずに眼球を動かせること），手の操作性の向上などを図る。例えば，迷路遊びを行うことで目と手の協調性が高まり書字動作のときの線の揺れを減らせたり（図49），工作を行うなかではさみの使用が上達し構成能力が発達したりする。学童期

作業療法参加型臨床実習に向けて

ブランコを使った遊びの段階づけを体験する

感覚運動遊びではさまざまな種類のブランコがある（図45）。指導者が子どもにタイヤブランコを使って遊ぶ様子を見せた後，実習生がタイヤブランコに乗り，必要な姿勢保持力やバランス能力，心理的な変化を学び，指導者に報告する。

図45 ボールプールや四角い板がついた広いブランコ

Case Study

自閉スペクトラム症の子どものケース

6歳の自閉スペクトラム症のIくんは，ジャングルジムやブランコなど不安定なところで遊ぶのが苦手で，べたべたするものを触れず，食事は好き嫌いが多かった。人混みを嫌い電車には乗れなかった。気分の変動が激しく，急に怒ることも多かった。また，手の操作では，6歳時にはまだ箸が持てず，はさみを使った工作も苦手であった。ミニカーで遊ぶのが好きだった。

Question 3

Iくんの感覚面や運動面はどのような状態か。どのような検査を行うか。

☞ 解答例 p.241

作業療法の対象

はさまざまな道具を使うので，便利な道具を積極的に使用する。また，走るのが苦手でも，ボール投げが得意な子もいるので，得意な活動を提案する。

図46 感覚運動の遊び

a　トランポリン

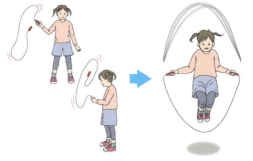

b　縄跳び：縄を回す練習から始める

切った紐を使うとやりやすい

図47 手の操作の活動

a　あずきあそび

b　紙コップを使った工作

c　ぼたんはめ：幼児期ではボタンはめが難しいときは，大きめのボタンや外しやすいボタンを用意する。

d　紐結び：色を変えた紐を用意し交差をわかりやすくする。

e　持ち手をねじらなくても回せるコンパス

f　すべらない定規

g　三角の太めのシャープペンシル

図48 補助箸の例

①はじめはトングで練習をし、ばね付き箸を使う　②指の置く位置がわかりやすい箸　③箸がつながった補助箸で交差しにくい　④箸が軽くつながった補助箸で交差しやすい

図49 書字につなげる活動

自由画　　　　　迷路で目と手の協調性の向上　　　　　描画

Case Study

発達性協調運動障害の子どものケース

発達性協調運動障害のJくんはブランコの揺れやジャングルジムに登ることは好きだったが、鉄棒は苦手だった。ジャンプ力が弱く、走るのも遅く、腕で体を支える力の弱さもあった。ボール遊びは得意で野球クラブで活動している。感覚統合検査の背臥位屈曲姿勢や腹臥位伸展姿勢、立位バランスは年齢よりもかなり低かった。母指の対立運動はぎこちなかった。書字では手掌でペンを把持し動的3指把持ができなかった。

椅子に設置する姿勢保持のための補助具（図50）や、鉛筆の補助具があるので、Jくん以外にも子どもの状態に合わせて使用するペンを太くしたり指先で鉛筆を持てるような補助具をつけたりするなどの工夫を行った（図51a, b）。箸が持てたのは遅かったができるようになった。

図50 姿勢保持を助ける補助具

図51 鉛筆の補助具

a　T字型ペンホルダーで動的3指把持が可能となる

b　ペンホルダー各種

c　Qリング

d　軸が三角になっている鉛筆

Question 4

鉄棒が苦手なJくんに家庭でできる遊びや指先を使う遊びを挙げてみよう。　　☞ 解答例 p.242

作業療法の対象

4 おわりに

　発達障害領域で大切なことを以下にまとめた．対象となる子どもと家族が楽しい生活を送れるように支援する．そのために家族の困りごとに耳を傾け，できるだけ生活全体を支援する視点をもつ．そして，子どもが楽しめる活動を提供し，心理的，身体的機能の向上を目指す．子どもと家族の状況を把握した後は，以下のように進めていく．

- つまずいている理由を分析する．
- 目標に結びつく遊びを使う．
- 道具などの工夫を行い生活に反映させる．
- 興味のある，段階づけられた活動を用いる．
- 生活の場にかかわる人と連携する．

【引用文献】

1) 厚生労働省：しることからはじめよう みんなのメンタルヘルス（https://www.mhlw.go.jp/kokoro/know/disease_develop.html）（2021年7月時点）
2) 陣内一保，ほか 監修：子どものリハビリテーション医学，第2版，p140-143, 165-168, 198, 199, 235, 306, 医学書院，2008.
3) 西川秀一郎，ほか：二分脊椎症の活動予想について～Sharrardの分類と当院との比較．第46回全国理学療法学術大会抄録，2011.
4) 長﨑重信 監修：作業療法学ゴールドマスター・テキスト 発達障害作業療法学 改訂第2版，メジカルビュー社，2015.
5) 厚生労働省：筋ジストロフィーのリハビリテーションマニュアル，筋ジストロフィーの集学的治療と均てん化に関する研究，2011.（http://www.carecuremd.jp/images/pdf/reha_manual.pdf）（2021年7月時点）

【参考文献】

1. Finnie NR, ほか 訳：脳性まひの家庭療育，原著第3版，p10, 医歯薬出版，1999.
2. 鎌倉矩子，ほか 編：発達障害と作業療法―実践編．p49, 三輪書店，2001.
3. 作業療法ジャーナル編集委員会，内田正剛，編：テクニカルエイド 生活の視点で役立つ選び方・使い方，p764, 765, 三輪書店，2012.
4. 東嶋美佐子 編：摂食・嚥下障害への作業療法アプローチ，p46, 医歯薬出版，2010.
5. 土田玲子 監修，石井孝弘，岡本武巳 編：感覚統合Q&A改訂第2版，p89, 110, 協同医書出版，2013.
6. 日本リハビリテーション医学会 監修，日本リハビリテーション医学会診療ガイドライン委員会，脳性麻痺リハビリテーションガイドライン策定委員会：脳性麻痺リハビリテーションガイドライン，p63, 医学書院，2009.
7. 新田 收，ほか 編：小児・発達期の包括的アプローチ，PT・OTのための実践的リハビリテーション，p194, 195, 314-322, 文光堂，2013.
8. 鴨下賢一 編，立石加奈子，中島そのみ 著：発達が気になる子への生活動作の教え方，p24, 中央法規，2013.
9. PERHARDT R 著，紀伊克昌 監訳：視覚機能の発達障害，医歯薬出版，1997.
10. 小林重雄：グッドイナフ人物画知能検査ハンドブック，三京房，1991.
11. 近藤和泉，福田道隆 監訳：GMFM粗大運動能力尺度，脳性麻痺児のための評価尺度，医学書院，2000.
12. 里宇明元，ほか 監訳：PEDIリハビリテーションのための子ども能力低下評価法，医歯薬出版，2003.
13. PERHARDT R 著，紀伊克昌 訳：手の発達機能障害，医歯薬出版，1988.
14. 辛島千恵子 編：発達障害をもつ子どもと成人，家族のためのADL，作業療法士のための技術の絵本 実践編，三輪書店，2008.
15. 竹下研三：日本における脳性麻痺の発生―疫学的分析と今後の対策―．リハビリテーション研究，60：43-48, 1989.
16. 鈴木俊明：アシュワーススケール．PTジャーナル，39(1)：65, 2005.
17. 北住映二，ほか 編：こどもの摂食嚥下障害，p46, 永井書店，2007.

※本項の掲載写真は，患者あるいはご家族の了承のうえ，掲載しております．

✓チェックテスト

Q ①脳性麻痺の筋緊張による分類で主な3つの分類を挙げ，それぞれの筋緊張の特徴を説明せよ（☞ p.132）。 基礎

②痙直型四肢麻痺の脳性麻痺児の体幹，上肢の特徴的な姿勢はどのようなものか（☞ p.133）。 臨床

③痙直型両麻痺の手の操作と認知機能の特徴を挙げよ（☞ p.133）。 臨床

④不随意運動型脳性麻痺児が手を伸ばそうとしたときに首の位置が伸ばした上肢の動きと反対になるのはどの原始反射が残存しているからか（☞ p.140）。 基礎

⑤重度心身障害児にみられる二次障害を挙げよ（☞ p.143〜144）。 臨床

⑥二分脊椎症とはどのような疾患か，簡単に述べよ。また分類にはどのようなものがあるか（☞ p.146〜147）。 基礎

⑦筋ジストロフィーの治療では食事動作を行うときにどのような工夫をするか（☞ p.149）。 臨床

⑧精神発達遅滞児の運動の特徴は何か（☞ p.149〜150）。 臨床

⑨発達障害児では感覚の過敏性がみられるが，前庭感覚でみられる過敏性の症状を挙げよ（☞ p.154）。 臨床

⑩発達障害児の治療で，成功体験を積ませるために気を付けることを2つ挙げよ（☞ p.154）。 臨床

作業療法の対象

高齢期の作業療法

栗原トヨ子

Outline
- 日本の人口構造の変化とその問題点について正しく理解する必要がある。
- 高齢化社会と高齢社会の違いを正しく理解する必要がある。
- 高齢期に起こる心身の変化を正しくとらえることが重要である。
- 高齢社会と切り離すことのできない認知症問題について把握する。

1 高齢社会の課題

■日本の人口構造の動向

　1945年の第二次世界大戦終了後，日本の総人口は増加の一途をたどってきたが，2000年代に入るとその伸びが鈍化し，今後は人口の減少が見込まれている。図1に示すように，1960年ごろの人口構成は，「団塊の世代」といわれる「第1次ベビーブーム（1947～1949年生まれ）」の層が広がったピラミッドのような形をしていた。戦後間もないころの日本社会の現状をみると，一般国民は経済的にも困窮しており，公衆衛生の面などにおいても国民の意識は低い状態であった。そのため，出生数は多いにもかかわらず，感染症の流行などが起こると栄養状態が十分でない乳幼児は免疫力も低く，また高齢者は偏った食習慣や重労働の積み重ねなどから死亡する例も多いという**多産多死社会**の特徴を有していた。

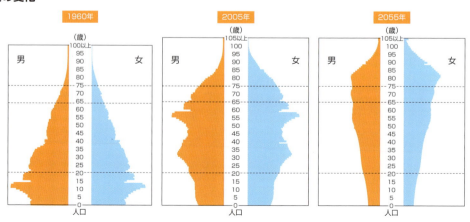

図1　人口構造の変化

多産多死社会から少産少死社会へ。総人口は増加傾向から減少傾向に。

資料：1960年，2005年は総務省統計局「国勢調査」，2055年は国立社会保障・人口問題研究所「日本の将来推計人口（平成18年12月推計）中位推計」より厚生労働省政策統括官付政策評価官室作成

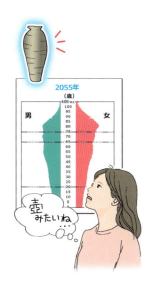

図2に示すように，戦後間もない1950年ころの平均寿命は男性58.0歳，女性61.5歳という低さで，当時の人口に占める65歳以上の高齢者の割合は6％程度にすぎなかった。しかしその後，医学の進歩・公衆衛生の向上・栄養状態の改善などが浸透すると，乳幼児の死亡率は次第に低下し**多産少死社会**が実現した。さらに，女性が社会で働く機会が増えると女性の未婚率も上昇したために，結婚・出産しない女性の増加に加え，1人の女性が一生に産む子どもの平均数（合計特殊出生率）が著しく減少し，**少産少死社会**へと移行していった。その結果，現在の日本の人口構成は，人口停滞社会の特徴である「釣鐘型」から，徐々に人口減少社会の特徴である「壺」のような形へと移行しつつある。医学的技術の発展は高度・重度障害や難病の治癒・軽減をも実現させ，また経済的水準の向上なども日本人の平均寿命を大きく引き上げることになった。

このように現在の日本は少子化と高齢化が同時進行していることから「**少子高齢社会**」ともいわれ，さまざまな課題を抱えている。

図2 平均寿命の推移と将来推計

資料：1950年及び2011年は厚生労働省「簡易生命表」，1960年から2010年までは厚生労働省「完全生命表」，2020年以降は，国立社会保障・人口問題研究所「日本の将来推計人口（平成24年1月推計）」の出生中位・死亡中位仮定による推計結果

（注）1970年以前は沖縄県を除く値である。0歳の平均余命が「平均寿命」である。

（文献1より引用）

現在，高齢化の進展は世界的規模で問題となっていて，特に先進国における急速な高齢化の進展は労働力人口の減少，およびそれに伴う経済的発展の鈍化，高齢者の扶養の担い手などの問題に派生し，深刻な課題となっている。

■ 高齢者の定義

一般的に何歳から高齢者とよぶのかについては，国際的には"高齢化率"を65歳以上の人口比で表示することが決められて（国連 1956年）以降，世界各国で「65歳以上を高齢者とする」定義が用いられている。日本においても，1963年の老人福祉法が制定される以前は国勢調査の統計上で高齢

者人口を60歳以上としていたが，老人福祉法のなかで65歳以上の人を老人健康診査や福祉的援助の対象と定めていることから，行政上，法律上も65歳以上を高齢者と定義している。しかし，65歳以上の人すべてをひとくくりにすると年齢幅が大きすぎるとのことから，65～75歳を「前期高齢者」，75歳以上を「後期高齢者」と分けて表す方法がよく用いられている。さらに，85歳または90歳以上を「超高齢者」という場合もある。

■ 高齢化社会と高齢社会

国民総人口のうち，65歳以上の人が占める割合を「高齢化率」といい，高齢者の割合の程度によって「**高齢化社会**」と「**高齢社会**」を使い分けている。「**高齢化社会**」とは，65歳以上の老年人口が総人口に占める割合が「7%以上」に達し，さらに老年人口が増え続けている状態の社会のことである。そのため「高齢」に「化」をつけている。

一方，「**高齢社会**」というのは，その2倍の14%を超えた社会のことである。すなわち，「化」がとれて「高齢」が定着してしまった社会のことを指す。その後も高齢者が増加し続け，高齢者が21%を超えた社会を「超高齢社会」と表現するようにもなってきた。総務省統計局の調査によると2020年9月現在の高齢者の総人口に占める割合は28.7%となっており，長寿社会の日本はまさに「超高齢社会」に突入し，今後は，死ぬまでの期間をいかに健康な状態で過ごせるかという健康寿命の問題が大きな課題となってくるといえる（図3）。

図3 健康寿命と平均寿命の推移

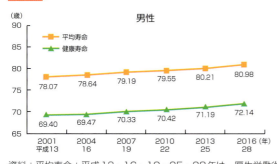

資料：平均寿命：平成13・16・19・25・28年は，厚生労働省「簡易生命表」，平成22年は「完全生命表」
健康寿命：平成13・16・19・22年は，厚生労働科学研究費補助金「健康寿命における将来予測と生活習慣病対策の費用対効果に関する研究」，平成25・28年は「第11回健康日本21(第二次)推進専門委員会資料」

(文献2より作成)

2 高齢期の特徴

■ 老化とは

加齢と老化はよく混同される言葉である。『新老年医学(第3版)』によれば，老化とは「性成熟に達した時期以降，個体差はあるが実質的に集団のすべての個体に起こり，死亡確率を増大させる進行性の生体機能の衰え」

と定義されている。すべての生物は時間の経過によって変化が起こることを指しているが，このときの時間的経過を加齢というのである。簡単にいうと，「人間は加齢とともに老化が進む」ということになる。

● 1. 高齢期の生理・身体的変化の特徴

ヒトは加齢とともに生理的・身体的機能が低下するというのが，これまでの一般的な考え方であった。しかし，すべての機能が低下するとはいえず，なかには機能低下があまり起こらないものもあることや，安静時には正常反応を示すのに何らかの負荷がかかると異常反応として現れるものもあることから，高齢期の加齢による変化の大きな特徴としては「**個体差がきわめて大きいこと**」が挙げられる。特に，高齢者は**ホメオスタシス（生体恒常性）**の保持能力の低下により，

①予備力
②免疫力
③回復力
④適応力

の4つの基本的能力が低下するともいわれている。これらの基本的能力の低下は，高齢者が軽い病気でも重症化したり，回復が長引いたり，さらには骨折などで過度な安静状態を続けると，**廃用症候群**を起こしてしまう原因となる。廃用症候群とは骨格筋の萎縮や関節拘縮のような整形外科的症状が起こることに続いて，**尿路結石**[*1]，**起立性低血圧**[*2]，**褥瘡**[*3]などの内科的症状や尿失禁，便秘のような状態も付随して起こり，やがて周囲への関心が薄れ，生活意欲の減退などの心理的・精神的な荒廃へと進む症候群である。心理的・精神的荒廃から認知症へと進むこともあり，高齢者の特徴として廃用症候群は十分に留意する必要がある。

● 2. 高齢期の精神的変化の特徴

高齢期の知的機能

知能は，**流動性知能**と**結晶性知能**から成り立っている。**流動性知能**は，問題解決や空間認知，処理の速さなどにかかわるもので，加齢により生理的変化を受けやすい。新しく物事を覚えることや，新しい環境に自分を適応させる知能ともいえる。**結晶性知能**は，教育や学習，社会的経験などの外的な影響によって形成されるもので，体験や知識の積み重ね，常識や判断，技術の獲得，過去の記憶の保持などを含む。そして，2つの知能の発達曲線は異なっているので，低下する程度は加齢により乖離していくことが広く知られている（**図4**）。

---

*1 尿路結石
腎杯でできた結石が尿路，つまり外尿道口に降りてきて尿の通過障害を起こす場合，激しい痛みや血尿が起こる。結石が存在する場所によって腎（腎杯・腎盂）結石，尿管結石，膀胱結石，前立腺結石，尿道結石などとよばれる。結石の成分はカルシウムを含むものが80％以上である。

*2 起立性低血圧
長期の臥床後に上半身を起こしたとき，急に立ち上がったときなどに，ふらつきや立ちくらみ，動悸やめまい，手足や全身のしびれなどが起こる状態をいう。正常者では立位時に反射性の下肢血管収縮が起こり，血液が下半身にうっ血するのを防ぐため，脳循環障害が起こらないように調節されている。

*3 褥瘡
長期間の臥床により，骨の突出部の皮膚や軟部組織が寝具との接触で圧迫を受け，循環障害を起こし，潰瘍や壊死を起こすこと。褥瘡の原因には圧迫のほかにも全身栄養状態の低下，免疫力低下，湿潤（ムレ），摩擦などもあり，好発部位には肩甲骨部，仙骨部，足踵部などがある。

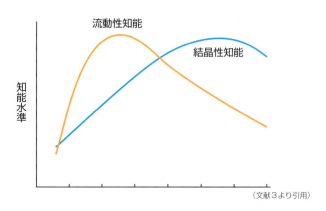

図4 知能の発達曲線（HornとCattellの理論）の模式図（1967）

（文献3より引用）

例えば，高齢者は過去の記憶は鮮明に覚えているのに，新しいことを覚えたり，計算をするなどの知的作業は苦手な人が多い。しかし，このような知的機能低下の原因には，脳そのものの老化だけではなく，視覚・聴覚などをはじめとする諸感覚の機能低下が影響していることも指摘されている。

心理精神的変化の特徴

加齢による性格の変化にも特徴的な点が指摘されてきた。自己中心性，保守性，猜疑心，愚痴っぽさ，身体症状への過度な関心などである。また，長嶋は，加齢に伴って性格の変容が，①円熟型，②拡大型，③反動型のどれかに変化していくと述べている。

①**円熟型**：若いころの攻撃的な性格傾向が薄れて，角がとれ，まるくなったといわれるような変化
②**拡大型**：若いころの特徴がいっそう強まり，几帳面な人は頑固になり，物事に慎重だった人は融通がきかなくなるような変化
③**反動型**：生真面目で道徳的だった人が後年だらしない生活を平気で送るというように，若いころの性格とまったく反対の性格的特徴が現れること

エリック・エリクソン

これらの変化も実は人生における仕事や結婚，家族との生活，その他さまざまな経験（ライフイベント）の影響によるものとされている。

性格と似た言葉に「人格」という概念がある。高齢期への適応という観点から，人格の発達を理論的にとらえるものとしては精神分析学者であるErik Eriksonの生涯発達理論が有名である。エリクソンは，人生を8段階に分け，発達の各段階でライフサイクルにおける発達課題を示し，高齢期を「統合性の獲得」の段階としている（p.316, **表6**参照）。

統合性とは，生きてきた自分の人生を肯定的に受け入れ，老いや死を受容していくことであり，統合性の獲得に失敗すると，「自分の人生は失敗だった」という悔いが残り，絶望感のうちに人生を終えることになる。しかし，高齢者に備わる「英知」によって，経験の統合を行うことも高齢者の課題であるとしている（p.318参照）。

表1　エリクソンの心理社会的発達段階

段階と年齢	心理社会的危機	最適な結果
Ⅰ　口唇—感覚期（生後1年）	信頼　対　不信	基本的信頼と楽観主義
Ⅱ　筋肉—肛門期（生後2年）	自律　対　恥	自身や環境を統制する感覚
Ⅲ　移動—性器期（生後3〜5年）	自主性　対　罪悪感	目標指向性と目的
Ⅳ　潜在期（生後6年〜思春期の開始まで）	勤勉性　対　劣等感	有能性
Ⅴ　思春期と青年期	同一性　対　役割の拡散	過去と現在と未来の目標の再統合，忠誠
Ⅵ　成人期初期	親密　対　孤立	コミットメント，共有，親密，愛
Ⅶ　成人期	世代性　対　自己没頭	生産性と世界と次世代への関心
Ⅷ　老年期	統合　対　絶望	展望，過去の生活への満足，英知

（文献4より引用）

3　高齢期の課題

　高齢期には身体的にも精神的にもさまざまなかたちで変化が起こり，心身機能の衰退や喪失を自覚するようになることから，高齢期は「喪失の時期」といわれることも多い。以下に示す4つの喪失の指摘が代表的なものである。

> ①**心身の健康の喪失**：身体的老化は体力の低下や内臓各部の働きが鈍り，抵抗力も弱まり，病気がちとなることも多く，精神神経系の疾病としては認知症やうつ病を発症する可能性が高まる。
> ②**経済的基盤の喪失**：定年により年金生活になると現役当時と同様な収入は得られなくなるので，生活費の見直しや交際範囲の縮小を余儀なくされる。
> ③**社会的つながりの喪失**：定年で仕事上の社会的役割や人間関係の狭小をまねくことや，親戚や友人知人との死別により親戚付き合いなどの交流も途絶えがちとなる。
> ④**生きる目的の喪失**：プライベートでは子どもの養育や家族を養う義務，社会的な面では定年を機に会社へ貢献する必要もなくなるなど，自己の無用感や喪失感を強く感じることになる。

　このような喪失の体験により「老い」を受容しながらも，エリクソンのいう発達段階の最終段階である「統合性の獲得」を目指して乗り越えていく過程が高齢期の課題であると考える。

4　高齢期障害に対する作業療法士の役割

　これまでに高齢社会の現状や高齢者の特徴について述べてきたが，作業療法士として高齢期の作業療法に取り組む場合のポイントについてまとめておきたい。

補足

介護老人福祉施設と介護老人保健施設の違い

- 介護老人福祉施設は，老人福祉法に基づく特別養護老人ホームであり，入浴，排泄，食事などの日常生活上の介護，機能練習，健康管理および療養上の世話を行う施設である。
- 介護老人保健施設は，介護保険法に基づいて看護，医学的管理の下に介護および機能練習その他必要な医療行為，日常生活上の介護をすることにより，自宅への生活復帰を目指すことを目的とする施設である。

高齢者の人口割合が増加している現在では，作業療法士が高齢期の対象者を治療・指導・援助する場は確実に増えてきている。介護老人福祉施設や介護老人保健施設などの高齢者施設だけでなく，一般病院や重度心身障害者施設などでも対象者の高齢化が進み，あらゆる場所で対応することが求められている。

■ 作業療法士としておさえておきたい高齢者の医療・福祉制度の変遷

　作業療法士は高齢者の福祉政策の変遷について，その概要を把握しておくことが望まれる。**表2**は社会保障制度のなかの医療保険制度と高齢者にかかわる介護保険制度（2005年より障害者も含む）の変遷の概要である。

表2 わが国の社会保障を取り巻く環境の変遷

年代	社会保障制度の主な変遷	
	保健医療	介護
昭和20年代 （1945～54年）	1947年：保健所法全面改正（保健所機能の充実・強化） 1948年：医療法（病院の施設基準） 1950年：医療法人制度導入	
昭和30年代 （1955～64年）	1961年：国民皆保険実現（1958年国民健康保険法改正）	1963年：老人福祉法（老人家庭奉仕員法制化）
昭和40年代 （1965～74年）	1972年：老人福祉法改正（老人医療費無料化）	1971年：「社会福祉施設緊急整備5か年計画」（施設充実）
昭和50年代 （1975～88年）	1978年：「第1次国民健康づくり」（健康増進，疾病予防，リハビリを一体化） 1982年：老人保健法制定 1984年：健保法改正（被用者1割自己負担） 1985年：第1次医療法改正（医療計画策定） 1988年：「第2次国民健康づくり」（「運動」の重要性）	1978年：ショートステイ開始 1979年：デイサービス開始 1982年：ホームヘルパーを課税世帯も可能に（在宅福祉拡充）
平成 （1989年～）	1994年：地域保健法制定 1997年：健保法等改正（被用者2割負担，老人医療の一部負担引き上げ） 2000年：「健康日本21」（具体的な目標設定） 2002年：健保法改正（乳幼児2割負担，被用者3割負担，70歳以上1割負担）健康増進法制定 2006年：後期高齢者医療制度等創設 2014年：難病医療法制定 2015年：国民健康保険制度改革（財政運営主体の都道府県単位化等）	1989年：ゴールドプラン（施設緊急整備と在宅福祉の推進） 1990年：福祉八法改正（市町村基本に） 1994年：新ゴールドプラン（在宅介護の充実） 1999年：ゴールドプラン21（グループホームの整備） 2000年：介護保険制度施行（措置から契約） 2005年：障害者自立支援法制定 　　　　介護保険の見直し（予防給付や地域包括支援センター創設等） 2012年：障害者総合支援法制定 2017年：介護保険等の見直し（介護医療院創設，給付率見直し（現役並み所得者7割），包括的支援体制構築，共生型サービス創設）

（文献5を参考に作成）

> *4 社会的入院
> 社会的入院とは、病院での入院治療を終えたのに、家族や地域の福祉施設で受け入れてもらえないため退院できず、そのまま入院を続けることである。厚生労働省の見解では、療養型病床群に入院している高齢者も「社会的入院」という枠に含めている。

2000年に介護保険制度を導入することになった背景には、当時課題となっていた高齢障害者の**社会的入院**[*4]という問題が大きくなり、介護を要する高齢障害者を社会全体でみていこうとする共助(社会保険、助け合い)の考え方が醸成されてきたことが挙げられる。介護保険制度の内容については、『ゴールド・マスター・テキスト 地域作業療法学/老年期作業療法学』に詳述されているため、本書においては割愛としたい。

■高齢期障害に対する医療・保健・福祉の考え方
●キュア(cure)からケア(care)へ

終末期医療に関する「調査等検討会報告書」(厚生労働省 平成15年調査)によれば、がんなどの痛みを伴う場合の末期療養についての一般国民の考えは、「自宅で療養して、必要になればもといた医療機関に入院したい」が21.6%、「自宅で療養して、必要になれば緩和ケア病棟に入院したい」が26.7%となっており、合わせて48.3%の人が基本的には自宅療養を望んでいる。しかし、「自分が高齢になり脳血管障害や認知症などにより日常生活が困難になった場合に希望する療養場所」は病院が38%、老人ホームが25%、自宅が23%の順であった。ここでは自宅での療養希望が意外に少ないように感じられるが、その裏には親戚や近隣に寝たきりの高齢者や認知症者を介護している家族の現実をみて、「家族に迷惑をかけたくない」と考えたうえでの回答と思われる。

病気になると病院に行き検査や治療を受けるので、病院は基本的にはキュア(治療)が行われる所といえる。しかし、高齢期障害の場合、病院での治療を終えて自宅にもどった後には**キュア(治療)**よりも**ケア(本人の望む生活を医療的に支援していく方法)**の視点が重要になってくる。すなわち、在宅(地域)では、病気(障害)は生活の一部であり、病気(障害)があっても、検査や治療を最優先するのではなく、その人らしい生活が送れるように生活の再構築を最優先することが望ましいとする考え方である。人生の最後は長年住み慣れた地域で過ごしたいという高齢者の本音をかなえるためには、キュアからケアへ対応の変換が必要になってくる。介護保険制度のなかで多様な選択肢を準備するなど、在宅生活支援システムの整備が必要である。

■作業療法のアプローチ

高齢障害者の作業療法の実施にあたり、作業療法士としての基本的な考え方について述べる。

●1. 高齢者に対する基本的な態度

作業療法士は常に対象者の身になって考えることを大切にしたい。病気やけがのために通常の生活ができない高齢障害者を弱い者、能力の低い者

> **補足**
> **高齢者の手指の感覚鈍麻**
> 老化によって神経系の機能低下が起こり，動作が遅く不安定になり転倒や骨折が起こりやすい。手指の感覚（触覚・痛覚・温度覚）の衰えは，手の滑らかな動きを妨げ，けがや火傷の発見が遅れることも多い。

> **補足**
> **高齢者の場合のCOPMの使い方**
> COPM評価は，難しい質問や各種検査などが苦手な高齢者にも，「何がしたいか」，「何ができているか」，「何に満足しているか」を聴き続けることにより，障害で諦めていた願望や必要な行為についての再獲得を目指すことができ，やがて上手にできていることを実感するようになるという利点がある。

というイメージをもって見下すような態度をしてはならない。たとえ認知症が原因で会話が稚拙でも，幼児語を使って子ども扱いしたり，叱ったりするなどの態度は，対象者の反発をまねき，かえって心を閉ざしてしまうこともあるので十分に注意したい。人生の先輩として心から尊敬の念をもって接することにより，対象者との間に信頼関係を築くことが成功のカギとなる。

高齢者を理解する1つの方法として「高齢者模擬体験」がある。体験セットでは，耳栓による難聴体験，ぼやけて見える特殊メガネによる白内障体験，前腕と下腿にサポーターや重垂バンドを付けることによる筋力低下や関節可動域制限状態での杖歩行体験，手袋による手指の感覚鈍麻の再現などができるようになっている。このような体験をすることにより，真に高齢者の心身機能を理解し，生活に寄り添える作業療法を展開していくことが望ましい。

● 2. 高齢期における作業療法の役割

高齢期に発症する病気やけがなどが引き起こす問題は多種多様であり，それらの治療場所も病院内，家庭内，施設内とさまざまである。しかし，作業療法が果たすべき役割はどの場においても共通しているものであるといえる。高齢障害者に対する作業療法の役割を以下に示す。

作業療法評価

高齢者は罹患した疾病の種類によって身体機能の麻痺や低下，認知面などの精神機能の衰えなどが大きく影響するので，長時間にわたっていくつもの検査をするのは疲労をまねくため注意したい。初回面接で本人の困っていることや希望について聞き取り，そのニーズを満たすために必要な身体面，精神面，生活面に関する検査を実施する。特に**日常生活活動（ADL）**，**手段的日常生活活動（IADL）**などの評価は早期に実施することが望ましい。

また，高齢者本人の意思が反映できるような聞き取りを主とした検査法［例えば，**カナダ作業遂行測定（COPM）**］の使用は治療目標の立案が容易となる（p.337参照）。閉じこもり生活を防止するためには，**QOLテスト**や**興味・関心チェックリスト**などの調査実施が社会的生活へ関心をもつきっかけとなる場合もある。各種検査の実施と並行して，本人を取りまく人的・物理的環境の調査は，問題点や利点を明確にし，対象者の全体像の把握，治療目標の具体化，他職種との連携（チームアプローチ）の調整などにも有効な資料となる。

ADLの再獲得練習

在宅生活をできるだけ早く実現させるためには，ADLの再獲得が当面の目標になる。日中を1人で過ごせることが自宅復帰への条件である場合，室内での移動や食事，トイレ動作などは最低限自分でできなければな

らない．筋力の低下や関節変形のために箸などの生活用具が上手に使用できない場合には各種**自助具**（SHD：self help device）の紹介と使用を試み，また必要であればその人に合う自助具を作業療法士が製作することもある．一人ひとりに合った自助具の製作は，解剖・生理・人間工学などの知識を総合的に駆使して，柔軟な思考で組み立てる能力が必要である．

生活環境の整備

退院が近づくと，対象者が生活する自宅家屋の状況を確認するために事前に家庭訪問を行う．家屋調査は，玄関前のアプローチ，玄関の扉の形式，広さ，上り框（かまち）の高さなどのほかにも廊下，トイレ，浴室，寝室，居間，台所などの広さや形態が対象者の生活活動を妨げないように整備されているか（バリアフリー）どうかについて詳しくチェックする．対象者が自力歩行できる場合でも，段差の解消などが必要であれば住宅改善の指針を基に相談にのる．

余暇活動・社会的交流の場の提供

われわれの日常生活は，仕事に必要な時間を除けば食事や排泄，入浴などのADL活動が1日のうちである一定の決まった時間に行われ，それ以外の時間は自由な時間として各人が思い思いのことをして過ごしている．この自由な時間でもレジャーや習い事などで有意義に過ごし，充実した生活を送ることが望ましいのはいうまでもない．しかし，介護を受けているという理由で，外出や趣味・娯楽活動に参加することに遠慮がちになり，次第に「閉じこもり」となる高齢者は多い．入院中から病前の趣味活動や新たに興味・関心を引くような活動を治療内容に積極的に導入し，退院後の生きがいとなる活動につなげることも作業療法士の重要な役割といえる．そのためには，同じような趣味をもつ人でグループをつくり，趣味の発表の場を設けること，また「老い」や「障害」を受容できず不適応状態にある場合には，同病の先輩から体験談を聞いたり，悩み事を相談できる場（ピア・カウンセリング）を設定したりすることにより，困難をどのように解決したかという経験が共有でき，より早い適応が可能となることもある．

家族との連絡調整

退院を目前にすると，誰が介護するのか，その内容や仕方はどういうものなのかなどについて家族に戸惑いがあるかもしれない．本人不在の間にできあがった生活の態勢も，大きく変更しなければならなくなる．

家族の不安をやわらげるためにも，本人ができること，できないことを家族に明確に示し，本人と介護者にとって安全で無理のない介助の方法を指導する機会を設けるようにする．

病気による入院が，その後の生活を一変させることはよく起こる．特に病前に担っていた役割を遂行できなくなると，自分は無用で手のかかる厄介な存在ではないかと気持ちも沈み，うつ的にもなりやすい．このようなとき家族には，自宅での過度な安静や保護的態度は高齢者の自主性のみで

作業療法の対象

なく生きる意欲も失わせることを理解してもらい，高齢者が無理のない範囲内で担える役割について本人を交えて話し合う機会を設けることも意義がある．「その役割を果たせるようになりたい」という目的をもつことで，その後の作業療法に意欲的に取り組み始めることもある．

こうして，本人，家族の希望を1つずつ達成させていく過程で，病前とは違った生活スタイルになる場合もあるが，**社会資源の情報提供**なども含めて，新しい生活を受容できるように家族へ支援することも重要な役割の1つとなっている．

5 高齢期の課題としての認知症

わが国は4人に1人が高齢者という超高齢社会を迎え，急増する認知症高齢者が大きな医療・社会問題となっている．平成29年度高齢社会白書によると，2012年は認知症患者約460万人，高齢者人口の15％という割合だったものが2025年には高齢者の5人に1人，20％が認知症になるという推計も示されている．つまり，加齢と切り離すことができないものが認知症であり，しかも認知症は誰にも起こりうる病気だと考えられるからである．認知症に関するより専門的な知識については，本シリーズの『ゴールド・マスター・テキスト 老年期作業療法学』，および『認知症をもつ人への作業療法アプローチ 第2版』（メジカルビュー社，2019年発行）において詳細が述べられているため，本書では作業療法士を目指す学生に対する概論として，認知症に関する基礎知識の概要にとどめることとしたい．

■ 認知症の定義と症状
● 1．認知症の定義

認知症とは，一度正常に発達した認知機能が後天的な脳の障害によって持続性に低下し，日常生活や社会生活に支障をきたすようになった状態をいい，それが意識障害のないときにみられるものである．

● 2．認知症の症状

認知症の症状には，脳の器質的障害が原因で起こる記憶障害や実行機能障害といった「中核症状」と徘徊や人格変化などの「行動・心理症状（BPSD：behavioral and psychological symptoms of dementia）」がある（図5）．

「中核症状」は，脳の機能低下を直接反映して起こる記憶障害や失見当識などの基本的な症状であり，ほぼ常に出現する症状群である．これに対して「BPSD」は，すべての認知症患者に出現するわけではないが，周辺症状とよばれることもあるように「中核症状」に付随して発生する二次的な症状ともいえる．

図5 認知症の症状

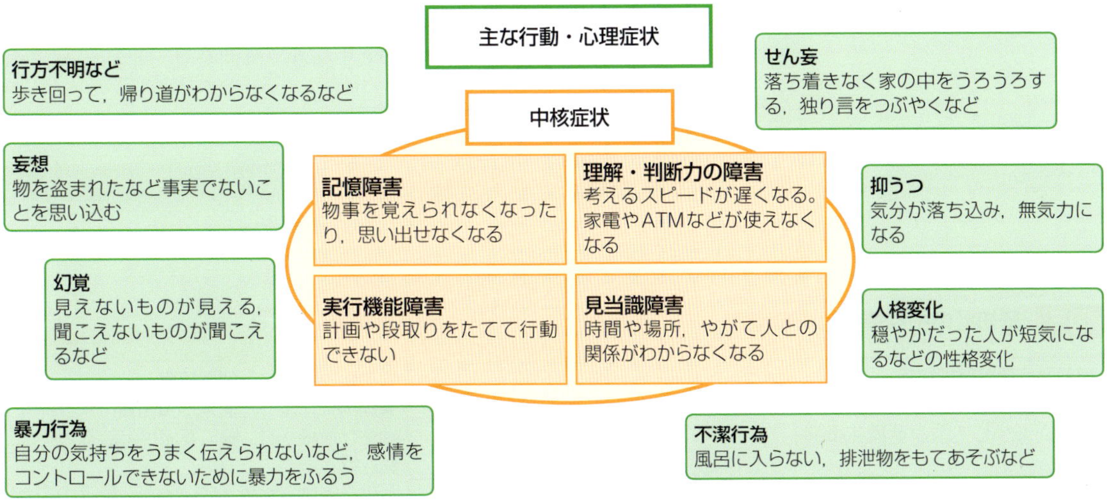

主な行動・心理症状

中核症状
- 記憶障害：物事を覚えられなくなったり，思い出せなくなる
- 理解・判断力の障害：考えるスピードが遅くなる。家電やATMなどが使えなくなる
- 実行機能障害：計画や段取りをたてて行動できない
- 見当識障害：時間や場所，やがて人との関係がわからなくなる

周辺症状
- 行方不明など：歩き回って，帰り道がわからなくなるなど
- 妄想：物を盗まれたなど事実でないことを思い込む
- 幻覚：見えないものが見える，聞こえないものが聞こえるなど
- 暴力行為：自分の気持ちをうまく伝えられないなど，感情をコントロールできないために暴力をふるう
- せん妄：落ち着きなく家の中をうろうろする，独り言をつぶやくなど
- 抑うつ：気分が落ち込み，無気力になる
- 人格変化：穏やかだった人が短気になるなどの性格変化
- 不潔行為：風呂に入らない，排泄物をもてあそぶなど

(文献6より作成)

■ 生理的老化と認知症との違い

物忘れなどの経験は，高齢になれば誰にもよくみられる状態であるが，認知症は脳の生理学的なダメージによるものであるため，加齢による記憶障害なのか，認知症の症状なのかということについては表3に示すような違いが認められる。

記憶力は20歳代をピークに次第に減退するが，記憶力以外の能力はさまざまな経験や体験から学ぶことで20歳代以降も成長し，知能全体では50歳ごろまで伸び続けるといわれている。60歳代ごろになると記憶力に加え，判断力や適応力などに衰えがみられるようになり，脳の老化が始まる。記憶力の低下が進行し，物忘れを経験することが多くなるのもこの時期であるが，この物忘れは加齢に伴う自然なもので，認知症の症状とは異なる。生理的老化による物忘れは，例えば，朝食に何を食べたか詳しくは思い出せないが，ヒントがあれば思い出せ，日常生活にはあまり支障はな

表3 加齢に基づく記憶障害と認知症の鑑別

	記憶障害	
	加齢によるもの	認知症疾患によるもの
特徴	行為や出来事の一部を忘れる。いわゆる，ど忘れ（健忘）	行為そのものを忘れる
再認	ヒントにより思い出すことが多い	ヒントによっても思い出すことは少ない
程度	社会生活に支障は少ない	社会生活に支障がある
頻度	最近1～2年間で変化がない	最近1～2年間で増えている
広がり	他の症状は目立たない	見当識障害，判断力障害，実行機能障害，失算，失書など，他の症状もみられる

(文献7より作成)

い。これに対して認知症患者は，物忘れの自覚がないため，朝食を食べたこと自体の記憶がなく，満腹な状態でも再度食べて腹痛を起こしてしまうというように判断力も低下している状態となる。早期発見・早期治療につなげる対応が重要なカギとなる。

■ **認知症の主な種類とその症状**

認知症にはその原因などにより，いくつか種類がある（図6）。

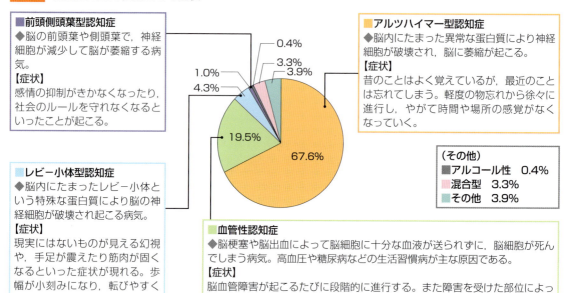

図6　認知症の主な種類とその症状

各説明は，全国国民健康保険診療施設協議会「認知症サポーターガイドブック」を元に作成。
データは，「都市部における認知症有病率と認知症の生活機能障害への対応」（H25.5報告）を引用。

（文献6より作成）

■ **認知症患者のスクリーニング検査**

認知機能が低下している患者を作業療法士が担当する機会は少なくない。認知症の程度を簡易的に検査するには長年の経験と研究によっていくつかの方法がある。それぞれの検査には一長一短があるので，対象者の状況に応じて選択し，組み合わせて使用する。特に，患者の検査時の意識や気分，緊張，不安，注意集中，検査に対する態度などの精神的な要因の影響が大きく反映されるため，これらの影響を考慮したうえで，得られた検査結果を判断する必要がある。また，検査結果が低いから直ちに「認知症」と判断するのではなく，他の症状の有無や程度と併せて認知症の疑いの有無や程度を判断するための材料であり，より確実な判断をするためには専門医による精査と診断が必要となる。各検査方法についての詳細は，本シリーズの『老年期作業療法学』において学習していただきたい。

■認知症患者への適切な対応

　記憶力の低下や人格の変化が顕著になってきた場合でも，感情面は残されていることが多い．特に，記憶力の低下により前後のつながりが理解できないため，さまざまな出来事が不意にしかも連続的に起こってくるように感じられる．そのため，終始不安のなかにさらされている状態なので，反応が遅い，話が通じない，などのことがあっても無能力者として接することのないようにすることが望ましい．認知症の人への対応には，図7に示したような心遣いをしたいものである．表4にガイドラインの例を示すので，そちらを参考にされたい．

図7　認知症の人への対応に関するガイドライン

基本姿勢
認知症の人への対応の心得　"3つの「ない」"
1　驚かせない
2　急がせない
3　自尊心を傷つけない

具体的な対応の7つのポイント
・まずは見守る
・余裕をもって対応する
・声をかけるときは1人で
・後ろから声をかけない
・相手に目線を合わせてやさしい口調で
・おだやかに，はっきりした話し方で
・相手の言葉に耳を傾けてゆっくり対応する

（文献8より引用）

表4　ガイドラインの例

1.	一般社団法人日本神経学会　認知症疾患診療ガイドライン2017 編集：「認知症疾患診療ガイドライン」作成委員会．（参加学会：日本神経学会　日本神経治療学会　日本精神神経学会　日本認知症学会　日本老年医学会　日本老年精神医学会）
2.	高齢者の病気　認知症 公益財団法人　長寿科学振興財団　健康長寿ネット（https://www.tyojyu.or.jp/net/byouki/ninchishou/index.html）
3.	厚生労働省老健局：認知症施策の総合的な推進について（参考資料）．社会保障審議会介護保険部会（第78回）令和元年6月2日 参考資料2-1, 2019.

6　おわりに

　筆者は約50年ほど前，東京の西部地区にある某特別養護老人ホームの玄関に「子ども叱るな来た道だもの．年寄り笑うな往く道だもの」という言葉がやや大きめな色紙に書かれているのを読んだとき，たいへん感心した記憶がある．その後，永 六輔氏が，彼の著書『大往生』（岩波新書，1994）のなかで紹介したことがきっかけで，名言として多くの人に知られることになったといわれている．作者は不詳で，この後に，「来た道行く道二人

作業療法の対象

旅，これから通る今日の道，通り直しのできぬ道」と続くそうである。高齢期障害の作業療法を目指す若い作業療法学科の学生さんは，「自分自身の将来の姿である」という気持ちをもって，将来自分が受けたいと思うような作業療法（治療・指導・援助）を実施していただきたい。

【引用文献】
1) 内閣府：令和2年版高齢社会白書（全体版），p6．(https://www8.cao.go.jp/kourei/whitepaper/w-2020/zenbun/pdf/1s1s_01.pdf)(2021年4月時点)
2) 内閣府：令和2年版高齢社会白書（概要版），p4．(https://www8.cao.go.jp/kourei/whitepaper/w-2020/gaiyou/pdf/1s2s.pdf)(2021年4月時点)
3) 大内尉義，秋山弘子 編，後藤佐多良 著：新老年医学 第3版，p4，東京大学出版会，2010．
4) W. ミシェル，ほか 著，黒沢 香，ほか 監訳：パーソナリティ心理学─全体としての人間の理解，p281，培風館，2010
5) 厚生労働省：令和2年版 厚生労働白書．(https://www.mhlw.go.jp/content/000735866.pdf)(2021年4月時点)
6) 厚生労働省老健局：認知症施策の総合的な推進について（参考資料）．社会保障審議会介護保険部会（第78回）令和元年6月2日 参考資料2－1，2019．(https://www.mhlw.go.jp/content/12300000/000519620.pdf)(2021年4月時点)
7) 日本認知症学会 編：認知症テキストブック，中外医学社，2008．
8) 星川洋一：認知症の基礎知識と対応について．国の地方支分部局職員を対象とした認知症サポーター養成講座 資料3，2019．(https://kouseikyoku.mhlw.go.jp/shikoku/chiiki_houkatsu/000086447.pdf)(2021年4月時点)

【参考文献】
1. 厚生労働白書平成23年度版，厚生労働省発行．
2. 野村 嶬 編：標準作業療法学 専門分野 高齢期作業療法学 第2版，医学書院，2010．
3. 長嶋紀一：性格の円熟と退行．老年期（加藤正明，ほか 編），有斐閣，1977．
4. エリク・H・エリクソン 著，朝長正徳，朝長梨枝子 訳：老年期─生き生きしたかかわりあい，p35，みすず書房，1990．
5. 厚生労働省：終末期医療に関する調査等検討会報告書 平成16年．(https://www.mhlw.go.jp/shingi/2004/07/s0723-8.html)(2021年4月時点)
6. 中野一司：他職種連携で機能する地域連携ネットワーク型在宅医療システム．第49回 作業療法全国研修会抄録集，p14-18，2011．
7. 日本作業療法士協会 監修：作業療法学全書7，作業治療学4 老年期 第2版，協同医書出版社，1999．
8. 内閣府：平成29年版高齢社会白書（全体版）．(https://www8.cao.go.jp/kourei/whitepaper/w-2017/zenbun/29pdf_index.html)(2021年4月時点)
9. 日本神経学会 監，「認知症疾患診療ガイドライン」作成委員会 編：認知症疾患診療ガイドライン2017，医学書院，2017．
10. 公益財団法人長寿科学振興財団：認知症の予防とケア．(https://www.tyojyu.or.jp/kankoubutsu/gyoseki/ninchisho-yobo-care/index.html)(2021年4月時点)

✓ チェックテスト

Q ①「高齢化社会」，「高齢社会」とは何か（☞ p.162）。 [基礎]

②高齢期の生理・身体的変化において低下する4つの基本能力とは何か（☞ p.163）。 [基礎]

③高齢期の3つの心理精神的変化のうち，「円熟型」とよばれる変化は何か（☞ p.164）。 [基礎]

④生理的老化と認知症の違いは何か（☞ p.171）。 [基礎]

作業療法の対象

5 高次脳機能障害の作業療法

岩崎也生子

> **Outline**
> - 高次脳機能障害の作業療法は，日常生活をよく観察し，検査所見と日常生活の困難さを結びつけて考え，症状に即した支援をすることが重要である。
> - 高次脳機能障害は目に見えないために見過ごされることが多いことから，脳損傷によって生じうる認知機能障害の種類や病態，各障害の検査方法を理解しておく必要がある。

1 はじめに

　高次脳機能障害は，脳卒中の約35％[1]，頭部外傷の約20％[2]に合併し，作業療法場面で多く遭遇する。高次脳機能障害の合併は，身体機能の改善や日常生活の自立度の回復などのリハビリテーションの進行に影響する[3-5]ため高次脳機能障害の有無や影響を作業療法士が知っておくことは重要である。しかしながら，高次脳機能障害は身体の欠損や麻痺と異なり，目に見えにくい障害である。そのため，対象者本人・家族のみならず，リハビリテーションを行う作業療法士自身も気付きにくく，見逃しやすい現状がある。リハビリテーションを担当する作業療法士が対象者の高次脳機能障害に気付かなければ，対象者は必要な評価や治療を受ける機会が得られなくなり，日常生活上や就業上の困難さを減じる機会が失われることになる。

　そこで本項では，作業療法士として高次脳機能障害を呈する対象者に遭遇したときに，高次脳機能障害に気が付き，適切な評価と介入ができるよう，作業療法場面で遭遇頻度の高い高次脳機能の症状や主な検査や評価の視点を中心に説明する。

2 高次脳機能障害とは

　高次脳機能障害は，脳外傷，脳卒中，脳腫瘍，低酸素脳症，神経外科手術など，さまざまな原因により大脳が損傷されたことにより生じる。高次脳機能は単一の概念ではなく，注意機能や記憶，視空間認知，言語，遂行機能など複数の機能を含んだ概念であり，脳損傷に起因するさまざまな認知および行動障害全般が含まれる[6-8]。

　例えば，私たちは，買い物をするときには，自分が必要な商品を棚から

図1 日常生活場面で用いられる認知機能

探したり、棚に並んだ商品から自分の欲しい物を選択し、購入する。その過程では、その日の気分であったり、過去の経験によって蓄積された自分の嗜好が関係したり、所持金との兼ね合いなどのなかで、購入する商品が選択され、その商品の金額にあった紙幣や硬貨を財布から出して支払う、という工程がある。これらの一連の行動には、商品を選択する際の視覚情報であったり、数ある商品からその商品を見つけ出す注意の機能であったり、過去の記憶を引き出して商品の味を予測したり、所持金がいくらあったか記憶を巡らせたり、購入する商品を判断したりと、多様な機能が関与している(図1)。

このように、さまざまな情報を視覚や聴覚、味覚、嗅覚、体性感覚を通じて知覚し、さらに認識し、その情報を脳内で処理して分析・貯蔵し、必要なときに情報を取り出して適切な行動に生かしていく。このような機能を**認知機能**(cognitive function)といい、脳卒中などが原因でこれらの機能が障害された状態を認知機能障害(cognitive dysfunction)とよび、それが高次脳機能障害と総称されている[9]。

■ 高次脳機能障害の原因

高次脳機能障害を引き起こす原因は主に、外傷性と非外傷性に分けられる[10]。

● 外傷性

外傷性の原因には、転倒や転落、対象物との接触、交通事故やスポーツによる外傷などが挙げられる。4歳以下の子どもや75歳以上の高齢者では歩行中の転倒による外傷が多く、5～10歳では対象物との接触、15～44歳では自動車事故による外傷が多い傾向がある[11]。子どもから青年期の受傷の場合、学校生活での勉学の遅れや仕事の変更など大きな影響を及ぼす[12]ため、作業療法士には生活再建に向けた重要な役割が求められる。

● 非外傷性

非外傷性の原因には、脳梗塞や脳出血、くも膜下出血などの脳血管障害、脳腫瘍、感染症、低酸素脳症などが挙げられる。脳血管障害では、約35％において高次脳機能障害の合併が報告されており、ADLなどへの作業療法介入が必要となる。

■ 高次脳機能障害の診断基準

2001年から5年間実施された「高次脳機能障害者支援モデル事業」により定められた高次脳機能障害の診断基準(表1)[13]は、これまで支援の対象となっていなかった群に対する支援を普及するうえでの行政的な定義となっている。

表1　高次脳機能障害の診断基準

Ⅰ．主要症状など	1. 脳の器質的病変の原因となる事故による受傷や疾病の発症の事実が確認されている 2. 現在，日常生活または社会生活に制約があり，その主たる原因が記憶障害，注意障害，遂行機能障害，社会的行動障害などの認知障害である
Ⅱ．検査所見	MRI，CT，脳波などにより認知障害の原因と考えられる脳の器質的病変の存在が確認されているか，あるいは診断書により脳の器質的病変が存在したと確認できる
Ⅲ．除外項目	1. 脳の器質的病変に基づく認知障害のうち，身体障害として認定可能である症状を有するが上記主要症状(I-2)を欠く者は除外する 2. 診断にあたり，受傷または発症以前から有する症状と検査所見は除外する 3. 先天性疾患，周産期における脳損傷，発達障害，進行性疾患を原因とする者は除外する
Ⅳ．診断	1. Ⅰ～Ⅲをすべて満たした場合に高次脳機能障害と診断する 2. 高次脳機能障害の診断は脳の器質的病変の原因となった外傷や疾病の急性期症状を脱した後において行う 3. 神経心理学的検査の所見を参考にすることができる

(文献13より引用)

3　高次脳機能障害の特徴

■3つの高次脳機能障害の特徴

高次脳機能障害の特徴として，まず1.症状の見えにくさ，2.症状の不安定性，3.アウェアネスの障害について以下に述べる。

● 1.症状の見えにくさについて

高次脳機能障害は，身体機能の喪失や麻痺とは異なり，目に見えにくくわかりにくい障害である。われわれ作業療法士がそれぞれの障害を理解するためには，以下に述べる脳や認知機能の仕組みについて知っておく必要がある。また，近年では脳の画像診断が普及してきていることから，脳の解剖学の知識や，脳の機能局在[*1]に関する知識を身につけて，カルテの情報や脳画像から，脳のどの部分が損傷されて，どのような機能が障害を受けているのかなど，対象者に起こりうる高次脳機能障害を予測することも必要であろう。

> *1　脳の機能局在
> 脳の特定の部位が特定の機能を担っているという考え方で，この知識があればMRIなどの画像をみたときに，どのような認知機能障害が出現するか予測できる。

● 2.症状の不安定性について

高次脳機能障害の対象者は，脳が損傷を受けて間もないときには覚醒が不安定となり，あるときはできたことが，あるときはできなくなったり（例えば午前中できなかったことが，午後にはできるようになったり）することがある。また，病巣が複数領域に広がると，重複した障害の症状を呈することが多い。そのためさまざまな時間帯にさまざまな場面で観察評価をし，日常生活場面の観察から，食事やトイレなどの生活場面ごとの困難さをとらえ，その症状の中核となる障害は何か，何によってその症状が引き起こされているのか，分析していく必要がある。分析にあたっては，後述する「認知能力の階層構造」を参考にするとわかりやすい。

作業療法の対象

● 3. アウェアネスの障害について

作業療法場面では，対象者本人が，自身の障害への気付きがないことが問題となることが多い。自身の障害への自覚がないために，「できる」と思って立ち上がった結果，転倒してしまったり，運転には適さないのに，車の運転をしようとしてみたり，程度はさまざまである。これにより日常生活の自立が遅れてしまうことがある。近年では，このような自身の障害への気付きがないことを「アウェアネスの障害」と表現している[6]。アウェアネスの障害の重い患者ほど機能獲得が困難との報告があることから[14]，作業療法を行ううえでもアウェアネスの障害の有無の評価は重要な要素となる。

■ 認知能力の階層構造

行動・認知の障害を含む高次脳機能障害の全体像をとらえるために，山鳥[15]基盤的認知能力を土台としたモデルや（図3），ニューヨーク大学Rusk（ラスク）研究所による神経心理ピラミッドが提示されている（図4）[16-18]。いずれのモデルも認知機能を階層構造としてとらえており，下の階層にある機能は認知の働きの基礎であり，その上にあるすべての機能に影響を及ぼしていると考えるものである[15-18]。

例えば，眠くてふらふらしているとき（覚醒状態が低下しているとき）や疲れて注意力が低下しているとき（疲労・注意力の低下）には，足下の段差に気付けなかったり（知覚の低下），論理的な思考ができなかったりすることがあることを考えれば，覚醒や注意力を土台として，知覚や言語・論理的思考が成り立っていることが理解できるのではないだろうか。実際，記憶障害がある人が，より下の基本レベルの欠損に対する訓練を受けた結果，日常のさまざまなシーンで，それまで記憶の問題と思っていたことが改善されたとの報告もある[16-18]。

この階層構造を頭に入れておくと，評価を組み立てる際や，評価結果を解釈する際に，何が障害の中核となっているのかを判断したり，介入の優先順位を考えたりするために非常に役立つと思われる。

図3 基盤的・個別的・統合的認知能力の相互関係

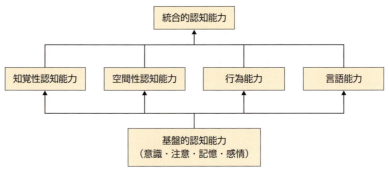

（文献15より引用）

図4 ラスク研究所（ニューヨーク）の脳損傷者の機能回復訓練のための通院プログラムで用いられている神経心理ピラミッド

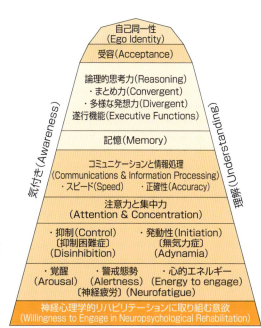

認知機能を中心に神経心理学的機能をいくつかの階層に表しており，認知機能の働きには順番があることを示している。欠損部分への効果的なアプローチを行えるようにするとともに，対象者本人や家族の症状や治療の理解を促進するためにも利用されている。2008年9月以降のモデルでは，ピラミッドの一番基礎の部分に「神経心理学的リハビリテーションに取り組む意欲」が加わり，「自己の気付き」は「受容」と「自己同一性」の2階層に分けられている。

(文献16より引用)

試験対策 Point

高次脳機能障害の症状・神経基盤・主な検査は整理して覚えておこう。検査は正式名称とアルファベットの略語［例：VPTA（標準高次視知覚検査）］も合わせて覚えておこう。

4 高次脳機能障害の主要症状と評価

日常生活場面において，高次脳機能障害の症状に気付くためには，まずは，どのような症状があるのかを知る必要がある。**表2**[19]に作業療法場面もしくは病棟や家庭での日常生活場面で遭遇頻度の高い症状について示す。日常生活場面でこれらの症状がみられたときには，高次脳機能障害で生活がしづらくなっていることを疑い，そこから，「具体的にどのような場面でどのように困っているのか」，さらなる観察・評価を進めてほしい。また，それぞれの症状に合わせて，臨床場面で使用頻度の高い検査（評価法）についても紹介する（**表3**）。しかし，ここで紹介する検査は，観察で得られた生活障害を裏づけるのに重要な役割を果たすものの，検査に疲労を伴うというデメリットも含んでいるため，用いる際には，対象者の負担を考慮する必要がある。

図5 意識の情報処理モデル

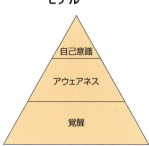

(文献20より引用)

■意識障害
●症状

意識は，個体が外から入ってくる刺激や内部から上がってくる刺激に気付く能力である[15]。苧阪[20]は，意識について①**覚醒**，②**アウェアネス**，③**自己意識**の3つからなる階層的なモデルを提示している（**図5**）。

日常生活場面でみられる症状としては，「車椅子に乗車したまま眠っていることがある」「日中ベッドで臥床していることが多い」などの同日内の時間帯による覚醒レベルの変化があり，作業療法室内で傾眠傾向にある対象者をみることがある。

表2 日常生活場面で観察される症状

観察場面	観察される症状
食事	●促しがないと食べ始められない ●一口量の調節ができない ●まんべんなく食べることが困難 ●こぼしていても気づかない ●周囲に気が向いてしまい, 食べ続けられない
整容	●歯を磨く手順が一貫しない ●ひげのそり残しや髪のとかし残しがある
更衣	●促しがないと動作を始められない ●袖を十分に通さないまま着ようとする ●麻痺側を入れ忘れる ●裏表, 左右の間違いがある
トイレ	●ブレーキやフットレストの操作を忘れる ●ズボンを下ろさず便座に座ろうとする ●トイレットペーパーを見つけられない
入浴	●同じところを洗い続ける ●洗い残しがある ●シャワーの使い方を覚えられない
移乗	●ベッドと車椅子の位置を確認しないで移乗する ●十分に近づかないうちに立ち上がろうとする ●動作が性急
コミュニケーション	●相手に聞き取りやすいように話せない ●多弁 ●声の大きさやスピードが配慮できない

(文献19より引用)

● 評価

　意識障害の評価には, JCS(Japan coma scale), GCS(Glasgow coma scale), 佐野ら[21]の軽度意識障害12項目評価表が使用される。基盤的認知能力の1つである, 意識に障害があるときには, 個々の認知能力の正確な評価は難しいため, 検査実施のタイミングや結果の読み取りには注意が必要である。

■ 知能・スクリーニング

　高次脳機能障害の各障害別の評価を進める前に, 簡易的なスクリーニング検査にてどのような障害があるのか「あたり」をつけておくとよい。これは, 作業療法士が高次脳機能障害の全体像を理解できるとともに, 対象者の検査の負担を軽減する意味においても重要である。

　表4に代表的なスクリーニング検査を示す。いずれも, 認知症の簡易検査として知られているが, 高次脳機能障害のスクリーニングとしても定番化している。高次脳機能障害のスクリーニングとして用いる場合には, 合計点数やカットオフ値を基に「認知症」を判断するのではなく, どの機能(聴覚性注意なのか, 視覚性注意なのかなど)に問題があるのか判断する必

表3 作業療法場面で遭遇することが多い障害と検査

障害	障害の分類	神経基盤	主な検査
意識の障害	覚醒	脳幹から間脳の中心軸に広がる上行性網様体賦活系	●JCS（Japan coma scale） ●GCS（Glasgow coma scale） ●軽度意識障害12項目評価表
注意の障害	全般性注意の障害	脳幹網様体系，帯状回，前頭葉，頭頂葉がつくるネットワークシステム	●標準注意検査法（CAT：clinical assessment for attention） ●TMT-J（trail making test 日本版） ●注意行動評価尺度
記憶の障害	意味記憶	大脳皮質の広範な領域	●Wechsler(ウェクスラー)記憶検査（WMS-R） ●日本版Rivermead(リバーミード)行動記憶検査（RBMT） ●Benton(ベントン)視覚記銘検査 ●Rey-Osterrieth(レイ オステライト)複雑図形 ●三宅式記銘力検査
	エピソード記憶	海馬を含む内側側頭葉，前頭基底核，視床前部を含むネットワーク	
	手続き記憶	前頭葉，大脳基底核，小脳	
知覚性認知能力の障害	視覚失認	後頭葉とその周辺，後頭-側頭葉	標準高次視知覚検査（VPTA：visual perception test for agnosia）
空間性認知能力の障害	半側空間無視	右半球頭頂葉，右前頭眼野，一側の帯状回損傷	BIT行動性無視検査日本版 Catherine bergego scale
行為能力の障害	観念失行	左半球頭頂葉	標準高次動作性検査（SPTA：standard performance test for apraxia）
	観念運動失行	左半球頭頂葉，縁上回，上頭頂小葉	
	肢節運動失行	左右の中心領回（中心溝を挟む前後の領域）	
言語能力の障害	Wernicke(ウェルニッケ)失語	上側頭回後方	●標準失語症検査（SLTA：standard language test of aphasia） ●WAB（Western aphasia battery）失語症検査 ●実用コミュニケーション能力検査（CADL：communication ADL test）
	Broca(ブローカ)失語	下前頭回後方	
統合的認知能力	遂行機能障害	外側前頭前野	●BADS（behavioural assessment of the dysexecutive syndrome） ●WCST（Wisconsin card sorting test） ●modified Stroop test

要がある。まずは，質問ごとに「自分が何を測定しているのか」を念頭に置いて測定するとよい。例えば，HDS-Rの「計算」であれば「言語性ワーキングメモリ」，「物品記銘」であれば「視覚性の記憶」など，質問項目ごとに，何に焦点を当てた検査であるのか理解し，判断することで，障害別の詳細な検査の必要性の有無を判断することができる。

非言語性で示したものは，失語症や聴覚の障害などで言語の理解が難しい場合の認知機能評価に有効である。

■注意障害

注意は，すべての認知機能の基盤であり[28]，ある特定の認知機能が適切に機能するためには，注意の適切かつ効率的な動員が必要である[29]。注意の概念は幅広く，覚醒水準のレベルから，随意的，意識的な目的をもった

表4 臨床で用いられることの多いスクリーニング検査

	検査名	検査内容
言語性	HDS-R（改訂長谷川式認知症スケール）	見当識，3単語の即時記銘と遅延再生，計算，数字の逆唱，物品記銘，言語流暢性の9項目からなる。30点満点で20点以下が認知症疑い[22]
	MMSE-J（mini mental state examination-Japanese）(図6)	時間の見当識，場所の見当識，即時想起，遅延再生，計算，物品呼称，文章復唱，3段階の口頭命令，書字命令，文章書字，図形模写の計11項目から構成される。30点満点で23点以下が認知症疑い，27点以下は軽度認知障害疑い[23]
	MOCA-J（Japanese version of the Montreal cognitive assessment）	trail making・立方体，時間描画，命名，記憶，注意，復唱，語想起，抽象的思考，遅延再生，見当識からなる。30点満点で25点以下が軽度認知障害疑い[24, 25]
非言語性	レーヴン色彩マトリックス検査（Raven's™ coloured progressive matrices）(図7)	迷彩図の欠如部に合致するものを6つの選択図案の中から1つだけを被検者に選ばせる検査。A，Ab，Bの3セットからなる。言語を介さずに答えられるので，被検者に負担をかけずに知的能力や類推力を測定できる[26]
	コース立方体組み合わせ検査（Kohs block design test）	一辺3cmの立方体（赤，白，青，黄の4色に塗り分けられた）を用いて図版に従い組み立てていく検査。言語を介さずに知的能力を測定できるため，6歳以上の子どもから高齢者まで幅広い年齢層に実施できる[27]

図6 MMSE-J 精神状態短時間検査改訂日本版

2019年に正規日本版として販売され，妥当性と信頼性が検証されている。
（MMSE-J改訂日本版『使用者の手引』および評価用紙，日本文化科学社）

図7 レーヴン色彩マトリックス検査

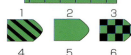

迷彩図の欠如部に合致するものを6つの選択図案のなかから1つだけを被検者に選ばせる。
（文献26を基に作成）

行動のレベルまでが含まれる[29]。注意のネットワークは広範であるため，ほとんどの損傷で何らかの注意障害が出現する。作業療法場面においては，複雑な症状を呈する対象者であっても，**注意の障害が改善することにより，ほかの認知機能（失行，失認，失語など）の改善がみられることがある**。

一般に注意は，全般性注意と方向性注意に分けられ，前者の障害が全般性注意障害であり，後者の障害は半側空間無視である[29]。これらは，しばしば同時に出現し，全般性注意の障害が改善することにより，方向性注意の障害が軽減することがある。

● 全般性注意の障害

症状

全般性注意の障害は，さまざまな定義がなされているが，少なくとも，

①選択機能（selection）
②覚度・アラートネスないしは注意の維持機能（vigilance, alertness, or sustained attention）
③制御機能（control or capacity）

の3つのコンポーネントがある（表5）[29]。

表5 注意のコンポーネント

注意のコンポーネント	機能	機能低下による症状
選択機能	ある刺激にスポットライトをあてる機能で,最も重要な機能。多くの刺激のなかからただ1つの刺激,ないしは刺激に含まれるただ1つの要素に反応する能力	妨害・干渉刺激に注意が転導してしまい,行為の一貫性が損なわれる
覚度・アラートネスないしは注意の維持機能	ある一定の期間に注意の強度を維持する能力に関係している。目標やゴールが時間経過のなかで維持されることの基盤ないしは背景を構成する	課題の施行に対する時間が経過するにつれて成績が低下したり,突然数秒間成績が低下する現象が生じる
制御機能	ある認知活動を一過性に中断し,ほかのより重要な情報に反応したり,2つ以上の刺激に同時に注意を向けたりするような,目的志向的な行動を制御する機能。前頭前野が重要な役割を果たす	行動の非柔軟性や断片化がみられる

(文献29より引用)

表6 注意行動評価尺度

評価項目
1. 眠そうで活力に欠けてみえる
2. すぐに疲れる
3. 動作がのろい
4. 言葉での反応が遅い
5. 頭脳的ないしは心理的な作業が遅い
6. 言われないと何事も続けられない
7. 長時間,宙をじっと見つめている
8. 1つのことに注意を集中するのが困難である
9. すぐに注意散漫になる
10. 1度に2つ以上のことに注意を向けることができない
11. 注意をうまく向けられないために間違いをおかす
12. なにかする際に細かいことが抜けてしまう
13. 落ち着きがない
14. 1つのことに長く集中して取り組めない

＊行動の頻度を「まったくない」から「常にある」の5段階で尺度化する

(文献30より引用)

図8 trail making test日本版（TMT-J）

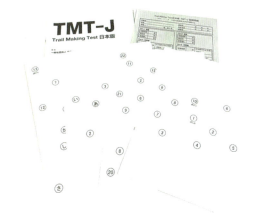

注意機能だけでなく,ワーキングメモリ,空間的探索,処理速度,保続,衝動性などを総合的に測定できる。Part Aは1から25の数字を順番につなぎ合わせる。Part Bは,「1-あ-2-い」のように数字と50音を交互につなぎ合わせる。

評価

注意障害は,症例ごとに出現する様相が異なるため,単一の方法で検査することが難しい。机上の神経心理学的検査とともに,日常生活場面の観察評価により,総合的に判断する必要がある。

観察評価としてはPonsford[30]（ポンスフォード）により作成された,「注意行動評価尺度」を用いると,注意障害の観察におけるポイントが理解しやすい(表6)。

神経心理学的検査については,trail making test日本版（TMT-J）(図8)[31],標準注意検査法（CAT：clinical assessment for attention)が

表7 標準注意検査法（CAT）の構成

サブテスト	内容
span	digit span（数唱）とtapping span（視覚性スパン）からなる
cancellation and detection test（抹消・検出課題）	visual cancellation task（視覚性抹消課題）とauditory detection task（聴覚性検出課題）
symbol digit modalities test（SDMT）	9つの記号に対応する数字を制限時間内にできるだけ多く記入する
memory updating test（記憶更新検査）	検者が口頭提示する数列のうち，末尾3桁または4桁（場合によっては2桁試験もあり）のみを被検者に復唱させる
paced auditory serial addition test（PASAT）	CDで連続的に聴覚提示される1桁の数字について，前後の数字を順次暗算で足していくテスト
position Stroop test（上中下検査）	漢字の位置を言わせる
continuous performance test（CPT）	反応時間課題（simple reaction time：SRT課題），X課題：「7」が表示されたときにだけ，素早くスペースキーを押す，AX課題：「3」の直後に「7」が表示されたときにだけ，素早くスペースキーを押す

（文献32より引用）

ある（表7）[32]。

TMT-Jは，注意機能だけでなく，ワーキングメモリ，空間的探索，処理速度，保続，衝動性などを総合的に測定できる。また，20歳以降，年代ごとに平均所要時間が示されており，所要時間と誤反応数に基づき，総合判定が可能である[31]。

標準注意検査法については，下位項目ごとにカットオフ値が設定されており，目的によって，検査全体でなく一部項目のみ実施することも可能である[32]。

● 方向性注意の障害

症状

方向性注意の障害の代表は半側空間無視であり[29]，大脳半球損傷の反対側に提示された，新しいあるいは有意味の情報について報告したり，反応したり，その方向へ向いたりすることができない状況で，その失敗を感覚や運動性欠損のいずれにも帰すことができない場合をいう[33]。左半球損傷の右半側空間無視と比較して，右半球損傷の左半側空間無視の頻度が高く，重度であり，持続しやすい[29]。

半側空間無視の症状を整理したものを以下の表8に示す[34-36]。

表8 半側空間無視にみられる主なタイプと神経基盤

タイプ		特徴	神経基盤
自己中心性 "egocentric" neglect	体幹を中心とした半側空間無視	自分の体軸を中心にして空間の左側の刺激を無視する	側頭頭頂接合部 右角回
対象中心性 "allocentric" neglect	対象物を中心とした半側空間無視	対象がどちら側の空間にあっても個々の対象の左側を無視する	側頭頭頂接合部 縁上回から上側頭回，島

（文献34-36を基に作成）

> **補足**
>
> **片麻痺のある人に正確な検査を行うには？**
>
> 麻痺のある人に検査を行うには，筆記具の操作と検査用紙の固定が課題となる．利き手に麻痺が生じた場合は，まず筆記具が操作できるか確認しよう．また，検査用紙をセットする位置や固定が不十分なことにより正確な検査結果が得られにくい場合がある．検査用紙をあらかじめテープで固定するなどのセッティングを行い，正しい位置で集中して取り組めるよう工夫するとよい．

評価

　伝統的な机上テストよりも日常生活のチェック表を用いた行動観察のほうが半側無視検出の感度が高いとの報告[37]から，半側無視の症状が「いつ」「どのような場面で」出現するのか，生活場面から観察評価をする必要がある．最近では，the Catherine bergego scale（CBS）などの定量的な行動評価も用いられている（**表9**）[38]．また，机上の検査にて「どの程度」の障害があるのか量的に評価するとともに，症状の回復状況を把握することも必要であろう．

　半側空間無視の検査には，「BIT行動性無視検査日本版」「標準高次視知覚検査（VPTA：visual perception test for agnosia）」の視空間検査課題がある[39]．BIT行動性無視検査日本版（**表10**，**図9**）[39]では，カットオフ値

表9 the Catherine bergego scale（CBS）：半側空間無視の行動評価

項目	0	1	2	3
1. 整髪またはひげ剃りのとき左側を忘れる				
2. 左側の袖を通したり，上履きの左側を履くときに困難さを感じる				
3. 皿の左側の食べ物を食べ忘れる				
4. 食事の後，口の左側を拭くのを忘れる				
5. 左を向くのに困難さを感じる				
6. 左半身を忘れる（例，左腕を肘掛けにかけるのを忘れる．左足を車椅子のフットレストに置くのを忘れる．左上肢を使うのを忘れる）				
7. 左側からの音や左側にいる人に注意をすることが困難である				
8. 左側にいる人や物（ドアや家具）にぶつかる（歩行・車椅子駆動時）				
9. よく行く場所やリハビリ室で左に曲がるのが困難である				
10. 部屋や風呂場で左側にある所有物を見つけるのが困難である				

0＝無視なし，1＝軽度の無視，2＝中等度の無視，3＝重度の無視　　合計 /30

（文献37, 38を基に作成）

表10 BIT行動性無視検査日本版下位項目

通常検査	行動検査
1 線分抹消試験	1 写真課題
2 文字抹消試験	2 電話課題
3 星印抹消試験	3 メニュー課題
4 模写試験	4 音読課題
5 線分二等分試験	5 時計課題
6 描画試験	6 硬貨課題
	7 書写課題
	8 地図課題
	9 トランプ課題

（文献39より引用）

図9 BIT検査の一部

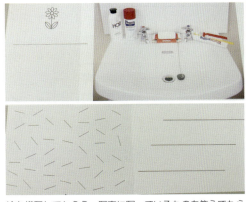

絵を模写してもらう，写真に写っているものを答えてもらう，見えている線を全部斜め線で消してもらう，線の中心に印をつけてもらうなどしてその人の見え方を確認する．

が設定されており，得点がカットオフ値以下であれば，無視の有無を判断することができる．通常検査を実施し，合計点がカットオフ値以下，あるいはどれか1つでもカットオフ値以下の項目があれば，行動検査にて詳細な検査を実施する．

> **アクティブラーニング 1** 車椅子駆動をしているときに，左側を頻繁にぶつけてしまう対象者にはどのような症状が疑われて，どのような検査をしたらよいか考えてみよう．

■ 記憶障害

● 症状

記憶は情報や経験の記銘（符号化），保持（貯蔵），想起（検索）という一連の情報処理過程としてとらえられており，多様な記憶形態と記憶システムが存在する．記憶障害は時間軸による分類と内容による分類がなされている[40]．時間的特徴から，感覚記憶，短期記憶，長期記憶に分類される．内容の質による分類（図10）[41]では，大きく陳述記憶と非陳述記憶に分類される．陳述記憶は主に言葉で表すことができる記憶で，意味記憶やエピソード記憶が含まれる．非陳述記憶は言葉で表すことができない記憶で，自転車に乗るなど体が覚えている記憶である．

短期記憶は作業記憶（ワーキングメモリ）の概念[42]を用いて説明されることが多く，長期記憶にはエピソード記憶，意味記憶が含まれる[43]．

● 評価

記憶障害に対する主な検査を表11に示す．記憶障害の検査は記憶のあらゆる側面を検査する総合検査と，視覚性（ベントン視覚記銘検査，図11[44]など）や言語性（三宅式記銘力検査など）など入力する情報の特徴

> **作業療法参加型臨床実習に向けて**
> 高次脳機能障害の検査は比較的マニュアルが確立していることから，マニュアルを元に学生が実施することが多い．実習指導者の検査場面を見学し，対象者への声かけの仕方や観察の視点を指導してもらう．自身でも事前にマニュアルを確認し実施の手順を確認しておくとよい．

図10 Squireらによる記憶の分類

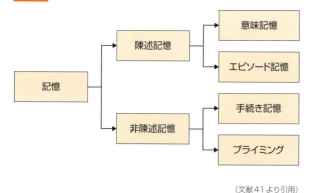

（文献41より引用）

図11 ベントン視覚記銘検査の図版の一部

図版の絵を，模写，即時再生，遅延再生を用いて視覚性の記銘力を検査する．

表11 記憶障害に対する主な検査

検査機能	検査名	検査内容
総合検査	ウェクスラー記憶検査（WMS-R）	13種の下位検査からなり，記憶の障害を要素的な側面から分析する
	ウェクスラー記憶検査 第3版（WMS-Ⅲ）	17種の下位検査からなり，WMS-Rに作動記憶を加えた
	日本版リバーミード行動記憶検査	日常課題を使った記憶検査
視覚性記憶評価	ベントン視知覚記銘検査	図形の即時再生，遅延再生を用いた視覚性記憶の検査
	レイ-オステライト複雑図形	視空間構成能力と視覚性記憶の検査
言語性記憶評価	三宅式記銘力検査	言語性対連合の再生と学習
手続き記憶	ハノイの塔	ルールに従い円盤を動かす
意味記憶の検査	WAIS-Ⅲの下位検査：「知識」「単語」「類似」	単語や意味の理解を評価
作業記憶（ワーキングメモリ）検査	WMS-Ⅲの下位検査：「語音配列」「視覚性記銘検査」 WAIS-Ⅲの下位検査：「算数」「数唱」「語音整列」 CATの下位検査：「span」「memory updating test」	暗算や順唱，逆唱を用いたワーキングメモリ検査

に基づいた検査とがある。後者は比較的短時間で容易に行うことが可能である。また，記憶障害は環境によっても現れ方が異なるため，検査場面のみならず日常生活場面の観察や自宅での様子を情報収集し，さまざまな状況下での行動の特徴を評価することも重要である。

■ 失認

● 症状

Frederiks[45]（フレデリックス）の定義によると，失認とはある感覚を介する対象認知の障害で，しかもその対象認知障害をその感覚の異常，知能低下，意識障害などに帰すことのできないものとし，かつ，ほかの感覚様式を介せばその対象を認知できるものとされている。

失認は，視覚失認，相貌失認，同時失認などさまざまであるが，ここでは，作業療法場面で比較的遭遇することが多い，視覚失認のみを取り上げて説明する。

視覚失認は視力や視野の異常はないにもかかわらず，対象を認知することができない状態である。聴覚や体性感覚などの視覚以外の感覚情報を用いれば認知することが可能である。視覚失認は大きく分けて，統覚型視覚失認と連合型視覚失認に大別される（表12）。統覚型視覚失認は要素的感覚（大小，長短，傾きなど）は保たれているが，対象の形態がわからないのが特徴であり，連合型視覚失認は形態は認知できているが，それが何であるかわからないのが特徴である。

表12 視覚失認の主な症状

分類	症状	検査から得られる情報
統覚型視覚失認	要素的感覚（大小，長短，傾きなど）は保たれているが，対象の形態がわからない	図形や絵などの模写が困難
連合型視覚失認	形態は認知できているが，それが何であるかわからない	模写は可能であるが，模写した絵が何であるかがわからない

● 評価

　症状の特徴と理論に基づき評価をすると，意識障害がないことが前提であるため，対象に注意を向けることができるのかを確認する必要がある。また，視覚情報処理の機能のどのレベルの障害かを確認するために，視力や視野は保たれているのか，対象の形態をとらえることができるのか，形態をとらえることができた場合，対象の意味を想起できるのかを調べていくと症状を把握しやすくなる。

　一般的に用いられる検査としては，VPTAがあり，視知覚の基本機能や物体・画像認知を調べるために50項目の下位検査から構成されている。

失語症

● 症状

　失語症は，高次脳機能障害のなかで最も頻度の高い症状であり，作業療法場面でもしばしば遭遇する。失語症は，

> ①「話す」という側面：語彙の減少や違うことを言ってしまうなど
> ②「聞く」という側面：聴力は正常であるが，復唱が困難，言葉の意味を理解できないなど
> ③「書く」という側面：文字を思い出せない，書き間違いがあるなど
> ④「読む」側面：視覚障害がないのに読んで理解するのが難しい，日本語の場合，漢字よりひらがなを読むほうが難しいなど
> ⑤「計算」の側面：繰り上がりや繰り下がりのある足し算や引き算が難しくなるなど

などのすべての側面が障害される[46]。コミュニケーションに支障をきたすため，仕事や地域参加が困難となる対象者は多い。右片麻痺などの身体障害を呈していることも多く，身体および言語の障害とともに生きることを強いられる。

　失語症者は環境や場面によって，動作が「できるとき」と「できないとき」，「話せるとき」と「話せないとき」があり，能力に変動がある。そのため，作業療法士は対象者を正しく理解できるよう，あらゆる場面を観察評価するとともに，家族からの情報収集で病前の性格を考慮し，対象者が潜在能力を発揮しやすい環境を作る必要がある。また，一般的に失語症者は

障害を自覚していることもあり，心理・社会面に配慮した適切な評価と対応を行うことが大切である。

● 評価

失語症の評価には，総合検査として，標準失語症検査（SLTA：standard language test of aphasia），WAB（Western aphasia battery）失語症検査，日常生活場面を想定した実用コミュニケーション能力検査（CADL：communication ADL test）がある（**表13**）。しかし，検査などの緊張する場面や，信頼関係の構築が不十分な状況では，失語症者は潜在能力を発揮できない場合があるため，日常生活場面で潜在能力（できる能力）を評価する必要がある。

表13 失語症の主な検査

検査機能	検査名	検査内容
総合検査	標準失語症検査（SLTA）	26項目の下位検査で構成されており，「聴く」「話す」「読む」「書く」「計算」について評価する
	WAB失語症検査	検査得点からブローカ失語，ウェルニッケ失語，全失語などのタイプ分類ができる
日常のコミュニケーション活動の評価	実用コミュニケーション能力検査（CADL）	買い物や日常のコミュニケーション活動そのものが検査項目となっている。失語症以外のコミュニケーション障害への評価にも応用可能

■ 行為の障害

● 症状

行為の障害は麻痺や不随意運動がないにもかかわらず，「意図的な目的運動」の実現が障害されること[15]であり，失行や運動維持困難，運動無視などが含まれることがある。失行の定義や分類は研究者間で見解が異なるが，ここではLiepmann（リープマン）の分類を紹介する。

リープマン[47]は失行を「運動執行器官に異常がないのに，目的に沿って運動を遂行できない状態である」と定義し，

①観念失行
②観念運動失行
③肢節運動失行

に分類した。以下，リープマンの分類について，山鳥[48]・河村[49]の説明を参考にしてまとめた概要を**表14**に示す。

表14 失行の分類

分類	定義	症状	言動
観念失行	左頭頂後頭葉に局在している運動に関する観念企図の障害	日常慣用の物品の使用障害	「マッチとろうそくを使ってろうそくに火をつける」などの系列動作で，対象や順序，道具の取り違えがある
観念運動失行	中心領域に存在する肢節の運動記憶心象と，視覚・聴覚・触覚など大脳のほかの諸領域とが関連する障害	言語命令を媒介として喚起可能な種類の社会的習慣性の高い客体を使わない運動行為の意図性実現が困難	「さようならの動作をしなさい」などの単純な行為や，「櫛で髪をとかすまねをする」などの口頭指示への反応や模倣ができない。実際の生活場面での「さようならの動作」や物品使用は可能
肢節運動失行	中心領域にある運動記憶心象の障害	熟練しているはずの運動行為が拙劣化している状態	ボタンをはめる，本をめくるなどの動作が拙劣になる

● 評価

　失行の検査では，標準高次動作性検査（SPTA）が用いられる。標準高次動作性検査は13項目からなり，顔面動作，物品を使う顔面動作，上肢習慣的動作，上肢手指構成模倣，上肢客体のない動作，上肢連続的動作，上肢・着衣動作，上肢・物品を使う動作，系列動作，下肢・物品を使う動作，上肢・描画（自発・模倣），積み木構成の項目を，口頭命令と模倣などで評価する。**失行の対象者は，検査場面よりも日常生活場面のほうが，障害が現れにくいことがある**。そのため，検査場面のみで障害を判断し介入を始めずに，日常生活場面の観察から，生活上に現れている症状についても確認し，失行症状に介入の必要性があるか検討する必要がある。

■ **遂行機能障害**
● 症状

　遂行機能とは，

①意志（volition）
②企画（planning）
③目的的行動（purposive action）
④効果的履行（effective performance）

の4つの機能からなり[50]，言語や記憶などの個々の要素を統合ないしは制御することにより働く[29]。遂行機能障害では個々の機能の情報の受容，処理，操作などの障害はないが，それらの情報が複数になり情報の組織化が必要な場合に問題が生じ，社会的に適応行動をとることが困難になる[7]。概念またはセットの転換が困難で，柔軟な思考ができなくなるなどの症状がみられる。

● 評価

　遂行機能障害は，実生活のなかでは見出されたとしても，検査室などの

図12 日本版BADSの一部

実際の器具や迷路などを用いてさまざまな状況での問題解決能力を検査する。

構造化された条件下では，症状が見えにくく[50]，机上の神経心理学的検査では検出できないとの報告も多い[51, 52]。日本版「遂行機能障害症候群の行動評価（BADS：behavioural assessment of the dysexecutive syndrome）」に含まれる（図12），「遂行機能障害質問表（DEX：dysexecutive questionnaire）」などの行動評価表[53]の項目を行動特徴として理解するとともに，ハノイの塔[54]やTinker Toyテスト[55]などのプランニングを伴う行動検査と併用して用いると症状の把握に役立つと思われる。

検査として用いられるものの一部を**表15**に示す。しかし，遂行機能障害は，検査場面では現れにくいことから，実際の生活のなかでどのような障害があるのかをとらえることが大切である。

表15 遂行機能障害に対する主な検査

検査機能	検査名	検査内容
包括的検査	BADS（behavioural assessment of the dysexecutive syndrome）	①規則変更検査，②行動計画検査，③鍵探し検査，④時間判断検査，⑤動物園地図検査，⑥修正6要素検査，の6つの検査と1つの質問紙からなる
概念ないしセットの転換	WCST（Wisconsin card sorting test）	4枚の刺激カードと64枚の反応カードを用いて，抽象的類推力と色，形，個数などの概念の変換能力をみる
語の流暢性	verbal fluency	動物や野菜の名前や，ある文字で始まる言葉をできるだけ挙げるように求める
反応拮抗，抑制など	modified Stroop test	色名を表す単語がそれとは異なる色のインクで印刷されているときに，その単語を読むのではなくインクの色を答えさせる
行動評価	the dysexecutive questionnaire（DEX）	遂行機能障害にて生じることが多い4領域20項目からなる質問表。「本人用」と「家族・介護者用」の2バージョンがある[53]
質問紙評価	the frontal assessment battery（FAB）	前頭葉機能のスクリーニング検査。①類似性（概念化），②語の流暢性（心の柔軟性），③運動系列（運動プログラミング），④葛藤指示（干渉刺激に対する敏感さ），⑤GO/NO-GO課題（抑制コントロール），⑥把握行動（環境に対する被影響性）の6カテゴリからなる[56, 57]
質問紙評価	frontal behavioral inventory（FBI）	Kerteszら（1997）により作成された前頭葉性行動質問紙。介護者（家族等）による自記式の質問紙で，日常生活上の障害に関する24項目の質問で構成されている[58]
プランニング	ハノイの塔	大きさの異なる円盤と3本のペグからなる。移動ルールに従って円盤を持ち上げ，異なるペグへ移動する課題。移動のルールは，①一度に1枚の円盤のみを移動させること，②小さい円盤の上にそれより大きな円盤をのせてはいけない，③円盤をペグ以外の所において他の円盤を移動してはいけない，の3つである[54]
プランニング	ティンカートイテスト	Lezak MDが開発した行動検査。50個の部品を自由に組み立てる課題で，非構造的な自由構成課題。完成作品を点数化して定量化した評価が可能である。発散的思考を問い，復職成績と相関を示す[55]

5 高次脳機能障害の評価手順

高次脳機能障害の評価手順は，基本的には身体障害の評価手順同様，①情報収集，②観察，③検査，④解釈，⑤目標設定で構成される（**表16**）。

本項では，主要症状とともに，観察の視点や種々の検査について紹介した。紹介した検査は，障害された機能を検出し，観察で得られた生活障害を裏づけるのに重要な役割を果たすものの，検査に疲労を伴うというデメリットも含んでいる。そのため，対象者の心理的な負担が過度にならないように注意しながら検査を進める必要がある。また，検査を選択する際には，障害された機能を適切に検出できる性能があるかどうか，例えば用いる感覚情報は視覚なのか聴覚なのかを事前に調査し，必要な検査のみを行うようにして対象者の心理的な負担が少なくて済むよう配慮する必要がある。

作業療法場面で遭遇する対象者は，前述の主要症状が重複して現れることが多い。作業療法士が高次脳機能障害の対象者に介入するためには，**日常生活のなかで「できない」ことを評価するだけでなく「できる」能力を評価する必要がある**。「できる」能力を利用し，「できない」こともしくは苦手なことが表在化するのを少しでも防ぐことができれば，生活障害が軽減できる可能性がある。

表16 高次脳機能障害の評価手順

①情報収集	病歴や画像所見を把握し，脳画像から予測される高次脳機能障害を把握すると，評価が進めやすくなる。また，生活歴の調査から，生活・復職にあたり，獲得すべき能力などを予測しておくことが望ましい
②観察	対象者の日常生活から問題となる行動をとらえることで，生活障害を明らかにしておく必要がある
③検査	障害された機能的側面を詳細に評価する
④解釈	「②観察」で得られた生活上の困難さと「③検査」結果とを結びつけて解釈し，目標設定へ結びつける
⑤目標設定	その人の生活や期待されている役割と④認知機能の解釈結果を考慮し，目標を設定する

【引用文献】
1) Paolucci S, et al.：Predicting stroke inpatient rehabilitation outcome: the prominent role of neuropsychological disorders. Eur Neurol, 36(6)：385-390, 1996.
2) Faul M, Coronado V：Epidemiology of traumatic brain injury. Handb Clin Neurol 127：3-13, 2015.
3) Mysiw WJ, et al.：Prospective cognitive assessment of stroke patients before inpatient rehabilitation. The relationship of the Neurobehavioral Cognitive Status Examination to functional improvement. Am J Phys Med Rehabil, 68(4)：168-171, 1989.
4) Skidmore ER, et al.：Cognitive and affective predictors of rehabilitation participation after stroke. Arch Phys Med Rehabil, 91(2)：203-207, 2010.
5) Pohjasvaara T, et al.：Correlates of dependent living 3 months after ischemic stroke. Cerebrovasc Dis, 8(5)：259-266, 1998.
6) 鎌倉矩子，本多留美：高次脳機能障害の作業療法，三輪書店，2010.
7) 森　悦郎：高次脳機能障害の症状．精神医学, 52(10)：951-956, 2010.
8) 中島八十一：高次脳機能障害の実態と施策．精神医学, 52(10)：957-966, 2010.
9) 原　寛美：高次脳機能障害ポケットマニュアル 第3版，医歯薬出版，2015.
10) Mihai DD：Neurosurgery and Acquired Brain Injury, p4-17, Springer Science+Business Media, 2007.
11) Taylor CA, et al.：Traumatic brain injury-related emergency department visits,

hospitalizations, and deaths — United States, 2007 and 2013. MMWR Surveill Summ, 66(9) : 1-16, 2002.
12) Miller MA, et al. : Congenital and acquired brain injury. 3. Rehabilitation interventions: cognitive, behavioral, and community reentry. Arch Phys Med Rehabil, 84(3 Suppl 1) : S12-S17, 2003.
13) 国立障害者リハビリテーションセンター：高次脳機能障害者支援の手引き（改訂第2版），p2-6，2008.
14) Jehkonen M, et al. : Unawareness of deficits after right hemisphere stroke: double-dissociations of anosognosias. Acta Neural Scand, 102(6) : 378-384, 2000.
15) 山鳥　重，ほか：高次脳機能障害マエストロシリーズ1，医歯薬出版，2007.
16) 立神粧子：前頭葉機能不全その先の戦略，医学書院，p54-60，2010.
17) 立神粧子：－ニューヨーク大学医療センター・ラスク研究所における脳損傷者通院プログラム－「脳損傷者通院プログラム」における前頭葉障害の定義（前編）．総合リハビリテーション，34(5) : 487-492，2006.
18) 立神粧子：－ニューヨーク大学医療センター・ラスク研究所における脳損傷者通院プログラム－「脳損傷者通院プログラム」における前頭葉障害の定義（後編）．総合リハビリテーション，34(6) : 601-604，2006.
19) 岩崎也生子，ほか：高次脳機能障害患者の日常生活場面に見られる困難さについての予備的研究～行動観察より～．埼玉作業療法，12号：11-19，2013.
20) 苧阪直行：注意と意識．岩波講座　認知科学9/注意と意識，岩波書店，p1-25，1994.
21) 佐野圭司，ほか：軽度意識障害の評価方法に関する統計的研究－評価尺度の妥当性および簡便実用尺度の検討．神経研究の進歩，26(4) : 800-814，1982.
22) 加藤伸司：改訂長谷川式簡易知能評価スケール（HDS-R）の実施法と臨床的有用性（解説/特集）．老年精神医学雑誌，29(11) : 1138-1144，2018.
23) 杉下守弘，ほか：MMSE-J（精神状態短時間検査－日本版）原法の妥当性と信頼性．認知神経科学，20(2) : 91-110，2018.
24) Fujiwara Y: Brief screening tool for mild cognitive impairment in older Japanese: validation of the Japanese version of the Montreal Cognitive Assessment. Geriatr Gerontol Int, 10(3) : 225-232, 2010.
25) 打和華子：軽度認知障害における継時的アセスメントツールとしての日本語版 Montreal Cognitive Assessment－Mini-Mental State Examinationと比較して－．久留米大学心理学研究，10号：95-103，2011.
26) 杉下守弘：日本版レーヴン色彩マトリックス検査手引き．日本文化科学社，1993.
27) Kohs SC 原著，大脇義一 編：コース立方体組み合わせテスト使用手引き改訂新版，三京房，2016.
28) Parasuraman R : The attentive brain: Issues and prospects. The Attentive Brain, p3-16. The MIT Press. 2000.
29) 加藤元一郎：高次脳機能障害の注意障害と遂行機能障害．精神医学，52(10) : 967-976，2010.
30) Ponsford J, Kinsella G : The use of a rating scale of attentional behaviour. Neuropsychol Rehabil, 1(4) : 241-257, 1991.
31) 一般社団法人　日本高次脳機能障害学会Brain Function Test委員会：TMT-J Trail Making Test 日本版（マニュアル），新興医学出版社，2019.
32) 加藤元一郎：標準注意検査法（CAT）と標準意欲評価法（CAS）の開発とその経過．高次脳機能研究，26(3) : 76-85，2006.
33) Heilman MK, Valenstein E: Mechanisms underlying hemispatial neglect. Ann Neurol, 5(2) : 166-170, 1979.
34) Hillis AE, et al.: Anatomy of spatial attention: insights from perfusion imaging and hemispatial neglect in acute stroke. J Neurosci 25(12) : 3161-3167, 2005.
35) 太田久晶：高次脳機能障害マエストロシリーズ3，p62-68，医歯薬出版，2006.
36) 鈴木匡子：注意障害の不思議．神経心理学，35(2) : 70-76，2019.
37) Azouvi P : Behavioral assessment of unilateral neglect: study of the psychometric properties of the Catherine Bergego Scale. Arch Phys Med Rehabil, 84(1) : 51-57, 2003.
38) 前田真治：半側空間無視．高次脳機能研究，28(2) : 86-95，2008.
39) 石合純夫（BIT 日本版作製委員会代表）：BIT 行動性無視検査日本版，新興医学出版社，1999.
40) 三村　将：「CLINICAL REHABILITATION」別冊　高次脳機能障害のリハビリテーション Ver 2, p38-44，医歯薬出版，2004.
41) Squire LR, Zola-Morgan S : The medial temporal lobe memory system. Science, 253(5026) : 1380-1386, 1991.
42) Baddeley A : Working Memory. Science, 255(5044) : 556-559, 1992.
43) Tulving E, Thomson DM : Encoding specificity and retrieval processes in

episodic memory. Psychol Rev, 80(5)：352-375，1973.
44) Benton AL(原版著者)，高橋剛夫(日本語版作成)：BVRT ベントン視覚記銘検査使用手引(新訂版). 三京房，2010.
45) Frederiks JAM：The agnosias. Disorders of perceptual recognition. Vinken PJ, Bruyn GW (eds). Handbook of Clinical Neurology Vol.4, p35-39, North Holland Publishing，1969.
46) 立石雅子：失語症のある人のための意思疎通支援. 保健医療科学, 66(5): 512-522, 2017.
47) Liepmann H：Ueber Störungen des Handelns bei Gehirnkranken, Karger, 1905.
48) 山鳥　重：失行の神経機構. Brain and Nerve 脳と神経, 48(11)：991-998，1996.
49) 河村　満：失行・失認の捉え方の変遷. 作業療法ジャーナル, 23(3)：182-188，1989.
50) Lezak MD：Neuropsyological Assessment 4th ed, Oxford University Press, 2004.
51) Lezak MD：The problem of assessing executive functions. Int J Psychol, 17：281-297，1982.
52) Chan RCK, et al.：Assessment of executive functions: review of instruments and identification of critical issues. Arch Clin Neuropsychol 23(2)：201-216，2008.
53) 斎藤文恵，ほか：BADS遂行機能障害症候群の行動評価 日本版. 老年精神医学雑誌, 31(6)：620-627，2020.
54) Humes GE, et al.：Towers of Hanoi and London: Reliability and validity of two executive function tasks. Assessment, 4(3)：249-257，1997.
55) Lambert M, et al.：Assessment of executive function using the Tinkertoy test. Behav Pharmacol, 29(8)：709-715，2018.
56) Dubois B: The FAB: a Frontal Assessment Battery at bedside. Neurology，55(11)：1621-1626，2000.
57) 仲秋秀太郎，ほか：Frontal Assessment Battery(FAB)の有用性. 老年精神医学雑誌, 29(11)：1167-1174，2018.
58) 松井三枝，ほか：日本版前頭葉性行動質問紙Frontal Behavioral Inventory(FBI)の作成. 高次脳機能研究, 28(4)：373-382，2008.

✓ チェックテスト

Q
① 高次脳機能障害について作業療法士が知る意義は何か（☞p.175）。 [臨床]
② 高次脳機能障害の対象者の特徴は何か（☞p.177～178）。 [臨床]
③ 意識の測定に用いられる検査は何か（☞p.180）。 [臨床]
④ スクリーニング検査に用いられる検査は何か（☞p.180～181）。 [臨床]
⑤ 注意機能のコンポーネントは何か（☞p.182）。 [臨床]
⑥ 半側空間無視の測定に用いられる検査は何か（☞p.184～185）。 [臨床]
⑦ 言語性の記憶を測定する検査は何か（☞p.186～187）。 [臨床]
⑧ 遂行機能障害を評価する際の注意点は何か（☞p.190～191）。 [臨床]

作業療法の対象

6 地域作業療法

安永雅美

> **Outline**
> - 地域作業療法，地域リハビリテーションとはどのようなものか理解する。
> - 地域作業療法，地域リハビリテーションにかかわる法律の変遷について理解する。
> - 住み慣れた地域での生き生きとした生活を支援するための地域作業療法の取り組みを理解する。

1 地域作業療法の定義

地域作業療法とその対象について，まずは言葉の定義から考えてみよう。

> 「地域作業療法とは，**地域住民のうち，家庭生活・地域生活・職業生活などにおける作業行動に不自由**があってそのために生活課題の遂行に支障をきたす，あるいはそのおそれがある人に対して（対象），作業行動の自立促進の立場から治療訓練指導援助することによって（手段），人としての**生活再建・再構築**を行い，**人生課題**を尊厳をもって**主体的**に遂行するよう（目標），支援することである」[1]
>
> 「地域作業療法とは，**地域で暮らす人々**が，さまざまな生活上の障害をもった場合に，**生活の再構築**のため，**本人および家族**に対して助言・支援・指導を行い，彼らにとって住みやすい地域づくりをすることである」[2]

> **補足**
> - **地域作業療法の対象者**：作業行動の不自由さや生活上の障害がある地域で暮らしている人々とその家族
> - **目的**：彼らにとって住みやすい地域づくりをする。

地域作業療法の対象について，「地域住民のうち，作業行動に不自由があってそのために生活課題の遂行に支障をきたすあるいはそのおそれがある人」，「地域で暮らす人々が，さまざまな生活上の障害をもった場合，本人および家族に対して」と，述べられている。どのような障害であっても，どのような疾患でも，どのような年齢の人でも，作業療法の対象となるということである（図1，2）。

2 地域リハビリテーションの定義

作業療法士はほかの職種の人たちと協業してリハビリテーションを行う。地域のリハビリテーションという観点から，どのように定義されているのかみてみよう。

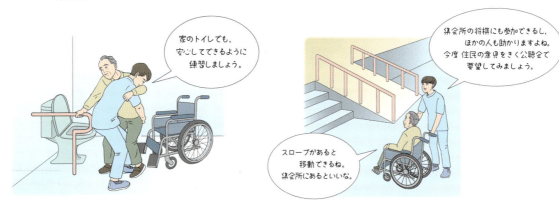

図1 個人に対して、その人が住んでいる地域で生活の再構築を目指して行われる作業療法

図2 住みやすい地域づくりをするために地域に対して行う作業療法

> 「地域リハビリテーションとは、**障害のある人々や高齢者及びその家族が**住み慣れたところで、そこに住む人々とともに、**一生安全に、いきいきとした生活が送れる**よう、医療や保健、福祉および生活にかかわる**あらゆる人々や機関・組織がリハビリテーションの立場から協力し合って行う**行動のすべてを言う」[3]

◯補足

地域リハビリテーションの対象者
障害のある人々や高齢者およびその家族

3 地域作業療法、地域リハビリテーションの歴史

では、このような地域作業療法や地域リハビリテーションの考え方はどのように起こってきたのか、思想や法律を整理しながら振り返ってみよう（**表1**）。

表1 地域作業療法、地域リハビリテーションと関連する法律の変遷

日 本	世 界
1947「児童福祉法」制定 児童相談所の設置、18歳未満の児童の福祉に関する法律	**1948**「世界人権宣言」 国際連合がすべての人は生命、自由、身体の安全に関する権利を有し、差別のない平等な保護を受ける権利があると述べた
1949「身体障害者福祉法」制定 戦争により障害が残った傷痍軍人に対する援助が主な目的であった（p.68参照）	**1953**「ノーマライゼーション」 デンマークのMikkelsen（ミケルセン）が、「障害者が障害のない市民と同じ生活条件で人間として普通の暮らしを送れるような社会へ変革しよう、障害者を排除し差別する社会ではなく、市民と対等かつ平等に暮らせる社会へ変革しよう」、と提唱した
1950「精神衛生法」 後に「精神保健法」に改名。精神障害者への適切な医療・保健の提供、国民の精神的健康の向上が目的であった	
1960「身体障害者雇用促進法」	

（次ページへ続く）

表1の続き

日本	世界
1960　「精神薄弱者福祉法」 後に「知的障害者福祉法」に改名。知的障害者の自立と社会経済活動への参加促進が目的であった	**1959　「児童権利宣言」** 障害児が必要とする治療，教育，保護の提供の原則を明確にした
1963　「老人福祉法」 特別養護老人ホームを規定するなど，高齢者に対する総合的な福祉を推進した。福祉サービスを利用する際には，自治体による認定を受ける必要があり，サービス内容も決められていた。サービス利用料は自治体が負担していた	**1970年代初期　「Independent Living（IL）」** アメリカで始まった障害者自立生活運動で，障害者自身がリハビリテーションプログラムに対する自己決定権をもち，自らがリハビリテーションを進めていくという考え方を打ち出した
1970　「心身障害者対策基本法」 障害者の自立および社会参加の支援を目的として策定された	**1971　「知的障害者の権利宣言」** 知的障害者が適切な医療や教育およびリハビリテーションを受ける権利を有すること，相当な生活水準を享受し，職業を選択できる権利，就労する権利，家族・里親と共生する権利，公的扶助の受給権を有することを明確にした
1973　「老人福祉法」改定 老人医療費を無料とする**老人医療費支給制度**が導入された。その後，医療機関への**社会的入院増加**や**寝たきり老人**の問題が目立つようになってくる	

社会的入院：医療が必要ではなくても介護者がいないなどの社会的な理由で入院している状態のこと

寝たきり老人：1人では動けずに，ただ寝ているだけになってしまい，心身機能を使わずにいるため，ますます機能低下を起こした状態の高齢者のこと

日本	世界
1974年2月「理学療法と作業療法」[4]には訪問指導とその問題点として特集が組まれ，1975年10月にはホームプログラムの特集が組まれている[5] 1974年の第8回日本作業療法士協会では住宅改修に関する分科会が行われ，さらに1976年の第10回学会では寝たきり老人訪問の経過が報告され，以降，在宅訪問の演題も増えてきた 1975年「高知学園短期大学紀要」[6]に高齢片麻痺患者の在宅訓練の内容について述べられている	**1975　「障害者の権利に関する宣言」** 第30回国連総会で決議された。障害者とは「先天的か否かにかかわらず，身体的または精神的能力の不全のために，通常の個人または社会生活に必要なことを確保することが，自分自身では完全または部分的にできない人」と定義し，自立生活を行うための援助を受ける権利，経済・社会計画の各段階で考慮される権利，相応の生活を送る権利などを提唱した
1976　「身体障害者雇用促進法」改正 身体障害者の雇用を義務化した	
	1979　「国際障害者年行動計画」 第34回国連総会で決議され，国連は加盟国に対して行動計画の策定を勧告した
	1981　「国際障害者年」 テーマを「完全参加と平等」とした
1982　「老人保健法」 高齢者の健康保持や適切な医療の確保のために疾病の予防，治療，機能訓練などの保健事業を総合的に実施することを目的として策定された。**老人医療費支給制度を廃止，高齢者も一部の医療費を負担する**。機能訓練事業，訪問指導事業，老人医療費は国，自治体，医療保険者が共同で担う。40歳以降からの健康づくりや疾病予防の考え方が示された	**1981　「CBR〈Community Based Rehabilitation〉」**[*1] 開発途上国において，「**障害者自身**，その**家族**，そして，**地域住民全体を資源とする**リハビリテーション」という思想が起こった
1982　「障害者対策に関する長期計画」	

介護老人保健施設の役割：
在宅復帰の支援や，在宅生活を続けるための各種医療・看護・介護・リハビリテーションサービスの提供を行う

作業療法の対象

（次ページへ続く）

表1の続き

日本	世界
1987 「老人保健法」改正 老人保健施設（現在の介護老人保健施設）が規定された	入院の際には，本人の同意に基づく任意入院という制度が規定され，入院前に権利などを説明される権利，入院の必要性や妥当性を審査する制度が盛り込まれた
1987 「精神保健法」 国民の精神的健康の保持増進を図ることを目的として，「精神衛生法」を改定した．入院に関する配慮，社会復帰の促進を図るための制度も規定された	精神障害者社会復帰施設，精神障害者生活訓練施設を整備するよう規定された．さらに，雇用されることの困難な精神障害者が自活できるように訓練などを行う精神障害者授産施設に関する規定がされた
1987 「障害者の雇用の促進等に関する法律（障害者雇用促進法）」 身体障害者だけでなく，知的障害者も雇用促進の適用対象者になることを明記した	
1989 「福祉用具の研究開発及び普及の促進に関する法律」「高齢者保健福祉推進10カ年戦略 ゴールドプラン」 ホームヘルパーやショートステイなどの対策や保健士，看護師の計画的配置などの具体的数値目標を挙げた	ショートステイ：施設に期間限定で入所し，介護や機能訓練を受けることができる
1989 「地域における医療および介護の総合的な確保の促進に関する法律（医療介護総合確保法）」	地域ケアシステム*2 という概念を提唱した
1990 「老人福祉法」，「身体障害者福祉法」，「知的障害者福祉法」，「児童福祉法」，「老人保健法」等の改正 在宅の福祉を重視した．福祉サービスは**市町村**が担うこととなり，市町村は**老人保健福祉計画の策定**を義務付けられた．寝たきり患者，認知症患者，障害児たちのサービス利用状況のニーズなどを調査した	**1990 「ADA〈Americans with Disabilities Act〉法：障害を持つアメリカ人法」** アメリカに住む障害のある人たちに対して社会に参加する権利を保障し，そのために必要なホテル，レストラン，劇場，スポーツ施設や官庁などの公共施設，商業施設，飛行場，地下鉄，バスなどの交通機関を，障害の程度にかかわらず利用できるよう整備することを義務付けた．さらに，障害を理由に雇用や教育において差別することを禁じた
1993 「障害者基本法」「障害者対策に関する新長期計画」 精神障害者も対象として明確に位置付けられた．「社会を構成する一員として社会，経済，文化その他あらゆる分野の活動に参加する機会を与えられる」という理念を掲げた．国民の理解を深めるため12月9日を「障害者の日」とし，国は「障害者基本計画」を，都道府県・市町村は「障害者計画」を策定するよう努め，政府は毎年障害者施策に関する報告書を国会に提出することとなった	**1991 「精神疾患を有する者の保護及びメンタルヘルスケアの改善のための諸原則」** 国連総会において精神障害者に対し人権に配慮された医療を提供するとともに，その社会参加・社会復帰の促進を図ることなどが盛り込まれた宣言が採択された **1993 「アジア太平洋障害者の十年」採択**
1994 「新・高齢者保健福祉推進10カ年戦略 新ゴールドプラン」	**1994 「CBR〈community based rehabilitation〉」新定義** 1980年代に発展途上国で考えられていた「地域に根ざしたリハビリテーション」という概念を先進国にも通じる概念として，WHOとILO，ユネスコが共同で「CBRとは，**障害のあるすべての人々のリハビリテーション機会の均等**化そして社会への統合を進めるための方法であり，CBRは**障害のある人々とその家族，地域**，さらに適切な保健，教育，職業および**福祉サービスが統合された形で実践される**ものである」と新たに定義した

*1 CBR（community based rehabilitation）
地域に根ざしたリハビリテーションという概念．すべてをリハビリテーションの資源ととらえ，人が社会に統合して生きていけるようにリハビリテーションを進めていくことを目指す．

（次ページへ続く）

表1の続き

日 本	世 界
1995 「精神保健及び精神障害者の福祉に関する法律」改正 精神保健法を改正し，「医療及び保護」「社会復帰の促進」「国民の精神的健康の保持増進」に加え，「自立と社会参加の促進のための援助」という福祉の要素を盛り込んだ。精神保健センター，地方精神保健審議会，精神保健相談員に福祉の業務を加えた。**精神障害者保健福祉手帳**の制度を創設した	**1994 「サマランカ宣言」採択** 「万人のための学校」－すべての人を含み，個人主義を尊重し，学習を支援し，個別のニーズに対応する施設に向けた活動の必要性の認識を表明していた。万人のための教育を達成し，学校を教育的により効果的なものとすることを目指した。
1995 「障害者プラン-ノーマライゼーション7カ年戦略」	身体障害者には，身体障害者福祉法で規定されている身体障害者手帳があり，この手帳を所持することで，福祉機器の交付や公共交通機関の割引，税の優遇など，福祉サービスが受けられる。知的障害児・者には，療育手帳があったが，これまで精神障害者の手帳は存在していなかった
1999 「介護保険法」制定 福祉による政策（受け取るサービス内容を利用者は選べない）から，**社会保険方式**（利用者は保険料や利用料を支払うけれどもサービス内容を選べる）になった。40歳から保険料の支払い義務が生じ，加齢に伴う疾患であれば45歳からサービスを利用できる	
2000 「身体障害者福祉法」，「知的障害者福祉法」，「児童福祉法」改正 **サービス提供者との契約**によりサービスを利用するようになり，利用者側も費用を負担するようになった	サービスの提供方法も行政が税金を用いて公共機関がサービス内容を決定する措置制度から，契約という自己決定へと変わった。サービス内容を選ぶ権利を得ると同時に自己負担という義務も発生するようになっている
2001 「身体障害者補助犬法」成立 **2003 「重点施策実施5カ年計画（新障害者プラン）」** 7つの視点に基づいてプランを策定した **2003 「発達障害者支援法」成立**	7つの視点： ・地域でともに生活するために ・社会的自立を促進するために ・バリアフリー化を促進するために ・生活の質（QOL）の向上をめざして ・安全な暮らしを確保するために ・心のバリアを取り除くために ・わが国にふさわしい国際協力・国際交流を
2004 「障害者基本法」改正 障害者差別の禁止を盛り込む	**2002 「第2次アジア太平洋障害者の十年」採択**
2005 「障害者自立支援法」制定 これまでは身体障害，知的障害，精神障害それぞれ種別ごとに異なる福祉サービスであったが，**同じ基準でサービスを支給**できるようになった。サービス利用のための評価基準も統一し，**利用に応じてサービス利用者に負担を求めた**	新たに介護予防という考え方が加わった。介護予防事業に携わる作業療法士の報告が行われるようになってきた
2006 「介護保険法」改正 **2006 「高齢者・身体障害者などの公共交通機関を利用した移動の円滑化の促進に関する法律（新バリアフリー法）」** 1994年の「高齢者，身体障害者等が円滑に利用できる特定建築物の建築の促進に関する法律（ハートビル法）」と2000年の「高齢者，身体障害者等の公共交通機関を利用した移動の円滑化の促進に関する法律（交通バリアフリー法）」を統合した **2006 「障害者の権利に関する条約」署名**	**2006 国連にて「障害者の権利に関する条約」採択** 障害者の人権及び基本的自由の享有を確保し，障害者の固有の尊厳の尊重を促進することを目的として制定された。障害に基づくあらゆる差別を禁止し，障害者が社会に参加し，包容されることを促進すること，それらを実現するために条約の実施を監視する枠組みを設置することなどを掲げている。

（次ページへ続く）

表1の続き

	日本	世界
2007	「住宅確保要配慮者に対する賃貸住宅の供給の促進に関する法律(住宅セーフティネット法)」成立	
2008	「高齢者の医療の確保に関する法律(旧老人保健法)」後期高齢者医療費制度が新設された	
2008	「障害者雇用促進法」改正 精神障害も雇用促進の対象になった	
2012	「認知症施策推進5か年計画(オレンジプラン)」	2012 「第3次アジア太平洋障害者の十年」決議の採択
2013	「持続可能な社会保障制度の確立を図るための改革の推進に関する法律」 「障害者自立支援法」を改正し、「障害者の日常生活及び社会生活を総合的に支援するための法律(障害者総合支援法)」施行 「障害者差別解消法」制定 「障害者雇用促進法」改正	
2014	「地域における医療および介護の総合的な確保を推進するための関係法律の整備等に関する法律(医療介護総合確保推進法)」	
2016	「障害者差別解消法」施行 「認知症施策推進総合戦略(新オレンジプラン)」 「介護予防・日常生活支援総合事業の適切かつ有効な実施を図るための指針」	
2017	「地域包括ケアシステムの強化のための介護保険法等の一部を改正する法律」 「社会福祉法に基づく市町村における包括的な支援体制の整備に関する指針」	
2017	「住宅セーフティネット法」改正法施行	
2018	「社会福祉法に基づく市町村における包括的な支援体制の整備に関する指針」 「介護保険事業に係る保険給付の円滑な実施を確保するための基本的な指針」	

吹き出し注記:
- （2012 オレンジプラン）認知症の早期診断と対応，地域での生活を支える医療・介護サービスの構築や家族支援の強化を掲げた
- （2013 障害者総合支援法）難病者も支援対象に含めることとなった。障害者自立支援法では，サービス利用のための基準を「障害程度区分」と表現していたが，障害者総合支援法では「障害支援区分」と表現している
- （2014 医療介護総合確保推進法）効率的で質の高い医療提供体制の構築と地域包括ケアシステムの構築を掲げた
- （2016 新オレンジプラン）認知症の人の意思が尊重され，できる限り住み慣れた地域のよい環境で自分らしく暮らし続けることができる社会の実現を目指した
- （2016 介護予防・日常生活支援総合事業指針）介護保険法に規定する介護予防・日常生活支援総合事業を，市町村が中心となって，効率的な支援等を可能とするよう指針を示した
- （2017 社会福祉法指針）市町村は，地域生活課題の解決に資する支援が包括的に提供される体制を整備するよう努めるものとされた
- （2018 指針）市町村および都道府県は，介護保険法の基本的理念を踏まえ，介護給付等対象サービスを提供する体制の確保および地域支援事業の実施を図り，地域の実情に応じて，地域包括ケアシステムの構築に努めるよう指針を提示した

(文献4を参考に作成)

> **＊2 地域ケアシステム**
> 高齢者の尊厳の保持と自立生活の支援の目的のもとで，可能な限り住み慣れた地域で生活を継続することができるような包括的な支援・サービス提供の体制の構築を目指す。「介護」「医療」「予防」「すまいとすまい方」「生活支援・福祉サービス」「本人・家族の選択と心構え」をシステムの構成要素の柱としている（平成25年3月地域包括ケア研究会報告書[8]）(p.360参照)。

　世界の動きや社会情勢，思想の変化に伴って，法律が新しく作られたり，改正されたりしている。

　日本でも，病院への長期入院や施設での生活ではなく，地域での生活が行えるようにさまざまな法律やサービスが作られてきている。

　これまで，身体障害，知的障害，精神障害，高齢者に対する医療や福祉はそれぞれ異なる法が規定されていた。しかし，不平等がないように統一

の基準，サービスを提供できるように変化してきている。

リハビリテーションや作業療法の学会や雑誌にも，社会のニーズや法律の変化に合わせて，さまざまな取り組みについて報告[5-7]がされるようになった．近年では，高齢者の介護予防事業などにも作業療法士が参加しており，その取り組みが学会でも報告されている．また，一般社団法人日本作業療法士協会では，高齢者が継続を望んでいる生活行為に焦点を当てた支援方法を開発し提案している[9]。

われわれ作業療法士は，自らの専門性を高め，知識を深め，社会の変遷やニーズの変化に合わせて自分たちは何ができるのか，これからも模索していくだろう．

> アクティブラーニング ① 自分の住んでいる地域のサービスを調べてみよう．

4 地域で働く作業療法士

今，作業療法士はどのようなところで働いているのだろうか？

2015年度の作業療法白書[10]では，病院や診療所などの医療法関連施設に勤めている作業療法士が最も多いと報告されている．

ほかには，

- 高齢者医療確保法関連施設(介護老人保健施設，老人訪問看護ステーションなど)
- 老人福祉法関連施設(特別養護老人ホーム，老人デイサービスセンターなど)
- 児童福祉法関連施設(心身障害児総合通園センター，児童福祉施設など)
- 精神保健福祉法関連施設(精神障害者社会復帰施設，精神保健福祉センターなど)
- 障害者総合支援法関連施設
- 特別支援学校
- 保健所

などである．

作業療法士は，地域で生活する人々を支援するさまざまな施設で働いている．このような施設を利用する人々はみな，障害も疾患も年齢も異なる．当然，利用者のニーズも異なり，作業療法士の行う業務も異なってくる．

試験対策 Point

障害者自立支援法では，3領域の障害に対して同様の基準(障害程度区分)を決めてサービスを提供できるようになっている．利用者がサービスを選び，サービス利用に対して一部金額を負担する．これまで以上に就労支援に重きを置いている．また，同法は2013年に改定され，障害者総合支援法となった(p.200，表1参照)．

補足

「障害者総合支援法」の特徴

日本では個別の法律でサービスが規定されていたが，統一の基準のサービスが提供されることとなった．サービスを受けるにあたり，サービスを受ける人が自ら選択し，サービスを使った量に応じてサービス使用料を支払う仕組みとなった．医療・介護の視点から，自立支援や予防といった視点に変わってきた．

5 事例でみる地域作業療法

地域で行われている作業療法では多様なサービスが提供されている。具体的なイメージがわきやすいよう，1つの事例を紹介する。

■事例

Aさんは，68歳，女性。脳出血で緊急入院し，病院でリハビリテーションを行っていた。退院して自宅にもどり，夫と娘と一緒に生活し始めた。娘は働いており，夫はすでに退職して自宅にいる時間が長いので，Aさんの介護を行う。退院と同時に，訪問診療，訪問看護，**訪問リハビリテーション**[*3]が開始となった。

Aさんは，**右片麻痺**[*4]で室内移動は**自走にて車椅子使用**[*5]，日常生活動作は食事，**起居**[*6]以外は見守りもしくは一部介助という状態だった。

訪問作業療法の処方箋には，**上肢機能**[*7]訓練，日常生活動作訓練，住宅改修の相談や，家族からの相談対応，趣味活動や生きがい探しに協力するという依頼内容が書かれていた。

実際にこの依頼内容に沿って，作業療法が行われた。Aさんの経過については **Case Study**（p.203）に示す。

退院前に，介護保険を利用して，ベッド，車椅子のレンタルの準備をしておいた。

本人，家族，ケアマネジャー（以下，ケアマネと略す），理学療法士，住宅改修を行う業者と改修内容を相談し，介護保険を利用して自宅を改修し，居室とリビング，トイレ，浴室をすべて平らにして，車椅子でどこへでも行けるようにした。普段は車椅子で室内を移動し，自分で居室内を移動できるため，特に危ないことはない。トイレは一部介助，入浴はシャワーチェアーを利用し，家族の介助により行うことができる。

> **補足　住み慣れた地域での生活を支援するために**
>
> 介護保険制度を利用して，住宅改修の費用負担を軽減したり，車椅子やベッドなどを安く借りることができる。車椅子と一言でいってもさまざまな大きさ・機能のものがあり，使う人，介助する人，使う目的や場所に合わせて選ぶことになる。その際，どのような車椅子がよいか検討するために福祉用具の知識が必要になる。

---

*3 訪問リハビリテーション
患者自身の住んでいる場所で，心や身体の機能の維持や回復を図り，生活が自立できるようにするために行われる。具体的には，理学療法士・作業療法士・言語聴覚士などが自宅に訪問し，住み慣れた環境のなかで，その人に必要な訓練や精神的サポートや相談などを行うことで，よりよい生活を送れるよう支援する。

*4 片麻痺
一側の上下肢に力が入らない，思うように動かせない，感覚がわからない，しびれたりするなどのさまざまな症状が起こる。

*5 自走にて車椅子使用
自分で車椅子をこいで移動できるということ。

*6 起居
寝返りや起き上がりのこと。

*7 上肢機能
目的物に手を伸ばしたり，つかんだり，離したり，物を運んだり，動かしたり，道具を使ったり…など，手で行う運動や機能全般をさす。

作業療法参加型臨床実習に向けて

さまざまな福祉用具がどのように使用されるのかを理解して，実際の臨床場面を見学できると，理解が深まる。また，同じ福祉用具でもその人の機能や使用する環境によって使用方法が変わることもある。基本を理解し，より柔軟に考えられるようになろう。

Case Study

Aさんの経過

❶ Aさんは「やっと家に帰ってきたけど，私がいると夫がまったくどこにも出かけられないの。申し訳ない……。でも1人ではトイレも行けないし，何かあったらどうしようと思って怖いの。」
　夫，本人と相談し，まずは，15～30分ほど，同じ家の中でも夫には離れたところにいて，見守ってもらうようにする。

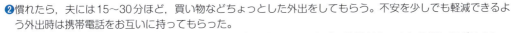

❷ 慣れたら，夫には15～30分ほど，買い物などちょっとした外出をしてもらう。不安を少しでも軽減できるよう外出時は携帯電話をお互いに持ってもらった。
「最初は怖かったけど，テレビを見たり，新聞を読んだりしていれば，時間はあっという間に過ぎるのね。1人でいても怖いことはなかったわ。」

❸さあ，1人でいても短時間なら大丈夫と自信がついた。次はいよいよ，不安がっていたトイレの練習だ。なぜトイレで用をたすのに介助が必要なのだろう？
つかまっていれば，立っていることはできる。でも，自由に使えるはずの左手は，つかまっているのに精一杯で，ズボンや下着の上げ下ろしができない。
壁や手すりに寄りかかって身体を支えていることはできる。手すりに身体全体を預ければ，ズボンを下げることができる。ズボンを下げてから，手すりにつかまり直して，しっかりと便器に座れた。
理学療法でも，立位でのバランス訓練を積極的に行い，トイレ動作の練習を行った。
家族も，ただ介助するだけではなく，できるところはなるべく自分でするように見守ってくれた。

❹今度はズボンと下着を上げる練習だ。ズボンを下げるときと同じように手すりに寄りかかり，ズボンと下着を上げることができた。でも「もしトイレに間に合わなくて，漏らしたらどうしよう」という不安のため，尿とりパッドをしているが，それがリハビリパンツの中でぐちゃぐちゃになってしまい，うまくいかない。尿とりパッドには粘着テープがついていたので，それを利用することにした。
練習していくうちに，1人でトイレ動作ができるようになった。実際の生活のなかでも何度も練習し，朝と寝る前はふらつくことがあるので見守りが必要だが，日中は1人でトイレも行くことができ，長い時間留守番ができるようになった。リハビリパンツから普通の下着に変わり，やがて尿とりパッドも不要となった。

❺「私も，家の中だけではなく，もっと広いところにいって，いろんな人と知り合いたい。私が外に出ていれば，夫にも自由な時間ができるでしょう。」と，デイサービスに通うことを希望した。

❻本人，家族，ケアマネジャー，訪問リハビリ理学療法士と相談し，介護保険を利用して，まずは週に1回デイサービスに通うようになる。下肢装具の着脱練習や，車椅子に荷物を持っていく工夫などを話し合った。

❼デイサービスにも慣れ，ときどきデイサービスで企画される遠足にも行くようになった。
そうするとこれまで体験していなかった，手すりの配置の違うトイレでもできるように練習が必要だと感じた。実際にさまざまな手すりを想定して練習をし，身体を手すりに少し預けることで自分でズボンの上げ下ろしができるようになり，「家やデイサービスで使っている慣れたトイレでなくても，できるんだ」と自信がついてきた。

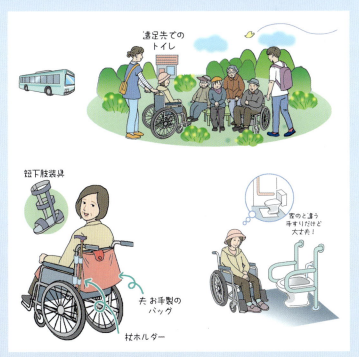

作業療法の対象

❽Aさんは今まで言い出せずにいたが,ずっと考えていたことがあった。トイレにも行けるようになり外出の機会が増えて自信がついたAさんは,「娘さんの結婚式に出たい」という気持ちを打ち明けた。家族も喜び,主治医,訪問リハのスタッフやケアマネジャーと一緒に,事前に何を調べたらいいか,どんなことに注意が必要か確認した。そして会場を下調べして従業員と打ち合わせを行い,Aさんは無事に結婚式と披露宴に出席することができた。

❾外出の回数を増やし,楽しんで行える活動を増やすため,デイケアへ通うことにした。デイケアなら,リハビリテーションも受けられ,さまざまな趣味活動も用意されている。絵手紙やちぎり絵の活動も楽しみ,自分でデイケアに通う曜日や活動を決めたりするようになった。

　さらに,以前のようにお買い物をしたり,お友達と会っておしゃべりをしたい…とやりたいことはどんどん広がっていく。そのためにはどうしたらよいか,例えば,車椅子で行けるお買い物スポットはどこ？トイレの場所の確認は大丈夫？そこまで行くための交通手段は？ということを自分から考えている。

　退院当初は「家族がいなければ何もできない。家から外に出るのは月に1度の外来通院がやっとで,ほかには考えられない」と言っていたAさんは,自分で自分の生活スケジュールを組み立て,やりたいことを選び,介護者である夫に家族の一員としての気づかいをする,というように変わった。

　この項目の冒頭,定義のところに出てきた言葉で表現するなら,

- 自分でしたいことを選ぶ**「いきいきとした生活」**を送れるようになった。
- 自分で生活のスケジュールや行動を決められるようになった。**「主体的に」****「生活の再構築」**が行われた。

と表現できるだろう。

6 おわりに

本項では，地域作業療法の概要と，事例紹介として訪問リハビリテーションで行われた作業療法を紹介した。地域作業療法と一言でいっても，本項目で述べたように，実際には多種多様なサービスが展開されている。以降の各論で学んでほしい。

【引用文献】
1) 日本作業療法士協会 監修：作業療法学全書 地域作業療法学, p92, 協同医書出版社, 2009.
2) 小川恵子 編：標準作業療法学 専門分野 地域作業療法学, p19, 医学書院, 2005.
3) 沢村誠志, ほか 編：これからのリハビリテーションのあり方, p85, 青海社, 2004.
4) 厚生労働省法令等データベースサービス（https://www.mhlw.go.jp/hourei/）(2021年8月時点)
5) 三島博信：地域医療の問題とPT, OTの役割. 理学療法と作業療法, 8(2): 91-113, 1974.
6) 髙橋輝雄, 石川禎子：脳卒中片麻痺患者に対するホームプログラム. 理学療法と作業療法, 9(10): 673-680, 1975.
7) 中屋久長：高齢片麻痺患者(脳卒中後遺症)の在宅訓練とその問題点. 高知学園短期大学紀要 6, 27-30, 1975.
8) 厚生労働省：平成25年3月地域包括ケア研究会報告書. 平成25年3月 地域包括ケア研究会報告書.（https://www.mhlw.go.jp/seisakunitsuite/bunya/hukushi_kaigo/kaigo_koureisha/chiiki-houkatsu/dl/link1-3.pdf）(2021年8月時点)
9) 日本作業療法士協会：平成24年度老人保健健康増進等事業 生活行為向上支援における介護支援専門員と作業療法士との連携効果の検証事業, 2013.
10) 日本作業療法士協会：作業療法白書2015.（https://www.jaot.or.jp/files/page/wp-content/uploads/2010/08/OTwhitepepar2015.pdf）(2021年8月時点)

✓ チェックテスト

Q ①地域作業療法とは何か（☞p.195）基礎。
②CBRとは何か（☞p.198）基礎。
③介護保険とは何か（☞p.199）基礎。

作業療法の対象

7 医療観察法における作業療法

堀田英樹

> **Outline**
> ● 医療観察制度の概要と医療観察の歴史的変遷を把握しておくことが重要である。
> ● 司法精神医療での作業療法の役割は多職種との連携を含め多岐にわたる。

1 医療観察制度の概要（図1, 2）

医療観察制度は，平成15（2003）年7月に成立，平成17（2005）年7月に施行された「心神喪失等の状態で重大な他害行為を行った者の医療及び観察等に関する法律」（以下「医療観察法」とする）に基づいて行われる制度である。

医療観察制度の目的（法第1条第1項）は，心神喪失または心神耗弱の状態[*1]により，重大な他害行為（これを「対象行為」とよぶ）を行った者に対し，継続的で適切な医療および地域の精神保健福祉サービスを基盤とした支援を確保することにより，その病状の改善と行為の再発の防止を図り，社会復帰を促進することである。

*1 **心神喪失と心神耗弱**

刑法39条によると
- 1項　心神喪失者の行為は，罰しない。
- 2項　心神耗弱者の行為は，その刑を軽減する。

とある。

心神喪失とは「責任無能力」を示し，行為の善し悪しや判断がまったくできない状態で，多くの場合，精神障害，知的障害，あるいは酩酊状態などの意識障害が該当する。
一方，心神耗弱とは，「部分責任能力」を示し，行為の善し悪しや判断が著しくつきにくい状態で精神障害，知的障害，意識障害などに多くみられる。
つまり，精神障害のために善悪の区別がつかないなど，刑事責任を問えない状態のことを指す。

補足

重大な他害行為
殺人・放火・強盗・強姦・強制わいせつ・傷害の「6罪種」がこれにあたる。

図1　医療観察制度の流れ

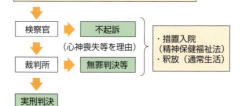

図2 病状に応じた治療プログラムに基づく医療提供

　制度の対象者となる者（以下「対象者」とする）は，**指定入院医療機関**[*2]の**医療観察法病棟**において専門的な治療を受けた後，退院後は地域で生活しながら**指定通院医療機関**[*3]での支援を受ける。安定した生活を原則3年経過すれば，一般の精神保健福祉機関によるサポートを受けつつ社会復帰していくことになる。

■ 医療観察法病棟設置の背景

　従来，心神喪失等の状態で重大な他害行為を行った者に対しては精神保健福祉法での措置入院による処遇が行われていた。措置入院や解除の判断は医師に委ねられていたが，その判断に係る責任は重く，また医療の質も病院によってばらつきが大きく，さらに退院後の医療の継続も困難な状況だった。

　そのような状況のなかで平成13（2001）年に池田小学校事件[*4]が発生し，他害行為と精神障害との関係について社会の関心が高まった。与党，法務省，厚生労働省による法案作成が行われ，医療観察法案が国会に提出された。入院処遇での治療の目的は，病状の改善だけでなく社会復帰を目指すものであり，多職種チームで連携していく必要があった。

＊2　指定入院医療機関

触法精神障害者に対する医療観察法による入院処遇を担当させるため，厚生労働大臣が指定した医療機関である（同法2条4項）。
運営主体は，国，都道府県または特定独立行政法人に限定されている（医療観察法16条）。入院処遇下では精神保健及び精神障害者福祉に関する法律（精神保健福祉法）の入院等に関する規定は適用されない（精神保健福祉法44条2項）。入院期間については，18カ月（1年6カ月）を目標としている。

＊3　指定通院医療機関

医療観察法で地方裁判所より通院決定を下された触法精神障害者などの受け入れができる医療機関である。
触法精神障害者のうち重大な他害行為を起こした者のうち，不起訴処分や無罪判決を受けた者のなかで，検察官より申し立てを受け，鑑定入院医療機関による鑑定入院の結果，地方裁判所より通院決定を下された者，または指定入院医療機関からの退院許可を受けた者が通院する医療機関で厚生労働大臣が指定する。保護観察所の社会復帰調整官が中心となって作成する処遇実施計画に基づいて，原則として3年間医療を受ける。

＊4　池田小学校事件

大阪府池田市の大阪教育大学附属池田小学校で発生した，小学生無差別殺傷事件のことである。2001年6月8日10時20分ごろ，小学校に凶器を持った男（宅間　守，当時37歳）が侵入し，次々と同校の児童を襲撃した。児童8名（1年生1名，2年生7名）が殺害され，児童13名，教諭2名に傷害を負わせる惨事となった。
死刑確定から約1年後の2004年9月14日8時16分，被告人は大阪拘置所で死刑を執行された。

2 指定入院医療機関での治療

■ 医療観察法病棟の概要(表1, 2)

　医療観察法病棟には，専属の医師，看護師，精神保健福祉士，臨床心理技術者，作業療法士の5職種のスタッフを配置することが定められている。これらのスタッフによって構成された医療チームは「MDT」[*5]とよばれ，従来の一般精神医療以上に強化された連携のもと，対象者への適正な医療の提供を行う。1人の対象者につき，看護師2名，それ以外の職種各1名の計6名で構成される「受け持ちチーム」が組織され，一体となって治療にあたる。医療スタッフの配置数をみると，一般病棟に比べて1人の対象者にかかわるスタッフがかなり多いことがわかる。

　病棟の設備・環境はアメニティ（快適性）などに十分配慮し設計されたものになっており，病室はすべて個室である。

> [*5] 多職種チーム（MDT）
> MDTとはマルチディシプリナリー・チーム（multidisciplinary team）の略で，多職種で構成される支援チームを意味する。
> 医療観察制度においては，指定入院医療機関が入院中の法対象者の個別治療計画を作成する。主に各治療期（急性期，回復期，社会復帰期）をクリアするための目標を対象者と共有し，目標を達成するための具体的なアプローチを行うことになる。

表1　医療観察法病棟（下総精神医療センター）の概要

病棟構造	配置人員
・平屋建，延床面積2,900m^2 〈病床数〉34床（うち予備病床等4床設置） ※病室はすべて個室（10m^{2}以上） ・急性期7床（うち保護室1床） ・回復期14床 ・社会復帰期8床 ・共用5床 〈診療部門〉 スタッフステーション（2カ所），処置室，診察室，作業療法室，集団精神療法室（2カ所），食堂・デイルーム（4カ所），屋内スポーツ場，中央ホール，公衆電話コーナー，面会室	・医師：4名 ・看護師：43名 ・コメディカルスタッフ：7名 　（作業療法士2名，臨床心理技術者3名，精神保健福祉士2名） ・事務職員：2名 ・警備員：1名（24時間体制）

表2　時間帯別の医療スタッフ配置状況

	医療観察法病棟	一般精神病院
日中	おおむね1：1	おおむね3：1〜5：1
夜間	おおむね6：1	おおむね15：1〜25：1

※数値は「対象者（患者）：医療スタッフ総数」

■ 治療の流れ

　入院期間はおおむね72週（1年6カ月）と定められ，急性期12週（3カ月），回復期36週（9カ月），社会復帰期24週（6カ月）に大別されている。それぞれの期における目標や治療の概要を**表3**に示す。

● 急性期

　対象者が病棟生活に慣れ，病状が安定することを主な目的としたかかわりがなされる。

表3 指定入院医療機関での治療の流れ

急性期（3カ月）	回復期（9カ月）	社会復帰期（6カ月）
・症状改善 ・生活リズムの回復 ・他者との疎通性の回復 ・判断能力の回復 ・治療関係の構築 ・経過や状況についての理解 ・新病棟生活の理解	・症状消失 ・内省の獲得 ・服薬と医療継続性の理解 ・社会復帰への動機づけと現実生活のイメージ形成 ・自己効力感，自己評価，自律性の向上 ・自己主張や表現能力の訓練 ・怒りや衝動性のコントロールの会得 ・向社会的で安全な対人関係の学習 ・相談技能の獲得など	・内省の深化 ・法的および医療的な状況の理解 ・外泊による生活圏の拡大 ・自己主張や怒りや衝動性のコントロール ・問題解決技能，相談技能，社会資源の活用技能 ・帰住先関係者との関係構築 ・援助機関の利用 ・クライシスプランの作成

※専門的治療の一例として，疾病への心理教育・リスクアセスメント・アンガーマネージメントなど，事件への内省を図るアプローチなどがある。退院後は，各地域の指定された指定通院医療機関が，引き続き，継続的な医療を行っていく（認知行動療法など）。

● 回復期

　退院後の具体的な生活を見据えたさまざまな評価や訓練などが開始される。どの程度自立した生活を送ることができるか，集団のなかで問題なく活動に取り組めるか，といった生活技能の評価をしつつ，社会生活に向けた外出訓練などが行われる。また，対象者が自分の行った対象行為について内省するためのプログラムも行われる。

● 社会復帰期

　退院後の生活の目処が立つと社会復帰期に移行する。対象者はバス・トイレ付きの個室に移室し，服薬管理・室内清掃など，身のまわりのことを自分で行う練習をする。さらに，地域生活へのスムーズな移行を図り，退院後に生活する場所への外泊訓練や，退院後に利用する機関の見学や利用訓練なども行われる。
　また，病状悪化時の対応方法を計画する「**クライシスプラン**」[6]が作成される。プランの内容は，「**ケア会議**」[7]において退院後にかかわる諸機

作業療法の対象

---

*6 クライシスプラン

対象者1人では対処しきれない状況（例えば，身体の不調や自分や他人を傷つけたくなる気持ち，気持ちが落ち着かなくなる不安など，いわゆる「クライシス」に陥る状況）には，対象者自身が的確にキャッチし，あらかじめ対処方法を想定しておくことが重要になる。そのため，医療観察法病棟では入院中に対象者やMDTスタッフと一緒に話し合いながら，1人ひとりの特性に応じた「クライシスプラン」を作成し，退院後の安全安心な生活に役立てている。

*7 ケア会議

地域社会における処遇を進める過程で，保護観察所と指定通院医療機関，精神保健福祉関係の諸機関の各担当者によって行われる会議である。この会議の目的は，処遇を実施するうえで必要となる情報を関係諸機関で共有し，処遇方針の統一を図ることである。ケア会議には，関係機関の担当者のほか，場合によっては，本人やその家族なども参加することがある。
本会議において協議される具体的内容は，
①処遇の実施計画を作成するための協議
②その後の各関係機関による処遇の実施状況や，本人の生活状況などの必要な情報の共有と，その情報に基づいた実施計画の評価や見直しについての検討
③本制度による処遇の終了，通院期間の延長，入院の必要性についての検討や，病状の変化等に伴う対応などについての検討
が主に挙げられる。

関のスタッフとともに検討され，内容の確認や修正が行われる。

また，医療の必要性の判断根拠や基準の検証をさらに可能とし，治療開始時に行う多職種チームでの評価や入院・通院・処遇の終了などのさまざまな局面で継続した評価を行うため，指定入院医療および指定通院医療では，「改訂版共通評価項目」を設定している。

なお，改訂版共通評価項目は，**表4**の19項目と個別項目で構成されている。

■ 治療の特徴

医療観察制度における治療では，一般精神科医療と比較した際に以下の点が特徴的であるといえる。

治療を受ける側の参加

MDT会議には対象者本人も同席し，治療を行う側＝MDTと対象者が合意を得て治療方針を決めていくことが多い。

治療プログラムにおける特徴

入院期間が短いため，実施プログラムの見直しも短期間で行われる。また，セキュリティ管理が一般精神科病棟以上に厳重であるため，そのなかで実施可能なプログラムは必然的に限られてくる。実施可能であっても実際に行うまでのハードルが高いものも多い。例えば，外出・外泊訓練には，会議による承認と2名以上の付き添いスタッフが必要であるため，訓練実施が決定されても実際に行うまでに時間がかかることがしばしばある。

■ 指定通院医療機関におけるかかわり

指定医療入院機関を退院した後は，指定通院医療機関において継続的な治療が行われる。

表4 改訂版共通評価項目

疾病治療 5項目	①精神病症状 ②内省・洞察 ③アドヒアランス*8 ④共感性 ⑤治療効果
セルフコントロール 7項目	⑥非精神病性症状 ⑦認知機能 ⑧日常生活能力 ⑨活動性・社会性 ⑩衝動コントロール ⑪ストレス ⑫自傷・自殺
治療影響要因 4項目	⑬物質乱用 ⑭反社会性 ⑮性的逸脱行動 ⑯個人的支援
退院地環境 3項目	⑰コミュニティ要因 ⑱現実的計画 ⑲治療・ケアの継続性

＊8 アドヒアランス

アドヒアランス（adherence）とは，病気に対する治療方法について，対象者が十分に理解し納得したうえで実施，継続することを指す。これは，MDTが主体となって決定された治療方法を対象者が守るというコンプライアンスの考え方が改善されたものであり，対象者が治療法について積極的に参加することで，治療の中断や不規則な使用が減ることが期待できる。

また，アドヒアランスは，MDTと対象者の関係が良好であるほど継続できる可能性が高くなる。そのため，MDTからはわかりやすい言葉を用いて薬剤の特徴や継続服用の大切さなどについて説明し，対象者に理解してもらうことが大切である。

通院処遇は，原則3年，最長で5年間と定められており，前・中・後期の3期に大別される（**図2右**）。指定入院医療機関と同様に，スタッフは多職種チームで対象者にかかわる。

　従来の地域精神医療が外来中心の医療提供であったのと異なり，医療スタッフ側が対象者の居住場所に出向く「アウトリーチ」型の支援を目指している（ただし現時点ではまだ，対象者の通院・通所が基本的なスタンスであり，それに加えて，機関側のスタッフによる対象者の訪問が行われるという状況である）。

3 医療観察制度における作業療法

■ 作業療法の特徴

　医療観察制度における作業療法の内容は，一般精神科での作業療法と基本的に同じものである。異なることといえば，対象者が「重大な他害行為（対象行為）」を行った者であり，作業療法も「再犯の防止」を踏まえて実施される，という点である。したがって，作業療法のなかで対象行為について触れ，対象行為と病気との関連性について対象者に理解を促す。

　しかし，対象者が「対象行為」を行った大きな理由の1つには，「精神障害の症状が重篤になり自分をコントロールできなくなった」ことが挙げられる。そして，「再度そういった状態に陥って同じようなことを行わないようにするためには，病気を悪化させないことが大事」であるとすれば，作業療法の目指すところは，精神症状の安定化である。つまり，一般的な精神科作業療法と同じなのである。

　現在，医療観察法病棟において行われている作業療法の手段は，創作活動や日常生活活動などの作業活動である。形態は，対象者の状態に合わせて個別活動か集団活動かが選択される。

　対象者数あたりのスタッフ数や施設環境は，一般精神科病院と比較し法的にかなり手厚く定められているといえる（1人の作業療法士が担当する対象者数は，多くて15名程度）。そのため，きめの細かいかかわりとともに，作業療法士の専門性を活かした具体的な評価・治療結果が求められている。

　また，作業療法実施場所がすべて病棟内にあることも特徴的である。

■ 作業療法士の業務の特徴
● 対象者との関係

　作業療法士は医療観察法病棟に常駐している。そのため，対象者の生活全体をみることができ，日々の状態変化を把握しやすい。また，作業療法において把握した課題だけでなく，作業療法以外の場面（日常生活や，他職種によるかかわり）において生じた課題についても，作業療法のなかで対象者に働きかけることができる。

作業療法の対象

● 他職種との関係

病棟内で他職種と協働するため，作業療法について（目的，プログラムの内容，作業療法における対象者の様子など）他職種に説明する機会が多い。作業療法の結果を他職種に示し，それについてフィードバックを受けることで，多角的で効果的な治療につながりうる。また，他職種のかかわりについてもタイムリーに情報を得て，その情報を作業療法に活かすことができる。

● その他

作業療法以外の業務（特に会議）を行う時間が多い（**表5**参照）。外出・外泊訓練に同行することも多い。

> **＊9 社会復帰調整官**
> 鑑定入院中から医療観察法による処遇が終了するまで対象者とかかわり続ける，重要な役割をもったスタッフである。入院中は，対象者の生活環境の調査や，対象者と指定入院医療機関との会議の調整を行う。退院後には，対象者・家族・地域との関係調整，ケアマネジメントを行う。
> 社会復帰調整官に就ける職種は，政令によって定められている（精神保健福祉士や作業療法士など）。

表5　作業療法以外の場面

種類	内容	頻度
MDT会議	個別治療計画の振り返り，見直しなどを行うほか，院内散歩・院外外出，外泊などの行動制限レベルの評価，見直しを行う	対象者の病状に応じて週1回，最低でも月1回を目処
CPA会議	家族を含め，退院後の支援を行う公的サポーターと医療観察法病棟スタッフが集まり，話し合いをもつ	入院時：1～3カ月に1回。退院先が具体化するにつれ，回数も増える
治療評価会議	治療の効果を判定するために定期的に入院対象者の評価を行う。必要に応じて，社会復帰調整官＊9・対象者本人も参加する	週1回

CPA：care program approach

【参考文献】
1. 日本精神科病院協会，精神・神経科学振興財団：司法精神医療等人材育成研修会・教材集．2007.
2. 日本精神科病院協会，精神・神経科学振興財団：司法精神医療等人材育成研修会・ガイドライン2007, 2007.
3. 堀田英樹 編：精神疾患の理解と精神科作業療法 第3版，中央法規出版，2020.

✓ チェックテスト

Q ①指定入院医療機関の入院医療の目安は，急性期治療，回復期治療，社会復帰期治療それぞれ何カ月か（☞p.210）基礎。

②適正な医療の提供を行うために，指定入院医療機関に配置されている職員を何というか。また，その職種を5つ挙げよ（☞p.209）基礎。

③一般の精神科病棟を比較した場合，医療観察制度における治療で特徴的な点を挙げよ（☞p.210）臨床。

④指定入院医療機関と，指定通院医療機関の特徴と違いについて列挙せよ（☞p.209, 212）臨床。

⑤医療観察制度における作業療法士の役割を挙げよ（☞p.213）臨床。

作業療法の対象

8 特別支援学校における作業療法

伊藤祐子

> **Outline**
> ●特別支援教育における作業療法は今後支援ニーズの高まりが予測される領域である。
> ●本項を通して，特別支援学校における作業療法士の役割について理解することができる。
> ●特別支援学校における作業療法士の働き方を，例を通してイメージすることができる。

1 日本の特別支援教育

文部科学省による特別支援教育の現状に関する説明では，『障害のある子供の学びの場については，**障害者の権利に関する条約**[*1]に基づく「**インクルーシブ教育**[*2]**システム**」の理念の実現に向け，障害のある子供と障害のない子供が可能な限り共に教育を受けられるように条件整備を行うとともに，障害のある子供の自立と社会参加を見据え，一人一人の教育的ニーズに最も的確に応える指導を提供できるよう，通常の学級，通級による指導，特別支援学級，特別支援学校といった，連続性のある多様な学びの場の整備を行っています。』とある[1]。ここから，わが国には障害がある子どもたちが学ぶ場として4つの環境があることがわかる。本項では，そのうち特別支援学校での作業療法について述べるが，作業療法による支援は特別支援学校のみで実施されるのではなく，通常の学級（以下通常学級），通級による指導（通級指導），特別支援学級でも実施されており，今後，作業療法士による支援ニーズの高まりが予測されている領域である。

[*1] **障害者の権利に関する条約（2008年）**

略称，障害者権利条約とよばれ，障害者の人権や基本的自由の享有を確保し，障害者の固有の尊厳の尊重を促進するため，障害者の権利を実現するための措置などを規定している。例えば
- 障害に基づくあらゆる差別を禁止
- 障害者が社会に参加し，包容されることを促進
- 条約の実施を監視する枠組みを設置

などが定められている[2]。

[*2] **インクルーシブ教育**

障害者権利条約によれば，インクルーシブ教育システムとは，人間の多様性の尊重等の強化，障害者が精神的及び身体的な機能等を最大限度まで発達させ，自由な社会に効果的に参加することを可能とするとの目的の下，障害のある者と障害のない者が共に学ぶ仕組みであり，障害のある者が一般的な教育制度から排除されないこと，自己の生活する地域において初等中等教育の機会が与えられること，個人に必要な「合理的配慮」が提供される等が必要とされている（中教審初中分科会報告平成24年7月より）[3]。

> **アクティブラーニング ①** 特別支援教育について調べてみよう！
> ・通常学級とはどのような学級か。
> ・特別支援学級とはどのような学級か。
> ・通級指導とはどのような指導か。
> ・特別支援学校とはどのような学校か。

2 特別支援学校とは

日本の特別支援学校には，対象障害種として，視覚障害者，聴覚障害者，知的障害者，肢体不自由者又は病弱者（身体虚弱者を含む。）がある。学校教育法第72条では，「特別支援学校は，視覚障害者，聴覚障害者，知

的障害者，肢体不自由者又は病弱者（身体虚弱者を含む。以下同じ）に対して，幼稚園，小学校，中学校又は高等学校に準ずる教育を施すとともに，**障害による学習上又は生活上の困難**を克服し，自立を図るために必要な知識技能を授けることを目的とする」と定められている。

2018年の文部科学省の調査によると，特別支援学校の数は全国で1,135校，在籍している幼児・児童・生徒の数は141,944人で，その数は年々増加傾向にある。

3 特別支援教育における作業療法の背景

■ 作業療法士の職能団体としての現状

一般社団法人日本作業療法士協会では，第一次作業療法5ヵ年戦略（2008-2012）において，「達成課題項目と具体的行動目標」の大項目2の2）の②において「特別支援教育に関する対応」を掲げて以降，第二次5ヵ年戦略（2013-2017），第三次5ヵ年戦略（2018-2022）においても，一貫して学校教育領域への作業療法士の参画を推進しており，第三次5ヵ年戦略では，「共生社会の実現に向けた，地域を基盤とする包括的ケアにおける作業療法の活用推進」における「**保健・福祉・教育における地域生活支援**に関すること」における行動目標として「学校教育領域への作業療法士の参画促進のための現状分析と人材育成を進め，その方策を提言する」という点を重点事項として掲げている。

■ わが国の施策

近年のわが国の施策としては，2005年に**発達障害者支援法**が施行され，特別支援教育の対象は，従来の肢体不自由や知的能力障害，視覚障害，聴覚障害，病弱児などに加え，発達障害者支援法で定義される自閉症，アスペルガー症候群その他の広汎性発達障害，学習障害，注意欠陥多動性障害など発達障害の児童生徒が含まれることとなった。発達障害者支援法では，医療，保健，福祉，教育および労働に関する業務を担当する関連機関相互の緊密な連携の必要性を述べている。同じく2005年に文部科学省中央教育審議会答申により，「総合的な支援体制整備に当たっては，外部の専門家の総合的な活用を図ることが必要である」と提言され，**外部専門家の導入の加速**につながった。

また，2007年には学校教育法の一部改正があり，この背景には近年の児童生徒などの障害の重複化や多様化に伴い，一人ひとりの教育的ニーズに応じた適切な教育の実施や，学校と福祉，医療，労働等の関係機関との連携がこれまで以上に求められているという状況に鑑み，児童生徒などの**個々のニーズ**に柔軟に対応し，適切な指導及び支援を行う必要性があることが述べられ，特別支援教育が本格的にスタートした。

また，学校教育法一部改正に伴い，全国の盲学校，聾学校および養護学

校をすべて「**特別支援学校**」という名称に変更した。加えて，「小学校，中学校，高等学校，中等教育学校及び幼稚園においては，教育上特別の支援を必要とする児童，生徒及び幼児に対し，障害による学習上又は生活上の困難を克服するための教育を行うもの」とし，特殊学級の名称を**特別支援学級**に変更することとした。

■ 都道府県の施策

特別支援学校における外部専門家導入の流れに関して，東京都の取り組みを一例として紹介する。東京都では2004年に東京都特別支援教育推進計画が策定され，第一次実施計画（平成16～19年度），第二次実施計画（平成20～22年度），第三次実施計画（平成23～28年度）において，都における特別支援教育体制の整備，都立特別支援学校における個に応じた教育内容の充実，都立特別支援学校の適正な規模と配置，区市町村における特別支援教育の充実への支援，都立高等学校における特別支援教育の充実，都民の理解啓発の充実を目標に計画が実施された。

そのなかで，2004年から**外部専門家導入事業**が開始され，都立肢体不自由特別支援学校には，理学療法士，作業療法士，言語聴覚士，心理専門職（臨床心理士）などが「自立活動の外部専門家」として配置され，2009年度には全校で実施された。また2012年には，都立知的障害特別支援学校における外部人材の導入に関する検証委員会が設置され，都内すべての特別支援学校に外部専門家（理学療法士・作業療法士・言語聴覚士・臨床心理士など）を導入するに当たっての人材確保や学校教員と外部専門家との連携の在り方についての検討がなされた。2016年には，作業療法士，理学療法士，言語聴覚士，臨床発達心理士などの専門家を「教育支援員」として高等部就業技術科を除く全都立知的障害特別支援学校に招聘し，指導・助言を得て，教員の専門性を図る取り組みを実施し，対象全校に導入されるに至っている。

ここでは東京都の取り組みについて紹介したが，特別支援学校における作業療法士などの外部専門家導入については，都道府県ごとに施策を講じているため，皆さんが所属する地域の教育委員会における取り組みなどを参照されることをお勧めしたい。

4 特別支援学校における作業療法の実際

■ 自立活動教諭としての作業療法士

現在，特別支援教育の分野における作業療法士の参画や連携にはさまざまな方法がある（図1）。常勤雇用の形態としては自立活動教諭，センター校，教育委員会への配置などがある。ここでは特に自立活動教諭に関して独立行政法人教職員支援機構が実施している，特別支援学校教員資格認定試験について紹介したい。これは，特別支援学校自立活動教諭の一種免許

> ○ 補足
>
> 先進的な取り組みとして，神奈川県では令和2年現在，11名の作業療法士に特別免許状が授与され，県下の特別支援学校に配置されている。所属する学校の校内支援だけでなく，センター校機能の一翼を担う教職員として地域の保育園や幼稚園，小中学校の通常学級や通級指導教室，特別支援学級，高等学校，特別支援学校等への巡回相談などを実施している。

> ○ 補足
>
> 自立活動（肢体不自由児教育）の特別支援学校教員資格認定試験は，隔年で実施される。情報は独立行政法人教職員支援機構のホームページで確認できる。

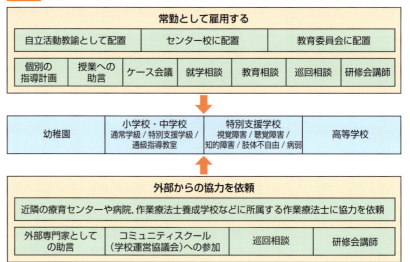

図1 特別支援教育における作業療法士のさまざまな参画と連携

(文献4より引用)

状を取得することのできるもので，1973年度に前身の「養護・訓練担当教諭」の認定試験制度ができ，約50年の歴史とともに現在に受けつがれている。この免許状を有することにより，特別支援学校及び特別支援学級において，自立活動を担当することができる。なかでも，作業療法士有資格者は肢体不自由教育の実技試験の免除が可能となっている。また，2019年度日本作業療法士協会会員統計資料によると，主として特別支援学校に勤務する作業療法士は98名である。今後特別支援学校で働くことを希望する作業療法士にとっては選択肢の1つとなるだろう。

■ 外部専門家としての作業療法士

　特別支援学校での作業療法士の立場は，外部専門家（外部専門員という名称の場合もあり）である。作業療法士は，医療・福祉・教育・就労など多方面で活躍しているが，全体的には医療の割合が高く，医療法の下，対象者に直接支援を提供することが多い職種である。一方で特別支援学校における外部専門家作業療法士に求められるのは，特別な支援を必要とする児童・生徒の指導に困り感を有する**担任教員への支援**であり，対象児童・生徒に対する**間接的支援**であることが大きく異なる。また，医療と教育は関連諸法も異なることから，作業療法士として新たに教育現場を学ぶ姿勢や，自分の専門性を教育関係者に理解しやすい形に変化させつつ正しく伝える**コミュニケーション技術が必要不可欠**である。加えて，特別支援学校では作業療法士以外にもさまざまな外部専門家が支援に携わっていることから，**専門職間連携**の能力も重要である。

■外部専門家に求められること

特別支援学校に勤務するコーディネータ教員に対するアンケート調査（2017年東京都作業療法士会子ども委員会）では，外部専門家である作業療法士に求めることとして以下のような結果が得られている。

> **特別支援学校（肢体不自由）**：身体機能面へのアドバイス，学校という場を理解した取り組み，学校生活全般の評価，学習環境調整へのアドバイス，作業療法士の資質，連携
> **特別支援学校（知的能力障害）**：身体・運動面への取り組みへのアドバイス，重度重複児童へのアドバイス，感覚統合の視点によるアセスメントと助言，環境調整に関するアドバイス，作業療法士の資質，連携

これらの結果からわかることは，まずは作業療法士の基本的知識と技術を背景に，教師へ適切なアドバイスができることの重要性である。教師から児童・生徒に関する相談を受け，柔軟に連携しながらクライエントである児童・生徒に対して間接支援を提供するこのようなかかわりの形態を，学校コンサルテーションという（図2）。これができることは，外部専門家作業療法士の大切な能力の1つであろう。

また，「学校という場を理解した取り組み」という回答には，前述のように教育現場という異なる文化を理解してかかわることの必要性が表れていると考えられる。

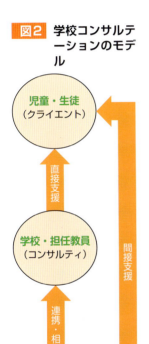

図2 学校コンサルテーションのモデル

■外部専門家としての作業療法士の勤務形態

現在，特別支援学校における作業療法士の一般的な勤務形態は非常勤である。勤務の頻度，曜日，時間数，給与は都道府県および各学校の方針によって異なっている。契約は学校と作業療法士個人直接の場合と，学校と作業療法士が勤務する施設との契約により，派遣という形をとる場合がある。

■学校種別について

作業療法士が外部専門家としてかかわることが多いのは，肢体不自由教育を行う特別支援学校と，知的障害教育を行う特別支援学校である。筆者は聴覚障害教育，視覚障害教育を行う特別支援学校での経験も有し，いずれの学校種においても作業療法の役割は大いにあると考えるが，まずは担当する機会の多い肢体不自由教育および知的障害教育における作業療法について，実践の積み重ねとその効果検証が重要であろう。

●特別支援学校（肢体不自由）における作業療法

肢体不自由教育を行う特別支援学校では，「自立活動」という単元におけるかかわりが中心となる。ここでは一例としてある特別支援学校での1日

の流れを紹介する。

時間	内容
9:00	出勤　対象生徒に関する担任教師の相談内容の確認，事前記録資料確認
9:20〜11:45	対象児① 対象児② 対象児③
11:45〜12:30	午前中の記録
12:30〜13:00	昼休み
13:00〜15:00	対象児④ 対象児⑤
15:00〜15:20	午後の記録
15:20〜16:00	担当教員とのケース会

　学校によって，実際の作業療法士の動き方にはバリエーションがあるが，肢体不自由児に対する特別支援学校では，外部専門家として作業療法士がかかわる場合，おおむねこのように時間割に沿った流れとなっている。個別のケースについて，必ず担当教員とともに相談事に関連するアセスメントを行い，その場で担任教員にアセスメントの結果を伝え，今後学校生活のなかで取り組めそうな活動や，環境設定などを提案する。ときには給食の時間帯に教室に出向き，食事に関する困りごとの相談に対応することもある。ケースは小学部，中学部，高等部まで幅広く，診断名や障害像も多種多様である。また，すべてのケースについて，記録を作成し，ケース会にて自立活動担当教員に報告する。

　実際に行うアセスメント内容を**表1**に示す。

表1　実際に行うアセスメント内容（肢体不自由教育）

事前の情報収集	実際に対象児に会う前に，過去の記録や資料から児童の診断名や成育歴，既往歴，療育歴，リスクなどを可能な範囲で確認する
行動観察（非参与観察）	対象児の興味・関心，行動特性など可能な限り観察する
活動を共にしながらの観察（参与観察）	一緒に作業する，活動する，遊ぶ
身体機能評価	気になる点について，心身機能・構造面からのアセスメント（粗大運動，微細運動，関節可動域，筋緊張，反射，協調運動，感覚統合機能など）
作業環境評価	対象児を取り巻く環境について観察し，問題と捉えられている行動に影響していることが予測される環境因子を抽出

● 特別支援学校（知的能力障害）における作業療法

　知的障害教育を行う特別支援学校では，学校生活のさまざまな場面でのかかわりが行われる。ここでは一例としてある特別支援学校での1日の流

れを紹介する。

時間	内容
10:00〜10:15	打ち合わせ
10:15〜11:10	児童A　行動観察　学習発表会の練習場面，体育館から教室に移動するところ 11:00に引き上げてください 担任：A先生，B先生
11:15〜12:00	生徒B　アセスメント　場所：生活訓練室　担任：C先生
12:00〜13:00	昼食・休憩
13:00〜14:20	まとめ・記録
14:20〜15:00	生徒C　担任相談　感覚に関する検査の結果についてなど 担任：○○
15:00〜16:00	児童A　ケース会（会議室にて）
16:00〜17:00	生徒B　ケース会（支援室にて）

> **補足**
>
> **「事前の情報収集」について**
>
> 肢体不自由教育，知的障害教育を行ういずれの支援学校の外部専門家としても大切なアセスメント項目として挙げているが，医療現場でのカルテとは異なり，対象児の障害に関連する知りたい情報をその場ですべて得られる資料が提供されるわけではない。外部専門家に開示される資料から，可能な範囲で情報を得て対応するという臨機応変な姿勢が大事である。また，外部専門家支援では，対象児に会える（間接的支援を実施する）のはその日のみであることが多いことから，短時間集中での対応が求められる。

仕事内容は，まず学校の特別支援教育コーディネータ教員により準備された予定表から，その日の動き方を把握する。続いて，対象児童・生徒の校内資料を閲覧し，主訴の把握，情報収集を行う。主訴を念頭に置いた観察内容，アセスメント結果，アセスメント結果のまとめ，担任へのアドバイスを校内のネットワークに接続されたPCで記録用紙に記入する。すべての生徒の対応終了後，ケース会では記録資料を基に，担任教員にアセスメント結果とそれに基づく支援のアイデアを伝える。ケース会で特に大切なことは，担任の困りごと，相談したい内容を聞き取り，それに対する支援のアイデア，具体的な提案を行うことである。

またケース会以外の場でも，道具の工夫や物の配置など具体的な環境調整や，身体の使い方の工夫など，観察場面で直接実践して方法を担任に伝えることも多い。

実際に行うアセスメント内容を表2に示す。

表2　実際に行うアセスメント内容（知的障害教育）

事前の情報収集	実際に対象児に会う前に，過去の記録や資料から児童の診断名や成育歴，既往歴，療育歴，リスクなどを可能な範囲で確認する
行動観察（非参与観察）	対象児のすべての行動を観察し，興味・関心，行動特性など気づいた点はすばやくメモする
活動を共にしながらの観察（参与観察）	一緒に作業する，活動する，遊ぶ
身体機能評価	気になる点について，心身機能・構造面からのアセスメント（感覚，関節可動域，筋力，筋緊張，反射など）
感覚統合機能評価	感覚刺激に対する反応性の観察（感覚情報処理の機能），感覚統合臨床観察，SP感覚プロファイルなど
作業環境評価	対象児を取り巻く環境について観察し，問題と捉えられている行動に影響していることが予測される環境因子を抽出

作業療法の対象

作業療法参加型臨床実習に向けて

特別支援学校における臨床実習の機会はまだ多くはないが、今後機会を得たら、学校内で働く指導者の姿を、始業から就業までじっくりと観察することが大切である。不明な点、疑問点については些細なことでも指導者に質問すること。また、実習生は積極的に特別支援教育について学ぶ姿勢が求められる。指導者からは、実習生へのフィードバックとともに、学校における作業療法の視点と作業療法士が備えるべき知見について伝える。

試験対策 Point

特別支援教育の現状に関する説明や、特別支援教育の実践の場についてきちんと理解しておこう。また、特別支援教育の対象についても確認し理解しておこう。

5 今後に向けて

　特別支援教育における作業療法は、近年「**学校作業療法**」ともいわれ、その大切さを幅広く発信していこうとする作業療法士も増えてきている。また世界を見渡せば、欧米でもアジアでも作業療法士が学校で働くことは一般的なことである。今回、本項では主に特別支援学校における作業療法士の働き方について紹介したが、これからは特別支援学校においては、障害種別の拡大、加えて一般の小学校、中学校、高等学校における特別支援教育への参画も求められる時代になると考えられる。

　また、作業療法士が学校で支援できる新たな制度として、平成24（2012）年4月1日に施行された改正児童福祉法により創設された「**保育所等訪問支援**」というサービスがある。このサービスは「**障害児通所支援**」の1つの類型として定められており、作業療法士は訪問支援員の一員として小学校等を訪問し、対象児と教員、保護者に支援を提供することが可能である。今後このサービスの利用が拡大するに伴い、外部専門家によるコンサルテーションモデルとは異なる形での作業療法士の働き方も普及する可能性がある。

【引用文献】
1) 文部科学省ホームページ：特別支援教育の現状．（https://www.mext.go.jp/a_menu/shotou/tokubetu/002.htm）（2021年2月時点）
2) 外務省ホームページ：障害者の権利に関する条約（略称：障害者権利条約），障害者権利条約パンフレット，2018年3月発行．（https://www.mofa.go.jp/mofaj/gaiko/jinken/index_shogaisha.html）（2021年4月時点）
3) 文部科学省ホームページ：中教審初等中等教育分科会報告，共生社会の形成に向けたインクルーシブ教育システム構築のための特別支援教育の推進（報告），2012年7月発行．（https://www.mext.go.jp/b_menu/shingi/chukyo/chukyo3/044/houkoku/1321667.htm）（2021年4月時点）
4) 一般社団法人日本作業療法士協会ホームページ：特別支援パンフレット（作業療法士が教育現場でできること）（https://www.jaot.or.jp/shiryou/pamphlet/）（2021年8月時点）

✓ チェックテスト

Q
① 障害のある者と障害のない者がともに学ぶ仕組みとは何か（☞p.215）。 **基礎**
② 基礎日本の特別支援学校の対象障害種にはどのようなものがあるか（☞p.215）。 **基礎**
③ 特別支援教育の対象に「発達障害」が含まれるきっかけとなった法律は何か（☞p.216）。 **基礎**
④ 特別支援学校における作業療法において、直接の支援対象となる者は誰か（☞p.217）。 **臨床**
⑤ 特別支援学校における作業療法で、ケース会で伝えるべき大切なことは何か（☞p.220,221）。 **臨床**

作業療法の対象

9 職業リハビリテーションの新たな流れ

野際陽子

> **Outline**
> ● 障がい者の雇用について法律の変遷を理解しておくことが重要である。
> ● 障がい者の福祉的就労についてその形態を理解する。
> ● 時代の変化とともに作業療法士の就労支援についての役割を理解する。

1 働くということ

　私たちにとって「働く」とはどんな意味があるのだろう。ある人にとっては会社に就職することだったり、ある人にとっては自分で会社を経営することだったり、ときどきアルバイトやパートをして、海外を旅することだったり、YouTuberになって自分の世界を発信することだったり、田舎で自給自足の生活をすることだったりと働き方にはいろいろな選択肢がある。働くという概念は時代とともに変化してきている。

　「働くことの意味は、障害のある者にとってはなおのこと重要であり、働くことを通じて自分が社会に役立っているという実感は、まさに自己の存在証明であり、自分の価値や自尊心、自己効力感につながると言える。」と菊池[1]は述べている。

　働くということは、一人ひとりが社会に参加していることであり、社会を形成する一員として、社会の貢献者である、ということがいえるのではないだろうか。

> **アクティブラーニング①** あなたにとって働くとはどんな意味があるだろうか？ グループディスカッションしてみよう！

2 働き方改革の時代

- バブル崩壊後、経済状況の影響を受け、終身雇用制度や年功序列制度以外の非正規雇用が増加するなど働き方は変化してきた。
- 仕事環境は、個人の業績がより重視されるようになった。上司が部下の業績を評価し、次年度の目標や年収に影響を与え、個々の成果がより強く求められるようになった。
- デジタル化・IT化が急速に発展し、パソコン1つでいつでもどこでも誰とでも仕事ができる時代へ突入した。欲しい情報が迅速に入手できるよ

うになった。個人の能力として迅速な対応やパソコンなどの機材操作スキルが求められるようになった。

- 2020年2月以来，COVID-19の影響により職場勤務から在宅勤務にシフトしてきている。障がい者は通勤が難しい場合があるので，この環境の変化により，在宅勤務を希望する障がい者にとって就労の機会が増えることが期待される。

3 障がい者の雇用について理解する

障がい者雇用に関係する法律は，「障害者基本法」，「障害者雇用促進法」「障害者総合支援法」がある（図1）。

就労は大きく「一般就労」と「福祉的就労」に分類される。一般就労には，「一般雇用」と「障害者雇用」があり，福祉的就労には，「就労継続支援」「就労定着支援」がある。

図1 障がい者雇用に関する法律・制度

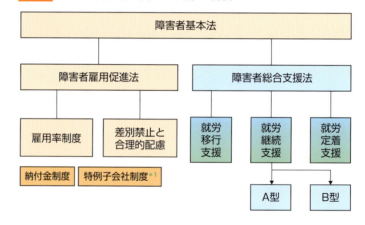

> **試験対策 Point**
> 自立生活（IL：independent living）運動や障がい者の雇用形態について出題される傾向にある。就労支援事業の特徴が混同されやすので，それぞれの事業の違いをしっかり理解することが大切である。

> **＊1 特例子会社制度**
> 障がい者の雇用に特別の配慮をした子会社を設立し，一定の要件を満たす場合には，特例としてその子会社に雇用されている障がい者を親会社に雇用されている（実雇用率）として算定できる制度のこと。

■ **一般就労**

一般就労には，「一般雇用」と「障害者雇用」の2種類がある。

● **一般雇用**

正規社員，アルバイトなど健常者と同等の条件で雇用契約を結ぶことである。障害者手帳がなくても求人に応募することができる。職種の幅が広く，希望の職種に挑戦できる。近年では一般雇用を希望する場合，特例子会社での就労や在宅での勤務形態が増えつつある。

● **障害者雇用**

一般雇用とは別枠の雇用形態であり，障がい者のみが採用される。雇用条件は，それぞれの障害者手帳を保持していることである。働く環境として，仕事内容や労働時間などの配慮が得られる一方で，一般雇用と違い，

> **補足**
>
> 障害を開示(オープン)にするか，非開示(クローズ)にするかによって就労形態が変わる。一般雇用の場合，オープンまたはクローズを選択することができるが，障害者雇用の場合は障害者手帳が必要となるので基本オープンとなる。オープンの場合も含めて会社は個人の情報について配慮が必要である。

求人数が少ない，仕事の内容が限られる，給与が低いなどの現状もある。一般雇用と障害者雇用ともに会社は障がい者の個人情報については「プライバシーに配慮した障害者の把握・確認を適正に取り扱うガイドライン」[2]に定められているように個人情報保護の配慮が必要である。

■ 福祉的就労

福祉的就労とは，障害者総合支援法に基づく就労支援サービスである(**表1**)。就労支援の特徴には，大きく分けて，①一般就労を目指した「就労移行支援事業」，②支援のある環境で訓練をしながら賃金または工賃をもらう「就労継続支援事業」，③就労後に継続勤務ができるよう支援する「就労定着支援」の3種類がある。

表1 障害者総合支援法における福祉的就労サービス

	就労移行支援事業	就労継続支援事業A型	就労継続支援事業B型	就労定着支援事業
主な対象	企業等への就労を希望し，一般就労が可能と見込まれる人 ＊平成30年4月から，65歳以上の人も要件を満たせば利用可能	通常の事業所に雇用されることは困難だが，雇用契約に基づく就労が可能な人 ＊平成30年4月から，65歳以上の人も要件を満たせば利用可能	通常の事業所に雇用されることが困難な人，雇用契約に基づく就労が困難な人	就労移行支援，就労継続支援，生活介護，自立訓練の利用を経て，通常の事業所に新たに雇用され，就労移行支援等の職場定着の義務・努力義務である6カ月を経過した人
目的	①生産活動，職場体験等の機会の提供，その他の就労に必要な知識及び能力の向上のために必要な訓練，②求職活動に関する支援，③その適性に応じた職場の開拓，④就職後における職場の定着のために必要な相談等の支援	雇用契約の締結等による就労の機会の提供及び生産活動の機会の提供，その他の就労に必要な知識及び能力の向上のために必要な訓練等の支援	就労の機会の提供及び生産活動の機会の提供，その他の就労に必要な知識及び能力の向上のために必要な訓練その他の必要な支援	障害者を雇用した事業所，障害福祉サービス事業者，医療機関等との連絡調整，障害者が雇用されることに伴い生じる日常生活又は社会生活を営む上での各般の問題に関する相談，指導及び助言その他の必要な支援
利用期間	原則：2年間	原則：制限なし	原則：制限なし	就職後半年～3年間
雇用契約	なし	あり	なし	―
1カ月平均の賃金・工賃	なし	令和元年：78,975円 (前年比102.7%)	令和元年：16,369円 (前年比101.6%)	―

(文献3より改変引用)

> **補足**
>
> **ジョブコーチ(職場適応援助者)支援事業**
>
> 障がい者の職場適応に課題がある場合，職場にジョブコーチが出向いて障がい特性を踏まえた専門的な支援を行い，障がい者の職場適応を図ることを目的としている。

● 1. 就労移行支援事業

就労移行支援事業とは，「一般就労等を希望し，知識・能力の向上，実習，職場探し等を通じ，適性に合った職場への就労等が見込まれる者」[2]が対象とされる。利用期限は2年間，一般就労を目指し訓練などを行う。**平成30(2018)年から福祉専門職員配置等加算に作業療法士が追加**された。

2. 就労継続支援

　就労継続支援には，「継続支援A型」と「継続支援B型」がある。A型では最低時給が保証され，働いた時間の賃金が支給される。ここでの訓練を経て一般雇用や自営業を目指す人もいる。B型では職場訓練とともに工賃が支給される。近年では，おしゃれなカフェやレストラン，雑貨屋，花屋，などさまざまな就労支援施設が誕生している。

3. 就労定着支援

　就労定着支援とは，就労移行支援施設などを退所後，一般就労から約半年以上経過した対象者が継続勤務に必要なことについてジョブコーチなどの専門家から支援を受けることができるサービスである。

> **アクティブラーニング❷** あなたの地元には，どんな就労支援施設があるだろうか？　調べてみて，グループでシェアしよう！

■ 雇用率制度

- 障害者雇用促進法（図2）には雇用率制度があり，会社に対し障がい者の雇用義務を課している。これが「法定雇用率」である。雇用義務とされる対象者はすべての障がい者ではなく，「障害者手帳を有している者」に限られる（表2，3）。

図2　障害者雇用促進法の変遷

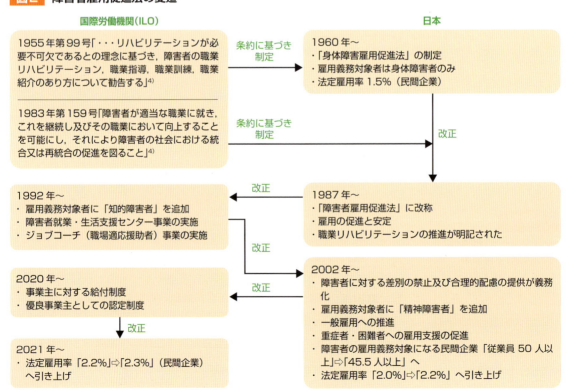

- 障害者雇用率は,

$$障害者雇用率 = \frac{対象障害者である常用労働者の数 + 失業している対象障害者の数}{常用労働者数 + 失業者数}$$

＊短時間労働＊の者は,原則,1人を0.5人としてカウントする
＊重度身体障がい者,重度知的障がい者は1人を2人としてカウントする[5]
※短時間労働者：週の所定労働時間が20時間以上〜30時間未満までの者

で計算する。

- 社員を43.5人以上雇用している会社は,障がい者1人雇用することが義務化されている。
- 2021年3月から法定雇用率は2.2%→**2.3%**（民間企業）へ引き上げとなり,法定雇用率に達していない会社には納付金を納める義務がある（障害者雇用納付金制度[*2][2]）。

> **＊2 障害者雇用納付金制度**
> 経済的負担を調整するため,法定雇用率を満たしていない会社（常用労働者100人超）から納付金を徴収し,障害者を多く雇用している会社に対して調整金などを支給する制度（図3）。

図3 障害者雇用納付金制度

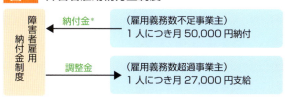

＊納付金を納付したとしても雇用義務は免除されない。
（文献5より引用）

■ 障害者に対する差別の禁止及び合理的配慮の提供義務（表2, 3）

2016年4月より障害者に対する差別の禁止及び合理的配慮の提供をするよう企業に対し義務化された。

障がい者であることを理由に希望の仕事に就職できなかったり,不利な

表2 障害者に対する差別の禁止

	差別の主な具体例
募集・採用の機会	●身体障害（車いすの利用,人工呼吸器等の使用の否定を含む）,知的障害,精神障害があることを理由として,募集・採用を拒否すること　など
賃金の決定,教育訓練の実施,福利厚生施設の利用など	障害者であることを理由として,以下のような不当な差別的取扱いを行うこと ●賃金を引き下げること,低い賃金を設定すること,昇給をさせないこと ●研修,現場実習をうけさせないこと ●食堂や休憩室の利用を認めないこと　など

（文献5より引用）

表3 障害者に対する合理的配慮の提供義務

	合理的配慮の主な具体例
募集・採用の配慮	●問題用紙を点訳・音訳すること・試験などで拡大読書器を利用できるようにすること・試験の回答時間を延長すること・回答方法を工夫すること　など
施設の整備,援助を行う者の配置など	●車いすを利用する方に合わせて,机や作業台の高さを調整すること ●文字だけでなく口頭での説明を行うこと・口頭だけでなくわかりやすい文書・絵図を用いて説明すること・筆談ができるようにすること ●手話通訳者・要約筆記者を配置・派遣すること,雇用主との間で調整する相談員を置くこと ●通勤時のラッシュを避けるため勤務時間を変更すること　など

（文献5より引用）

条件を会社側が提示して，就職の応募を受け付けなかったり，採用をできなくしたりすることなどを禁止している。また，就労後の環境についても不当な差別を禁止している。

合理的配慮とは，障害のある者とない者が均等に働く機会が得られること，それぞれの障害に応じて待遇に配慮することや障壁となっている事柄に対応することである。

> アクティブラーニング ③ 障がい者それぞれに対する合理的配慮の実施内容を調べてシェアしよう。

4 対象者と雇用者とのマッチングが大切

支援者は，対象者の「希望する仕事は何か」「どんな仕事が向いているのか」を理解することが大切である。仕事のイメージが難しい場合には一緒に職場を見学するのもいいだろう。

復職支援デイケア*3 に勤務していたころ，雇用側から「生活リズムが整っている」「コミュニケーションができる」「自分の体調管理ができる」「通常の業務(実働7時間以上)ができる」ができるようになって戻ってきてほしいと言われたことがある。言い換えれば，毎日の就労時間を守ること，遅刻や欠勤の際に連絡を入れること，わからない業務について上司や同僚などに相談できること，体調について自己管理ができること，常勤ができる忍耐力がある，などが求められるのである。

障害の特徴によってはその職場での就労が難しい場合もある。また，精神障がい者の場合，勤続年数が身体障がい者や知的障がい者に比べて短い傾向にあり，できるだけ長く働くための具体的な支援が今後も必要となる。

働く環境を想定しながら，何が障壁となるのか，職場に理解してもらうことは何か，対象者が求められることは何か，など国際生活機能分類（ICF：international classification of functioning, disability and health）モデルや人間作業モデル（MOHO：model of human occupation）を活用しながら評価・治療・訓練・支援を実施することが重要である。

5 作業療法士としての役割

近年，臨床現場では入院時から復職や就労を念頭に介入を行い，退院後そのまま職場につなげる事例が増えている。心身機能の回復やADL能力の回復に加え，必要に応じて職能訓練や自動車の運転練習など総合的な作業療法を実施している。

職業リハビリテーションの対象者は，若年層から高齢者まで広がりつつある。また，重症度の障がい者や就労困難な障害者に対する取り組みも検討され始めている。

日本の障がい者雇用に対する環境は改善されつつあり，また，職業リハ

---

*3 復職支援デイケア
うつ病などメンタルの不調により会社を休職している方で，主治医が復職支援デイケアの利用を了解している方が利用できる。支援内容は，生活リズムの再構築，基礎体力や集中力等の向上，ストレス対処法や対人スキルの向上など，復職準備性を高めるための様々なプログラムを実施。必要に応じて職場や家族の調整や復職までの必要な手続きなどの支援も行う。利用期限は各施設によって異なる。

ビリテーションにおいては，先進諸国と同程度の水準であるとされる。今後の課題として世界の動向を把握しつつ，独自のアセスメント開発，デジタル化の促進，重度障がい者や就労困難事例に対する支援方法のよりよい支援方法の模索が求められるだろう。

作業療法士は，従来の就労支援に加え，現在と未来の社会情勢や雇用環境を想定しながら，それぞれの領域の垣根を越えて，新たな治療方法や訓練を柔軟に取り入れる姿勢が重要である。

以下におさえておくべきツールや治療プログラムなどを挙げる。

■ 生活リズムの安定
● 生活習慣記録表

1週間の生活習慣を毎日記録するもの。睡眠リズムや日中の活動量，食事の回数など自分の生活リズムを記載し，その日の気分や疲労感をモニタリングする。1週間の生活リズムがひと目で見やすく，変化もわかりやすい。1週間の振り返りに活用する。モチベーションの維持・改善にもつながる。

> **作業療法参加型臨床実習に向けて**
>
> 対象者とともに学生も一緒に生活リズムを記録してみよう。お互いの記録を確認しながら，同じところや違うところなど会話をしながら実施すると対象者の生活像が見えてくる。少し自己開示をすることで，関係構築のきっかけにもなるだろう。

■ ストレスマネジメント
● 元気回復行動プラン（WRAP：wellness recovery action plan）

自身が精神障害をもつメアリー・エレン・コープランド氏により開発されたプログラムである。①元気に役立つ道具箱，②日常生活の管理プラン，③引き金とプラン，④注意サインとプラン，⑤調子が悪いときのプラン，⑥クライシスプラン，⑦クライシス脱出後のプラン，の7つのプランに分かれている。それぞれのテーマに応じた行動プランを考え，ノートに記録する。このノートを毎日確認して，行動プランを実行する。グループワークで実施することが多いが，個別でも実施できる。

● 認知行動療法（CBT：cognitive behavioral therapy）

自分の考え方のくせ(スキーマ)を理解し，必要に応じて対処することでストレス低減につなげる治療方法である。近年では精神障がい者だけでなく，身体障がい者や発達障がい者の治療，教育現場などでも導入され始めている。

■ デジタル・ITの活用
● 装着型サイボーグ（HAL®：Hybrid Assistive Limb®）

身体機能を改善・補助・拡張・再生することのできる世界初の装着型サイボーグである。就労準備訓練期間や就労後のリハビリ訓練に導入され始めている。部分的な装着型も開発され，職場での活用も期待されている。

> **作業療法参加型臨床実習に向けて**
>
> 就労支援では，対象者の就労に対する意志や希望の把握が重要である．最初から就労ありきの姿勢でかかわるのではなく，働くことに対する不安や悩み，将来に対する展望などについてじっくりと話を聴く姿勢がまず大切である．
> 無理に誘導することがないよう，対象者の主体性を尊重しながら，どのようにして信頼関係を構築しているのか，作業療法士の介入場面を実際に観察してみよう．

● アプリケーション：指伝話ぽっぽ

声と音楽でお知らせするアラーム iPad®/iPhone® アプリ．起床アラームや今日の日付，薬の時間，勤務の時間など毎日の生活に必要な活動を音声で知らせてくれる．

■ コミュニケーションスキル

● アサーティブコミュニケーション

よりよい人間関係を築くためのコミュニケーションスキルの1つである．非主張的でもなく，攻撃的でもない，お互いの主張や立場を大切にしたささやかな自己主張（アサーション）ができるようになるためのトレーニングプログラムである．

● アンガーマネジメント

米国で開発された怒りの感情と上手に付き合うための心理教育・心理トレーニングである．怒りの感情の理解，扱い方，対処方法，相手に伝える方法などの表現を身につけるプログラムである．

Case Study 1

睡眠リズムが整わず，日中の眠気が辛いと語るケース

40歳代男性，Aさん．1年前にうつ病を発症し，現在は休職中．家族4人暮らし．1カ月前から復職支援デイケアに通っている．「睡眠リズムがなかなか整わず，どうしたらよいか．日中の眠気もあり辛い．アドバイスがほしい」とデイケアスタッフに相談．Aさんの生活リズムを生活習慣記録表に記録してもらい，作業療法士と共有しながら睡眠リズムを整えるための行動プランを検討することとなった．

Question 1

Aさんの生活習慣記録表から何を確認するか．また，生活上どのような工夫が必要だと考えられるか．

☞ 解答例 p.242

Case Study 2

引きこもりの期間が長く，就労に対して前向きになれないケース

30歳代女性，Bさん，実家暮らし．2年前に脳梗塞で倒れ，軽度の右片麻痺と発語不良がある．中学生の時に不登校となり，それ以降から引きこもりの生活を送る．退院後，本人の希望により，障がい福祉サービスの自立訓練を利用．約1年が経過し，就労に向けて準備することとなった．本人は就労に対する気持ちはあるものの，まだ前向きになれないと話している．スタッフと相談し，対人交流の機会になったり，発語の練習につながったりするようなプログラムから促してみることとなった．

Question 2

Bさんに必要な治療プログラムを考えてみよう．

☞ 解答例 p.242

【引用文献】
1) 松為信雄，菊池恵美子　編：改訂第2版職業リハビリテーション学キャリア発達と社会参加に向けた就労支援体系，協同医書出版社，2006.
2) 厚生労働省：プライバシーに配慮した障害者の把握・確認ガイドライン（https://jsite.mhlw.go.jp/tokyo-roudoukyoku/var/rev0/0146/6549/20151019142016.pdf）（2021年3月時点）
3) 厚生労働省：就労系障害福祉サービスの概要．（https://www.mhlw.go.jp/content/12200000/000571840.pdf）（2021年8月時点）
4) 国際労働機関（ILO）：1955年の職業更生（障害者）勧告（第99号）（https://www.ilo.org/tokyo/standards/list-of-recommendations/WCMS_239262/lang--ja/index.htm）（2021年8月時点）
5) 厚生労働省職業安定局：最近の障害者雇用対策について　令和2年3月9日．（https://www.mhlw.go.jp/content/000605985.pdf）（2021年7月時点）

【参考文献】
1. 独立行政法人高齢・障害・求職者雇用支援機構ホームページ．（https://www.jeed.go.jp）（2021年3月時点）
2. 扇　浩幸：就労支援に必要な情報提供，情報収集．OTジャーナル，54(6)：523-528，2020.
3. 小林哲理：発達障害の「働きたい」を支える．OTジャーナル，53(12)：1237-1242，2019.
4. 厚生労働省：合理的配慮指針．(https://www.mhlw.go.jp/file/04-Houdouhappyou-11704000-Shokugyouanteikyokukoureishougaikoyoutaisakubu-shougaishakoyoutaisakuka/0000078976.pdf)（2021年7月時点）
5. 厚生労働省：職場適応援助者（ジョブコーチ）支援事業について．（https://www.mhlw.go.jp/stf/seisakunitsuite/bunya/koyou_roudou/koyou/shougaishakoyou/06a.html）（2021年7月時点）
6. 峯尾　舞：ベッドサイドから始める就労支援，OTジャーナル，54(6)：516-522，2020.
7. 増川ねてる：WRAPを始める！精神科看護師とのWRAP入門，精神看護出版，2018.
8. 大野　裕：こころが晴れるノート，創元社，2003.
9. HALホームページ．（https://www.cyberdyne.jp/products/HAL/index.html）（2021年3月時点）
10. 指伝話ぽっぽ　ホームページ．（https://yubidenwa.jp/poppo/）（2021年8月時点）
11. 平木典子：改訂版アサーション・トレーニング：日本・精神技術研究所，2009
12. 戸田久実：アンガーマネジメント，かんき出版，2016.
13. 日本作業療法士協会：高次脳機能障害のある人の生活・就労支援，2015.
14. 日本作業療法士協会：知的障害や発達障害のある人への就労支援，2016.

✓ チェックテスト

Q ①職業リハビリテーションの推進が法律に明記されたのは何年か（☞ p.226）。 [基礎]

②一般就労について2種類挙げ，それぞれの特徴について説明せよ（☞ p.224～225）。 [基礎]

③福祉的就労について3種類挙げ，それぞれの特徴について説明せよ（☞ p.225～226）。 [基礎]

④就労定着支援で職場に入って支援を行う専門家の名称とその役割について説明せよ（☞ p.226）。 [基礎] [臨床]

⑤法定雇用率とは何か説明せよ（☞ p.226～227）。 [基礎]

⑥生活リズムが整わない対象者に対して活用できるものを述べよ（☞ p.229）。 [臨床]

⑦高次脳機能障がい者の記憶障害に役立つアプリケーションを述べよ（☞ p.230）。 [臨床]

⑧白黒思考が強く，人間関係で衝突しやすい対象者に必要なプログラムを述べよ（☞ p.230）。 [臨床]

⑨怒りの感情をコントロールするためのプログラムを述べよ（☞ p.230）。 [臨床]

作業療法の対象

10 学校養成施設の新規カリキュラム

山本裕佳里

> **Outline**
> - 高齢社会における地域包括ケアシステムの稼働など，作業療法士を取り巻く環境の変化に対応が求められている。
> - 高度化する医療ニーズに対応するため，広範囲の知識ならびに技術を獲得した，質の高い作業療法士の養成が課題となっている。

1 「理学療法士及び作業療法士学校養成施設指定規則」について

作業療法士を養成する学校施設を運営するにあたり，「理学療法士及び作業療法士学校養成施設指定規則」（以下，指定規則）がある。「指定規則」には，修得すべきカリキュラムのほかに養成校の教員資格，学校施設，実習施設の基準についても規定されており，**学生たちの教育は法律に基づいて守られている**。「指定規則」は1966年に制定され，1999年に一部改変があった以降，目立った改正はなかった。

近年，高齢社会における作業療法士を取り巻く環境は変化し，求められる社会的役割は多く，その対応をせまられている。それに応えられるよう，**質の高い作業療法士の養成が課題**となり，2018年の「指定規則」の改正に伴い，「理学療法士作業療法士養成施設指導ガイドライン」に新たな教育内容とその目標が示され（**表1**），新規カリキュラムが2020年度入学生より適用，施行されることとなった。なお，適用から5年をめどとして見直しをすることが望ましいとされ，2025年には再検討される予定である。

2 新規カリキュラム追加の背景

医療の高度化，複雑化はますます進展し，患者に対しさまざまな知識を統合して治療行為を提供することが求められる。医療従事者に対するニーズも高度化・多様化するなど，**社会が医療に求めるものが変化してきている**。

また，高齢化が進むなか，**「地域包括ケアシステム」**の構築が進められており，2025年を目処にその実現を目指し，すでに各自治体単位で稼働している。その稼働状況に地域差はあるが，高齢化に伴う医療費，介護費の増大によって，国の予算は今後ますますのひっ迫が予測され，早急なシステムの活性化が求められている。また，今後は「地域包括ケアシステム」に身体障害，知的障害，精神障害も含まれていく動向である。

> **補足**
> **地域包括ケアシステム**
> 医療，介護，福祉ならびに行政や居住地域が1つのチームとなって，対象者ならびにその家族を支えるシステムである。

表1　作業療法士養成施設の教育内容ならびに教育の目標（2018年改正）

＊太字が改正内容

	教育内容	旧単位	新単位	教育の目標
基礎分野	科学的思考の基盤 人間と生活 社会の理解	14	14	科学的・論理的思考力を育て，人間性を磨き，自由で主体的な判断と行動する能力を培う。生命倫理，人の尊厳を幅広く理解する。 国際化および情報化社会に対応できる能力を培う。 **患者・利用者等との良好な人間関係の構築を目的に，人間関係論，コミュニケーション論等を学ぶ。**
	（小計）	(14)	(14)	
専門基礎分野	人体の構造と機能及び心身の発達	12	12	構造と機能及び心身の発達を系統だてて理解できる能力を培う。
	疾病と障害の成り立ち及び回復過程の促進	12	14	健康，疾病及び障害について，その予防と**発症・治療**，回復過程に関する知識を習得し，理解力，観察力，判断力を養うとともに，**高度化する医療ニーズに対応するため栄養学，臨床薬学，画像診断学，救急救命医学等の基礎を学ぶ。**
	保健医療福祉とリハビリテーションの理念	2	4	国民の保健医療福祉の促進のために，**リハビリテーションの理念（自立支援，就労支援を含む），社会保障論，地域包括ケアシステムを理解し**，作業療法士が果たすべき役割，**多職種連携**について学ぶ。 地域における関係諸機関との調整及び教育的役割を担う能力を培う。
	（小計）	(26)	(30)	
専門分野	基礎作業療法学	6	5	系統的な作業療法を構築できるよう，作業療法の過程に関して，必要な知識と技能を習得する。
	作業療法管理学	—	2	**医療保険制度，介護保険制度を理解し，職場管理，作業療法教育に必要な能力を培うとともに，職業倫理を高める態度を養う。**
	作業療法評価学	5	5	作業療法評価（**画像情報の利用を含む。**）についての知識と技術を習得する。
	作業療法治療学	20	19	保健医療福祉とリハビリテーションの観点から，**疾患別，障害別作業療法の適用に関する知識**と技術（喀痰等の吸引を含む。）を習得し，対象者の自立生活を支援するために必要な**課題解決能力**を培う。
	地域作業療法学	4	4	**患者及び障害児者，高齢者の地域における生活を支援していくために必要な知識，技術を習得し，課題解決能力を培う。**
	臨床実習	18	22	社会的ニーズの多様化に対応した臨床的観察力・分析力を養うとともに，治療計画立案能力・**実践能力**を身につける。各障害，各病期，各年齢層を偏りなく**対応できる能力**を培う。 **また，チームの一員として連携の方法を習得し，責任と自覚を培う。**
	（小計）	(53)	(57)	
	合計	93	101	

（文献1より作成）

「地域包括ケアシステム」では，地域課題を討議する**地域ケア会議**や，個別課題を解決する**ケア会議**がある。それには，医療施設や介護施設に勤務する作業療法士が参加を求められることがある。

　行政，福祉，地域住民は，残念ながら作業療法について十分に理解していないことが多い。そのため，そのような地域会議に参加する際，作業療法の専門性に基づいた発言を求められるのは当然だが，**他職種の役割**や，**対象者を取り巻く環境や多角的な評価**についても理解したうえでの発言でなくてはならない。専門職以外の地域住民にも伝わる言葉の工夫も必要である。

　今回の指定規則改正により加わった必修科目については，一見作業療法の職域を越えたもののように思うかもしれないが，より効果的な治療を展開していくためには，必要な知識である。また同時に各分野には，各々専門職が存在しており，他職種への理解を深めることにもつながり，その重要性が叫ばれている多職種連携を実現させるものとなっていくであろう。

3 新規カリキュラム

■ 多職種連携

　近年，保健・医療・福祉において，多職種が連携し，チームでアプローチすることがスタンダードになりつつある。新規教育内容が追加された背景にも述べたが，地域包括ケアシステムの展開は，まさに**多職種連携が基本**である。

　チームの中心は，患者や利用者であり，作業療法の対象者である。多くの職種が，それぞれの機能と役割でその対象者の回復を目指し，かかわっている。しかし，それぞれの職種がそれぞれの価値観でアプローチしていても，望んだ結果を生み出せないこともある。また，望んだ結果にたどり着くまでに，予測以上の時間を費やすことにもなりかねない。

　多職種が対象者の**情報や評価を共有**し，**同一の目標を掲げ**，**有機的にかかわり合う**ことによって，より対象者にとって効果的なアプローチを成しうることができる。それが，**多職種連携**である。

　多職種連携を可能にするには，**他職種の機能や役割を理解**すること，**的確なコミュニケーション**が取れることが条件となる。「コミュニケーションが取れる」とは，単に「仲が良い」ということではない。対象者を中心に，お互いの価値観を尊重し合い，よりよい方向性を指向することである。また，対象者からさまざまな希望や思いを引き出すことができる面接技術も必要である。多職種連携の技能を習得するためには，その知識・技能・態度のみならず，実践的教育を受ける必要もあり，生涯教育として学ぶべき課題といえる。

■ 画像評価

　画像診断技術は，人体の内部を画像化することにより，**病気の診断や治療に必要な情報を明確に**することができる高度な医療技術である．近年，医療画像システムの技術も高度化し，その信頼性も高い．画像診断検査は，肉体的苦痛がほぼなく簡単に受診できる．さらに，脳や内臓を輪切りにした画像や，骨の立体的画像により，身体内部が一見して明らかとなることから，患者自身もその診断や治療を理解し，納得したうえで実施できる．

　作業療法を進めるうえで，対象者の疾患を正しく評価する1つの手段として，画像評価が挙げられる．明確に患部を画像として確認することで，**より個別的に適正な評価**をすることができるようになった．

　画像評価には，X線写真，CT，MRI，超音波検査（エコー）などがあり，画像といっても多種多様である．また，疾患によって適する画像も異なる．より妥当な作業療法評価，治療・予後予測につながるよう画像評価について学ぶことは有益である．また，医療画像撮影を担当している**放射線技師**との連携も重要である．

■ 栄養学

　リハビリテーションにおいて，対象者の栄養状態によっては機能回復が意図したように進まず困難な場合がある．身体機能面だけでなく，**栄養状態も含めたアプローチの有効性**が注目されている．対象者の機能や能力，活動・参加を最大限発揮するための栄養管理を「**リハビリテーション栄養**」という．

　良好な栄養状態とは，ただ食事が摂れている，体重が十分にある，ということではない．指標となるものは，臨床所見，身体組成，血液検査値などの詳細なデータである．身体機能訓練をしている対象者には，筋肉の合成が必要で，蛋白質とエネルギーが必要である．低栄養の場合，それに特化した栄養管理が行われ，回復の効率を高めることが重要である．

　対象者の栄養管理をしているのは**管理栄養士**であり，運動量に見合う摂取カロリーや栄養素を食事に反映させることができる．リハビリテーション栄養チームによるアプローチの方法もあり，**言語聴覚士**など関連職種との連携が必須である．

　良好な栄養状態を保持するためには，食物を安全に口から食べられる能力も重要となり，作業療法としては，**摂食嚥下訓練，食事動作訓練，自助具などの使用**にもつながる．

　さらに，作業療法治療学で「喀痰等の吸引」の技術について学ぶことも必修となった．作業療法士は食事動作訓練においてのみ，「喀痰等の吸引」が認められている．

作業療法の対象

■臨床薬学

臨床薬学は，疾患治療においてどのように薬物が人体に作用するのかという学問であり，**生命に直接かかわる重要な学問**といえる。

薬物療法は，作業療法の対象疾患治療の根幹を成し，必要不可欠といえる。作業療法でかかわる対象者は，必ずと言っていいほど何らかの薬物療法を実施していることが前提となる。

さらに高齢化が進む昨今，作業療法の対象疾患以外に使用している薬剤が複数あることが多く，対象者の治療に対する反応にそれらの影響が大いに関連していることを知っておかなくてはならない。

作業療法を実施する際，その対象者がどのような薬剤をどれくらい服用し，どのような作用があるのか，理解しておかなければならない。さらに，対象者のさまざまな反応が薬物の影響に基づく場合もあるため，副作用について把握しておくことは，より正しい臨床像を評価することにつながる。また，作業療法場面でみられた反応を主治医に報告することで，薬物の種類や用量など，対象者に合ったより良い処方内容への変更につながることもある。

高齢者の場合，機能低下した身体構造に対する薬物療法による影響が出やすく，副作用などときには有害事象も引き起こす。日中から強い眠気を催し，会話に応じられないほどの覚醒度の低下を引き起こすことや，抗不安薬，睡眠導入剤などにより誘発される「せん妄」症状は，代表的な例である。

また，服薬に関する「アドヒアランス」[*1]の必要性も叫ばれている。作業療法場面では，対象者のさまざまな「思い」が語られ，そのなかには服薬に関する困りごとも多い。対象者は，その困りごとを主治医にうまく伝えられていなかったり，実は自己判断で適切な服薬がなされていないこともある。病気に関する理解が不十分である場合もあることから，**薬剤師や看護師**と連携し，**「アドヒアランス」の向上**に努めなければならない。精神科では，**心理教育による服薬教育**で，**公認心理師**との連携も必要である。

また，新薬開発が日進月歩進められており，形状や投与，服用の仕方も多様になってきている。対象者のライフスタイルを評価，理解したうえで，より安全に，適切に，そして効果的に薬物療法が実現できるように，情報や知識を得ておくことは，対象者のADLや社会参加の向上につながる。

■予防医学

予防には，**一次予防，二次予防，三次予防**がある。一般的に「予防」という用語を使用するときは，一次予防を指すことが多い。

一次予防には，生活習慣の改善，健康教育，予防接種など，病気にならないよう行う処置や指導のことをいう。二次予防とは，早期発見，早期治

*1 **アドヒアランス**
p.211参照。

療を促進して，病気が重症化しないように行う処置や指導のことをいう。健康診断が二次予防に当たる。そして，三次予防は，病気の治療過程において，保健指導やリハビリテーションにより社会復帰の促進，再発防止のための取り組みのことをいう。

　作業療法は，三次予防に相当するわけだが，地域包括ケアシステムにおいて，**介護予防は1つの大きな課題**である。その観点から，**一次予防，二次予防への参画**も求められている。一次予防では，健常な対象者に対して，罹患の可能性を自覚してもらい**ライフスタイルを変化**させるため，**行動変容のシステム**についても知っておく必要がある。行政で働く作業療法士はもとより，地域で行われている**住民主体のサロン活動**などへの運営指導，訪問リハビリテーションで実施される**在宅での個別指導**など，作業療法の**予防への参画や展開が期待**されている。

■ 救急医学

　医療技術が高度化し，多くの患者は，**救命医療によって生命の危機を回避**できるようになってきている。生命の危機を脱した後，通常の生活ができるまでに回復の状態を高め，いかに早期に社会復帰できるかはリハビリテーションの課題である。集中治療後には，生命維持装置や手術，薬剤などの影響もあり，後遺症的な運動機能障害やせん妄など**多彩な症状が発現する**可能性がある。それらの症状を予防，改善する意味においても，急性期を脱した後のアプローチではなく，**超急性期からのアプローチ**が求められている。身体機能のみならず，精神機能の評価もしつつ，ADLやQOL，社会技能の回復にもアプローチできるのが，作業療法である。

　2018年度の診療報酬改定で，**特定集中治療室管理料における早期離床・リハビリテーション加算**が新設されている。そして，作業療法士はチームを構成する職種として挙げられており，作業療法の**専門性を活かしたアプローチ**によって，救急におけるその介入効果が期待されている。

　また，作業療法の対象者の多くは，脳血管障害，循環器障害などの基礎疾患を有している患者は多く，急変時の評価や対応について学び，リスク管理の知識を有しておく必要がある。

■ 管理運営

　作業療法の多くは，病院・施設などにおいて**組織の一部門として運営**されている。円滑に作業療法部門を管理し運営していくためには，組織の特徴や部門が果たす機能や役割を理解し，その方法を知らなければならない。

　作業療法の管理運営を学んでおくことは，**組織に対する責任ある行動**を意識することにつながり，作業療法の**対象者に対する責任**を果たすことになる。また，多職種連携を進めるうえで，属する作業療法部門が組織内で円滑に運営されていなければ，連携への参画は困難であろう。

作業療法の対象

作業療法管理には，職場としての管理業務，臨床教育に関することがある。管理業務としては，作業療法の実施やその対価（診療報酬）について，記録などの書類管理，治療機器などの管理，安全管理と多岐にわたる。また，人事管理や勤務に関する労務管理も含まれる。臨床教育については，養成校と連携し，組織の一部である臨床実習指導者チームによる取り組みであることを理解していなければならず，そのような意味では，部門の管理運営が確立されている必要がある。

4 臨床実習教育について

■ 見直しの背景

　これまでの臨床実習は，経験できる実習施設の偏りや，各養成校や臨床実習施設によって指導指針や方法もさまざまであることなど**実習の質の格差**が問題視されていた。また，**学生という無資格者**が臨床実習とはいえ医療行為を行うことにも問題があった。すでに医師や看護師の臨床教育においては，法的正当性を保持しつつも，対象者に対して**介入できる基準**を設けた適切な実習のあり方と，**質の確保**が整備されてきている。作業療法の実習においても，学生が許容される臨床技術と指導方法について整備が望まれている。

　さらに，前述の「指定規則」改正の背景にもあるように，高度な医療技術の進化，多職種連携など，作業療法士に求められる質は高まっている。それらを臨床実習施設でなくてはできない**知識の確認と技能として修得**できるようにするとともに，**対象者の安全や人権を守る**ことが求められている。

■ 見直しの内容

● 臨床実習の単位数

　臨床実習の単位数が**18単位から22単位**に増加，訪問リハビリテーションまたは通所リハビリテーションに関する実習を1単位以上行うことが義務付けられた。また，**1単位の時間数は40時間以上**とし，実習時間外の学修がある場合はその時間も含め**45時間以内**と見直された。同時期に世界作業療法士連盟（WFOT：World Federation of Occupational Therapists）の作業療法士教育における最低基準が1,000時間以上に改定され，その影響を受けた。

● 実習の形態

　実習の形態としては，医師教育における「**診療参加型臨床実習**」が推奨されることになった。日本作業療法士協会では，「**作業療法参加型臨床実習**」としており，臨床実習指導者の指導の下，実習生は対象者のチームの一員として参加し，「**見学・模倣・実施**」を基本に，1例は一連の臨床過程を学ぶが，さらに対象者の多様な症状に対応できるよう臨床技能ごとに学修で

> **◯ 補足**
> **診療参加型臨床実習とは**
> 医師教育において学生が診療チームに参加し，その一員として診療業務を分担しながら，医師としての必要な知識・思考法・技能・態度の基本的内容を学ぶ実習。

きるように実習を構成しなければならない。

● **臨床実習指導者の要件**

臨床実習指導者の要件については，**臨床経験年数**が3年以上であったが**5年以上に引き上げられた**。また，厚生労働省指定の実習指導者講習会かそれに相当する**研修を修了すること**が要件として挙げられた。講習会では，臨床実習の到達目標や修了基準，実習施設における臨床実習プログラムの立案（規定時間数内であること），ハラスメントに対する問題意識をもつことなど指導者のあり方，実習形態などについて学ぶ。それらは，グループワークなど演習を通して理解を深める研修内容となっている。

【引用文献】
1) 理学療法士作業療法士養成施設指導ガイドライン（新旧対照表）．（https://www.jaot.or.jp/files/page/wp-content/uploads/2018/10/guideline-taisyou.pdf）（2021年7月時点）

【参考文献】
1. 理学療法士作業療法士学校養成施設指定規則（改正含む）．平成30年10月5日文部科学省・厚生労働省令第4号．2019.
2. 理学療法士作業療法士養成施設指導ガイドライン．（https://www.jaot.or.jp/files/page/wp-content/uploads/2018/10/guideline.pdf）（2021年7月時点）
3. 作業療法士養成教育モデル・コア・カリキュラム2019．作業療法教育ガイドライン2019，日本作業療法士協会教育部，2019．（https://www.jaot.or.jp/files/page/wp-content/uploads/2013/12/Education-guidelines2019.pdf）（2021年3月時点）
4. 作業療法士の最低基準（日本語翻訳版）2016年改訂版．世界作業療法士連盟（WFOT），2016.
5. 長﨑重信：医学系科目と作業療法．作業療法の周辺．作業療法学ゴールド・マスター・テキスト 作業療法学概論 改訂第2版（長﨑重信 監修），213-219，メジカルビュー社，2015.
6. 岩瀬義昭：作業療法士養成施設．作業療法士の養成．作業療法概論．作業療法学全書，第3版（杉原素子 編），243-259，協同医書出版社，2010.
7. 長﨑重信：作業療法と関連する職種について．作業療法の周辺．作業療法学ゴールド・マスター・テキスト 作業療法学概論，改訂第2版（長﨑重信 監修），220-225，メジカルビュー社，2015.
8. 立石雅子：コミュニケーション論・多職種連携論はおもしろい．リハベーシック コミュニケーション論・多職種連携論（内山 靖，ほか 編），8-13，医歯薬出版，2020.
9. 中島雅美，中島喜代彦 編：PT・OT 基礎から学ぶ画像の読み方 国試画像問題攻略，医歯薬出版，2014.
10. 若林秀隆：リハビリテーション面から．序章 リハビリテーションにおける栄養知識の重要性．リハビリテーションに役立つ栄養学の基礎（栢下 淳，若林秀隆 編著），4-7，医歯薬出版，2014.
11. 町田和彦：公衆衛生と予防医学について．21世紀の予防医学・公衆衛生，第2版（町田和彦，ほか 編著），1-4，杏林書院，2012.
12. 一般社団法人 日本集中治療医学会 編：集中治療における早期リハビリテーション 根拠に基づくエキスパートコンセンサス ダイジェスト版，医歯薬出版，2017.
13. 蓬田伸一，藤井浩美：リハビリテーションに活かす薬理学・臨床薬理学．薬理学・臨床薬理学はおもしろい．リハベーシック薬理学・臨床薬理学 第1版（内山 靖，ほか 編），80-87，医歯薬出版，2020.
14. 藤本侑大：救急・集中治療領域での作業療法士の役割とは．記事一覧．医学界新聞 2020．医学書院（igaku-shoin.co.jp）（2021年3月時点）
15. 里村恵子：作業療法部門の管理．作業療法学ゴールド・マスター・テキスト 作業療法学概論 改訂第2版（長﨑重信 監修），289-310，メジカルビュー社，2015.
16. 太田睦美：作業療法部門の管理運営 作業療法概論．第3版 作業療法学全書 第1巻（杉原素子 編），223-240，協同医書出版社，2010.
17. 苅山和生：指定規則・指導ガイドライン改正の概略 作業療法士の教育－指定規則・指導ガイドラインの改正のポイント．OTジャーナル，52(13)：1300-1305，201.
18. 鈴木孝治：これからの教育体制のあり方 作業療法士の教育－指定規則・指導ガイドラインの改正のポイント．OTジャーナル，52(13)：1306-1312，2018.

✓ チェックテスト

Q ①2018年「指定規則改正」に至った背景は何か(☞p.232〜234)。 基礎 臨床

②多職種連携をしていくために必要な能力は何か(☞p.234〜235)。 基礎 臨床

③新たな教育内容として画像評価が加わった理由は何か(☞p.235)。 基礎 臨床

④作業療法を行う場合,対象者の服薬内容を確認しておく理由は何か(☞p.236)。 基礎 臨床

⑤服薬に関するアドヒアランスとは何か(☞p.236)。 基礎 臨床

⑥臨床実習教育の見直しの背景とは何か(☞p.238)。 基礎 臨床

⑦作業療法参加型臨床実習とは何か(☞p.238〜239)。 基礎 臨床

Case Study Answer

1 身体障害の作業療法

Question 1

まず，片手での包丁の持ち方など，基本的な道具の扱い方，食品の扱い方の練習は同じものもあるだろう。

しかし，ここで考えてほしいのは，到達しなければならない料理のレベルが異なるという点である。

夫との2人暮らしであるAさんの日常の料理と，ホテル内のレストランで客に提供するBさんの料理では，求められる内容や技術が異なる。

生活における大切なことや役割によって，支援する具体的な内容は異なることを忘れないようにしたい。

Question 2

病棟では，入院患者に毎朝，洗顔・清拭用に蒸しタオルが配布されていた。その蒸しタオルで顔を拭いていた状況を，作業療法士はそのまま病棟内ADL自立と判断してしまったことに気付かされたからである。Cさんの本来の生活に，着眼していなかったのだ。

Question 3

視床出血では，内包後脚を通過する運動神経，視床と内包の一部を通過する感覚神経（温痛覚・深部感覚）が，それぞれ錐体交叉部位よりも上位のレベルで障害されるため，反対側に以下の症状が現れる。

意識障害，対側の片麻痺，錐体路徴候，対側の感覚障害，眼球の内下方偏位（鼻先を見つめる）。

3 発達障害領域の作業療法

Question 1

はじめは，絵本など見るだけで楽しめる活動を行い，次に片手でもできる積み木倒しを行う。徐々に，ままごとの玩具を持ち，「つける」「取る」遊びのなかで両手の使用を促す。

両手で遊べることと，椅子に座れることを目標に，体幹を支えながらの座位の練習や，うつぶせで紙をちぎるといったままごと遊びを両手で行う。活動は，本人の興味にあった遊びを提供することが必要である。腹臥位姿勢は，両手を前に出しやすいため，家庭や学校でも遊びやすい姿勢である（p.146，図28c参照）。

Question 2

①腹臥位がよいとされる理由
- 排痰しやすい姿勢である。
- 全身を対称的に保ちやすい。
- 下顎や上肢が後ろに引かれるのを防ぐので，摂食嚥下の難しさが軽減し，前に出して手を使いやすい。

②背臥位が多いとみられる二次障害
- 股関節や肩関節の脱臼，側彎，下顎の後退による摂食嚥下障害がみられる。

Question 3

感覚面では，前庭系，触覚系の過敏性がみられると推測される。感覚面の評価は，日本感覚プロファイルを行う。運動面では，姿勢保持，バランスなどの運動機能の遅れが考えられる。手先の操作や，視知覚の苦手さも考えられる。

感覚統合検査であるJPANか，JMAPか，または比較的容易にできる日本版フロスティッグ視知覚発達検査で評価する。検査が難しい場合は，年齢で到達できる運動遊びであるブランコこぎ，ボール遊び，平均台，はさみを使った工作を行い評価する。箸が使えないので，母指対立運動にて手先の巧緻性を評価する。

治療では，子どもが興味のある活動から始める。たとえば，高いところが嫌いなようならば，低い平均台やはしごから始める（図1）。触覚過敏があるので，ミニカーを使っていろいろな素材を運ぶ遊びや，車の切り紙工作を行う。

図1 低いはしご

Case Study Answer

Question 4

写真のように手押し車での遊び（p.146, 図29参照）やコマ遊び（図2）などがあげられる。

図2 コマ遊び

9 職業リハビリテーションの新たな流れ

Question 1

対象者の生活リズムを把握するため，1週間の様子を生活記録表に記入してもらう。この記録用紙は，24時間を1時間刻みに記載できるようになっている。睡眠リズムを知るために必要な情報として起床時刻と就寝時刻，1日の睡眠時間，仮眠の頻度など記載してもらう。また，睡眠リズムだけでなく，食事の回数や時間帯，日中の活動量なども必要に応じて記載してもらう。記録用紙の白紙部分に，睡眠の環境などもインタビューできるとよいだろう。

生活記録表に記載してもらった1週間の生活リズムを対象者とともに振り返りつつ，不足している情報などを補い合いながら，生活全般のリズムを把握してみよう。

睡眠リズムを整えるために必要なことは，起床時刻や就寝時刻が毎日おおよそ決まっているか，食事のタイミング，日中の活動量（野外活動，運動など），入眠前の活動内容（携帯の使用時間など）や睡眠環境（部屋の暗さ，寝具の種類など）などの確認が大切であり，その活動は良い睡眠リズムを妨げていないかどうかを対象者とともにモニタリングすることが必要である。自身の睡眠について客観的に把握することで，生活に必要な工夫点が理解できてくる。セルフマネジメントにつながる介入が重要である。

Question 2

Bさんは，脳梗塞を発症するまで自宅で十数年間引きこもりの生活を送ってきた。おそらく家族以外の人との交流は少ない環境のなか，日々の生活を過ごしてきたことが想像できる。また，限られた生活空間だけの活動量では，身体機能の問題が併発することが示唆された。

リハビリテーション病院に入院後，自宅以外の空間に身を置き，必然的に病院スタッフや患者とかかわる機会が多くなった。身体機能の回復に対する意欲が促進され，退院後に自立訓練を利用したいと思えるようなきっかけになった可能性がある。

自立訓練は，生活訓練と機能訓練の2種類があり，原則，利用期間は2年間である。参加目的の多くは就職の希望であったり，現職場への復帰などである。訓練施設の役割としては対象者の働くことにつながる具体的な支援（マッチングなども含めて）が必要となる。

Bさんは，就労に対して前向きになれないと話している。なぜ前向きになれないのかをじっくり伺う。そのうえで，Bさんのコミュニケーションや社会経験の少なさ，現在の発語不良に対する不安に配慮してプログラムを選別していく。そこで考えたのが，対象者を限定しない「元気回復行動プラン（WRAP）」である。このプログラムでは，ファシリテーターが対象者に対し具体的な指示やアドバイスをしない，ということがルールになっている。対象者同士のピュア力を引き出しながら，それぞれ個人に合ったストレスマネジメントを作成していく。安全と自由な雰囲気を保証する場であれば，Bさんにとっては過ごしやすい空間となるだろう。まずは，自分の気持ちを自然に語れる場に参加すること，それを理解してくれる仲間に出会うことにより，ご本人の心の緊張感を緩めてくれることに期待する。緊張感が緩和することで，自然な発語が促進されれば，就労に対する気持ちにも変化が生じるかもしれない。ファシリテーターにとっても同じ人生の経験者として場を共有することは，対象者に対する気づきが得られ，支援する者として必要なことを学ぶことができる。

5章

作業療法の周辺

作業療法の周辺

1 作業療法と関連する学問

長﨑重信

> **Outline**
> - 小中高での学びが大学での作業療法の学びにつながっていることを理解する。
> - 情報に関する総合学習，技術・家庭，情報Ⅰでの学びが大学での学びを支えることを理解する。
> - 大学の一般教養科目が大学教育の基盤をなしていることを理解する。

作業療法と関連する学問の全体像

作業療法とは

これまでの学習，学問と作業療法のつながり

学校での教科	大学・専門学校でのカリキュラム
● 小学校 ● 中学校 ● 高等学校	● 一般教養科目

作業療法

これまで学んできたことが，どのように作業療法に関係し，これから作業療法士になるために，それらをどのように活かせるか，本項でみてみよう。

1 はじめに

　ここでは「作業療法の周辺」についての話をしたい。まず，ここでの「周辺」とは作業療法と関わりのある学問のこととして話を進め，p.271，「3 作業療法と関連する職種」で作業療法士と関連のある専門職の話をしたい。
　まずは，「作業」という言葉が作業療法ではどんな意味で用いられている

のかをみて，それからみなさんが学んできたであろう学問，これからみなさんが学んでいくであろう学問について，作業療法とのかかわりをみていくことにする。

なかには「こんなことも学ばなくてはいけないの？」と疑問に思う人もいるかもしれないが，少し幅広く紹介してみようと思うので，気になったことがあったら関連する本などを探して読まれるとよいだろう。

では，「作業療法」とは？というところから入ることにする。

2 作業療法とは

「作業療法はなぜ，作業療法というのだろう」と思ったことはないだろうか？

初めて「作業療法」という言葉を聞いた方は，「作業が何の治療になるの？」と思われるか，「何だかチンプンカンプンでよくわからない」と言うだろう。あなたはどうだろうか？

作業療法という名称は英語ではoccupational therapyという。日本語では，過去には社会復帰，職業復帰という言葉に近いと考えられ，職業復帰のための職能療法とよばれたときもあったが，最終的に作業療法という名称になった。

作業療法の言葉の意味をみてみると，英語でいうoccupationと，日本語でいう「作業」とでは，その意味や示す範囲がだいぶ異なっている。作業療法という言葉からoccupational therapyを説明するのがなかなか難しいので，英語の意味からみてみよう。

■occupationとは何か？

ではoccupationとは何か？ occupationは，動詞occupyの名詞である。英和辞典によるとoccupyには「占領(占拠)する，占有(領有)する，居住する，(地位・役を)占める，(職に)つく，(時日を)費やす」(竹林　滋ほか：新英和中辞典 第7版，研究社，2007.より)などの意味がある。

占めるの用例としては「空間を占める，時間を占める，役割を占める」などがあり，埋めるには「空間を埋める，時間を埋める，地位を埋める(役割を担う)」などがある。

この意味から，作業療法の歴史を振り返ってみると，近代の作業療法の始まりは，薄暗い病室の片隅に座り，無為自閉(何もしないで心の内に閉じこもった)の状態のなかで日々何もせず時を過ごしていた精神病患者に対して，簡単な作業(活動)を提供し，患者自ら身体を動かし，精神を賦活(働かす)するように働きかけて，失われた時を取りもどすように時間を作業(活動)で埋め，新しい生活時間を組み立て，社会で生活できるように導いたことにある。それは，精神病患者が作業療法を通して，無為に過ごしていた時間を有意な作業(活動)で埋めることにより，無為な時間の消費から人間らしい生活へもどることを意味していた。

245

現代でも，仕事を失って，それまでの時間の過ごし方や担っていた役割が変化し，その状況の変化に対応できずに悩んでいる人が多い。同じようなことは，病気やけがによっても生じる。訓練により元の身体にもどれたら困らないが，もどらないとしたら，時間の過ごし方や社会的な役割に変化が生じてくる。このような変化に対して人々が適応できるよう，作業療法士は訓練を通して援助するのである。

　ここまで述べてきたような仕事をする作業療法士になるためには，どんな準備が必要だと思うだろうか，また，どんなことを学んでいったらよいだろうか？

　そこで，みなさんが今までに学んできた知識や技術が作業療法とどのように結びついていくのか，そして，これから学ぶであろう知識・技術について，みていくことにしよう。

3　小学校から高校までに学んだことと作業療法のかかわり

　みなさんが**小学校，中学校，高等学校**で習ってきた教科からみることにしよう（**図1**）。

■ 国語

　小学校に入るとひらがなから始まって，カタカナや漢字を学んだだろう。字を読めるようになると1人でいろいろな本を読めるようになる。最初は童話などだが，学年が進んでいくと難しい本も読めるようになる。なかでも伝記物などは歴史上の偉人たちの生涯が書かれていて，先人の苦労がわかる。最近では漫画を用いて歴史や専門的なことをわかりやすく書いている本も出版されていて，視覚的にも読みやすくなっている。

　字を読むことができるようになると，自分がまだ体験していないことでも昔の人が書いた文章を通して疑似体験できる。外国の話を読んで，日本とは違う人々の姿を想像したり，考え方の違いを理解したりすることもできる。本を読むのは知識を身につけるためだけでなく，登場人物になりきったりして，他者の気持ちを理解する力を身につけることにもつながる。このことが日ごろの生活態度や他者とかかわりあうときの態度などをつくり上げる基礎ともなる。そして，作業療法士として，他者を思いやり，誠実に人に接する態度をつくる基礎になる。

　文章を読む力と同様に，文章を書いて，自分の考えを表現する力も必要である。目の前で起こったことをきちんと記録し，そこで何が起こっているのか考え，的確に文章にすることは，将来作業療法士になったときに治療や訓練の報告書や公文書の記載，学術論文を書くときに役に立つ。

　国語の文章読解力や文章表現力はこれからの学習の基本ともなるので，本を読んだり，文章を書く習慣は身につけておきたい。

図1 教科科目の流れと大学教育の成り立ち

> **補足**
> **医療にまつわる統計—有効性とは**
> 訓練の有効性は統計を用いて検討する。例えば，治療群と非治療群を比較して，治療群に95％以上で有効だったときに有効性があったと判定する。

■ 数学（算数）

数学（算数）が嫌いという人も多いが，数学は論理的な思考を育むことができ，国語と同様にさまざまな学問の基礎となる。

計算は何気なく使っている日常の買い物の支払い計算から星の動きの計算にまで用いられている。算数では足し算，引き算，掛け算，割り算を習うが，少数点や分数が出てくるとわからなくなって，つまずく人が多いようだ。作業療法においても訓練の効果を測定し，そのデータを統計処理し，訓練の有効性（効果があったのか，なかったのか）を判定したりする際，数学（算数）はその基礎知識として役に立つ。

のちに解説する物理や化学でも計算式が用いられるので，数学はさまざまな現象を理解するのに役に立つ。

■ 理科（生物，化学，物理，地学）

小学校，中学校では理科という1つの科目のなかに生物，化学，物理，地学の内容が含まれていた。高校になると生物，化学，物理，地学の4科目に分かれ，より詳しく学ぶことになる。

● 生物

生物ではヒトや動物，植物の構造やそれを構成している細胞の構造，生物の発生などについて学ぶ。特に細胞やヒトの身体の構造については解剖学につながる知識である。骨の構造，腱や筋，神経，脳，内臓などに興味をもっていると解剖学に入りやすいし，血液成分や消化液，ホルモン，代謝，心臓の働きなどの身体のなかで生じているさまざまな化学反応を理解していると，生理学を学ぶときに役に立つ。

● 化学

化学では原子や分子について習い，イオンや酸とアルカリなどの化学反応を学ぶ。$NaCl$（塩化ナトリウム）を水に入れると溶けて，Na^+（ナトリウムイオン）と Cl^-（塩素イオン）になる。化学式でこの変化を書くと $NaCl \rightarrow Na^+ + Cl^-$ になる。このようなイオン化はヒトの身体のなかでも起こっていて，さまざまな化学反応によりヒトの身体は機能している。

例えば，ヒトの筋（肉）が収縮するのはアクチンとミオシンという蛋白質がエネルギーを与えられて滑るからといわれている。このときエネルギーを与える物質はアデノシン三リン酸で，そこからリンが放出されてアデノシン二リン酸になるときにエネルギーが発生するといわれている。このように，化学反応によって，ヒトの身体は動いている。これらのことについて理解するときに化学の知識が必要になる。

> **補足**
>
> **動きの分析と仕事の評価**
>
> 関節の動きや筋の働きを改善させるために、また、日常の生活活動動作、物を運ぶ仕事を可能にするためには力学的な視点から理解する必要がある。

● 物理

「物理は高校では習っていないので…」と最初から苦手意識をもつ人も多いが、小学校、中学校で習っているはずである。例えば、磁石とエナメル線（または銅線）でモーターをつくったことはないだろうか？物理で習う力や電気、熱、音、エネルギーなどは、あなたの身の回りのいろいろなところで応用されている。例えば、夏の暑い日は扇風機を回して涼むが、扇風機の羽根を回すモーターは電気で生じた磁力で回る。冷たい飲み物を飲もうと冷蔵庫のところに行くと、冷蔵庫の側面が少し熱くなっているが、これは庫内の熱を外に出すことで庫内を冷やしているためである。救急車が近づいてくるとサイレンの音は甲高く、通り過ぎて離れていくとサイレンの音は低くなる。このようなことがなぜ起こるのか理解するためには物理で学んだ知識が役に立つ。

作業療法では、ヒトの動きを分析したり、行った仕事を評価するときに物理の知識を用いる。

例えば、腕を伸ばして物を持つとどのくらい腰に負担が掛かるかということを力学を用いて計算すると、実際に持った物の重さの数倍の力が腰に掛かっているのがわかる。そうすると腕を伸ばして物を持ったり、前屈みになって物を持ち上げるとぎっくり腰（腰痛症）になりやすいということがわかる。

● 地学

地学では地層や火山など地球の成り立ちや、惑星など宇宙について学ぶ。

作業療法とのかかわりから考えると、日本は平地が少なく、傾斜地に家が建てられていることが多く、高齢者や障害者が外出しようとすると地形などの環境にはばまれることがある。そんなときに地形について把握しておくとよい。外出の機会を提供するとともにデイサービスや介護老人保健施設の送迎バスの利用や地域の巡回バス、NPOが運営する送迎サービスなどの高齢者や障害者の外出を助ける方法を紹介することができる。日本は台風による水害や大雨による土砂崩れなど災害が多いので、高齢者や障害者の住む住宅の周辺の地形に注意を払い、避難経路の確保や避難場所の情報を把握して提供するとよい。

小中高校で学んだ理科科目は、解剖学、生理学、運動学の基礎となる大切な知識だということがわかるだろう。

■ 社会科（地理、歴史、倫理、政治・経済）

小学校では社会科という1科目のなかで地理、歴史（日本史）を学び、中学校では地理、歴史、公民の3科目、高校では地理、歴史（世界史、日本史）、現代社会、倫理、政治・経済をそれぞれ学習しただろう。

作業療法の周辺

社会科で習う知識で大切なのは，日本の社会の成り立ちとそれを支える法律や社会制度などである。法律や制度がどのように変わってきたのかを理解し，今ある法律や保健，福祉の制度を理解していると，自らの生活に役立つとともに作業療法でかかわる対象者の生活のためにその知識を使うことができる。

みなさんはすでに社会保険のお世話になっているだろう。病気にならないように何種類もの予防接種を受けているはずだ（痛い思い出もあるだろう）。福祉制度は，働けなくなることによりお金がなくなり生活できなくなったときや，障害をもったために生活がしづらくなったときに初めて使うことになるので，まだ詳しいことはわからないかもしれないし，必要になって初めてその存在を知る人も多い。きちんとした知識をもっていると，作業療法士になったときに，障害者を仕事や生活にもどすために訓練をするとき役に立つ。

地理や歴史の知識は，みなさんがほかの人と接するときの話題作りや，目の前の人が育った環境や時代背景を理解するのにも役に立つ。

みなさんは若いので，これから社会で接する人は同年代の人よりも目上の人のほうが多いことだろう。

1950年ごろから1970年代までの高度経済成長期に青春を送った人は今，高齢期を迎えている。このような人と話をするときは，生まれ育ったところの話や若いころの思い出を話してくれるよう頼んでみると生き生きと話してくれる，というようなことがよくある。そういった経験談を聞くことであなたもさまざまなことを疑似体験でき，その知識を得て，ほかの人との話題作りに使うこともできるようになる。このように社会科の知識も作業療法士として働くときにずいぶん役に立つのである。

■ 外国語（特に英語）

英語は第1外国語として習うことが多いだろう。このほかにフランス語やドイツ語などを学べる学校もあるようだ。

作業療法を学ぶとき，教科書や関連書籍として多くの医学専門書に触れることになるが，とりわけ，英語から翻訳された本が多いと思う。今より30年ほど前，筆者が作業療法士養成校の学生だったころは，作業療法士によって日本語で書かれた作業療法の教科書が初めて出版された。それまでは精神科作業療法の本を除けば，ほとんどが英語から訳されたもので，しかもその数もほんのわずかだった。しかし，今ではさまざまな作業療法に関する書籍が出版されている。それでも，欧米の情報を得るには英語の論文を読むことが必要となる。海外の学会に出かけたり，論文を発表するにも英語力が必要となる。作業療法士のなかには青年海外協力隊に参加して，スペイン語やポルトガル語，アラビア語などを学んで英語圏以外の発展途上国で働く人もいる。

> ◯ 補足
>
> **経験談に隠れる作業療法のヒント**
>
> 1950，60年代に流行った演歌，フォーク，ロックなどの音楽を知っているだろうか？　最近は音楽の教科書にも載っている。このような知識も高齢者と一緒に歌を歌ったりするときに役に立つし，東京オリンピック，万国博覧会などの話題がきっかけとなり高齢者から話を聞くこともできる。

英語が読めたり，話せたり，聞けたりすると，異なった文化や社会で行われている作業療法について知ることができるし，アメリカやオーストラリアなどの英語圏で働いたり，留学したりするのにも役に立つ。

■ **家庭科**

なぜ家庭科が作業療法と関係があるのか不思議に思う人もいるだろう。

例えば，主婦や単身者(または独身)の方が障害をもった場合，今までどおりに調理，掃除，栄養管理，家計管理などができなくなってしまうことがある。

身体の治療は終わったが，手先が動かなかったり，片手が不自由で思うように動かないと，今までのように服を着たり，化粧をしたりというような身の回りのことや，洗濯や掃除などの家事が思うようにこなせなくなってしまう。

そこで作業療法士は，障害者に残された身体機能を使って，身の回りのことや家事ができるように訓練する。そのとき必要となる知識が，身体機能に関する知識と家庭科で学んだ調理や掃除の仕方などである。きちんと健常者のやり方がわかっていると，障害者が身の回りの動作や家事動作のどの部分ができずに作業が滞るのか理解することができ，改善方法を考えることができる。このように家庭科で学んだことが身についていると対象者の訓練に役立ち，あなたにとっても臨床実習中に遠隔地のアパートで1人生活するときに役に立つ。

裁縫なども作業療法では訓練に用いたり，自助具という動作を助ける道具をつくるときに使うので，布の種類や運針の仕方，ミシンの使い方などを知っていると役に立つ。

■ **技術・家庭〔技術分野〕**

中学校では技術・家庭で木工や金工，陶芸，家電修理，栽培などを学んだのではないだろうか。

作業療法では治療媒体として作業活動を用いる。筋の強化や関節可動域の訓練では木工や金工を行ったりする。

作業療法において，肘を伸ばす筋(肉)を鍛えるときは洋鋸で鋸引きをさせる。それは日本の鋸は木を切るときは手前に引っ張って切るが，洋鋸は押して切るからだ。

仕事にもどる前の訓練として職業前訓練がある。工場などの仕事にもどるときはドライバーを使ったねじ締めやスパナを用いたボルト・ナット締めなどの基礎訓練を行って，工場での仕事ができるように準備する。花や野菜の栽培は精神障害分野や老年期障害分野で体力の向上や労働習慣を身につけることを目標とした訓練として用いることがある。

木工，金工，家電修理などの技術があると自助具という身体障害者の生

> **補足**
>
> **金工の効果，木工の効果**
>
> 金工や木工は筋力の強化や関節可動域の拡大に役に立つ。また，釘を打ったり，銅板を叩いたりすることで攻撃性の発散にも役立つ。

活動作を助けるための器具をつくるのに役立つ。車椅子の部品には自転車で使われているものが多いので，自転車の修理ができると車椅子の構造を理解するのに役に立つ。

■ 情報

　以前は情報というとパソコンでワープロソフト（Wordなど）や表計算ソフト（Excelなど），プレゼンテーションソフト（PowerPointなど）を使うことだと思われていたが，2021年から小学校の総合学習でプログラミングの授業が始まり，小学生がスクラッチ（Scratch）などのプログラミング言語を使って簡単なゲームを作ったり，ロボットを動かしたりしている。2022年からは中学校の技術・家庭〔技術分野〕のなかでプログラミング，情報セキュリティーの授業が始まり，高校では情報Ⅰでプログラミング，ネットワーク，情報セキュリティー，データベースの基礎を学ぶことになっている。

　このようななか，スマートフォンやパソコンの普及によりソーシャルネットワーク（SNS）上での個人への中傷が問題化する事例が増えている。そのため，個人が身を守るためにも，他人を傷つけないためにも情報セキュリティーをきちんと学ばなければならない。この学びが対象者の個人情報を扱う専門職にとっても重要なものとなる。

　大学での授業形態も大きく変化し，遠隔授業が増え，パソコンとウェブカメラ，マイクが学生の必需品になっている。受け身だった授業も学生が自ら学ぶ**アクティブラーニング**[*1]が取り入られ，学生による主体的な学びの形式が増えてきている。

> *1 **アクティブラーニング**
> 能動的学修のことを差し，学修者（児童，生徒，学生など）が受け身ではなく，自ら能動的に学びに向かうよう設計された教授・学習法のこと。

　講義は動画配信され，それを受講して，講義をもとに資料を探し，レポートをまとめる，課題をグループでディスカッションしてまとめるというような機会が増えている。パソコンでZoomなどの会議用ソフトを立ち上げて，その中でファイルを会議参加者で共有し，ディスカッションを行い1つのレポートを作るというような場合もある。ほかにも，課題レポートを作成するために教科書や資料以外にネットで情報を検索して，必要な情報を取り込んだりする。このとき学生には，情報セキュリティーの知識を用いて情報の真偽を検討することが求められる。できあがったレポートはファイル形式で教員へメールに添付して送信，または，共有フォルダーにアップロードする。

　高校でパソコンの操作に慣れていない人や，自主的に勉強する習慣のない人は，大学に入って最初の講義からつまずくことになるので，今，大学教育がどのように行われているか事前に知っていたほうがよいと思われる。

■ 芸術（図画工作，美術，音楽，書道）

● 美術

　小学校の図工の時間ではクレヨンで絵を描いたり，彫刻刀で版画を彫ったり，おもちゃを作ったりしただろうし，中学校では水彩画，版画，彫刻

とさまざまな表現方法を体験しただろう。なかには陶芸や七宝細工などをやったことがある人もいるようだ。高校になると芸術科目は美術，音楽，書道から1つ選択することが多いようだが，美術を選択すると水彩画や油絵などの絵画のほかに彫刻，ペーパークラフトなどを学ぶようである。

　大学でも基礎作業学演習などの科目で実際に手工芸や美術作品を制作する授業がある。さまざまなことを体験しておくと臨床実習や作業療法士になったときに訓練で作業活動として用いるときに役立つ。

● 音楽

　高校までに楽器演奏や合唱を学んできているだろう。最近はピアノやバイオリンなど小さなときから音楽教室で学んでいる人も多い。作業療法でも音楽を訓練に使うことがある。子どもや高齢者，精神障害者の治療場面で用いることが多いが，レクリエーション場面でもよく使われる。演歌や民謡などは高齢の方と一緒に歌ったり踊ったりするし，童謡などは小さな子どもと歌ったり踊ったりする。みんなで楽器演奏したりすることもある。

　なぜ，音楽が治療に役立つのか？　と疑問が生じた人はここで好きな歌を思い出して，歌ってみたらどうだろう。気分が高揚して，元気が出るような気がしないだろうか？　音楽に合わせて，踊ってみたらどうだろう？　うきうきしてくるのではないだろうか？

　このように音楽には気分を変える力がある。みなさんもこのような体験があると，作業療法のなかで音楽を訓練として用いていくことができる。

● 書道

　小中学校では国語の時間に，高校では選択授業として，芸術科目のなかから選択したのではないだろうか。

　書道では墨を硯ですって毛筆を用いて半紙に字を書くが，墨をする過程で精神を集中させ，背筋を伸ばして姿勢を正して，字を書く。精神の集中や姿勢を正すことで，腕のコントロールが高まる。練習を重ねていくと「没我」といって，周りのざわめきが聞こえなくなるくらい精神的集中力がついていく。

　最近では自己表現の1つとして芸術性の高い作品もみられるし，書道家がテレビに出演したり，コマーシャルに作品が使われることもある。クラブ活動に書道部があって，活躍している高校もある。書道で字がうまくなり，自己表現として使えるようになると和歌や俳句などを短冊にすらすらと書けるようになる。

　作業療法でも対象者の方々が楽しんで自己表現のできる作業活動として用いられている。

■ 保健体育

　体育というと身体を動かすスポーツ，ダンスなどがある．競争するものやチームプレイで行うもの，レクリエーション的要素の強いものとさまざまである．元気な若者にはバレーボールやテニスなどがあるし，高齢者ならゲートボール，グラウンドゴルフなどの競技があり，体力に合わせて作業（活動）として用いることができる．ときにはダンスなども作業（活動）として用いる．

　保健ではヒトの身体や病気の予防などについて学ぶと思うが，このようなことも医学科目を習うときの基礎知識になる．

■ その他

　勉強のことばかり書いてきたが，もう1つ大切なことがある．それは遊びだ．昔，友達とかくれんぼや縄跳びなど，自分たちでルールを決めたり，約束ごとを確認して遊んだことを思い出してみよう．遊びには楽しむ以外に，社会のルールを学んだり，自分たちで考えて行動をすることができるようになる，成長のための準備の意味が隠れている．遊んでいて友達とけんかになったことはないだろうか．けんかをすると殴ったり，叩いたりということや，言葉での言い争いもある．互いにいやな思いもする．けんかは悪いと教えられていると思うが，実は互いを理解するきっかけとなったり，人を思いやることを学ぶきっかけになることがある．遊びについては人間発達学や発達障害領域の作業療法で学ぶ機会がある．

4 大学・専門学校のカリキュラムと作業療法

　高校卒業後の養成校（大学・専門学校）では小中高でいう学習指導要領というものはなく，学習すべき大枠が決められている．そのため小中高ほどにはカリキュラムの構成がきつくない．同じ学科名をつけていても，カリキュラム（学習内容）が同じということはない．また大学のカリキュラムでは単位制をとっているので，4年間で必要な科目数（単位数）約124単位（大学により異なる）を取れば卒業することができる．

　作業療法士になるためには厚生労働省が行う国家試験に合格しなければならないので，厚生労働省が定める科目101単位と卒業に必要な科目の単位を合わせて124単位を超えるようにカリキュラムがつくられている．

　カリキュラムは小中高校で習った科目がさらに細分化・専門化していて，大きく一般教養科目（基礎分野），医学系科目（専門基礎分野），専門科目（専門分野）の3つに分けることができる（表1）．

　医学系の教育課程は順序性が強く，解剖学や生理学などヒトの身体についての基礎知識がないと内科学や整形外科学などの臨床医学科目を履修することができない．そのため，一般教養科目，医学系科目，専門科目という順序で知識が積み上がっていくように組み立てられている．

表1 大学のカリキュラムの一例

○：必修科目　無印：選択科目

		1年次		2年次	
		前期	後期	前期	後期
基礎分野	科学的思考・人間と生活・社会の理解	○共生論 新・文明の旅特講a 新・文明の旅総合講義 地球環境論Ⅰ ○物理学 ○ヒューマンバイオロジー 保健体育学 ○人間関係論 ○英語Ⅰ ○情報科学 ○アカデミックスキルズ	○社会学 新・文明の旅特講b 地球環境論Ⅱ ○心理学概論 保健体育実習 人間関係論実習 ○英語Ⅱ 社会学	海外短期フィールドワーク（北米）	○統計学
専門基礎分野	人体の構造と機能及び心身の発達	○解剖学Ⅰ ○解剖学Ⅱ ○解剖学Ⅲ ○生理学Ⅰ	○解剖学Ⅳ ○解剖学Ⅴ ○生理学Ⅱ ○生理学Ⅲ ○運動学	○人間発達学	○解剖学実習 ○生理学実習
	疾病と傷害の成り立ち及び回復過程の促進			○運動学実習 ○病理学 ○リハビリテーション医学 ○臨床医学内科 ○臨床医学整形外科 ○臨床医学神経内科 ○臨床医学小児科 ○臨床医学精神科	○リハビリテーション内科 ○リハビリテーション整形外科 ○リハビリテーション神経内科 ○リハビリテーション精神科 ○臨床心理学 ○救急医療・画像評価 ○栄養学
	保健医療福祉とリハビリテーションの理念	○リハビリテーション概論	○公衆衛生学	○社会福祉概論	
専門分野	基礎作業学	○作業療法概論 ○基礎作業学演習A	○作業科学 ○基礎作業学演習B	基礎作業学演習C	○作業分析学
	作業療法評価学		○作業療法評価学概論 ○運動器作業療法評価学Ⅰ	○運動器作業療法評価学Ⅱ ○発達期作業療法評価学 ○高齢期作業療法評価学	○神経系作業療法評価学 ○精神科作業療法評価学
	作業療法治療学			○福祉用具適用学 ○日常生活活動学	○臨床実習インテグレーションⅠ
	地域作業療法学		○地域作業療法学演習Ⅰ		○地域作業療法学演習Ⅱ
	臨床実習				○臨床基礎実習Ⅰ

（次ページへ続く）

表1の続き

		3年次		4年次	
		前　期	後　期	前　期	後　期
基礎分野	科学的思考・人間と生活・社会の理解	○生命倫理	海外短期フィールドワーク(アジア)		
専門基礎分野	科学的思考・人間と生活・社会の理解				医療経済学
	疾病と傷害の成り立ち及び回復過程の促進	○薬理学			○多職種連携論
	保健医療福祉とリハビリテーションの理念		○医療リスクマネジメント		
専門分野	作業療法管理運営学				○作業療法管理運営学
	作業療法評価学	○動作分析学演習			
	作業療法治療学	○臨床作業療法Ⅰ ○運動器作業療法学演習 ○精神科作業療法学演習Ⅰ ○発達期作業療法学演習Ⅰ ○神経系作業療法学演習Ⅰ ○高齢期作業療法学演習 ○就労援助学演習 ○臨床実習インテグレーションⅡ	○作業療法理論と実践 ○精神科作業療法学演習Ⅱ ○発達期作業療法学演習Ⅱ ○神経系作業療法学演習Ⅱ ○内部障害作業療法学演習 ○義肢装具学 ○臨床作業療法Ⅱ ○臨床実習インテグレーションⅢ		作業療法特講A 作業療法特講B 作業療法特講C 作業療法特講D 作業療法学演習
	地域作業療法学	○地域作業療法学			
	臨床実習	○臨床基礎実習Ⅱ		○総合臨床実習Ⅰ ○総合臨床実習Ⅱ ○地域作業療法実習	
	作業療法研究法	○作業療法研究法 ○研究計画法演習Ⅰ	○研究計画法演習Ⅱ		○卒業研究

(文京学院大学のカリキュラム表を一部改変)

　1年生で学ぶ解剖学，生理学が理解できていないと，その先の臨床医学(医学系科目)，専門科目には進めない。
　では，養成校で学ぶ科目について大学を例に全体的に解説し，その後，個々の科目と作業療法の関係をみることにしよう。
　一般教養科目は**表2**に示すような科目と内容になる。**表3**には**医学系科目**について示す。
　専門科目は各養成校によって科目の名称が異なることが多いと思うが，作業療法概論，作業療法理論，基礎作業学，日常生活活動学，作業療法評価学(身体障害，精神障害，発達障害，老年期障害)，作業療法治療学(身

表2　一般教養科目とその内容

科　目	内　容
哲学	物事を考えるときの基礎を学ぶ
倫理学	道徳について研究する学問
法学	社会の基礎をなす，法制度について学ぶ
外国語（英語，フランス語，ドイツ語など）	海外の文化や制度を知るのに役立つし，外国語の論文を読むために必要となる．将来，海外で働くときにも役立つ
生物学，化学（有機，無機），物理学	生理学，解剖学，運動学など基礎医学を学ぶために役立つ
心理学（心理学概論，臨床心理学，神経心理学）	人の心の内側をみていく学問である．心理学もさまざまに分化してきているが，リハビリテーション関連では心理学概論，臨床心理学，神経心理学などを学ぶ
社会学（社会福祉学，文化人類学）	人の外側にある社会について学ぶ学問．これもさまざまに分化してきているが，主に社会学，社会福祉学などを学ぶことになる．文化人類学などを学ぶ機会があればよいと思うが，科目として設置されていないことも多い
教育学	子どものとらえ方，教育方法などを学ぶ
人間発達学	子どもの誕生からの心身の成長や社会性に発達などについて学ぶ
家政学	家事など家庭生活における人間活動について人間と環境面から科学的に学ぶ．この科目も学んだほうがよいが，家政学を学ぶ機会は少ないかもしれない
人間工学	人の生活と物の関係を学ぶ．あなたの座っている椅子も実は人の身体を計測して，一番座りのいい形に調整されている．正しい姿勢とは？ …これは人間工学で学ぼう

表3　医学系科目とその内容

科　目	内　容
基礎医学科目	解剖学，生理学，運動学，病理学，公衆衛生学など
臨床医学科目	リハビリテーション概論，内科学，神経内科学，泌尿器学，小児科学，産婦人科学，外科学，整形外科学，脳神経外科学，精神医学，リハビリテーション医学，栄養学，救急医療・画像評価など

体障害，精神障害，発達障害，老年期障害），地域作業療法学，福祉用具学，義肢装具学，研究法，管理運営学などを学ぶ．

このほかに臨床実習として，見学実習，評価実習，総合実習（インターン）がある．

5　主な一般教養の履修科目と作業療法との関連性

では，主だった科目をみてみよう．

■哲学

哲学というとソクラテス，プラトン，アリストテレスなどの哲学者の名前を思い出す人もいるだろう．哲学は愛智ともいい，真理を追い求める学問だ．

筆者が大学生のとき，哲学の講義で講師の先生が講義の最初に「哲学は

教えることができない，どう生きるか悩み考えているあなた自身の姿が哲学をしているということなのです」と言ったのを覚えている。

哲学というのは，さまざまな哲学者が自分の考えをまとめるためにさまざまな思考法を考え実践した学問だが，その方法を学び，その思考方法を用いて，自分自身の考えを巡らすことが大切だ。哲学者の言葉をそのまま受け売りするようなことにならないように注意しよう。

考えを巡らせて，自分を知ることはとても大切なことで，物事を判断するときは自分の価値観が働く。周りを評価するときも自分のものの見方で判断しているので，自分をきちんととらえておくことは他者とかかわるときに必要なことである。作業療法士は対象者やその人を取り巻く人たちと接する職業なので，このことは大切なことだと思う。

■倫理学

倫理学は道徳について考える学問だが，そのなかでも生命倫理学という人の生き方に関する倫理学の分野がある。

例えば，がんで余命幾ばくもなく苦しんでいるから安楽死がよいと考える人がいるとしよう。それがよいことなのかどうか，どんな選択をしたらよいのか考えなくてはいけない。自ら死を選んで苦痛なく眠るように死ぬのなら薬を使ってもよいと考える人もいるだろう。または苦痛を減らして，徐々に意識が遠のくような死に方がよいという人もいる。疼痛を軽減する薬を使ってできるだけ生きてもらいたいと考える人もいる。どれが正しいのかはかなり熟慮しなければならない。

このように何が正しいか答えを出すのが難しい問題について考えるのが生命倫理学だ。

がん，エイズ，生殖医療などの分野では特にさまざまな問題があり，作業療法士も患者にとって何が最良か考える力をもたなければならない。

■社会学

社会学は社会現象を解明する学問である。心理学は個人を対象にして，心のなかのことを研究する学問だが，なかには集団や社会現象を対象とする集団心理学，社会心理学などがあり，社会学と多少なりとも重なり合う部分もある。異なる点は，社会学の対象は個人の内側よりも外側に向けられ，家族やコミュニティーなどの社会構造などに焦点が当てられるということである。

社会学も細かく分化してきており，政治社会学，家族社会学，医療社会学，産業社会学，老年社会学など研究対象ごとに名称がつけられるようになっている。

このように社会学は私たちの住んでいる世界を研究する学問だ。哲学で自分は何者かと考えたが，社会学では世の中がどのように成り立っている

> **○補足**
>
> **エイズ，生殖医療の倫理問題**
> エイズは当初，死の病だった。エイズ患者に触れるだけで感染するとの誤解が生じていた。また，生殖医療では人が生命の誕生を操作することの是非が問われた。何が正しいのか，きちんと知識をもち，考える力を養ってほしい。

のかを考える。

■ 文化人類学

　文化人類学は社会学の1つとして分類される。この学問が作業療法とどのようにつながるのかみてみよう。

　文化人類学といってもどのような学問か説明しないとわからないと思うので，まずは簡単に説明しよう。

　文化人類学は机上の学問ではなく，実践の学問といわれている。

　研究室のなかで研究するのではなく，研究者が実際に社会に暮らす人々のなかに入っていって，私たちが何気なく見たり，感じている社会を観察し，観察した事柄からその社会のなかにあるルールや決まりごとを見出していくという作業を行う。多くの研究はフィールドワークといって，研究者が実際に人々が生活している場所に入って，調査を行う。この手法のきっかけは，ある研究者が「未開」と思われていた民族を調査するためにその集落に入って行って，そこに住む住民と生活をともにして，そこにみられる現象をこと細かく記録し，得られた記録からその社会にみられる特徴を見出したことに始まる。

　例えば，ある文化人類学者の調査で，南の島々の住民が遠く離れている島の住民に贈り物をし，贈られた側はそれ以上のお返しをするという風習に，単なる儀式以外にも意味があることと，その贈り物がいくつかの島を循環していること，贈り物が回る方向も決まっていることなどがわかっていった。未開と思われていた島々にも文化があり，西欧社会だけが成長した社会というものでないことが少しずつわかってきて，西欧社会の多くの人々に驚きをもって，この事実が迎えられたという。

　このようなことが作業療法とどうつながるのかを考えてみよう。

　作業療法士は病院，施設で働く人が多いが，目の前にいる対象者の多くは地域にもどって生活することになる。ここで，対象者の視点に立って生活をみるには，対象者やその家族とともに生活してみることが必要だ。皆が皆そうするというわけではないが，ある作業療法士の家族に高齢者がいるとしたら，その家族の生活時間の内容や生活上の役割などを記録し，一高齢者の生活記録として分析してみる。このような試みがほかの対象者の生活を分析するときに役に立つ。

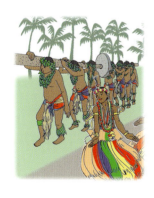

　例えば，高齢者の生活実態を知らない人が何も知らないまま高齢者が在宅生活にもどるための援助をしようとすると，おかしなことになる。そこで，作業療法士は実際に高齢者と生活している人から情報を得て，高齢者の生活実態というものを理解しようとする。ときに担当している高齢者の家を訪問したりして，情報を集める。このように地域で暮らす高齢者についてのさまざまな例を集めながら，高齢者の生活を理解しようとするのである。このときに文化人類学的な手法が役に立つ。

■教育学

　教育学は英語でpedagogyといい，ギリシャ語のpaidos「子ども」とago「導く」からつくられたpaidagogikeに由来する言葉である。すなわち，「子どもを導く＝教育」ということだ。

　みなさんはpedagogyよりはeducationという言葉のほうを知っているだろう。educationは「人のもつ諸能力を引き出すこと」との意味がある。だから，教育学は人がよりよく生きられるように導く（教育する）方法を示すものであり，教育学では人はどんな存在であるかを考え，人をどのように導いていったらよいかということを学ぶ。

　教育学は教育哲学，教育方法学，教育経営学，教科教育学，社会教育学，家庭教育学など幅広く分化している。そのなかでも教育心理学や教育方法学，**教育工学**[*2]，特別支援教育学などが作業療法の訓練などに役立つものと思われる。

> ＊2 **教育工学**
> コンピュータやタブレットなどの教育機器を障害児に限らず導入したり，インターネットを用いた遠隔教育，e-learningなどによる作業療法学生の教育などがある。

■家政学

　小学校，中学校，高校でみなさんは家庭科を習ったと思う。学問的には家政学（home economics）という名称でよばれている。アメリカではfamily and consumer sciencesという名称が使われるようになった。

　なぜ家庭科が作業療法に役立つのだろうかと考えたとき，健常者の行う日常生活の成り立ちをきちんと理解しておくことが，障害者のADLすなわち日常生活活動の指導で役に立つ。

　みなさんが習った中学校の技術・家庭〔家庭分野〕の学習指導要領には学習目標として，「生活の営みに係る見方・考え方や技術の見方・考え方を働かせ，生活や技術に関する実践的・体験的な活動を通して，よりよい生活の実現や持続可能な社会の構築に向けて，生活を工夫し創造する資質・能力を次のとおり育成することを目指す。」とあり，以下の3項目の内容が挙げられている。

> ①生活と技術についての基礎的な理解を図るとともに，それらに係る技能を身に付けるようにする。
> ②生活や社会の中から問題を見いだして課題を設定し，解決策を構想し，実践を評価・改善し，表現するなど，課題を解決する力を養う。
> ③よりよい生活の実現や持続可能な社会の構築に向けて，生活を工夫し創造しようとする実践的な態度を養う。

　調理を例に考えると，献立をつくるときにどんな料理にしようかと考えること，家族の人数，年齢構成，好みをもとに，栄養バランス，食べやすさから食材の選択，食材の購入，そして，調理器具の準備，食材の洗浄・カット（切る），調理（焼く，煮る，蒸す，揚げる，炒めるなど），味付け，食器の用

意，食器への盛り付け，最後に片付けとさまざまな工程や技能によって構成されている。

献立や栄養を考え，食材を購入する予算を考え，皆においしい料理をつくるには調理方法を学ばなくてはいけない。

作業療法と家庭科の関係としては，1950年代のアメリカにおいて身体障害作業療法部門に家庭科教師がリハビリテーション・チームのメンバーとして身体障害者の日常生活動作の指導を担当していたとの報告がある。

そこでアメリカの家政学をみてみると，家政学の母といわれるEllen Richards（リチャーズ）（1842～1911年）は食物（food）・運動（exercise）・娯楽（amusement）・睡眠（sleep）・仕事や勉強（task）のバランスが大切だと主張し，それまでの学究に偏った自身の生活のバランスを改め，ホームパーティーを開いたり，夫と観劇に出かけるなど，不足していた余暇の時間を増やして生活バランスを整えたという。これは，作業療法における作業バランスの考えに通じるものだと思う。

作業療法の周辺

【参考文献】
1. 日本作業療法士協会 監修：作業療法全書第2巻 基礎作業学，協同医書出版社，1990.
2. 竹田青嗣：自分を知るための哲学入門，筑摩書房，1990.
3. 見田宗介：社会学入門－人間と社会の未来－，岩波書店，2006.
4. 富永健一：社会学講義 人と社会学，中央公論社，1995.
5. 祖父江孝男：文化人類学入門，中央公論新社，1979.
6. 山口昌男：文化人類学への招待，岩波書店，1982.
7. 文部科学省：平成29・30・31年改訂学習指導要領．（https://www.mext.go.jp/a_menu/shotou/new-cs/1384661.htm）(2021年8月時点)
8. 文部科学省：【技術・家庭編】中学校学習指導要領（平成29年告示）解説．(https://www.mext.go.jp/component/a_menu/education/micro_detail/__icsFiles/afieldfile/2019/03/18/1387018_009.pdf)(2021年8月時点)
9. 文部科学省：小学校プログラミング教育の手引（第三版）．(https://www.mext.go.jp/content/20200218-mxt_jogai02-100003171_002.pdf)(2021年8月時点)
10. 文部科学省：中学校技術・家庭科（技術分野）内容「D 情報の技術」．(https://www.mext.go.jp/a_menu/shotou/zyouhou/detail/mext_00617.html)(2021年8月時点)
11. 文部科学省：高等学校情報科「情報Ⅰ」教員研修用教材（本編）．(https://www.mext.go.jp/a_menu/shotou/zyouhou/detail/1416756.htm)
12. 山田好子：エレン・リチャーズと家政学，小田原女子短期大学，研究紀要，35：76-81，2005.
13. 吉田青翔：エレン・H・リチャーズの「第4の"R"」環境思想の医学的構造，四日市大学環境情報論集，11(2)：97-111，2008.
14. Bryce TE: A home economist on the rehabilitation team. Am J Occup Ther, 23(3): 258-262, 1969.
15. 梅根 悟，長尾十三二 編：教育学の名著12選，学陽書房，1974.
16. 吉澤 昇，ほか 著：ルソーエミール入門，有斐閣，1978.

チェックテスト

Q ①国語は病院で働くときどのようなことに役立つか（☞p.246）。 臨床
②数学（算数）は作業療法のどのようなところに役立つか（☞p.248）。 基礎 臨床
③家での手伝いは作業療法のどのようなところに役立つか（☞p.251）。 臨床

作業療法の周辺

2 医学系科目と作業療法

長﨑重信

> **Outline**
> ● なぜ，解剖学，生理学，運動学などの基礎医学を学ぶのかを理解する。
> ● なぜ，内科学，外科学などの臨床医学を学ぶのか理解する。
> ● 栄養学，画像診断学，救急救命学をなぜ学ぶのか理解する。

医学系科目と作業療法の全体像

医学系科目はどのように作業療法にかかわるか

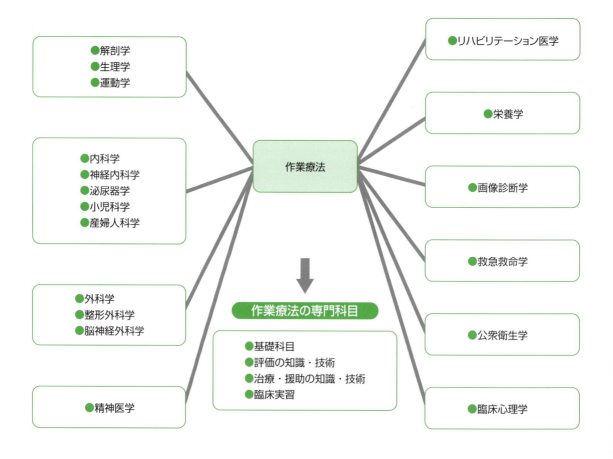

1 養成校で学習する医学系科目

作業療法士になろうという人で,「私は手先が器用で物をつくるのが好きなので作業療法士になろうと思いました」と言うのをよく耳にする。作業療法士は作業(活動)だけを知っていればよいと思っていないだろうか？

作業(活動)を治療媒体として用いるには作業(活動)と, 治療対象としての人(ヒト)について知らなければならない。

そこで, なぜ, 作業療法士は医学を学ぶのか？を考えると,

「人の心身の両面について, 知らなければならないことがわかる」

では, どのような医学科目があるのだろう？ まずは, 基礎医学科目からみていこう。

■ 解剖学, 生理学, 運動学など

人を対象とする作業療法において, 人とは何かを考えるとき, まず目でとらえられる表面的なところから始めることになる。

そこで, 人の外見がどうなっているのか考えてみよう。

痩せているのか太っているのか, 背が低いのか高いのか, また次にその人はどのような動きができるのかをみてみる。もし, その人が思うように日常の生活動作が行えないときは, 体にどのようなことが起こっているのか原因を考えることになる。ここで, 解剖学や生理学, 運動学の知識が必要になる。

もう少し詳しくみてみると, 解剖学の知識があると, 皮膚の盛り上がったところに筋(肉)があり, 脳からの命令で筋(肉)が収縮を繰り返し, 手足を動かしていることがわかる。肘や踵, 顎や頬の皮膚の下には骨を触ることができる。

次になぜ, 手足を動かす筋(肉)が収縮するのかを考えるには生理学の知識が必要になる。筋(肉)を動かすのには脳からの命令が必要で, 脳からの命令は電気信号となり, 神経を伝わって, 筋(肉)に到達して, 化学反応を誘発し, 筋(肉)を収縮させている。

筋(肉)が収縮すると四肢に運動が生じる。骨には対照的な2つの筋(肉)がついていて, 一方が縮むと一方が伸びるようになっており, これによって腕や足, 手指を曲げたり, 伸ばしたりできるようになっている。

同じように脳, 心臓や肺, そのほかの臓器についてもその構造や機能について, 解剖学, 生理学で学ぶ。例えば, 最近増えている, 呼吸が苦しくなるCOPD(慢性閉塞性肺疾患)や肺炎などの呼吸の作用を理解するには生理学の知識が必要になる。

運動学によって, 四肢の運動が分析され, 単なる運動が動作, そして行為となっていくことを学ぶ。これにより, 私たちは目を通して, 対象の動きをとらえ, 人が走ったり, ご飯を食べたり, 石蹴りをして遊んでいる様

> **補足**
>
> **解剖学, 生理学, 運動学はなぜ基礎医学科目といわれるのか？**
> 臨床医学, 作業療法専門科目の下地となる学問で, これが理解できないと先に進めない。

子を単なる筋(肉)の動きではなく，動作や行為というものとしてとらえられるようになる。

　解剖学，生理学，運動学は講義のほかに実習があり，講義で学んだ知識は実習を通して深められる。

　次にもう少し先に進んで，臨床医学についてみてみよう。

■内科学，神経内科学，泌尿器学，小児科学，産婦人科学など

　みなさんは風邪をひくと内科にかかるだろう。内科医院に行くと体温を測ったり，血圧を測ったりする。診察では医師が口をあけさせて，喉の奥を診たり，聴診器で心臓の音や肺の呼吸音を聴き，ときに指で打診や腹部の触診をする。

　また，超音波診断器，X線撮影などの診断機器を用いることもある。血液採取をする検査もある。

　作業療法の対象となる病気やけが(疾患)はさまざまだが，対象として多い脳卒中についてみてみよう。

> **○補足**
> 臨床医学科目は難しそうですが…。
> 基礎医学科目を理解していれば，それほど難しくない。

●脳卒中とは？

　脳卒中は脳の血管が詰まったり，破れたりしたために脳の神経細胞が傷つき，身体運動や言語などに障害が生じることである(脳血管障害という)。脳卒中の原因には高血圧症や糖尿病がある。高血圧症は過食や運動不足により血管の内壁にコレステロールが溜まって，血液の流れる部分が細くなってしまったために血液を全身に巡らす際，通常よりも高い血圧が必要になり起こる。高い血圧が続くと血管が破れたり，詰まったりする危険が高まる。糖尿病では膵臓から出るインスリンの量が減って，血糖をコントロールできなくなると血管自体が弱くなって破れやすくなり，脳出血を起こすことがある。

　この脳卒中の原因や生じた障害については，解剖学や生理学，運動学の知識がないと理解することができない。

　ここまで内科の話をしたので，次は外科のほうをみてみよう。

■外科学，整形外科学，脳神経外科学など

　けがをすると整形外科病院にかかることになる。

　例えば道路でつまずいて転んで地面に手をついて，腕を手首の近いところで骨折したとしよう。

　この場合，痛みの具合や骨折部分の腫れ，皮膚の色などの外見からX線撮影を行い，骨折の状態を確認して診断がなされる。診断が決まると医師は治療方法を考える。折れた部分を元にもどす整復が難しい場合は手術

で皮膚や組織を切り開いて，直接，折れた骨をくっつけて金具やワイヤーで固定する。

　整復がなされたら，作業療法士は骨折部に負担がかからないように注意しながら，関節が固まらないように適度に関節を動かしたり，筋(肉)が痩せないように筋力の維持，強化を行う。

　骨がくっついたら(癒合)，再度，医師は再切開して金具をはずしたり，ワイヤーを引き抜いたりする。

　脳神経外科は脳，脊髄，末梢神経系および血管，骨，筋肉などを含めた神経系全般の疾患のなかで主に外科的治療を対象とする。脳卒中(脳血管障害)では血の塊(血栓)が脳の血管を塞いでしまった場合，頭蓋骨を開いて血管の詰まりを取り除き血行を取り戻す手術を行う。このほかに，脳腫瘍の切除なども行う。

　このようなことも解剖学，生理学，運動学の知識があると，障害状況の理解や訓練方法を検討するのに役に立つ。

■ 精神医学

　作業療法は精神障害者の治療法の1つとして長い歴史をもっており，精神障害を理解するうえで精神医学を学ぶことが求められる。

　作業療法士は対象者の心理・社会面を評価し，訓練プログラムをつくり，患者の病状を安定させ，社会復帰へと導いていく。このとき，対象者の症状や行動面を理解する助けとして，精神医学の知識が必要となる。

　対象者の示す症状や行動について，作業療法士は安定した情緒のもとで対象者を理解し，対象者を訓練へと導いていくが，ここで必要なのは精神医学的知識と自分自身への理解である。自分自身が考える価値観というものを理解し，安定した精神状態でなければ，対象者をきちんととらえることはできない。精神医学を学ぶとともに自分への理解を進めてほしいものである。

■ リハビリテーション医学

　リハビリテーション医学にはさまざまな臨床医学とともに理学療法，作業療法などが包含されている。そして，リハビリテーション医学は作業療法が対象とする身体障害，発達障害，精神障害，老年期障害のすべてを包含しており，作業療法と密接な関係をもっている。

　例えば，指の腱を切って，指が曲がらなくなってしまったとしよう。病院に行くと整形外科医の診察があり，腱の断裂と判断されると手術によって腱を継ぐ。そのまま，手術の傷が塞がるまで指を動かさないでいると指は伸びたまま固まって，曲がらなくなってしまい，物をつかむのも大変になる。

　そこで，整形外科医からリハビリテーション科が紹介され，リハビリテ

作業療法の周辺

> **補足**
>
> **関節の固まり：関節拘縮**
> 健康な人でも関節は3日動かさないでいると，カルシウムが沈着して固まってくるとの実験がある。関節が動かなくなると手指や足が動きにくくなって生活に支障をきたす。

ーション医が診察して，作業療法士に術後の管理と訓練を依頼する。

作業療法士は細菌から傷口を守るために手首から先を滅菌の袋で覆って，指の関節が固まらないように，また腱が再び切れないように注意深く，指の動きを訓練する。最近では作業療法士が手術の前から患者にかかわるようになっている。

このようにリハビリテーション医は診療全体の流れを把握し，各専門職に指示箋により指示を出す。

作業療法士もリハビリテーション医学がどのようなものであるか理解し，併せて，医学的知識・技術を土台とした福祉や教育に関する知識や人を理解するうえでの幅広い知識が求められる。

■ 栄養学

病院や施設では管理栄養士が働いている。病院では患者の症状に合わせて，栄養価を計算するほかに食物形態を工夫して，栄養を吸収しやすくしたりする。

介護保険制度が始まる前，管理栄養士はリハビリテーションチームには参加していなかった。そのようななか，ある病院の理学療法士が，一生懸命に訓練しているのに患者が思ったように回復しないので，食事がとれているか調べたら，あまり食べていないことがわかり，管理栄養士をリハビリテーションチームに入れることで栄養改善をしていると話してくれた。それから3年くらいたったころに，米国から帰ったリハビリテーション医が管理栄養士にリハビリテーションチームの一員として働いてもらっているとのテレビ報道があった。今では2005年の介護保険制度の見直しにより介護予防が設けられ，そのなかに栄養改善の項目も設けられた。このように栄養について学ぶことはリハビリテーションにおいて重要である。

■ 画像診断学

捻挫で整形外科医院に行き，足のX線写真を撮ってもらったことがあるだろうか。医師はそれを見て，骨折や骨の剥離などがないか確認して捻挫と診断する。撮影は診療放射線技師が行うが，技師は画像の撮影以外に放射線治療も医師とともに行う。

最近はCT（computed tomography：コンピュータ断層撮影）やMRI（magnetic resonance imaging：磁気共鳴画像法）など，画像診断機器の発達により，脳血管障害やがんなどの診断技術が進歩した。X線映像は白黒で，黒いところは物体を透過して感光したところであり，白いところは骨などで透過率が下がったところである。CTはX線を用いた断層写真である。MRIは磁気を用いて物体を映し出すので血管や臓器が3次元で映し出される。あるテレビ番組で医学生の画像診断の教育場面を見たとき，指導教授は「1日や2日では画像から病巣を見分けられない。多くの画像を見る

ことで細かな点まで見極められるようになる」と言っていた。診断機器は発達しているが，どんなに機器が発達しても最後に判断するのは人である。作業療法士も診断画像を読み取ることができれば，対象者の評価や訓練に役立てることができる。

■ 救急救命学

　作業療法士はチーム医療を行うので，病院や施設内ではアクシデントがあっても人手があり対応もしやすいが，在宅訪問や外出訓練などは作業療法士1人で行う機会が多く，対象者の体調の急変や事故に遭遇することもある。そのようなときに救急救命法を学んでいると適切な対処することができ，初期対応を行い，救急車を待つことができる。

　溺れた人を助けたニュースや交通事故にあった人の救命のニュースを聞いたことがあるだろう。町中で起こる事故や災害時にも役立てることができるのである。

■ 公衆衛生学

　公衆衛生は「組織された地域社会の努力を通して，疾病を予防し，生命を延長し，身体的，精神的機能の増進を図る科学であり技術である」と世界保健機関（WHO）が定義しており，臨床医学が個人水準で健康を扱うのに対して，社会水準で健康を取り扱う。

　例えば，生活習慣病対策・伝染病（感染症）予防・ゴミ収集・公害対策・上水道・下水道・食品衛生などについて研究する分野が該当する。特に感染症には公衆衛生学による対策が必要であり，上水道，下水道の普及は感染症の予防対策としてなされたものである。

　リハビリテーションにおいては感染症に対する予防策や生活習慣病予防，生活環境改善について学ぶとよい。

■ 臨床心理学

　人のからだや運動，動作，行為を学ぶうえで，その動作や行為が何によって生じているのかを考えるとき，心理学の知識が必要になる。

　人は日常のなかで困難なことが生じると具体的な行動で問題解決を図ろうとする。適切に対処できればよいが，できないと人の心のなかにさまざまな心の働きが生じる。その心の働きを心理学では防衛機制とよんでいる。

　例えば，人前で失敗をして，恥ずかしい思いをしたとき，言い訳をしたり，笑って誤魔化すなんてことをしたことがあるだろう。これは，心を平衡に保つための心の働きで防衛機制の1つである。

　防衛機制は精神分析学で用いられる用語だが，日ごろの私たちの生活場面で生じた葛藤などを理解するのに役立つ。このように人の心を扱うときには精神医学とともに臨床心理学の知識が必要になる。

作業療法の周辺

2 作業療法の専門科目について

専門科目は作業療法を学ぶうえで中心となる科目なので簡単に紹介する。科目は作業療法の基礎知識，評価技術，治療技術の構成になっている。

次にどんな科目があるかみてみよう（科目名は養成校によって名称が異なる）。授業形態には講義，演習（ゼミナール），実習がある。

■ 作業療法の基盤となる知識と技術
①作業療法の基礎科目

作業療法の歴史や理論など作業療法の知識と技術を学ぶ（表1）。

表1　作業療法の基礎科目とその内容

科　目	内　容
作業療法概論	作業療法の歴史や作業療法の全般について入門として学ぶ
基礎作業学・実習	作業の意味と作業療法における作業活動について学び，演習では実際に手工芸の実習を行う
作業分析学・実習	作業活動のもつ治療的意味を考えるために実際に作業活動を分析し，個々の作業活動のもつ意味を理解する
作業療法理論	先人が築いてきた作業療法関連の理論について学び，評価，治療を組み立てるときに役立てる
作業療法管理運営学	作業療法部門の運営や作業療法室の設計などについて学ぶ
作業療法研究法	研究のしかたについて学ぶ

②作業療法評価の知識・技術

各科目の作業療法評価の知識と技術を学ぶ（表2）。

表2　作業療法評価の知識・技術の科目とその内容

科　目	内　容
運動器障害作業療法評価学	関節可動域・筋力など運動器の評価および検査を学ぶ
神経障害作業療法評価学	認知の発達や脳損傷による高次脳機能障害の評価および検査を学ぶ
精神障害作業療法評価学	人の心理面や社会行動についての評価を学ぶ
老年期作業療法評価学	老化による心身の衰えや障害の評価や検査を学ぶ
生活機能評価学（日常生活活動評価学）	日常生活で用いられる生活活動についての評価や検査を学ぶ

③作業療法治療・援助の知識・技術

ここでは各障害に対する作業療法治療を学ぶ（表3）。併せて，評価学で学んだ知識を生かして，治療計画の立案を行う。そして，その治療計画を基に一部模擬的に治療を体験する。

表3 作業療法治療の知識・技術に関する科目内容

- **日常生活活動学**：障害者が日常生活をどのように行うのかを学び，生活動作や生活行為の改善方法と訓練方法を学ぶ
- **義肢装具学・実習**：義手や義足，上肢装具などについて学び，上肢装具の製作実習を行う
- **福祉用具学**：障害者の日常生活で用いられる自助具やリフト，車椅子などについて学ぶ
- **就労援助学**：障害者の就労を進めるための知識と援助法を学ぶ
- **身体障害作業療法治療学・演習**
- **精神障害作業療法治療学・演習**
- **発達障害作業療法治療学・演習**
- **老年期障害作業療法治療学・演習**
- **高次脳機能障害作業療法治療学・演習**
- **地域作業療法治療学・演習**：地域における作業療法の展開のしかたを学ぶ

④臨床実習

臨床実習は臨床実習指導者の下で評価・治療を体験するものであるが，2020年度より新しい厚生労働省の理学療法士作業療法士学校養成施設指定規則が適用され，必修単位の増加とともに臨床実習の形態が大きく変わった。臨床実習には臨床見学，評価実習，総合実習，地域実習があり，厚生労働省では810時間以上の履修が必要とされている。世界作業療法連盟では1,000時間以上とされており，世界作業療法士連盟の認可を受けている学校を卒業していると海外で働く機会を得やすくなっている。

臨床実習はかつて，大学や養成校で学んだことを病院施設で実習生が患者を担当して，実習指導者の下で評価から治療まで進めるものであったが，2020年以降，実習生は実習指導者が患者の評価・治療を行っている隣で補助者として，評価方法，治療技術を見学する。実習指導者は実習生にその場で教授し，学生の理解を確認したうえでフィードバックを行う。その後，学生はスタッフに模擬患者になってもらい，評価法や治療法を実施し，実施可能なレベルになったところで，一部，患者の評価・治療を体験することになっている。これを作業療法参加型実習という。

> **補足　810時間と1,000時間の違い**
>
> 810時間は日本で作業療法士になるために必要な臨床実習の時間数で，1,000時間は世界作業療法士連盟加盟国で働くために必要な時間数である。

> **補足　臨床実習はきびしいですか？**
>
> 特に総合臨床実習（インターン）は長期にわたる実習で，作業療法士になるための仕上げの実習である。基礎医学，臨床医学，作業療法専門科目をきちんと学んでおかないときびしい実習になるかもしれない。学生生活において，勉強だけでなく，自分の知識や経験の幅を広げるようなサークル活動やアルバイト，ボランティアなどを経験していると実習の際に意外と役に立つので，充実した学生生活を送るよう心がけよう。

【参考文献】
1. 理学療法士作業療法士学校養成施設指定規則，平成30年10月5日文部科学省・厚生労働省令第三号，2010.
2. 中村隆一 編：入門リハビリテーション概論 第7版，医歯薬出版，2009.
3. 千野直一 監修：現代リハビリテーション医学 改訂第3版，金原出版，2009.
4. 文京学院大学保健医療技術学部履修要項，2020年度 作業療法学科 カリキュラム 2020.
5. 社団法人 日本作業療法士協会 訳：世界作業療法士連盟 作業療法士の教育の最低基準 2002年改訂版，2006.
6. 梅根 悟，長尾十三二 編：教育学の名著12選，学陽書房，1974.
7. 吉澤 昇，ほか：ルソーエミール入門，有斐閣，1978.
8. 澤村誠志 編：最新介護福祉全書 別巻2 リハビリテーション論，メヂカルフレンド社，1997.

✓ チェックテスト

Q ①解剖学，生理学，運動学は臨床医学の基礎となる知識だが，それはなぜか（☞p.263）。 基礎

②病院など臨床で作業療法士として働くには養成校で学ぶ作業療法以外にどのような知識や技術が必要か（☞p.263〜267）。 臨床

③作業療法専門科目の履修順はどのように構成されているか（☞p.268〜269）。 臨床

作業療法の周辺

3 作業療法と関連する職種

長﨑重信

> **Outline**
> ● チーム医療にどんな専門職がかかわるのかを知る。
> ● 作業療法士と社会福祉士（ソーシャルワーカー）の関係を理解する。
> ● 作業療法士と公認心理師・臨床心理士の関係を理解する。

作業療法と関連する職種についての全体像

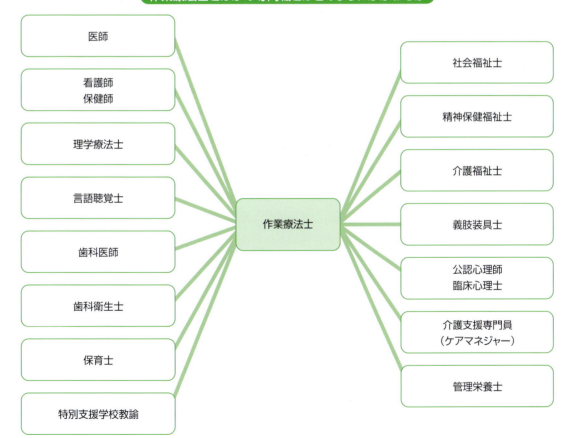

作業療法士とほかの専門職とはどのようにかかわるか

1 作業療法士と他の専門職とのかかわり

これまで作業療法士になるまでの道筋に沿って関連する知識をみてきたが，作業療法士になるとリハビリテーションチームの一員として，さまざまな職種の方々と一緒に仕事をすることになる。そこでほかの専門職について，みてみよう。

■ 医師

医師になるには大学の医学部で6年間，医学教育を学び，国家試験で医師免許を取得した後，2年間の臨床研修医制度にて8つの診療科を経験する。その後に専門とする診療科を決める。医師は幅広く医学について学ぶので，医師免許は1つだが，実際に現場（臨床）で働くときは自分の専門領域を標榜科目とすることができるようになっている。

作業療法士が接する医師には外科，内科，整形外科，脳神経外科，神経内科，小児科，精神科などの診療科が多く，なかには日本リハビリテーション医学会の研修を経て，リハビリテーション専門医やリハビリテーション認定医の資格を取って，リハビリテーション医として働いている人もいる。リハビリテーション医には医学的知識以外に社会福祉など幅広い知識が求められる。

作業療法士は「理学療法士及び作業療法士法」で「医師の指示のもとに…」との表現があり，特に医療分野では医師からの処方箋（指示箋）が作業療法部門に出されてから作業療法の業務が始まることになっている。

> **○補足**
> **リハビリテーション科の医師の専門は何か？**
> リハビリテーション専門医やリハビリテーション認定医は整形外科，神経内科，脳神経外科などの出身が多いが，リハビリテーションを専門領域とする医師として幅広い知識をもって診療にあたる。

■ 看護師・保健師

看護師・保健師については，国際看護師協会の定義では「看護師とは，基礎的で総合的な看護教育の課程を修了し，自国で看護を実践するよう適切な統制機関から権限を与えられている者である。看護基礎教育とは，一般看護実践，リーダーシップの役割，そして専門領域あるいは高度の看護実践のための卒後教育に向けて，行動科学，生命科学および看護科学における広範囲で確実な基礎を提供する，正規に認定された学習プログラムである。看護師とは以下のことを行うよう養成され，権限を与えられている。(1)健康の増進，疾病の予防，そしてあらゆる年齢およびあらゆるヘルスケアの場および地域社会における，身体的，精神的に健康でない人々および障害のある人々へのケアを含めた全体的な看護実践領域に従事すること，(2)ヘルスケアの指導を行うこと，(3)ヘルスケア・チームの一員として十分に参加すること，(4)看護およびヘルスケア補助者を監督し，訓練すること，(5)研究に従事すること」（国際看護師協会，1987年，日本看護協会訳）とされている。

看護師も最近では専門分化してきて，診療科ごとに専門的な知識・技能

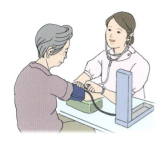

をもつ人が増えてきている。リハビリテーションとかかわるところでは認定看護師制度として脳卒中リハビリテーション看護や認知症看護，訪問看護がある。さらに専門的な専門看護師制度では精神看護，地域看護，在宅看護などがある。リハビリテーション分野で働く看護師をリハナースとよぶこともあるが，正式名称ではない。作業療法士と，病棟での患者の生活についての情報交換や実際の生活への援助を一緒に行う。

保健師は母子保健や精神保健，老人保健などで活躍しており，地域で作業療法士と協力することになる。

■理学療法士

理学療法士は，作業療法士の養成コースのある学校では2年生くらいまで一緒に机を並べて一般教養，基礎医学，臨床医学を勉強する機会がある。これは作業療法士がもつ医学的な背景が理学療法士と重なるためである。上級になるとそれぞれの専門科目を学ぶことになる。

理学療法士は身体機能の訓練を行う職種で，骨折，脊髄損傷，脳血管障害，心臓病，呼吸器疾患，リウマチ，神経難病，脳性麻痺，筋ジストロフィーなどの疾患を対象に運動機能の改善や維持を働きかける。

最近ではスポーツ外傷や介護予防など，医療分野以外の分野で活躍している人も増えてきている。

■言語聴覚士

言語聴覚士は最近では病院で働いている人が多いようだが，資格制度ができる1998年以前は，国立大学の教育学部特殊教育課程や国立障害者リハビリテーションセンター学院（前国立聴力言語センター付属聴能言語専門職員養成所）の卒業生が小児の施設や病院で言語聴覚士として働いていた。言語聴覚士は言語障害，音声障害，嚥下障害（噛めない，飲み込めない）の訓練をする職業で，作業療法士とはコミュニケーション指導，食事動作（嚥下，咀嚼）などの訓練・指導で協力し合うことになる。

■社会福祉士

社会福祉士（ソーシャルワーカー）は1987年の「社会福祉士及び介護福祉士法」により資格制度ができた。

社会福祉士とは「専門的知識及び技術をもって，身体上もしくは精神上の障害があること，または環境上の理由により日常生活を営むのに支障がある者の福祉に関する相談に応じ，助言，指導，福祉サービスを提供する者又は医師その他の保健医療サービスを提供する者その他の関係者との連携及び調整その他の援助を行うことを業とする者」とされている。

主に病院，施設，福祉事務所などで働いている。病院では医療相談員とよばれることもある。

> **◉補足**
> **コミュニケーション指導における言語聴覚士業務との違い**
> 言語聴覚士は言葉の発声訓練や文字を読めるよう訓練したり，言葉の代替え方法を指導する。作業療法士は言語聴覚士と協力して，実際の日常生活で言語・非言語コミュニケーションができるように指導する。

> **◉補足**
> **食事動作における言語聴覚士業務との違い**
> 運動機能面の食事動作訓練は作業療法士が行う。咀嚼・嚥下は言語聴覚士と作業療法士が協力して，口腔・嚥下機能の評価・訓練を行う。

作業療法の周辺

リハビリテーションにおいては、作業療法士、理学療法士が対象者を訓練しようとしても、その行く先(生活の場)がなければ、十分な訓練をすることができない。そこでソーシャルワーカーに社会資源や患者の生活環境を調査してもらったり、面接で患者の抱えている問題点を明らかにして、情報をリハビリテーションチームで共有し、訓練を進めゴールを目指す。

■精神保健福祉士

精神保健福祉士は、1997年に誕生した精神保健福祉領域のソーシャルワーカーの国家資格である。

精神保健福祉士は、精神科ソーシャルワーカー（PSW：psychiatric social worker）という名称で1950年代より精神科医療機関を中心に医療チームの一員とし活躍してきた専門職である。社会福祉学を学問的基盤として、精神障害者の抱える生活問題や社会問題の解決のための援助や、社会参加に向けての支援活動を通して、その人らしいライフスタイルの獲得を医師、看護師、保健師、臨床心理士、作業療法士らとともにチームを組んで援助する。精神病院以外にも精神保健センター、デイケアセンター、矯正施設、自治体などで働いている。

■介護福祉士

介護福祉士については、資格制度ができる前は介護福祉施設においては、寮母とよばれていたが、社会福祉士と同じ年(1987年)に資格化された。介護福祉士になるには2年以上の厚生労働省の指定を受けた専門学校、短大などを卒業するか、現場で実務を5年以上行ったうえで国家試験を受ける必要がある。

介護老人保健施設、特別養護老人ホームなどの高齢者施設や療護施設、障害児施設などの障害者施設、訪問看護ステーション、在宅介護支援センターなどの在宅介護の分野で介護業務を行っている。

作業療法士は病院、施設、地域で一緒に働く機会の多い職種なので、介護方法や介護保険など介護福祉士と共通の知識をもっていることが必要だ。

■義肢装具士

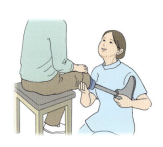

義肢装具士は患者や障害者のために1人ひとりに適合した義肢や装具を製作する。そのためには体の形状や寸法を記録する必要があり、石膏包帯(ギプス包帯)などを使用して、立体的に体の型をとる方法(採型とよばれる)や、体の輪郭をトレースし寸法を記録する方法(採寸)を用いる。このように型や記録された情報を基にして義肢や装具を製作する。必要であれば、仕上がる直前に仮合わせを行い、体や目的に合っているか十分に確認することがある。また、完成後も体や目的の変化に応じて調整を行う。

作業療法士は義手や上肢装具などの製作で協力する。

■ 公認心理師・臨床心理士

　臨床心理士は臨床心理学に基づいた知識と技術で援助する専門職である。日本では，心理カウンセラー，サイコセラピスト，心理士，心理相談員など，さまざまな名称でよばれているが，病院，診療所，学校，福祉施設，自治体などで活躍している。昨今の複雑化する社会のなかでは心理的課題を抱える人が増えており，臨床心理士の援助が求められることも多くなっている。そこで2015年に公認心理師法が成立し，2017年に施行され，心理職の国家資格として，「公認心理師」制度ができた。

　公認心理師は「保健医療，福祉，教育その他の分野において，専門的知識及び技術をもって，

1. 心理に関する支援を要する者の心理状態を観察し，その結果を分析すること。
2. 心理に関する支援を要する者に対し，その心理に関する相談に応じ，助言，指導その他の援助を行うこと。
3. 心理に関する支援を要する者の関係者に対し，その相談に応じ，助言，指導その他の援助を行うこと。
4. 心の健康に関する知識の普及を図るための教育及び情報の提供を行うこと。」

と定められており，1から3は臨床心理士と同じで，4が公認心理師の特徴とされている。

　作業療法士とは病院，施設などでチームを組むことが多いので，臨床心理士の仕事について知っておく必要がある。

■ 介護支援専門員（ケアマネジャー）

　介護支援専門員（ケアマネジャー）は2000年の介護保険制度で誕生した職種である。居宅介護支援事業所・介護予防支援事業所・各種施設（介護老人福祉施設など）などに所属し，介護保険の認定審査で要支援・要介護と認定された人に対して，アセスメント（評価）に基づいてケアプラン（介護計画）を作成し，ケアマネジメントを行う。介護全般に関する相談援助・関係機関との連絡調整・介護保険の給付管理などを行う。

　介護支援専門員になるには社会福祉士，精神保健福祉士，介護福祉士，医師，歯科医師，薬剤師，保健師，助産師，看護師，准看護師，理学療法士，作業療法士，視能訓練士，義肢装具士，歯科衛生士，言語聴覚士，あん摩マッサージ指圧師，はり師，きゅう師，柔道整復師，栄養士（管理栄養士を含む）または相談援助業務に従事する者で社会福祉主事任用資格，訪問介護員養成研修2級課程に相当する研修を修了し，実務5年以上の者，前記の資格または研修修了の資格がない場合は所定の福祉施設での介護などに従事した期間が10年以上の者に受験資格がある。

　高齢者の増加に従い，介護福祉士や作業療法士とともに介護支援専門員

> **補足**
>
> **介護支援専門員（ケアマネジャー）になるにはどうしたらよいか？**
> 作業療法士の国家資格を取得し5年間の臨床経験を積むと介護支援専門員になるための受験資格ができる。

作業療法の周辺

の需要も増えてきている。

■管理栄養士

　管理栄養士は学校，給食センター，病院，施設などで働いている。

　最近では，リハビリテーションにおいて，訓練しても効果の上がらない患者は栄養状態が悪いことがわかり，病院で管理栄養士に患者の栄養改善を依頼するということが行われるようになってきている。管理栄養士は吸収しやすい食物を選択したり，患者が食べやすいように食物形態を工夫したりして，栄養状態の改善を図る。作業療法士とは咀嚼・嚥下の訓練で食物形態や栄養価について協力する。

■歯科医師

　歯科医師は咀嚼・嚥下や口腔衛生管理のためにリハビリテーションチームの一員として，参加する病院，施設が出てきた。

　介護保険関係でも口腔の衛生状態が悪いと全身状態の悪化をまねくため，歯の治療や入れ歯の管理，口腔内の衛生状態の維持などが歯科医師に求められている。作業療法士も口腔ケアに注意し，必要があれば，歯科医師に情報提供することなどが求められる。

■歯科衛生士

　歯科衛生士は歯科医師の診療の補助のほか，歯および口腔疾患の予防や改善のための医療行為を行うことができる。つまり，患者の口腔内に触れる医療行為を行える。歯科診療所や大学病院の歯科などで働いている人が多いが，最近では，歯や口腔全体を通じた健康づくりが注目されはじめ，市町村の保健センターや幼稚園・保育園，教育機関，老人介護施設，小児施設，企業の医務室など，歯科衛生士の活躍の場が広がっている。作業療法士とは障害児分野や老年期障害分野などで出会う機会が多い。

■保育士

　保育士は子どもの生活全般の世話をしながら，心身の発達や社会性を養い，食事や睡眠，排泄，清潔さ，衣類の着脱などの基本的な生活習慣を身につけさせる。作業療法士とは障害児の通園センターや入所施設でともに働く。

■特別支援学校教諭

　特別支援学校は以前，障害別に肢体不自由，視覚障害，聴覚障害，知的障害，病弱などの養護学校の名称が使われていたが，今は○○特別支援学校という名称になった。そこで障害児の教育を行うのが**特別支援学校教諭**である。作業療法士から特別支援学校自立教科教諭の免許をとって働いて

> **補足**
>
> **リハビリテーションと栄養状態**
>
> 訓練で身体機能を回復するためには，その元となるエネルギーが必要である。そこで管理栄養士にリハビリテーションチームに参加してもらい，患者の摂取しやすい食物形態や必要なカロリーを計算してもらう。

いる人もいる。

> **補足**
> **なぜこんなに専門職が多いのか？**
> 昔は資格制度がなく，専門職と同じような仕事をする人がいた。それぞれを専門職として資格化したため多くなったが，そのため学問レベルや技術レベルを高めることができ，仕事の内容も明確になり，協力して仕事をすることができるようになった。協働のためには他の専門職の仕事を理解できるよう勉強しておくことが必要である。

■ その他に

- **職業カウンセラー（職業相談員）**：相談者の職業適性などを考慮し就労を援助する。
- **職業訓練指導員**：職業訓練校で職業訓練を指導する。
- **就職促進指導官**：ハローワーク（職業安定所）で職業紹介をする。
- **リハビリテーション・エンジニア**：福祉用具の開発と対象者への適応を行う。
- **生活指導員**：高齢者・障害者施設などで働くソーシャルワーカー。
- **児童指導員**：小児の施設で働くソーシャルワーカー。

などの専門職と一緒に仕事をすることがある。

　最後に，本項を通して「こんなにいろいろなことを学ばなくてはいけないの」と思ったことだろう。少しずつ，自分の体験を広げていけばよいので，急がず，一歩一歩，歩んでいこう。

作業療法の周辺

【参考文献】
1. 医師法 改正平成19年6月27日 法律96号.
2. 保健師助産師看護師法 改正平成21年7月15日 法律第78号.
3. 日本看護協会：ICN 看護師の定義．(https://www.nurse.or.jp/nursing/international/icn/document/definition/index.html)（2021年8月時点）
4. 理学療法士及び作業療法士法 改正平成19年6月27日 法律96号.
5. 言語聴覚士法 改正平成19年6月27日 法律96号.
6. 社会福祉士及び介護福祉士法 改正平成22年12月10日 法律72号.
7. 精神保健福祉士法 改正平成23年6月24日 法律74号.
8. 義肢装具士法 改正平成23年6月24日 法律74号.
9. 介護支援専門員法 改正平成23年6月22日 法律72号.
10. 日本臨床心理士資格認定協会：臨床心理士とは．(http://fjcbcp.or.jp/rinshou/about-2/)（2021年8月時点）
11. 栄養士法 改正平成19年6月27日 法律96号.
12. 歯科医師法 改正平成19年6月27日 法律96号.
13. 澤村誠志 編：最新介護福祉全書 別巻2 リハビリテーション論，メヂカルフレンド社，2008.

✓チェックテスト

Q
①病院・施設や地域でのリハビリテーションは作業療法士だけができるのか（☞p.272）。 **臨床**
②管理栄養士はリハビリテーションのなかでどのような役割を担っているか（☞p.276）。 **臨床**
③保育士はリハビリテーションのなかでどのような役割を担っているか（☞p.276）。 **臨床**

6章

作業療法の理論，モデル，ツール

作業療法の理論，モデル，ツール

1 身体機能領域の作業療法と理論

佐藤　章，臼倉京子

Outline

- 身体機能領域の作業療法は，作業（生活行為）に焦点を当て，遂行に必要な3機能（身体機能，高次脳機能，心理機能）のうち，特に身体機能の支障による行為（動作）に着目しつつ，治療・指導・援助が行われる。治療・指導・援助は，3つの実践の大きな枠組み（①心身機能の維持・改善・回復，②作業自体の繰り返し練習，③環境への働きかけ）で行われる。
- 身体機能領域の作業療法の治療・指導・援助には，生体工学（力学）的アプローチ，神経発達的アプローチ，リハビリテーション的アプローチ，そして学習理論などの理論を，相互に補完しながら用いていくことが必要である。

1 身体機能領域の作業療法

　作業療法は，対象者ができるようになりたい作業，できる必要がある作業，できることが期待されている作業に焦点を当てた治療，指導，援助である。作業には，ADL，仕事，余暇などの生活行為と，それを行うのに必要な心身の活動が含まれる。

　対象者の望む生活行為が遂行されるためには，なぜその作業がうまくいかないのかを知ることが必要である。人の生活行為の遂行には，どんな機能が必要なのか，考えてみよう。

　「着替え」という生活行為を例とする。着替える服を用意する，着替えるための姿勢を保持する，服を持って着替える。このときにあまり意識はしないが，服の裏表，前後ろ，左右，上下などを判断して着替えている。その前に，TPO（time：時間，place：場所，occasion：場面）に適した服かどうかを判断している。そしてさらにその前に，「着替えをしよう」という動機付けがなされていることが必要である。つまり，「身体を動かす身体機能」「ものを判断する高次脳機能」「気持ちのうえである動きをしようとする心理機能」が必要となる（表1）。これらの3つの心身機能のうち，どれか1つでも支障が生じると，生活行為がうまく遂行できなくなる。

　身体機能領域の作業療法においても，作業に焦点を当てることに変わりはないが，「身体を動かす身体機能」の支障による行為（動作[*1]）に着目し，治療・指導・援助が行われる。

[*1] 動作
運動が目的をもった場合をいう。

表1 生活行為に必要な3つの機能

①身体機能	実際に手足を動かす，姿勢を保つ，動きをコントロールする，動きを継続するなど
②高次脳機能	記憶，認知，注意力，計算，問題解決能力，判断力など
③心理機能	動機・不安・積極性・意欲など動きを発動するきっかけや動きを継続する気持ち，協調性など

> **アクティブラーニング①** トイレ動作の遂行には，どんな機能が必要だろうか。トイレ動作の流れ(工程)を書き出し，身体機能，高次脳機能，心理機能がどのようにかかわっているか，把握しよう。

2 身体機能の働きと障害

生活行為をするうえで，身体機能がどんな働きをしているのか，「着替え」を例に，もう少し考えてみる。服を着替えるため，立位や座位などの**姿勢を保つ**と同時に，服を持ち着替えることができる**関節の動きと力**が必要になる(表出の働き)。そして着替えようとする服の大きさや形・材質などを**認知・判断**し，これらの動きが滑らかで，**協調のとれた動き**として行えるように調整されていることが必要であり(認知・調整の働き)，着替えを最後まで行うことができるような体力・耐久性が必要となる(維持の働き)。このように，生活機能を遂行するための身体機能には大きく3つの働きがある(表2)。

表2 身体機能の3つの基本的な働き

①表出の働き	実際に身体の動きを表現する働きであり，主に筋・骨・関節・靱帯・軟部組織などが関係している
②認知・調整の働き	動きの目的や取り扱う(操作する)道具・もの，さらに環境に合わせて，動きを，力の程度や時間的・空間的に調整する働きであり，主に中枢神経・末梢神経・感覚器などが関係している
③維持の働き	動きを一定の状態で継続できるようにする働きであり，主に呼吸器・循環器・内分泌系などが関係している

これらの働きの障害は，疾患の特徴と関係している。

表出の働きの障害は，筋力(瞬発力・持久力)の低下，**関節可動域**[*2]の減少・制限，**関節周囲組織の弾性**[*3]減少，身体の柔軟性の障害などにより生じる。これらの障害は，主に運動器系の障害を中心とする整形外科系疾患などに起因することが多い。

認知・調整の働きの障害は，感覚の障害(表在感覚・深部感覚)，筋緊張の異常(亢進・低下)，**随意運動**[*4]の障害，動きの協調性の障害，バランスの障害(姿勢保持の障害)，道具・ものの操作や認知(環境を含む)の障害などにより生じる。これらの障害は，神経系の障害を中心とする中枢神経系疾患に起因することが多い。

補足

動きの協調性
運動を円滑に行うために多くの筋が調和を保って働くことをいう。感覚や筋が収縮する順序，強さ，速さ，タイミング，さらに身体のバランスなどが関係する。

[*2] **関節可動域**
関節の運動範囲のことであり，通常ROM(range of motion)という。これには自動関節可動域(自分で動かせる範囲)と他動関節可動域(他人が動かせる範囲)の2つがある。

[*3] **関節周囲組織の弾性**
関節の周りの組織である筋，靱帯，腱，皮膚などが，関節が広がるのに伴って伸び，関節が元にもどると周囲の組織も元の長さにもどることをいう。

[*4] **随意運動**
本人の意志によって手足や身体を動かす運動をいう。また本人の意志とは関係なく手足や身体が動く運動を不随意運動という。

欄外注	本文

＊5 易疲労性
疲労とは，ある機能を発揮した結果，その機能が低下することをいい，易疲労性とはこの疲労が起こりやすいことをいう。

＊6 加齢
生後から時間経過とともに個体に起こる，よいことも悪いことも含めたすべての過程，現象をいう。

＊7 維持
物事をそのままの状態で保ち続けること[1]。障害の有無にかかわらず，機能や能力を現在の状態に保ち，現在より悪くならないようにすること。

＊8 改善
悪いところを改めてよくすること[1]。障害を受けた機能や能力を元の状態にもどらないまでも，少しでもよくすること。

＊9 回復
一度失ったものを取りもどすこと。元の通りになること[1]。障害を受けた機能や能力を，障害を受ける前の元の状態にもどすこと。

維持の働きの障害は，耐久性(体力)の低下，**易疲労性**＊5などにより生じる。これらの障害は，呼吸・循環器系の障害を中心とする内科系疾患に起因することが多い。

これら3つの働きの障害の程度は，疾患や**加齢**＊6により異なるため，その特徴と影響を把握することが大切である。また，3つの働きの障害が単独で生じることは少なく，相互に影響を及ぼすことも考慮する。

3 身体機能領域の作業療法における治療理論

作業に焦点を当てた治療，指導，援助の実践には

①心身機能の**維持**＊7・**改善**＊8・**回復**＊9，あるいは低下を予防する手段としての作業の利用
②その作業自体を練習し，できるようにしていくという手段であると同時に目的としての作業の利用
③これらを達成するための環境への働きかけ

の3つの大きな枠組みがある。

この実践の考え方について，症例を通して考えてみよう。例えば，脳卒中右片麻痺の人が，トイレ動作の自立を望んでいるとする。トイレ動作には，トイレまでの移動，下衣を下げる，便座への移乗，排泄，後始末，下衣を上げる，トイレから出るという，一連の工程がある。作業療法士は，トイレ動作のどの工程ができないのか観察し，立位でのズボンの上げ下げに介助を要する状況を把握し，ここに課題を絞る。次に，なぜその工程がうまくできないのか，心身機能や環境を評価し，その要因を分析する。そして，トイレ動作の自立に向け，3つの方向からの支援を考える。1つ目は，身体機能の維持・改善・回復のため，下肢の筋力や立位でのバランスや耐久性の練習を行う(図1)。2つ目は，片手でのズボンの上げ下げを繰り返し行い習得できるようにしていく(図2)。3つ目は，安定した立位を補い保つために手すりという代償的な環境を利用する(図3)。この思考過程は，作業療法介入プロセスモデル(OTIPM：occupational therapy intervention process model)でいう，作業遂行上の問題を解決するための，回復モデル，習得モデル，代償モデル，教育モデルといった介入法の選択が参考となる。

このように，身体機能領域の作業療法においても，作業に焦点を当てた3つの実践の大枠で，治療，指導，援助が行われる。

> **アクティブラーニング ②** 作業療法介入プロセスモデルはどのような理論なのか，『作業療法理論の教科書』(メジカルビュー社)などを参考に，5W1Hでまとめてみよう。

図1 立位バランス練習	図2 ズボンの上げ下ろし練習	図3 手すりの設置

ほかにも，作業療法の治療の思考過程をガイドする理論は，数多く存在する。1977年にTrombly(トロンブリー)は身体機能領域の作業療法アプローチについて3つに分類することを提示した[2-4]。

①生体工学(力学)的アプローチ
②神経発達的アプローチ
③リハビリテーション的アプローチ

■ 生体工学(力学)的(biomechanical)アプローチ

運動学・運動力学・運動生理学などの観点から身体機能障害をとらえ，関節運動とテコの原理，関節モーメント・ベクトルなどとの関係，運動や動作と重心・支持面・バランスとの関係，さらに運動や動作と呼吸・心拍数・血圧との関係などについて，各々の理論に従ったアプローチを行う。

筋力(瞬発力・持久力)，関節可動域，全身の耐久性など，主に末梢の運動器系，末梢神経系，呼吸・循環器系の問題に対処し，**国際生活機能分類(ICF)**[*10]でいう**心身機能**[*11]・**身体構造**[*12]に直接影響を及ぼすことにより，身体機能の低下の予防や障害を受けた身体機能の維持・改善・回復を図ろうとするアプローチといえる。

■ 神経発達的(neurodevelopmental)アプローチ(表3)

感覚運動アプローチ[2,5]あるいは運動コントロールモデル(motor control model)[3,4,6,7]ともいわれている。

神経生理学・神経心理学・人間発達学・心理学・運動学などの観点から，特に中枢神経障害による身体機能障害を運動機能障害としてとらえ，運動や動作と筋緊張・姿勢反射・運動発達・随意運動などとの関係について，各々の理論に従ったアプローチを行う。

中枢神経障害による筋緊張・姿勢保持・随意運動などの問題に対処し，心身機能・身体構造に直接影響を及ぼすことにより，障害を受けた身体機

---

*10 国際生活機能分類(ICF: international classification of functioning, disability and health)

2001年に世界保健機関(WHO)総会において採択された，人間の生活機能と障害の分類法であり，生活機能というプラス面からみるように視点を転換し，さらに背景因子として，環境因子と個人因子の視点を加えている(p.88, 図1参照)。

*11 心身機能

国際生活機能分類でこれに用いられている用語で，精神機能を含めた脳や上・下肢・体幹，さらに内臓の機能までの人の生理機能をいう。

*12 身体構造

国際生活機能分類で用いられている用語で，人の身体を構成している解剖学的構造をいう。

＊13 連合反応
身体の一部の筋に強い力を入れると、身体のほかの部分の筋の収縮や運動が誘発されることをいう。中枢神経の障害で生じる反応である。

＊14 共同運動
上・下肢の関節運動を、個々の関節運動としてはできず、常にほかの関節運動とともに、ある一定の運動パターンでしか動かすことができない状態をいう。屈筋共同運動・伸筋共同運動がある。なお正常な運動も共同運動という場合があり、注意を要する。

＊15 分離運動
関節運動が、共同運動から、徐々に関節個々の運動として可能になり、最終的に関節個々の運動として可能になる状態をいう。

能の維持・改善・回復を図ろうとするアプローチといえる。

　1970年代、ファシリテーションテクニック（facilitation technique）という名称でその技術が上田らにより紹介[3]された。

　このアプローチの主なものを**表3**に示す。これらに共通する原理は、

①運動の促通や抑制のために、感覚入力の操作を加えること
②個々の筋や関節の運動よりも、全身の協調性のある運動の回復に重点を置くこと
③心理学、特に条件付け、反復、強化、汎化などの学習理論を応用していること

である。

　最近は、認知運動療法のように中枢神経障害による運動機能障害を知覚・運動機能障害、さらに認知機能を含めた運動コントロール（運動制御）の問題として、幅広くとらえようとする考え方に変化してきている。

表3　4つの神経発達的アプローチ

	理論	概要	技法
①神経発達的治療（NDT：neurodevelopmental treatment）[2,5,7]	イギリスのBobath（ボバース）夫妻が提唱した脳性麻痺児に対する理論であり、現在は中枢神経障害を対象に広く応用されている。中枢神経の発達原理に従って、脳の階層的な運動統合機能を高めようとする考えに基づく	適切な運動刺激や感覚情報を提供することにより、過度の筋緊張と異常な運動パターンを抑制し、正常な運動パターンを促通することを基本とする	特に脳血管障害の回復過程を（初期）弛緩期・痙性期・適応回復期の3期に分け、各々の時期に応じたポジショニング、ハンドリング、インストラクションなどが用いられる
②Brunnstrom（ブルンストローム）の運動療法[2,5,7,8]	回復段階は、**連合反応**[＊13]や**共同運動**[＊14]パターンなどを経て、その後**分離運動**[＊15]が進むことにより、正常な運動パターンが回復するという考えに基づく	いろいろな感覚刺激を利用して共同運動を誘発し、その後に分離運動を促進することを基本とする	中枢神経系の障害による麻痺の回復には、一定の回復段階があり、その回復段階に応じた適切な運動パターンなどが用いられる
③Knott（ノット），Voss（ボス），Myers（マイヤーズ）の固有受容性神経筋促通法（PNF：proprioceptive neuromuscular facilitation）[2,5,8]	正常運動発達の原理と**固有（感覚）受容器**[＊16]に対する多重感覚刺激を加えることにより、神経生理学的に有効な反応を促通できるという考えに基づく	促通要素・特殊テクニック・促通パターンを用いて、固有受容器を刺激することにより、筋活動に有効な運動パターンなどの反応を引き出すことを基本とする	主な刺激として、らせん的・対角線的な動きを用いての抵抗運動、関節に対しての圧縮と牽引の交互刺激、リズミカルに行う主動筋と拮抗筋の等尺性運動などが用いられる
④Rood（ルード）のアプローチ[2,4]	正常な運動パターンの獲得は、正常な運動発達の順序に従うこと、そして適切な知覚刺激が運動を発現させるために必要であるという考えに基づく	姿勢の維持に関与する筋群から運動の遂行に関与する筋群へと回復を図ることを基本とする	主な適切な感覚刺激として、固有（感覚）受容器に対する刺激と、**ブラッシング**[＊17]や**アイシング**[＊18]など外受容器に対する刺激などが用いられる

＊16 固有(感覚)受容器
受容器からの信号によって，その受容器が存在する器官が制御される場合，その受容器を固有(感覚)受容器という。固有(感覚)受容器からの信号により生じる感覚を固有感覚といい，主に関節受容器・筋紡錘による深部感覚がある。

＊17 ブラッシング
皮膚を軽くこする刺激を与え，その皮膚の下にある筋の活動が促進され，拮抗筋の活動が抑制されるという考えに基づいた技法をいう。

＊18 アイシング
氷などを用いて冷たい刺激を与えることにより，筋の活動を促進させる効果があるという考えに基づいた技法をいう。

＊19 福祉用具
「心身の機能が低下し日常生活を営むのに支障のある老人又は心身障害者の日常生活上の便宜を図るための用具及びこれらの者の機能訓練のための用具並びに補装具をいう。」(福祉用具の研究開発及び普及の促進に関する法律：定義 第2条，平成5年)

＊20 学習
一般に，経験することにより，行動や知識の面で(比較的)永続的な変化が生じることをいう。

○補足

多様性練習
同一の運動の枠組みに支配される運動で，かつパラメータの異なるいくつかの運動をランダムに行う方法(例：バスケットボールのシュートで，2～4種類の距離を決めておいて，ランダムな順序でそれらの距離からシュートを打つ練習など)

恒常練習
1つの決められた課題のみを反復練習する方法

■ リハビリテーション的(rehabilitative)アプローチ [2, 5, 9]

　障害を受けた機能の改善や回復による運動や動作の獲得や再獲得が困難な場合，代償的な機能や外的な補助的手段を利用することにより，結果として目的とする動作を可能にしようとするアプローチであり，心身機能・身体構造に直接影響を及ぼそうとするアプローチとは異なるものである。

　このアプローチは，代償的アプローチともよばれ，心身機能改善が困難な場合，活動や参加の拡大を目的に用いられる。その方法は，以前の動作方法と異なる「動作による代償」，補装具や福祉機器などの「**福祉用具**[＊19]**による代償**」，住宅改修など物理的環境の調整や介護者などの人的環境の調整や介護サービスなどの社会資源の調整などの「**環境による代償**」が含まれる。

4 身体機能領域の作業療法実践の場における技法と学習理論との関係

　身体機能領域に関するアプローチとして，①生体工学(力学)的アプローチ，②神経発達的アプローチ，③リハビリテーション的アプローチについて解説したが，どのアプローチに基づいて対応するとしても，動きを**学習**[＊20]する過程が必要となる。この過程があってはじめて身体機能の維持・改善・回復や身体機能の代償などに結びつく運動や動作を獲得することが可能となる。身体機能領域における作業療法実践の場において，目的とする運動や動作の獲得のために，起居動作，上肢の基本的動作，日常生活活動の各動作などが幾度となく繰り返し行われており，多くの時間が費やされているのが事実である。このように実践の場の状況をみると，種々の活動を利用するとともに，作業療法士の言葉や身体を用いた指示・誘導・フィードバックや段階づけなど**学習理論の援用といえる技法が数多く用いられており，学習理論とその技法が作業療法の技法に大きくかかわっているといえる**。また，一度失敗した環境や条件での運動や動作に対して，対象者が消極的になるのはなぜか，逆にうまくできたことに関しては，より積極的になるのはなぜだろうか。このような対象者の傾向について理解するうえでも，学習理論が参考になる。

　それでは，臨床における学習理論の援用として，どのような技法があるのか，主な事項について解説する。

■ 運動学習(motor learning)(表4) [3, 4, 10-13]

　運動学習とは，経験や練習を通して熟達した運動や動作の獲得に至る過程をいうが，この過程があってはじめて身体機能の維持・改善・回復や身体機能の代償に結びつく運動や動作を獲得することが可能となる。作業療法においてある運動や動作を幾度となく繰り返す場面が見られるが，まさにこの運動学習を行っていることになる。

　表4に運動学習の条件の主な例を紹介する。

表4　運動学習の条件の主な例について

①フィードバック	フィードバックには，内的フィードバック(視覚や固有受容器などを通して本人が行う)と外的フィードバック(環境が与える，あるいは指導者・作業療法士が行う)がある。さらに指導者が発するフィードバックには，結果の知識(KR：knowledge of results)とパフォーマンスの知識(KP：knowledge of performance)がある。KRは，運動の目標に対する行為の結果について得られた情報であり，通常は言語的な情報である。KPは，運動終了後に指導者から与えられる運動パターンに関する情報のことである。KPの与え方には，運動遂行時のフォームをビデオや写真で撮影しておき，後で再生して見せるなどの方法がある。
②集中学習と分散学習	課題を集中して学習する集中学習と，休みを入れて分散して学習する分散学習とがある。どちらが効果的かという点については，課題の種類や集中の程度，分散の間隔にもよるが，一般には分散学習のほうが効果があるといわれている
③全体練習と部分練習	一連の流れのある運動を練習する場合に，全体をいくつかの部分に区切らず，全体をひとまとめにして通して練習する全体練習と，全体をいくつかの小部分に区分し，一部分ずつ練習を完成させていく部分練習とがある。一般に部分練習は，課題が複雑な場合や，課題遂行能力が低い対象者の場合に有効であるといわれている

そのほか，運動学習の方法として，多様性練習，恒常練習，そして課題の実施順序によるブロック練習，ランダム練習が挙げられる。また，メンタルプラクティスを学習の進行に利用する例もある。

> **補足**
>
> **ブロック練習**
> 例えば，複数の課題①，②，③を各10試行，トータルで30試行練習する場合に，1〜10試行は課題①の反復練習，11〜20試行は課題②の反復練習，21〜30試行は課題③の反復練習，というように課題ごとにまとめて練習する方法
>
> **ランダム練習**
> 例えば，複数の課題①，②，③を各10試行，トータルで30試行練習する場合に，30試行中の課題の並べ方を③→①→③→②→①…のようにランダムにして練習する方法
>
> **メンタルプラクティス**
> メンタルトレーニングとは，物，景色，感覚などをあたかも現実のように視覚化あるいは認知的に再現すること。例：気持ちを落ち着かせるために，静かな美しい景色の所にいることをイメージするなど。
> メンタルプラクティスは，望ましい結果を達成するために繰り返しメンタルイメージを用いること。メンタルイメージを繰り返し用いることは，筋肉による粗大な動作をいっさい伴わない身体活動の象徴的リハーサルである。例：野球の投球をメンタルイメージするなど。

> **作業療法参加型臨床実習に向けて**
>
> 臨地実習指導者の評価や治療，専門職業人としての働きを，観察，模倣し，学習する。観察のポイントとしては，言葉かけ(言葉遣い)，態度，行動，環境が挙げられる。どのような場面で，どのような言葉遣いと態度で，どのような行動をとっていたのか，観察し，まずは模倣してみよう。次に学生同士で行い，お互いにフィードバックをし合う。その後で対象者に対応しよう。学習理論を上手に使うことで，効果的な学習が期待される。

■ **社会学的学習理論**

作業療法実践の場での技法にみられる**社会的学習理論**[*21]の主な援用[14]について**表5**に示す。

表5　作業療法実践の場での技法にみられる社会的学習理論の主な援用

①模倣による学習	モデルと同じ行動を実際に行うことに対して，直接褒められたり褒美などが与えられたりして，その行動が学習されること
②モデリング（観察学習）	実際には行わないが，モデルの行動を見せることで，あるいは見ることによって，直接褒められたり褒美などが与えられたりしなくても，望ましい行動が学習されること
③自己教示法	状況に応じた望ましい行動ができるように，対象者本人が自分自身に教示することにより学習することをいう。最初は，モデルが大きな声を出しながら望ましい行動を行うのを，対象者が見ていることから開始し，次に対象者本人が自分自身に大きな声で指示をしながら行い，望ましい行動がうまくできるようになるにつれ，声を小さくしていき，最終的に心のなかでつぶやきながら行う(外言語化から内言語化へと変えていく)

*21 社会的学習理論
人が，周囲の人々や社会の影響を受けながら，感情，思考，態度，行動などを習得していく過程に関する理論をいう。

*22 順行チェイニング
一番はじめの単位から順番に形成していく方法。

*23 逆行チェイニング
一番後の単位から順番に形成していく方法をいう。

*24 CI療法
CI療法とはconstraint-induced movement therapyの略で，「麻痺側上肢集中訓練」とよばれている。CI療法とは健側上肢を拘束することによって，患側上肢の随意運動を促そうという治療である。患側上肢にどのような訓練をするか，という訓練課題そのものの内容である。できるだけ段階的な難易度の課題を用意し，徐々に困難な課題を達成できるようにする。このような課題をシェーピング(表6)という。

*25 認知神経リハビリテーション
認知神経リハビリテーションは，「運動機能回復を病的病態からの学習過程である」と考える認知理論に基づいたリハビリテーション治療法，運動療法である。回復には，目に見える運動や行為の背景にある認知過程(知覚・注意・記憶・判断・言語・イメージ)の活性化が密接にかかわるとする。練習は，身体や対象物の認知を問う問題(認知問題)を提示し，対象者は問題を解くための仮説(予測)を立て，実際の結果と比較照合することで学習を促進する。評価では，随意運動や姿勢・動作分析などの目に見える運動や行為の観察(外部観察)と，その内部にある認知過程の観察(内部観察)を行う。

■その他の学習理論

作業療法実践の場での技法にみられるそのほかの学習理論の主な援用[15]について表6に示す。

表6　作業療法実践の場での技法にみられるそのほかの学習理論の主な援用

①反応プロンプトとフェーディング	プロンプトとは，促通刺激(手がかり)ともいい，他者から与えられる手がかり(反応プロンプト)には，言語によるもの，身振りによるもの，モデルや手本によるもの，手取り足取りによるものがある。実際にはこれらを適宜組み合わせて利用していることが多い。フェーディングとは，プロンプトを段階的に減少していく方法である
②シェーピング(行動形成・反応形成)	漸次接近ともいわれ，目標としている行動を構成している要素に分け，それらの要素のうち特定の要素を選択的に学習し，最終的に目標とする一連の行動の形成を達成しようとする方法をいう。例えば，手を机の上に載せる場合，手を机の高さまで上げる，手を机の上に上げる，手を机の上に載せ前方に伸ばす，手を机の上に載せ右斜め前方に伸ばす，手を机の上に載せ左斜め前方に伸ばす，手を机の上に載せず空中に浮かしたまま前方に伸ばすなどの構成要素に分けて学習し，最終的に手を机の上に載せる動きを学習することが考えられる。
③チェイニング	複雑な行動(課題)を，いくつかの行動の組み合わせとしてとらえ，組み合わされている行動を単位ごとに分け，その単位ごとに学習し，最終的に行動の組み合わせを形成していくことをいう。例えば，前開きの服を着る場合，袖を通す，服を肩まで上げる，服を背中に回す，もう一方の袖を通す，ボタン(ファスナー)を開閉する，裾を整えるなどの単位に分けて学習することが考えられる。チェイニングには，順行チェイニング*22，逆行チェイニング*23などの技法がある。

5　身体機能領域の実践と各種理論との関係

　理論とは，ある現象についての組織立った思考方法である。作業に焦点を当てた作業療法の治療・指導・援助の思考過程をガイドするうえで，重要な役割を担っている。

　身体機能領域においても，これまでに紹介した以外にも，CI療法*24 [16]や，認知神経リハビリテーション*25など，数多くの理論が存在する。対象者にとってよりよいリハビリテーションを提供できるよう，各理論を単独で利用するのではなく，生体工学(力学)的視点，運動コントロールモデルによる視点(神経発達的視点)，リハビリテーション的視点，運動学習など学習理論の視点の各々を，相互に補完しながら用いていくことが必要である。

　実際の場における運動・動作の指導には，学習理論の技法や考え方が多く援用されている。今後は学習理論とその援用について，その実体や学習の条件と効果について作業療法としての理論化と技法の確立を検討していく必要があると思われる。

＊26 背景因子
国際生活機能分類で用いられている用語で，環境因子と個人因子とに分けられる。

＊27 ニーズ
対象者の今後の生活をよりよくしていくために解決すべき客観的事柄をいう。

＊28 希望（ホープ）
対象者の今後の生活において，対象者本人が望む主観的事柄をいう。デザイヤ，デマンド，ウォンツなどもほぼ同じ内容を意味すると考えられる。

　身体機能領域における作業療法の考え方として，主に動きに関する理論について解説してきたが，作業療法（士）が対象とするのは，あくまでも「ひと」であり，国際生活機能分類（ICF）の視点を参考に，当然その「ひと」の背景因子[*26]やニーズ[*27]・希望（ホープ）[*28]などを十分に考慮した対応が大切である。身体機能領域にかかわらず，次項目以降で解説される各種の理論・考え方を参考にし，人の作業に焦点を当てた作業療法の考え方（理論）を深めてほしい。

【引用文献】
1) 新村 出 編：広辞苑 第6版，岩波書店，2008．
2) 田川義勝：治療理論 身体障害．作業療法学全書 第1巻 作業療法概論（日本作業療法士協会 監修），協同医書出版社，1990．
3) 鎌倉矩子，ほか 編：作業療法の世界，三輪書店，2006．
4) 岩崎テル子：作業療法の実際 作業療法の理論．作業療法学全書 改訂第3版 第1巻 作業療法概論（日本作業療法士協会 監修），協同医書出版社，2010．
5) 古田常人：治療学概論 身体障害における治療・援助．作業療法学 ゴールド・マスター・テキスト4 身体障害作業療法学（長﨑重信 監修），メジカルビュー社，2010．
6) 吉川ひろみ：作業療法基礎学 作業療法の理論．図解 作業療法技術ガイド第2版（石川　齊ほか 編），文光堂，2003．
7) 齋藤さわ子：作業療法の基礎理論 生物・医学的理論．作業療法士 イエロー・ノート 専門編（鷲田孝保 編），メジカルビュー社，2009．
8) 石橋　裕：治療技法と理論 ファシリテーションテクニック．クリニカル作業療法シリーズ 身体障害領域の作業療法（大嶋伸雄 編），中央法規出版，2010．
9) 宮口英樹：日常生活活動制限に対する作業療法援助法 作業療法援助の基本的考え方．作業療法学全書 改訂第3版 第11巻 作業療法技術学3 日常生活活動（日本作業療法士協会 監修），協同医書出版社，2009．
10) 宮前珠子，ほか：運動療法のメカニズム．広島大学保健ジャーナル，Vol1(1)：22-28，2001．
11) 中谷敏明 訳：運動学習と機能回復．モーターコントロール 運動制御の理論から臨床実践へ（田中　繁 ほか 監訳），p20-45，医歯薬出版，2011．
12) 大橋ゆかり：セラピストのための運動学習ABC，文光堂，2004．
13) 長谷公隆：理論編．運動学習理論に基づくリハビリテーションの実践（長谷公隆 編），医歯薬出版，2008．
14) 簗瀬　誠：作業の治療的応用のための基本理論 学習：主に活動制限に対する理論．作業療法学全書 改訂第3版 第2巻 基礎作業学（日本作業療法士協会 監修），協同医書出版社，2010．
15) 佐藤佐和子，ほか：作業の治療的応用のための基本理論 教育：主に参加制約（個人の行動変容）に対する理論．作業療法学全書 改訂第3版 第2巻，基礎作業学（日本作業療法士協会 監修），協同医書出版社，2010．
16) 道免和久：CI療法のわが国への導入．CI療法―脳卒中リハビリテーションの新たなアプローチ（道免和久 編），中山書店，2008.10）WFOT：Position Statement Occupational Therapy and Human Rights (Revised)，2019．（https://www.wfot.org/resources/occupational-therapy-and-human-rights）（2021年4月時点）

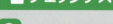 チェックテスト

Q
①生活行為の遂行に必要な，3つの機能を挙げ，内容を説明せよ（☞ p.281）。[基礎]
②生活機能の遂行に必要な身体機能の3つの基本的な動きを挙げ，説明せよ（☞ p.281）。[基礎]
③作業に焦点を当てた治療，指導，援助の実践の3つの大きな枠を挙げ，例を挙げて説明せよ（☞ p.282）。[臨床]
④身体機能領域の作業療法の治療アプローチを3つ挙げ，説明せよ（☞ p.283～285）。[基礎]
⑤運動学習の条件の主な例を3つ挙げ，説明せよ（☞ p.286）。[基礎]
⑥作業療法実践の場での社会的学習理論の援用を3つ挙げ，説明せよ（☞ p.286）。[基礎]
⑦反応プロンプトとフェーディング，シェーピング，チェイニングについて，例を挙げ，説明せよ（☞ p.287）。[基礎]

作業療法の理論，モデル，ツール

2 心理・精神機能面からみた理論

里村恵子

Outline
- Moseyの理論では，精神分析，発達的，学習的の3つの理論を基にした適応技能という概念を理解する。
- 行動療法とその基礎になる学習理論を理解する。
- 生活技能訓練の目的，定義，基盤となる考え方と，技法の1つである基本訓練モデルの進め方を理解する。
- 認知行動療法の成立経過，原則，構造を理解する。
- 森田療法創始の背景，対象，治療手段と目的，作業の意義を理解する。

1 はじめに

精神科領域では，多くの関連理論，モデルが紹介されている。本項目では，そのなかから小児から高齢者までのあらゆる作業療法対象者の心理社会的側面の適応援助に応用可能な方向性を示したMosey（モゼイ）の理論[1]，行動療法，認知行動療法，入院から地域まで広く現場で活用されている社会生活技能訓練（SST：social skills training），今後増加が予想される疾患である神経症の患者を対象にした，日本独自の精神療法である森田療法の5つを取り上げる。

2 Moseyの理論

Anne Cronin Mosey（アン クローニン モゼイ）はアメリカの作業療法士で，1960年代より理論化に着手した。作業療法の理論は多元論と考えた（図1）。

図1 Moseyの理論の概要

- 精神分析……ニードの充足
- 発達的………適応技能の獲得
- 学習的………オペラント学習

発達的な視点を重視した

■「適応技能（adaptive skill）」という概念を提案

モゼイ[2]は自己の生活環境内で必要とする技能を「適応技能」と称し，

個人の望む要求を社会的範疇のなかで充足し，また環境からの働きかけに応じて，要求充足するために学習された諸能力のことである。

と定義した。

適応技能には**表1**に示す6つの技能を含み，それぞれに下位技能が示されている。発達を進めるためには，下位技能が学習されている必要があると仮定した。

作業療法士は対象者の発達段階の評価を行い，復帰する環境が要求する

水準を設定し，そのギャップを埋めるために，作業療法の場を提供すると考えた。

モゼイの考えでは，作業療法の対象になるのは，技能を完全に習得していないか，その機会をもたなかった人である。

適応技能は，適応技能の学習しやすい環境のなかで，成長を促進する環

表1　6つの適応技能

1. 感覚統合技能（sensory integration skill）合目的運動のために，前庭刺激，固有刺激，触覚刺激を受容し，選択し，統合し，組織していく能力	1. 触覚のサブシステムを統合する能力（0〜3カ月） 2. 原始姿勢反射を統合する能力（3〜9カ月） 3. 立ち直り反射，平衡反射が完全に発達する（9〜12カ月） 4. 身体の両側を統合し，身体部位とその関係を認知し，粗大運動を企画する能力（1〜2歳） 5. 巧緻運動を企画する能力（2〜3歳）
2. 認知技能（cognitive skill）思考，問題解決のために感覚情報を知覚し，表象し，組織する能力	1. 環境との相互作用のために生得的な行動パターンを利用する能力（0〜1カ月） 2. 視覚，徒手，聴覚，言語による反応を相互に関係づける能力（1〜4カ月） 3. 興味をもって行動が環境に与える影響に関わり，外知覚的方法で対象を表象し，対象を経験し，自己中心的な因果関係に基づいて行動し，自己が関係している事柄に連続的に関わる能力（4〜9カ月） 4. 目標を設定し，意図的に手段を実行し，対象が独立した存在であることを認め，サインを解釈し，新しい行動を模倣し，空間の影響を理解し，部分的ではあるがほかの対象の因果関係を知覚する能力（9〜12カ月） 5. 試行錯誤による問題解決を行い，道具を使用し，空間内で対象がとる位置関係の多様さを知覚し，自己が関係しない事柄に連続的に関わり，そしてほかの対象の因果関係を知覚する能力（12〜18カ月） 6. イメージで対象を表象し，信念をもち，結果から原因を推論し，複合的空間関係に基づいて行動し，他人に無限の力があるとし，そして対象者は空間と時間のなかで不変であると知覚する能力（18カ月〜2歳） 7. 内知覚で対象を表象し，思考と行動を区別し，はっきりしない原因に対するニードを知覚する能力（2〜5歳） 8. 表示的方法で対象を表象し，他人の観点を受け入れ，寛大になる能力（11〜13歳） 9. 暗示的方法で対象を表象し，公式な論理を使い，仮説に基づいて作業を進める能力（11〜13歳）
3. 二者関係技能（dyadic skill）多様な二者関係に関わる能力	1. 信頼感のある親しい関係をとる能力（8〜10カ月） 2. 共同関係をとる能力（3〜5歳） 3. 権威者との人間関係で影響しあう能力（5〜7歳） 4. 友人関係で影響しあう能力 5. 同僚，権威者との人間関係をとる能力（15〜17歳） 6. 親密な人間関係をとる能力（18〜25歳） 7. 養育的な人間関係をとる能力（20〜30歳）
4. 集団関係技能（group interaction skill）多様な1次集団に参加する能力	1. 並行グループに参加する能力（18カ月〜2歳） 2. 課題グループに参加する能力（2〜4歳） 3. 自己中心的・協同的グループに参加する能力（5〜7歳） 4. 協同的グループに参加する能力（9〜12歳） 5. 成熟したグループに参加する能力（15〜18歳）
5. 自己同一性技能（self-identity skill）自己は，時間を超えて永遠に連続的で，自律的，全体的で受け入れられる存在として知覚する能力	1. 自己を価値ある対象として知覚する能力（9〜12カ月） 2. 自己の長所と限界を知覚する技能（11〜15歳） 3. 自己を自己指向性のある存在として知覚する技能（20〜25歳） 4. 自己を社会体制のなかで有能な，貢献度の高いメンバーとして知覚する能力（30〜35歳） 5. 自律的な同一性をもった存在として自己を知覚する能力（35〜50歳） 6. 自己の加齢過程と最終的な死をライフサイクルの一部として知覚していく能力（45〜60歳）
6. 性的同一性技能（sexual identity skill）自己の性的な本質を肯定的に知覚し，性的欲求の相互の満足を目指した比較的長期にわたる性的関係をもつ能力	1. 生殖前期の性的な本質を受容し，それに基づいて行動する能力（4〜5歳） 2. 性的な成熟を肯定的な成長の経験として受容する能力（12〜16歳） 3. 性的満足を与えたり受けたりする能力（18〜25歳） 4. 互いの性的満足感によって特徴づけられる。持続的な性的関係をもつ能力（20〜30歳） 5. 加齢の過程に起こる性と関連した生理学的な変化を自然なこととして受容する能力（40〜60歳）

境への参加を通じて，学習されると考えられている．作業療法の場は，このような適応技能の獲得促進を試行する場である．その際，考慮されるべき点として，以下の3点がある．

①患者の適応レベルに合わせた成功体験を与える．
②患者自身による安全な探索と，それを現実に実行させることを奨励する．
③患者の準備状況が整った時期に未経験な課題に取り組む機会を与える．

■ **集団関係技能**
　前述のモゼイによる適応技能6つのなかの集団関係技能について述べる．
　一次集団とはある共通の結果のために協同し，多くの共通した考え方や行動パターンをもち，相互に信頼とある程度の影響性があり，お互いの共通点や結びつきを自覚することが可能で，メンバー相互の接触ができる集団のことである．
　5つの下位技能の集団の特徴をまとめてみると以下のとおりである．

①**平行グループ（18カ月〜2歳）**
　この技能を獲得すると，集団内の他メンバーと並んで同じ場に一緒にいることができる．個々の希望水準に応じた作業活動に取り組むが相互の交流はない．

②**課題グループ（2〜4歳）**
　セラピストの促しで，最小の共有や，競争，協力が可能になる．その場だけの課題，短期課題に対しては相互交流がみられる．

③**自己中心的・協同的グループ（5〜7歳）**
　自己の興味が中心であるが，比較的長期の課題に対して，集団規範の下，共同で協力，競争が可能である．

④**協同的グループ（9〜12歳）**
　同質の集団において活動を共にし，自己の肯定的，否定的な感情表現もでき，他者のニードにも応じられる．

⑤**成熟したグループ（15〜18歳）**
　異質な集団内でさまざまな役割を柔軟にとれる．メンバーの誰もが，リーダーの役割もとれる．

　表2に各グループの特徴を示す．対象者が表2のいずれかの集団の特徴を示しているかを検討し，集団関係技能のレベルを決め，そのレベルに適合した治療の集団のなかで治療を進めていく．

表2　集団関係技能評価表

集団の型	
平行グループ （18カ月～2歳）	●ある作業に従事するが，集団作業とはまったく異なって，個人作業であるようにふるまう ●集団にいる他メンバーを意識する ●他メンバーと言語的あるいは，非言語的な相互作用がいくらか認められる ●この状況で比較的気持ちよいと感じる
課題グループ （2～4歳）	●ときに集団作業に従事するが，気分のままに，出たり入ったりする ●他メンバーに援助を求める ●求められたときに援助を与える
自己中心的・協同的 グループ （5～7歳）	●課題に関連した集団としての目標を認識している ●集団規範を認識している ●集団の一員としてふるまう ●喜んで参加する ●他者の尊重要求を満たす ●他者に自尊欲求を満たしてもらう ●他者の権利を認める ●過度の競争をしない
協同的グループ （9～12歳）	●自分の希望や，意図，要求を知る ●集団作業に参加しているが，まず自分や他者の欲求に関心があるようにみえる ●自己の欲求より他者の欲求を満たすことができる ●自分となんらかの類似点をもつ集団メンバーに積極的に反応することができる
成熟したグループ （15～18歳）	●すべての集団メンバーに反応を示す ●種々の道具的役割（instrumental role）をとる ●種々の表現的役割（expressive role）をとる ●課題の達成と集団メンバーのニードの満足との適切なバランスを保つ

（文献3を基に作成）

> **アクティブラーニング ①** 身近にある集団を観察し，表2の集団関係技能評価表に沿って，評価してみよう。

3　行動療法

本項では，後述する生活技能訓練，認知行動療法の基礎となる，学習理論である，I. P. Pavlov（パブロフ）によるレスポンデント条件付け（古典的条件付け）とB. F. Skinner（スキナー）によるオペラント条件付け（道具的条件付け），A. Bandura（バンジューラ）による社会学習理論を紹介する。学習理論を基礎とする行動療法についても解説する。

■学習理論

●レスポンデント条件付け（古典的条件付け）

パブロフは，イヌを使って消化腺の研究をしている過程で，エサをくれる人を見るとイヌが唾液を分泌することを発見した。生物は本来，食物（無条件刺激）を摂取すれば，唾液が分泌される（無条件反応）。ところが食物と何か他の刺激（ベル，光など）が共に与えられると，次第にその刺激（条件刺激）のみでも唾液が分泌されるようになる（条件反応）（図2）。このようにして形成された反射関係を条件反射と名づけ，条件反射を形成する手続きないし形成過程を条件付けと呼んでいる。

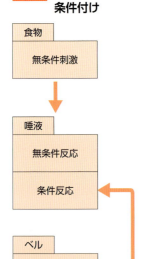

図2　レスポンデント条件付け

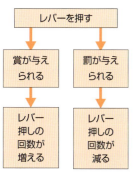

図3 オペラント条件付け

● オペラント条件付け(道具的条件付け)

スキナーは，ネズミやハトを，たまたまレバーを押したり，一部分をつつくとエサが出る小さい箱に入れて，実験を行った．箱に入れられた動物が，たまたまレバーを押してエサが与えられると，レバー押しの回数が増え，罰(電気ショックなど)を与えると，レバー押しの回数が減るという結果であった(図3)．これらは，無条件刺激によって誘発されるものではなく，任意的，自発的(オペラント)に行われるものである．

以上述べた理論は，刺激と反応が重要因子としてとらえられているが，人間の行動を理解するうえで，認知的アプローチを提唱したのが，A. Banduraによる社会学習理論である．

● 認知理論，社会学習理論

バンジューラは，認知過程を重視した学習過程を考え，観察学習の重要性を強調した．観察学習であるモデリングは，「他者の行動やその結果を見本として観察することにより，観察者の行動に変化が生じること」である．モデリングは次の4つの過程で構成されると考えた．

①注意過程(観察対象に注意を向ける)
②保持過程(対象の行動の内容を記憶する)
③運動再生過程(実際にその行動を模倣する)
④動機づけ過程(学習した行動を遂行するモチベーションを高める)

■ 学習理論を基礎とする行動療法

行動療法は，学習理論を用いて，不適切行動を改善し，望ましい新しい行動を身につける心理療法である．1970年代に，学習理論を作業療法に応用した作業療法士のK. Siek(ジーク)は，行動療法を「問題の内的あるいは精神的理由を探求するよりは，行動を変化させることで問題を軽減するような条件づくりに強調点をおくものである」[4]と定義した．ジーク[4]の論文を中心に，行動療法的な治療計画の過程を以下に示す．

1. 最終的な目標となる行動を決定する

2. ベースラインを確立する

どんな不適応行動が，どんな因子がきっかけになって起こっているか，その頻度や継続時間を治療前に記録する．

3. 強化(因)子を選択する

強化(因)子とは，ある手続きを行うことによって，条件付けの強さまたは，反応生起の確立を増加させる特性をもつ環境事変または刺激のことである．陽性強化子としては，物質的報酬として食物，金など，社会的報酬としては，誉める，認めるなどがある．

対象者個々に有効な強化子を選択する必要がある．

4. 強化スケジュールを選択する

対象者個々の強化スケジュールの決定とは，強化の頻度のあり方であり，多くは時間と反応の2つの側面から規定される。

● 作業療法との共通点

- 作業療法士が，対象者と共同で作業を行って，見本を示したり，ロールモデルの役割を果たす根拠になっている。
- グループ利用の際，他メンバーをモデルとして学習する。
- 作業という具体的な手段を使っている。

> **アクティブラーニング②** 梅干しを見たとき，唾液が分泌されるのは，どのようなメカニズムであるか，検討してみよう。

4 認知行動療法（CBT）

伊藤[5)]は認知行動療法（CBT：cognitive behavioral therapy）を「ストレスの問題を，認知（頭の中の考えやイメージ）と行動（実際のパフォーマンス）の工夫を通じて自己改善するための考え方と方法の総称」と述べている。当事者の自助（セルフヘルプ）の回復や育成が，認知行動療法の最大の目標である。

認知行動療法は，現在，精神科の治療，特にうつ病や不安障害への効果が確認されており，その他，発達障害や依存症などに対しても，利用されている。精神科領域の治療としてだけではなく，生活習慣病のケアや，産業界での研修プログラム，司法界での再犯予防プログラムなどにも広く使われている。

■ 認知行動療法の成立過程

認知行動療法は，**図4**[6)]に示すように，行動療法と認知療法の2つの大きな流れのもとに成り立っている。

● 第1世代の行動療法系

1950年代のパブロフの古典的条件づけを，系統的脱感作の手続きとして開発したのは，J. Wolpe（ウォルプ）で，この技法が認知行動療法の段階的曝露法へと発展した。

また同じく1950年代，スキナーは，先行する出来事（先行刺激）と結果（強化）を変化させることで，反応に変化をもたらすことができるというオペラント条件づけを提唱した。これは，SSTなどに発展した。

1960年代後半に，バンジューラによって唱えられた，社会的学習理論は，学習は他者を観察することによっても成立することが強調された。認知プロセスが行動の媒介機能となっていることを説明し，行動療法を認知行動療法に向けていく契機となった。

行動療法系については，詳しくは，前項「学習理論」を参考にしていただきたい。

図4 認知行動療法の3つの系譜

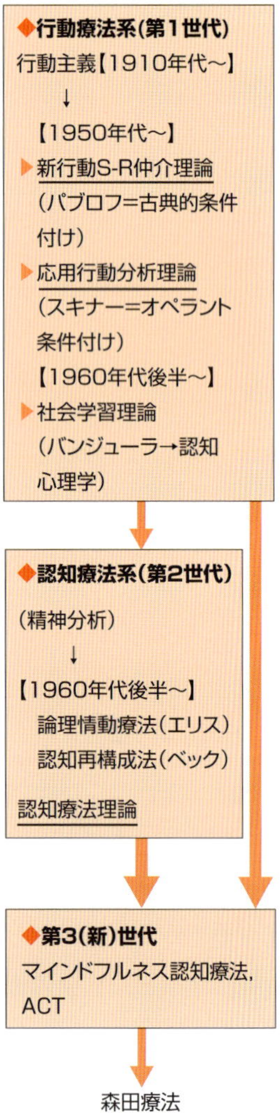

◆ 行動療法系（第1世代）
行動主義【1910年代〜】
↓
【1950年代〜】
▶ 新行動S-R仲介理論
（パブロフ＝古典的条件付け）
▶ 応用行動分析理論
（スキナー＝オペラント条件付け）
【1960年代後半〜】
▶ 社会学習理論
（バンジューラ→認知心理学）

◆ 認知療法系（第2世代）
（精神分析）
↓
【1960年代後半〜】
論理情動療法（エリス）
認知再構成法（ベック）
認知療法理論

◆ 第3（新）世代
マインドフルネス認知療法，ACT

森田療法

（文献6より引用）

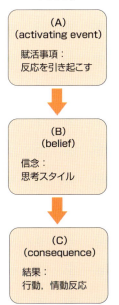

図5 論理療法のABCモデル(エリス, 1957)

(文献7より引用)

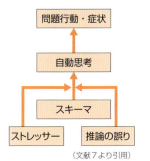

図6 認知理論 (Beck, 1963)

(文献7より引用)

＊1　マインドフルネス
過去の経験や先入観といった雑念にとらわれることなく，身体の感覚に意識を集中させ，現実をあるがままに知覚して受け入れる状態を作ること。

● 第2世代の認知療法系

　認知療法系は，1970年代に，精神分析を学んだ，A. Ellis や A. T. Beck により提唱された。エリスは，図5[7]に示すABCモデルを提案した。出来事(A：activating event)は，信念(B：belief)に照らして判断され，結果として感情や行動(C：consequence)が起こされると考えた。つまり，感情や行動は，その出来事をどのように解釈するか，認知のあり方によって変化するとして，その認知に働きかける論理療法(後に論理情動療法)を提唱した。

　ベックは，図6[7]に示す認知理論を提案した。不適応行動を生じさせる問題とされる信念に関連してある場面で瞬間的，自動的に浮かんでくる考えを**自動思考**とよび，それは感情や行動に直接的に関係するととらえ，この自動思考のさらに奥にある人間観や社会観を**スキーマ**とよんでいる。認知療法は，この自動思考やスキーマを段階的に変化・改善を目指していく療法である。

● 第3世代の認知行動療法

　この第3世代には，**マインドフルネス**＊1，アクセプタンス＆コミットメント・セラピー（ACT：Acceptance & Commitment Therapy）が含まれている。

　この第3世代は禅など東洋的な影響を受け，中村[8]は，森田療法との類似を指摘している。

■ 認知行動療法の原則[6]

1) 常に基本モデルに沿って体験を理解する

　基本モデル(図7)[6]は，ストレスなども含む，自分をとりまく世界と対象者がどうやりとりをしているかを示している。世界から受けた体験をどう認知し，認知が気分・感情，行動，身体反応相互に関連し，相互作用が

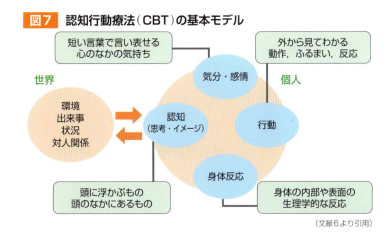

図7 認知行動療法(CBT)の基本モデル

(文献6より引用)

作業療法の理論，モデル，ツール

あることを理解する。
2) 援助者と支援者はチームを形成し，具体的な課題を，対等な関係で対象者の主訴や問題に取り組む(実証的協同主義)
3) 「今・ここで」の問題に焦点を当て，問題を理解し，解決を目指していく(問題解決アプローチ)
4) 心理教育を重視し，対象者が自身で認知行動療法を実施できるように援助し，再発を防止する

心理教育とは，「精神障害やエイズなど受容しにくい問題をもつ人たちに，正しい知識や情報を心理面への十分な配慮をしながら伝え，病気や障害の結果からもたらされる諸問題・諸困難に対する対処法を習得してもらうことによって，主体的に療養生活を営めるように援助する方法」[9]と定義されている。認知行動療法での心理教育は，問題のフォーミュレーションを対象者に説明することをいう。フォーミュレーションとは，援助者が対象者の問題に関連する情報を収集し，問題の成り立ちを探り，何ゆえに問題があるかに関する仮説を立てることである。援助者はこの仮説の妥当性を対象者と検討したうえで，わかりやすく説明し，同意を得て問題解決に共に取り組むことになる。

5) ホームワーク(宿題)を出すことによって，日常生活で対象者が認知行動療法を実践することを重視する

認知行動療法では，日常生活で生じている問題解決が重視されて，日常場面での取り組みが前提となり，日常場面で実施する課題(ホームワーク)が出され，実際の生活のなかでの行動の改善をはかることが求められる。

6) 毎回のセッション，そして初回から終結までの流れを構造化する

毎回のセッション，初回から終結までの流れを示し，今どの段階で，何をしているかを明確にし，共有することが重要である。毎回のセッション，初回から終結までの構造について，以下に述べる。

■ 認知行動療法の構造

● 1. 毎回のセッションの一般的構造
図8に示す。

● 2. 開始から終結までの構造
表3[6]に示す。各ステップの詳しい内容は上級学年での学習へ発展させていただきたい。

■ 認知行動療法の技法や目標設定

なお認知行動療法の技法としては，認知再構成法，曝露反応妨害法，リラクセーション法などがあるが，重要なことは，フォーミュレーションを通して，対象者に合わせて選択することである。

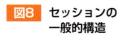

図8 セッションの一般的構造

●導入
- 対象者との挨拶
- 前回からの様子の確認
- 症状など現状のチェック
- アジェンダ*2の設定
- 前回のホームワークの確認
- 介入計画に沿って，問題点や課題に関する話し合いや作業
- 新しいホームワークの設定
- 対象者からの振り返り，重要ポイントの確認

*2 アジェンダ
今日のセッションでは，開始から終結まで，どのような流れと内容にするかを対象者と決めてから開始する。この流れや内容のことである。

表3 認知行動療法の全体的な流れ

1) インテーク面接(アセスメント)
2) 問題の同定
3) 治療目標の設定
4) 具体的な手段・技法の選択
5) 具体的な手段・技法の実践
6) 具体的な検証
7) 効果の維持と般化
8) 再発予防の計画
9) 終結
10) フォローアップ

目標設定では，認知行動療法の技法による達成可能な現実的な目標設定を，対象者がどうなりたいかを中心に設定していく。また，「…しない」という表現だけでなく，「…する」「…できるようにする」といった肯定的な表現も考えていく。

● 作業療法からの視点
- 対象者と援助者が協働して行う点が共通している。
- 現実に起きている問題を重視していく点も共通である。
- 両療法では，対象者が自己理解しやすい状況を目指している。

> **アクティブラーニング③** 基本モデルの図を参考に，自分が体験したストレスをどう認知し，気分・感情，行動，身体反応でどのような反応がみられたか記述してみよう。

5 社会生活技能訓練（SST）

社会的スキル訓練，社会技術訓練ともよばれている。

■ 目的
精神障害をもつ人々が，さまざまな社会的ストレスに対処し社会的役割を果たすことのできる生活技能（social skills）を高め，そのことを通じてQOLを向上させ，再発を防止することである。

■ 定義（丹羽ら）[10]
①地域の生活を維持し，より容易なものとするのに役立つ
②助け合う対人的関係を確立し，維持し，深めていく認知や感情面を含めた言語的および非言語的対人的行動

■ 基盤となる考え方
①認知行動療法と社会的学習理論に基づいて，技法を使う

> - **ロールプレイ**
>   役割演技。現実に起きそうな場面を模擬的に設定し，参加者が登場人物の役を演じ疑似体験を通じて対応を練習する技法。
> - **モデリング**
>   手本を観察させて，新しい行動パターンを学習させ，適応行動を獲得させる。

②「脆弱性－ストレス－対処－力量モデル」[11]（図9）

> 再発は
> - 素因としてもっている生物学的脆弱性
> - 環境からのストレス
> - 患者のもつ対処技能や力量，社会的支援
>
> この3つの要因のバランス

図9 精神障害に影響するさまざまな要因

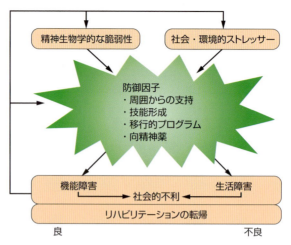

転帰の差異に影響する要因を中心とした，慢性精神障害者と生活障害の多因子的モデル，ストレスの悪影響が脆弱性に及ぼす影響を対処，能力，周囲からの支持，向精神薬といった防御因子によって緩和あるいは中和することができる。

（文献2より引用）

SSTは防御因子を強化するものと考えられる。

■ プログラム内容

● 生活技能訓練の方法

- 基本訓練モデル
- 問題解決技能訓練
- 注意焦点づけ訓練
- モジュール[*3]（課題領域別パッケージ）
- 行動療法的家族療法

> ***3 モジュール**
> モジュールとは生活の各分野ごとに，高度に構成化された学習プログラムをパッケージ化したもの。服薬自己管理，基本会話，余暇の過ごし方など。

■ 基本訓練モデル

最もよく利用されているのは，基本訓練モデルである。その具体的な訓練の流れを**表4**に示す。

表4 SST基本訓練モデルの進め方

1. はじめの挨拶
2. 新しい参加者の紹介
3. SSTの目的と決まりを確認する
4. 宿題の報告を聞く
5. 練習する課題を明確にする
6. ロールプレイで技能を練習する
    1) 場面をつくる（誰を相手に，いつ，どこで，何をして，相手はどう反応して，結果はどうなったのか）
    2) 今までのやり方で1度やってみる
    3) そのやり方のよい点をフィードバックする
    4) さらによくする点，工夫するとよい点をフィードバックする
    5) お手本を示す（モデリング）
    6) もう1度やってみる
    7) 改善された点をフィードバックする
7. 次回までの宿題を設定する
8. まとめ
9. おわりの挨拶（次回の予定確認）

（文献12より引用）

> **作業療法参加型臨床実習に向けて**
> 実習施設で行われているSSTプログラムを観察し，**表4**の流れに沿って記録をまとめてみよう。

- 原則的に集団の形態で実施。
- メンバーは4〜8人程度，多くても15人程度。
- スタッフはリーダー，コ・リーダーの複数制が望ましい。
- 円形に着席して，真ん中でロールプレイが進行される。

● 作業療法からの視点

行動面での変化に着目している点は共通である。行動を厳密に定義し，評価，介入が操作的・計画的・意図的である。

6 森田療法

■ 背景

日本独自の神経症に対する精神療法である森田療法は，1920年ごろ，森田正馬（1874〜1938年）によって創始された。

自分自身が，幼児期から神経症的体験に悩んだ経験をもつ森田は，神経症への精神療法に取り組んだ。当時，東京府巣鴨病院で，呉 秀三院長のもとで活発に行われていた作業療法の経験を積んだ。

現在は神経症のみでなく，心身症，うつ病，統合失調症，境界例，アルコール依存症などに対する森田療法的アプローチが報告されている。また，原法は入院治療のみで実施されていたが，外来患者に対して森田療法的アプローチを実施する変法も行われている。

■ 治療手段

森田療法の具体的なプログラムは**表5**のとおりである。原法は40日の入院期間で設定し，**表5**にあるように4期（絶対臥褥(がじょく)，軽作業，重作業，日常生活訓練）で治療が進む。作業療法である，軽作業，重作業を重視している。

表5 森田療法の治療手段と目的

		治療手段	治療目的
第1期	絶対臥褥（4〜7日）	●食事，洗面，用便以外は個室にて終日臥褥	①安静で心身の疲労をとる ②苦悩への直面
第2期	軽作業（3〜7日） [物事の観察，日記，草取りなど]	●談話や睡眠時間を7〜8時間とし，昼間は必ず1度は戸外に出て日光浴をする ●そのほかの時間は自室内で休息することなく，自主的に手仕事（雑巾縫い，袋貼り，折り紙，プラモデル，編物，刺繍，造花など）を探し，その仕事に没入し夕食後，日記を書く ●起床後，就床前に歴史書を音読する	①自発性の育成 ②気分本位の打破
第3期	重作業（1〜2週間） [鋸引き，薪割り，畑仕事，穴掘りなど]	●作業にあたって好き嫌いをいわない ●作業を通じて持久力，忍耐力の養成をする ●仕事の成就への喜びを反復体験する	①価値感情の没却 ②勇気と自信の奪還（不可能なことなしの体得）
第4期	日常生活訓練（1〜2週間）	●通信，会話，外出の許可 ●目的本位の行動，事実本位の決断 ●「あるがまま」の生活態度	①外界変化に順応 ②純な心（素直な心，人間味のあふれる心という意味）

（文献12より引用）

■ 森田療法における作業の意義

森田は「作業欲は本能である」と唱えている（作業本能論を展開している）。また，森田のこの指摘に関連して，阿部と大原はそれぞれ次のように作業の意義について記している。

● 阿部[12]による作業の意義

①人間は活動しているのが本性で，生の欲望により引き起こされる生産的行動は，その具体的現れである。生の欲望とは，人間は本来，死にたくない，安全に生きたいという生存欲求があり，森田は人間の抱く恐怖や不安，悲しみ，抑うつなどの苦悩にみちた感情は，安心して生きたいという感情の裏返しととらえた。
②気分，症状中心の態度から，目的中心の態度に転回する。
③症状が存在しても，具体的な行動ができるという体験的自信を獲得する。
④作業没入により，心的機制を打破して内的葛藤を軽減する。

● 大原[12]による作業の意義

患者自らが主体的に健康な日常生活に参加できるようにするための，内面の揺さぶりや支持の手段ととらえ，自分のうちに内蔵しているものを，体験を通じて発見していくための媒介である。

● 作業療法からの視点（共通する点）

- 患者の生活する環境のなかから作業を選択する。
- 症状にとらわれず目的とする行動の達成に重点を置く
- 生活場面を通して人間としての成長を図る

試験対策 Point
認知行動療法の成立過程に関与した人物をはじめ，本項で紹介した人物の名前と業績を確実に整理し，覚えておこう。

【引用・参考文献】
1) 金子 翼，鈴木明子 編：作業療法各論 第2版，p114-115，医歯薬出版，2003.
2) Liberman, R. P. Ed : Psychiatric Rehabilitation [special issue]. Schizophr. Bull., p12-14, 1986.
3) Mosey, A: Psychosocial Components of Occupational Therapy, p416-442, Raven Press, 1986.
4) Siek KW : Applying the Behavioral Model. Am J Occup Ther, 28(7): 421-428, 1974.
5) 矯正協会：伊藤絵美の認知行動療法入門講義＜上＞，矯正協会，2012.
6) 下山晴彦，ほか：認知行動療法，放送大学教育振興会，p12, 2016.
7) 長尾 博：やさしく学ぶ認知行動療法，ナカニシヤ出版，2014.
8) 中村 敬：森田療法の治療作用－「第三世代」の認知行動療法との比較から．精神療法，36(1): 17-23, 2010.
9) 浦田重治郎，ほか：心理教育を中心とした心理社会的援助プログラムガイドライン（暫定版）[平成15年度厚生労働省精神・神経疾患研究委託費報告書「統合失調症の治療およびリハビリテーションのガイドライン作成とその実証的研究（主任研究者：浦田重治郎）」, p7, 2004.
10) 丹羽真一，ほか：分裂病の認知行動療法の現況．精神科治療学，4(2): 179-185, 1989.
11) Liberman, R : Psychiatric Rehabilitation of Chronic Mental Patients.[実践的精神科

リハビリテーション] 安西信雄, 創造出版, 1993.
12) 冨岡詔子, 小林正義 編：作業治療学 2 精神障害 改訂第 3 版, 協同医書出版社, 2010.

【引用・参考文献】
1. 冨岡詔子 編：作業治療学 2 精神障害 改訂第 2 版, p197, 協同医書出版社, 1999.
2. 懸田克躬 編：精神医学大系 第 5 巻 A 精神治療学, p183-203, 中山書店, 1978.
3. 大原健士郎：森田療法, 文光堂, 1979.

✓ チェックテスト

Q ①認知行動療法でのアジェンダとは何か（☞ p.296）。 臨床

②認知行動療法の成立過程は 2 つの大きな流れで成り立っている。その 2 つとは何か（☞ p.297）。 臨床

③ Mosey の定義した「適応技能」とは何か（☞ p.289）。 臨床

④社会生活技能訓練の方法で最もよく利用されているものは何か（☞ p.297）。 臨床

⑤森田療法の治療の開始時期に行われるのは何か（☞ p.299）。 臨床

作業療法の理論，モデル，ツール

3 発達理論と作業療法

森田浩美

Outline

- 作業療法に役立つ理論はさまざまあり，小児に関する理論としてはゲゼル，ピアジェ，エリクソンの発達理論がある。
- それぞれの理論がどのように作業療法に応用できるかを把握する。
- 発達理論の作業療法への応用について学ぶ。

運動発達 アーノルド・ゲゼル 『発達の7つの原則』	認知発達 ジャン・ピアジェ 『認知発達の段階』	心理発達 エリック・エリクソン 『人生の8つの段階』

●いきいきとした行動の描写：一般的な言葉ではなく「その子」の様子をありのままにいきいきと描写することが大切 ●適切な時期の適切な経験：ただやみくもに何かを経験させるのではなく，適切な時期を見定める必要がある ●言葉の使い方：子どもに対して，養育者に対して，使う言葉を慎重に選ばなければならない	●シェマの獲得：どうやって同化と調節を促し対象児のシェマを増やすかが1つの課題 ●概念形成(可逆的)：概念形成を促す際に可逆的操作の考えは役立つ ●発達段階に応じた指導：子どもの現状把握・目標設定のために，発達段階を適切にとらえ，それに応じた指導を行うことが大切	●プラスとマイナスの要素：発達課題とリスクを知っておくことは重要 ●人との信頼関係：特に乳児期には人との信頼関係を築くようなアプローチを意識することが重要 ●交わるライフサイクル：親の発達段階を考慮することも大事，また，子どもの将来を見通すうえで生涯発達の観点は重要

1 はじめに

　発達障害領域の作業療法においては，対象児への直接的なかかわりはもちろんのこと，子どもを取り巻く周囲の人たちへのかかわりも重要となる。また，発達期に障害をもち成人した人も含むため，対象となる年齢層が非常に幅広い。したがって，作業療法を展開するうえでは，小児期にお

ける心身の発達だけではなく，親子関係，対人関係などその人が生きている社会・文化的背景も含め，生涯発達という視点が必要とされる。

作業療法に役立つ理論はさまざまあるが，本項目では，発達障害領域の作業療法を実践していくうえで役立つと考えられるGesell（ゲゼル），Piaget（ピアジェ），Erikson（エリクソン）の発達理論について取り上げ概説する。

作業療法の治療理論の代表的なものには，Bobath（ボバース）夫妻による神経発達学的アプローチ，Ayres（エアーズ）による感覚統合療法（理論）がある[1]。この2つは関連する書籍も多く，またそれぞれ研究会，学会があり，毎年講習会も開催されているため，ぜひ自身で勉強することをお勧めする。

2 アーノルド・ゲゼルの発達理論

■人物像

アーノルド・ゲゼル

Arnold Lucius Gesell（アーノルド ルシアス ゲゼル）（1880〜1961年）は，米国の心理学者であり小児科医でもあった。アメリカ中西部のウィスコンシン州で生まれ，教育に関心のあった両親，5人兄弟の長子という環境のもと，自然に子どもへの関心が芽生えていったという。

1906年クラーク大学で哲学博士号を取得し，1915年にはイェール大学で医学博士号を取得した。その後イェール大学研究所において同僚とともに40年にも及ぶ継続的な研究を行った。そこでは，一方視的に観察可能なゲゼルドーム（マジックミラーを備えた実験観察室）を開発し，ビデオやカメラなどの当時の最新技術も活用しながら緻密な観察実験を行った。

ゲゼルは，明快な理論を打ち立てたわけではないといわれるが，彼の考えは後の「子どもの発達」にかかわる研究者に多大な影響を与えており，現在ある発達評価（法）の源流といっても過言ではない。ゲゼルは小児科医Amatruda（アマトルーダ）との共著で『発達診断学』第1版を出版した[2]。その後Knobloch（ノブロック）とPasamanick（パサマニック）らによってゲゼルの研究は受け継がれ，わが国では新井によって紹介されている[3]。新井は，

> ゲゼルの研究の後継者は発達心理学・医学・生物学に関わる幅広い分野にわたっており，ゲゼルの理論はいわば地に種をまいたようなものであり，その後にいろいろの肥料が与えられ，それを継ぐ人々によってさまざまな収穫として刈りとられてきたものといえる。すなわち種をまかれた土地によって，またその育て方によって一見異なって見える花を咲かせている[4]

と表現している。

今日ではゲゼルの著書は入手困難なものが多く，その名前も歴史的人物としてしか登場することはないが，近年の発達理論や発達評価を遡ると，みなゲゼルにたどり着くのかもしれない。

■ ゲゼルの理論

ゲゼルというと,「成熟優位説」「双子の研究」「狼に育てられた少女」などという言葉と対で表されたり語られたりすることが多いが,ゲゼルの著書,ゲゼルについて書かれた文献などを読むと,決してそのような短い言葉や,ある1つのエピソードでゲゼルを言い表せるものではないことがわかってくる。

ゲゼルの没後半世紀以上経ち,この間の医学の進歩や脳研究の発展はめざましい。時代が変わり,過去の多くの情報は新たな事実によって塗り替えられた。しかし,ゲゼルの「子どもの発達」に関する見方・考え方はまったく色褪せていない。ゲゼルは,発達研究分野のパイオニアであり,現在ある発達評価の多くは彼の研究を参考にして作られているといわれるが,われわれが目にするのは「**発達評価法(表)**」[*1]であり,背後にあるゲゼルの思想に触れることは少ないように思われる。本当の意味でこうした評価法(表)を活用するためには根本の理解が不可欠であると考える。したがって本項では発達研究の源流ともいえるゲゼルについて取り上げることとした。

ゲゼルの理論は,「観察」という視点においても多くの示唆を与えてくれる。発達障害領域の作業療法においても,さまざまな「発達評価法(表)」を用いて評価を行うが,これはあくまでも対象児を知るための情報の1つにすぎない。作業療法の対象となる児の多くは,言語によるコミュニケーションが困難な場合が多く,マニュアルに沿った発達評価ができないことがある。また,年長児や**重症心身障害児**[*2]の場合には,**発達年齢**[*3]を明らかにすることが彼らの目標を見出すことに直結するわけではない。このような場合,最も重要となる評価手段は「**観察**」である。作業療法では,「できる/できない」ではなく,「**どのように行っているか**」「**なぜできないのか**」といった質的評価を重視する。「どのような観点から,どのような行動をみるといいのか」「ある1つの場面からどれだけの情報がみてとれるのか」「どのように記述したらいいのか」といった具体的な指標をわれわれはゲゼルから学び取ることができる。

● 発達の哲学

『乳幼児の発達と指導』の訳者である岡は,ゲゼルがこの書を通じて伝えたかった「発達の哲学」を次のように表現している[6]。

> - 乳児や幼児のすることなすことは,すべて,発達の自然の摂理のなかで1つの意味をもっている。何ひとつ単に無意味なものはなく,どんな行動も発達の生理学のなかでその存在理由をもっている。
> - 乳幼児相手の仕事は,子どもへの心からの暖かい関心と,その心理についての専門家としてのリアリズムとが結びついていなければならない。
>
> (A. ゲゼル 著,依田 新,岡 宏子 訳:乳幼児の発達と指導,家政教育社,1967.より許可を得て掲載)

[*1] **発達評価法(表)**
子どもの発達が順調か遅れがあるかを評価する方法。早期発見を目的とした発達スクリーニング検査(改訂日本版デンバー式発達スクリーニング検査ほか)と,発達遅滞の診断を目的とした発達診断検査(遠城寺式乳幼児発達検査ほか)がある[5]。

[*2] **重症心身障害児**
児童福祉法に基づく行政的定義は,重度の知的障害(IQ25~35以下で日常生活に常に介護を要する)および重度の肢体不自由(身体障害者程度等級表の1~2級に該当)が重複した児童のことである[5]。

[*3] **発達年齢**
小児に対する発達検査から得られた,被検小児がもっている能力に該当する年齢。理論的には平均的小児では暦年齢と発達年齢が一致する[5]。

ゲゼルの文章はやや難解なところがあるが，その描写・表現からは子どもに対するまぎれもない愛情を感じる。子どもとはこういうものだよ，こうしてみるんだよ，と身をもって伝えてくれているようであり，それがゲゼルが伝えたい「発達の哲学」なのではないだろうか。

● ゲゼルによる発達の原則

ゲゼルによる発達の原則を諸岡の文献より一部引用する(表1)[2]。

表1 発達の原則

①個別的な内在的前準備状態があること	発達は個体と環境が相互に適合して漸進的に実現されてゆく過程である。発達の順序や進行は，生得的なものであり，環境的な要因は発達の進行を支え，変化し，変容はするがそれをつくりだすことはできない	
②発達的な方向付けの原則	個体発生的な統合(成熟)は頭一尾方向に進んでいく傾向がある	
③らせん状再統合の原則	方向付けの原則は外見上では例外があり，頭から足方向への発達を飛び越えて現れることがある	
④反対相互交錯の原則	個体発生の優位性は，反対側の間で動揺しながら進んでいく	
⑤機能的非対称性の原則	対称位ではなく，片側利きを発展させ，調和とバランスを保持するように働く	
⑥自己規制的動揺の原則	成長している個体は安定に向って絶えず進みながら構成上では不安定な状態である	
⑦最適傾向の原則	行動の成長は常に自らを最大に実現できる方向に進んでいく	

(文献2より引用)

● 行動と年齢基準

ゲゼルは，子どもの成長・発達について「行動」に着目し，いくつかの領域，年齢段階からまとめている。新発達診断学では行動の領域を，**粗大運動行動，微細運動行動**[*4]，**言語行動，個人，社会的行動**の5領域に分けている[2]。生後1年の発達の速度やその後の文化的見地を考慮し，4，16，28，40，52週，18，24，36カ月をキー月(年)齢と決めた。しかし，この年齢の基準というものは，標準として決められたものではなく，ただその位置を明らかにしたり，説明したりするために考えられたものにすぎず，基準があるから個人的な偏りに気づくのであるとゲゼルはいう[6]。これらの領域やキー年齢はその後の多くの発達評価の参考にされただけではなく，わが国においては基本的な乳幼児健診の実施時期もこれに則っている(4，18，36カ月)[2]。

● 理解の発達

ゲゼルは，「何歳で何ができる(理解する)」という指標ではなく，どのようにしてできるようになるのか，例えば「〇歳と〇歳の間にはどのような変化が起こっているのか」を教えてくれる。このことは，われわれ作業療法士の臨床実践においてすぐに役立つ事柄である。以下に『乳幼児の発達

補足

反対相互交錯
手足の屈曲と伸展という反対運動が，それぞれ交代しながら次第に高い水準の形態をとっていくこと[7]。

機能的非対称性
身体の左右の機能が常に一方が優位に発達して，行動の均衡をとり，迅速さをつけ，適応を行う基礎となること[7]。

*4 **粗大運動行動，微細運動行動**
全身の姿勢・運動と手指の運動のこと。ゲゼルは単なる運動ではなく，「行動」としてとらえていた。

と指導』[6]より一部抜粋する。

〈空間〉
乳幼児は9カ月ごろになると，指先が使えるようになり自分の手をなにかの入ったコップに入れたり人差し指でつついてみたりするようになる－これが乳幼児が初めて3次元を発見する機会であり，さらに，ものをいじくりまわすことにより，内外，上下，前後，縦横などの関係を学んでいく。這う，歩く，走るという運動を通して，ここ，向こう，近くと遠く，壁や角，室内と室外などの感覚がつくられていく。

〈時間〉
子どもは18カ月ごろから「今」の意味をつかみ始め，2歳前には「もうすぐ」がわかるようになるので「待つ」ことができるようになる。3歳児は「いつ」という言葉を使い始める。「今日」→「明日」→「昨日」という順に時間と言葉を理解していく。これらの言葉は抽象的な意味で使われるよりずっと前に，具体的な事態のなかで使われる。時間（持続的）の概念は，空間（大きさ）の概念よりずっと難しい。

〈数〉
6カ月児は1個の積み木を持って遊ぶ。→ 9カ月になると2つの積み木を持ち，かつ3つ目にも注目できる。→ 1歳児では数個の積み木を1つひとつ順にいじくる（これは数えるということの運動的な基礎段階に相当する）→ 2歳児は1つとたくさんを区別できる→ 3歳児は「両方」という言葉を理解し始める→ 4歳になると3つのものを正しく指さしながら数えられる→ 5歳では10まで数えられる。数をちゃんと理解して使うことより前に，ただずらずらと続けて口で唱えられるようになる。

〈色〉
4歳になると1つの色の名前を言えるようになる（赤の場合が多い）→ 5歳になると赤，黄，青，緑が言える。色は，ものの組織や構造の性質よりやや理解が難しい。したがって，ものの性質を表す形容詞，かたい，やわらかい，べたべたした，ざらざらした，ぶつぶつした，がさがさした，なめらかな，などなどは，色の名前より早く獲得される。

〈言葉〉
言葉は実体であり，実体のシンボル，願望の表現，思考の道具でもある。時間，空間，数，形，組織や構造の性質，色，原因と結果，これらを子どもたちは自分の身体（目・手・足など）を通して少しずつ自分のものにしてきた。のちに子どもには，どこ，なに，なぜ，だれが，なんでという質問をする時期が訪れる。

（A. ゲゼル 著，依田 新，岡 宏子 訳：乳幼児の発達と指導，家政教育社，1967.より許可を得て掲載）

ゲゼルは，言葉を用いるときのリスクを次のようにいう。

> 幼い子どもを育て導く場合，どうも言葉の持つ力をあまり信用しすぎるきらいがある。ときどきおとなは，なんと素朴にも，十分に大きな声で言えば，たいていは，結局それだけでよくしみ通るだろうと考える。言葉はしみ通りなどはしない。それはただ，登録されるだけである。そうして，子どもの心にしるされるものは，こちらが伝えようとしたものとは，奇怪千万な違ったものとなることが多い。しかし，言葉は，使い方さえうまく，子どもの心の内容とテンポにぴったりしているものならば，子どもを導く上になみなみならぬ力をもつものである。…成長しつつある心というものは未成熟であると言うことが本当に理解されたとき，子どもを導く上に効果のある使い方をすることができる
>
> （A. ゲゼル 著，依田 新，岡 宏子 訳：乳幼児の発達と指導，家政教育社，1967.より許可を得て掲載）

> アクティブ ラーニング ① 言葉によるコミュニケーションが困難な相手の場合，言葉以外にどのようなコミュニケーション手段があるか考えてみよう。

● パーソナリティーの発達

ゲゼルは，神経系はものの世界に対して同様，人の世界に対しても１つの型をつくっていくような反応の仕方をするという。喜びや痛みの感情，努力，探索や逃避などもすべて反応の型[*5]に作り上げられ，反応の型と関係している。情緒は反応の型の重要な部分であり，パーソナリティーを形成していく。

「パーソナリティーの発達は，本質的には，次第に他我に対する反応を通して自我を発見してゆくこと，そうして漸進的に，他我から自我が分離してゆくことである」といい，次のように表現している。

> *5 反応の型
> ゲゼルは発達を形態学的変化，つまり行動のフォームの変化としてとらえており，このような表現をとっている。運動発達も精神発達も形態学的特性を有しており，観察により理解可能であると考えた。

> 赤ちゃんははじめ内臓や皮膚から起こる感覚的印象のなかにあり，空腹感，温かさ，冷たさ，不快感，心地よさなどが心の中核をつくっている。その後，自分の上にかがみこまれる顔を見るようになる。このときはまだ人格をもった特定の顔，体の部分としての顔と認識してはいないが，日々の生活と結びつき，次第に食事をくれる顔（人），遊んでくれる顔（人）を認識するようになる。さらに生後６カ月以前には親しい人とみなれない人を区別し，人の表情を区別し始める。こうして自分以外の人を認識する。
> 自分自身の認識は目と手と口を通して始まる。手を眺めたり，手を動かしたり，動く手をまた眺めたり，口へ持っていったり，何かを触ったり触られたり，触覚や運動感覚を通して自分自身の身体を認識していく。何でも口に入れる経験から，食べられるものとそうでないものが区別されるようになるとともに，口から食べるという経験は自己感，安定感を発達させることにも役立つ。
> 声についても，自分のものより先に母親の声を聞き分けるようになる。次第に自分の出している音に気付くようになり，さらにその声に応答する人とのやりとりに発展していく。やりとりによって自分自身，自分以外の人の認識

作業療法の理論，モデル，ツール

> は強まっていく．何かを発する→受け取って返す→ 受け取って再び返すといったさまざまなやりとりを通して，情緒は発達していく．
> このように，パーソナリティーは少しずつ構造と形を表していく
>
> （A. ゲゼル 著，依田 新，岡 宏子 訳：乳幼児の発達と指導，家政教育社，1967．より許可を得て引用）

> **アクティブラーニング❷** 臨床実習におけるケースノートは，具体的に描写しているか，情景が浮かんでくるものになっているか，見直してみよう．

■ 作業療法への応用

● 行動を描写する

　子どものありのままの姿を観察することは，作業療法における評価の基本である．ことに，重度の障害をもつ子どもは，行動観察を重ねることにより理解が深まっていく．見たままに記録することは容易なようで意外に難しい．一般的な言葉や抽象的な言葉に置き換えるとその子らしさが失われる．その点ゲゼルの描写は具体的であり，**子どもが生き生きと描かれており，情景が浮かんでくる**．このような描写を心がけることは作業療法の臨床において非常に有用である．

● 適切な時期に適切な経験を

　発達障害領域における作業療法においては，遊びを活用し，運動や手での操作，身の回りの動作，人とのコミュニケーションなどの発達を促すが，**ただやみくもに多くのことを経験させるのではなく，適切な時期の適切な経験**という点を考慮する必要がある．目の前の子どもが今発達のどの段階にあり，どこに向かおうとしているのかを理解するのにゲゼルの理論が役立つ．

● 言葉を上手に使う

　言葉をある程度話せる子どもに対して，言葉で叱ったり言葉でこんこんと説得したりしている親をときどき見かける．また，言葉によるコミュニケーションが困難な障害児（者）を目の前にして困っている臨床実習生がいる．

　言葉は便利で有用なものであるが，場合によっては使えないことや使い方を間違えるととんでもない事態を引き起こすことがある．日常会話に不自由のない程度の会話力しかない5，6歳の子どもが，親子喧嘩をして大人に口で勝てるはずがない．この段階では子どもは相手の言っていることが理解できても，まだ自分の気持ちを適切に言葉で表せるほど発達していないのだから．子どもは言葉で伝えきれない感情を泣いたりわめいたり，あるいは暴力的な行動に出て示そうとするかもしれない．こうなると親はますます強い言葉で子どもを抑制しようとする．

　われわれ作業療法士は，**自分自身が子どもに対して言葉を適切に使って**

いるかを振り返るとともに、間違った使い方をしている養育者がいた場合、育児がうまくいくような言葉の使い方、つまり本当の意味で子どもの発達を理解することを促していく必要があるだろう。

3 ジャン・ピアジェの発生的認識論

■ 人物像

ジャン・ピアジェ

Jean Piaget（1896～1980年）は、スイスのヌーシャテル市に生まれた。ヌーシャテル大学で生物学を学び、軟体動物の研究により学位を得た後、心理学に転じ、チューリッヒ大学、パリ大学などで心理学を学んだ。その後、ルソー研究所では、子どもの言語、判断と推理、世界観、因果関係の認識、道徳判断などをめぐる一連の発達研究を行い、また自分の3人の子どもを対象とする綿密な観察によって子どもの思考と知能の発達について詳しく述べ、今日の発達心理学研究の端緒を開いた[8]。

彼は、生物学者でもあり発達心理学者でもあるが、彼の関心は数学・論理学・物理学・社会学などあらゆる学問領域に及び、彼に並ぶ者はほとんどいないといわれるほどの量の論文や書物を残している[9]。

子どもは能動的に活動することによって発達すると考えるピアジェの発達観は、後世に多大な影響を与え、現在でも「認知」や「認識」の発達といえば真っ先に名前が挙がる人物である。

■ ピアジェの理論

われわれ作業療法士にとっては、本来さまざまな理論をいかに臨床の実践に活かすかが重要であり、各々の理論の背景を知ることこそが大切であると考える。だからといって、そのためにピアジェの書あるいはピアジェに関連した書を読破することは文献の豊富さを考えると困難であるが、心理学や発達に関連した教科書などでは、主に認識の発達段階とその説明にとどまる傾向があり、根本にあるピアジェの考えを理解するまでに至らない場合が多い。その点、岡本の文献[10]は非常にわかりやすくピアジェの考えが解説されているため、以下、この書籍を参考にして述べることとする。

ピアジェは、彼の理論のなかで独特の言葉を使用しているため、それについても解説しながら進める。

● ピアジェが考える発達心理学

シェマ・同化・調節

ピアジェの発達論は「シェマの発達論」である。人間はシェマの集合体であり、シェマの使い手であるとし、シェマ同士がどのように構造化され、より高次の構造がつくられていくのかを理論化しようとした。

シェマは、「同化」と「調節」を繰り返しながら発展し、より高次の知的構造へ発達が進んでいくという考えである（表2）。

表2　発達の原則

シェマ（シェム） scheme（英語scheme）	● ピアジェ理論の最も中心となる概念 ● シェマとは認知的枠組み，つまり「自分が引き起こせる行動の型」，あるいはその「行動を可能にしている基礎の構造」をさす。動作だけではなく，イメージや概念も含む ● シェマは決して固定したものではなく，いろいろなものに適用し，転移的に使用していく非常に積極的でダイナミックな性質をはらんでいるのが特徴。「動作と**表象**[*6]という一見かけ離れたものをシェマという考え方のなかで統合していくところにピアジェの非常に優れた点や特色がある」と岡本[10]はいう
同化 assimilation	● ラテン語のsimilis（英語similar）に由来 ● 「似たもの」という意味で，「なかに取り入れる」ことを意味している ● 外界の新しい刺激を自己のもつ既存のシェマに取り入れること
調節 accommodation	● 同化できない対象について，物や外界に応じてそれまでもっていた自己の行動シェマを変えること

*6 **表象**
知覚に基づいて意識に現れる外的対象の像。対象が現前している場合（知覚表象），記憶によって再生される場合（記憶表象），想像による場合（想像表象）がある。感覚的・具体的な点で概念や理念と区別される[11]。

発達段階

　ピアジェは，発達段階というのは1つの構造であり，発達が進むということはある構造からある構造へ変化するということを意味するという。また，その構造は「感覚運動的構造」から「表象的構造」へと進んでいくとし（後述），それぞれの発達段階の構造が前段階に比べて有する長所と次段階

補足

同化
「あっそうか，わかった」というような体験をするときに起こっているような働き。
「向こうから来る人が誰かわからない。近づいてきたらAさんとわかった」。その人は心のなかにAさんという人やBさんという人のイメージをもっている。そして向こうに現れた対象が自分のもっているAさんやBさんのイメージにも入りきらない間は，これは「わかった」ということにはならない。しかし近づいてきた人が，自分のもっているイメージのなかに取り入れられたときに「ああそうか，わかった」ということになる。

調節
「小さくて羽があり飛ぶものが昆虫である」という概念をもった子どもが，トンボや蝶などを昆虫だと同化していく。ここで，「アリ」に出会う。アリは羽がない。羽をもつアリもいる。これは昆虫か否か…。子どもはこれまで自分がもっていた概念を変えることを迫られる。そこで，「昆虫には3対の足がある。羽がないものもある」といったように概念はつくり変えられる。これが調節である。

表象作用
頭のなかで，いろいろ描いてみたり，筋道を立てたり，クラスを作ったり，関係を操作するような作用。イメージ，記憶像，概念などが表象作用の大切な担い手になる。

可逆的
ピアジェの理論体系のなかで重要な概念で，「ここから向こうの壁まで10歩ある」ことと「壁からここまでも10歩ある」ことがわかること。論理の筋道で，往く道を習ったら帰り道は教わらなくとも同時に理解できるというのは，可逆的構造が備わっているからである。子どもの発達をみていくのには，どれだけ子どもが，可逆的な行動，あるいは構造をとることができるかということが，その子の発達の重要な目印になる。

内面化
表象化されるということ，必ずしもそれを動作として外へ表さなくても，心のなかで操作できる，また目の前になくとも心のなかで思い浮かべられること。

（文献10を参考に作成）

に対して有する限界を明らかにしている。加えて，発達段階には順序性があるということを強調しているが，それは個体が環境との相互作用を通してある段階から次の段階に変換を遂げていくことであり，その経過において経験の果たす役割は重要であるという。

発達の方向

ある行動や構造は，「固定的」で「一方向的」なものから，「可変的」，「可逆的」なものへと変化する。**子どもの発達をみるには，どれだけ子どもが可逆的な行動，あるいは構造をとれるかが，その子の発達の重要な目印になる**という[10]（p.310，**補足**参照）。

また，はじめは「今，ここにある」ものだけが子どもの世界を形成しているが，内面化，つまり心のなかでさまざまな事象を思い浮かべることができるようになると，概念の射程距離に入るものがみな子どもの世界を形成することになる。内面化されることによってその世界は**階層化**[*7]が容易になり，より統合された知識の組織体ができる[10]。つまり内面化とは**組織化**[*7]が進むということを意味する点が特に大切である。

● **知能の発達段階**

ピアジェは，知能の発達段階を（操作システムの発達の見地から）**表3**に示すように分けた[2, 12]。言語の獲得を1つの大きな区切りとして，出生から2歳ごろまでを感覚運動的段階，2歳以降を表象的思考段階とした。感覚運動的段階は自らの身体で外界を知っていく時期であり，6段階に分けられている。表象的思考段階では，言語の発達，イメージの発生により，頭のなかでさまざまな問題解決が可能になっていく。各段階には年齢が添えてあるが，ピアジェは何歳になったら何ができるという年齢尺度を規定しているのではなく，あくまでも目安としている。

このような知能の発達と並行して「模倣と遊び」も発達していく[10]。ピアジェは，遊びは「同化」が優勢の状態，模倣は「調節」（p.310，**補足**参照）が

＊7 階層化・組織化が進む
階層とは一般的に，段階的に層をなすものの各層のこと。組織化とはつながりのない個々のものを一定の機能をもつようにまとめること[11]。つまり，子どもの中にばらばらに存在していた知識がある一定の枠組みをもち，整理されてくること。

＊8 反射
ここでは主に口唇探索反射や吸啜反射などの原始反射をさしている。次頁**表4**参照。

＊9 循環反応
自分の身体に限った感覚運動の繰り返しを意味している。次頁**表4**参照。

＊10 心的結合
実際の動作が頭の中で予想できること。第5段階までは実際の動作を通してさまざまなシェマを獲得していた。次頁**表4**参照。

＊11 操作
具体的な経験のこと。次頁**表5**参照。

表3 ピアジェの発達段階

Ⅰ 感覚運動的段階（0～2歳ごろ） 　第1期：反射[*8]の使用（0～1カ月ごろ） 　第2期：第1次循環反応[*9]（1～4カ月ごろ） 　第3期：第2次循環反応（4～8カ月ごろ） 　第4期：第2次シェマの協調（8～12カ月ごろ） 　第5期：第3次循環反応（12～18カ月ごろ） 　第6期：心的結合[*10]による新しい手段の発見（18～24カ月ごろ）	感覚運動的段階
Ⅱ 前操作的段階（1.5，2～7，8歳ごろ） 　象徴的思考段階（1.5，2～4歳ごろ） 　直観的思考段階（4～7，8歳ごろ）	表象的思考段階
Ⅲ 具体的操作[*11]段階（7，8～11，12歳ごろ）	
Ⅳ 形式的操作段階（11，12～15歳ごろ）	

作業療法の理論，モデル，ツール

優勢の状態と定義している。それぞれの段階の特徴と同時期の遊びについて**表4，5**に示す。

■ **作業療法への応用**
● **シェマの獲得**

シェマという観点で作業療法の対象となる障害児を考えてみると，彼らは手持ちのシェマが少なく，同化や調節が起こりにくいと解釈できる。特

表4 感覚運動的段階

段階・月齢	特徴	模倣と遊びの発達
反射の使用 0〜1カ月ごろ	反射的なシェマを行使して外界を取り入れていく段階。例えば，吸啜反射から指しゃぶり行動が発生するなど	
第1次循環反応 1〜4カ月ごろ	自分の身体に限った感覚運動の繰り返し。手をグーパーする，同じ声を繰り返し出すなど	循環模倣：子どもが何か動作をしているときにこちらもその動作をしてやると子どもはまたその動作をする 赤ちゃん主体：こちらから働きかけても模倣は起こらない
第2次循環反応 4〜8カ月ごろ	繰り返し反応だがそのなかに「物」を取り入れてくるような繰り返し。例えば，シーツを引っ張る，ガラガラを振るなど。外界に変化をもたらす自分の動作に興味をもつようになる。目－手の協応[*12]が成立する	その子どもが既得のシェマであり，かつ目に見える動作であれば，大人から始めても模倣が成立する
第2次シェマの協調 8〜12カ月ごろ	物の永続性の理解，意図の発生，手段－目的関係の成立の時期。例えば，おもちゃに布をかけるとすぐに布を払いのける（これ以前の段階ではおもちゃがなかったかのような振る舞い）。「手で布を払う；手段」，「もう一方でつかむ；目的」の2つのシェマの協応	自分がもっていないシェマでも，ある程度模倣ができるようになる
第3次循環反応 12〜18カ月ごろ	バリエーションを含む繰り返し活動の時期。同じ物をさかんにベッド上から落として喜ぶ，落とし方をいろいろ変えるなど，試行錯誤して自分で変化を作り出す → これは問題解決場面の手段となる。障害児には現れにくい	すばやく正確に模倣できるようになる
心的結合による新しい手段の発見 18〜24カ月ごろ	内面化。洞察。必ずしも試行錯誤しなくとも理解できる時期。頭のなかで試す。心内実験。実際の動作でやるより，より組織化された形 → のちのちイメージ，概念などとともに思考活動の基本となる	遅延模倣：場と時を異にした模倣（昨日見たことなど）が可能になる 「ふり」「みたて」の現われ → **象徴遊び**[*13]へ発展

（文献10を参考に作成）

表5 表象的思考段階

段階・年齢	特徴
象徴的思考段階 1.5，2〜4歳ごろ	言語の出現により感覚運動的シェマが内面化される。イメージが発生し象徴遊びが盛んになる。子どもが抱くイメージにより物事や言葉が理解される
直観的思考段階 4〜7，8歳ごろ	事物の分類，関係づけがある程度可能。しかし，そのときの知覚的に目立った特徴（見た目）によって左右される
具体的操作段階 7，8〜11，12歳ごろ	分類と関係についての思考の枠組みができ，具体物を見たり，あるいは具体的経験がある場合に一貫した思考ができるようになる ● 保存[*14]の理解：粘土の塊をさまざまに変形しても量，重さ，体積は不変である ● 分類の理解：ネコ，ウシなど姿形が違っても動物として包括できる ● 可逆的操作の理解：粘土の塊を細長い棒状に変えられても，粘土の塊を思い浮かべることができる
形式的操作段階 11，12〜15歳ごろ	具体物の操作からはなれ，言語や記号の形式上で仮説演繹[*15]的思考ができるようになる。自分自身の精神的な特徴について考えるようになり，内向的態度が芽生えてくる

（文献10，12を参考に作成）

> **＊12 協応**
> 複数の器官や機能が互いにかみ合って働くこと。ここでは見たものに手を出すようになってくること。これまで別々に存在していた見るシェマとつかむシェマが統合され1つの新しいシェマが生み出されてくる。

> **＊13 象徴遊び**
> つもり、みたて、ふり遊びやごっこ遊び。こうした遊びを通して模倣や社会的役割の理解と獲得が促される。

> **＊14 保存**
> そのままの状態を保って失わないこと[11]。ここでは、見た目が変化しても中身は変わらないことを意味する。

> **＊15 演繹（えんえき）**
> 推論の一種。前提を認めるならば、結論もまた必然的に認めざるをえないもの。数学における証明はその典型。演繹⇔帰納[11]。

> **＊16 回内握り，中間位**
> 回内握りは、スプーンを上から覆うように手全体でつかむ握り方のこと。中間位はスプーンを横から3指で持つ形（通常の持ち方）。

> **＊17 般化（汎化）**
> 心理学用語。ある特定の刺激と結びついた反応が、類似した別の刺激に対しても生じる現象（⇔弁別）。ここでの「般化が難しい」とは、例えば、学校ではスプーンを持って食事ができるようになったにもかかわらず、家庭や外出先ではできない、といった状況をさしている。

に，調節とは自分で自分の動作のシェマをいろいろつくり変えたり，あるいは，1つのシェマをさらに細かく，そのときの場面に応じて使いこなせるようにしていくことだというが，障害児はこの「自発的に」という点が非常に難しく，どうやってシェマを増やすか，変化させていくか，そのきっかけを探し導くのが作業療法士の仕事であるといえる。例えば，スプーンを回内握り＊16でしか使えず，すくう際の食べこぼしが多い子どもに，中間位＊16で握る形のスプーンを与えると，手首の柔軟な動きが増し，すくう動作が上達する場合がある。これは，スプーンの形（握りの形）が「調節」を促し，子どもの動きを変化させた（新たなシェマを獲得させた）結果であるといえる。また，ボールを持つとすぐに投げる行動しかしない子どもに，重いボールを渡すと簡単には投げられず，転がす動きが生じるかもしれない。あるいは表面がデコボコしたボールを渡すと，手で触ることをためらい足が出るかもしれない。このように，何を変えたいのか，どういう機能（シェマ）を獲得させたいのかを意識するという観点が大事である。

● **可逆的**

理解の発達を促す1つの方法として「可逆的」という考えが応用できる（p.310, 補足参照）。障害児は「般化（汎化）＊17」が難しいことは作業療法士の多くが経験するところである。

例えば，序列や大きさの理解を促すためにわれわれは「重ねコップ」をよく用いる。重ねていく順に右あるいは左からあらかじめ並べておくと，子どもは繰り返しの学習により順に取って重ねられるようになる。しかし，並べる順序を逆にしたり，「重ねる」ではなく「入れる」方法に変えたりすると，途端にできなくなる子どもがいる。物が変わってもどのように並べられても対応できるようになって初めて，本当に大きさの理解ができたといえる。作業療法士は，子どもがどの段階でつまずいているのかを理解し，概念としての理解を促すために，ある事象をさまざまな角度からとらえるような作業活動の提供方法を考える必要がある。

● **発達段階に応じた指導**

障害をもった子どもたちの多くは，外部からの適切な働きかけなしにある発達段階から次の発達段階に進むことが困難である。われわれ作業療法士の仕事は，その適切な働きかけとはどういうものかを具体的にし，実践していくことである。そのために各段階の（具体的な）特徴と次の段階との相違を理解し，目の前にいる子どもが今どの段階にあるのか，そこで足りない部分や発達の兆しが見えてきている部分は何かなどを明確にする必要がある。そうして現段階で堪能できる遊び・活動を十分に経験させ，同時に少し試行錯誤すれば，何とかできそうな課題を取り入れた作業療法の内容を考える必要がある。

> **アクティブラーニング ③** シェマの獲得について，身の回りの事象から，例を考えてみよう。

4 エリック・エリクソンの発達理論

■ 人物像

エリック・エリクソンの人物像は，p.164を参照

Erik H. Erikson（1902〜1994年）は，精神分析学者である。1902年にデンマーク人の両親のもとドイツに生まれた。誕生前に両親は離別，その後母親はドイツ人の小児科医と再婚し，この養父に育てられた。精神分析家になる前は画家であり，小さいころより病気の子どもたちを目にしていた彼の画題には，多くの子どもたちが描かれていたという。

1930年前後にSigmund Freudの門下に入り，フロイトの末娘Anna Freudに精神分析の訓練を受け，ウィーン精神分析研究所で児童の分析に従事した。児童の不適応問題，児童の神経症などの治療・教育の領域においては，必然的に発達の問題が伴っていた。

このように，エリクソンにとって「子ども」「精神発達」は身近な問題であり自然に人生のテーマになっていったといわれる。

■ エリクソンの理論

> **補足**
> **対の概念**
> 「対」の概念は，分岐点を表すものであるが，同時にプラスの心的な力とマイナスの心的な力が拮抗している緊張した心理的状態を示すものである。どちらの要素が優勢かをみることにより，人格の健康度ないし病理の度合いを示すものともなる[13]。

エリクソンの発達理論は，精神分析の臨床から生まれたものであるという点において，ほかの発達の研究者たちとは趣を異にしている。エリクソンは，「人間の8つの発達段階」として心の発達を8段階に分け，それぞれの段階における心理的危機をプラスとマイナスの対の言葉で表し，発達的課題（葛藤的課題）を明確に示した（図1）。これは彼の有名な著書『幼児期

図1 人生の8つの段階と発達的課題

		1	2	3	4	5	6	7	8
Ⅷ	老年期前期								自我の統合 対 絶望
Ⅶ	成人期							生殖性 対 停滞	
Ⅵ	青年期後期						親密性 対 孤立		
Ⅴ	思春期と青年期前期					同一性 対 役割混乱			
Ⅳ	学童期				勤勉性 対 劣等感				
Ⅲ	幼児期後期			自発性 対 罪悪感					
Ⅱ	幼児期前期		自律性 対 恥と疑惑						
Ⅰ	乳児期	基本的信頼 対 不信							

（文献14より改変引用）

と社会』に出てくるものであるが，この著書の完成には20年に及ぶ地道な努力があったという。

児童の精神分析の臨床活動のほか，遊び，文化，人類学的な研究を重ね，それらを統合して精神の発達を論じたものであった。「人間の生涯」「人格の発達」という壮大なテーマで描かれた理論は，心理学や精神分析の枠を超え，社会学，文化人類学，教育学，哲学などへその影響の輪を広げていくこととなった[13]。

エリクソンは，フロイトの理論を一部踏襲しながらも，彼独自の理論を構築していった。フロイトにとっては，精神すなわち人格の発達は**性的な欲動が体制化**[*18]されていくことであり，身体の発達が精神の発達をも引き起こすという考えであった。エリクソンは，この考えは否定しないが，ある個人の行動や感情を理解するには，少なくともそこに働いている**3つの過程**（生理学的過程，心理学的過程，社会的・文化的文脈）が考慮されなければならず，しかも3つは互いに作用し合って，不可分の全体をなしている[15]とした。

エリクソンは，人はさまざまな側面だけを切り取ったり部分的にとらえたりできるようなものではなく，1つの人格をもった人間としてとらえる必要があることをわれわれに示してくれる。また，円環的に続く**ライフサイクル**[*19]の考え方は，1人の人間の発達をみる際に，そこには必ず世代間のかかわりがあるということを気づかせてくれる。

● 人間の8つの発達段階と心理社会的危機

エリクソンは乳児から老年に至る人生のライフサイクルに，8つの発達段階と**心理社会的危機**[*20]を認めた。エリクソンがいう危機（crisis）は，「岐路であり決断の時」をさしている[13]。否定的な意味合いではなく，発達のための決定的な契機ととらえられており，人生の節目ともいえるものである。それぞれの段階における課題と危機を2つの対の言葉で象徴している。

エリクソンは各時期を年齢で厳密に区切ってはいないが，わかりやすくするために目安として示した。各時期の名称についても，これまでの研究者たちの分類[12]を参考にして現代の日本にふさわしいと考えられるものを選んで示した。

なお，以下の解説は主に『幼児期と社会I』[16]と鑪の文献[13]を参考にしたものであるが，精神分析的な見方は臨床経験のない学生には理解が難しいと考え，表を使ってできるだけわかりやすく解説するよう努めた（**表6**）。したがって，エリクソンの理論をより深く理解したい場合には，ぜひ自身でエリクソンの著書を読んでいただきたい。

---

*18 **性的欲動の体制化**
フロイトは，心的発達をリビドー（性的衝動を発動させる力）が体制化されるプロセスとしてとらえた。リビドーは幼児期から存在するとし，部分的な欲動が正常な性欲に発達するまでを5段階で表した。

*19 **ライフサイクル**
誕生から死までの，人の一生の過程[11]。

*20 **心理社会的危機**
人がそのライフサイクルのなかで，次のプロセスに進むか，逆行するか，それまで経てきた発達の過程を逆もどりしたり，横道にはずれて進んでいったりする「分岐点」ないし「峠」をさす。エリクソンにおいては，発達のための決定的な契機として，なくてはならないものであり，それまでの心的体制が次の新しい心的体制に向かうときに，再体制化されていく時期としてとらえている。人生の「節」といったりする言葉に近い[13]。
危機（crisis）は，医学用語では「急性疾患における回復するか悪化するかの変わり目」（松田徳一郎，ほか：リーダーズ英和辞典，研究社，1999）。

作業療法の理論，モデル，ツール

表6 人生の8つの段階と発達的課題・心理社会的危機

段階	期間・特徴	発達的課題	心理社会的危機
Ⅰ 基本的信頼 対 不信	乳児期 （0～1歳半ごろ） これから先，生きていくうえで最も大切な基本的信頼が培われる時期	● 鑪[13]は，「われわれの心の最も深いところで自己を肯定し自分をとりまく世界を肯定することを信頼」といっている。この信頼は人生の最も初期段階である乳児期に形成される ● 乳児は摂食時のくつろぎ，睡眠の深さ，便通のよさなどの種々の快刺激を母親から与えられていく。そうして快刺激だけではなくそれを与える母親も親しいものとなり，母親が見えなくなってもむやみに怒らず母親の存在を受け入れられるようになる。これは母親が予測できる外的存在になっただけでなく，内的な確実性をも担うようになったことを意味する[16] ● 信頼の念の量は，食物や愛情の表示の絶対量に依存するのではなく，むしろ母親との関係の質による[16]という。こうした母親との体験を通して自分自身と自分をとりまく社会に対する信頼感が築かれる	この時期に信頼感を確立することができないと，その後の親密な人間関係を築いていくことが困難となる
Ⅱ 自律性 対 恥と疑惑	幼児期前期 （1歳半～3，4歳） 自分の足で立ち，歩き，言葉を話せるようになる時期	● 自己主張も強くなり，第一次反抗期ともいわれる。同時に自律性感覚が芽生える時期でもある ● 排泄をはじめとしたしつけが行われるが，そのしつけの仕方が子どもの心理的発達に大きく影響する。外部からのコントロール（しつけ）は幼児に確かな安心を与えるようなものでなければならない。自分の足で立つよう励ますが，同時に恥や初期の疑惑の念という無意味で便宜的な経験をさせないよう守らねばならない[16]	● しつけが行き過ぎると強い自己防衛を生み，さらには「人目にさらされる」「自分が他人の前にむき出しになっている」という感覚を生み出す危険もある[16] ● 自分が他者に支配されているという圧倒的な感覚は，自分を無力であると感じ深い自己疑惑の念が植えつけられる危険もはらむ
Ⅲ 自発性 対 罪悪感	幼児期後期 （4～6歳） 運動機能や言語機能が飛躍的に伸びる時期。想像力も増し，子どもは自発的に遊びを考えたり創り出したりするようになる	● 自発性はあらゆるものに対する新しい希望と新たな責任の構成要素となる。つまずきや不安に多少つきまとわれながらも，危機が解決されたとき子どもはひと回りも（ふた回りも）大きく成長する ● プラスのあふれる余剰エネルギーは，彼らに失敗をすぐに忘れさせ，望ましいと思われるものへ向かってひるむことなく前進させる	● 自発性はすべての行為にとってなくてはならないものであり，将来，自分の考えをもって行動し，社会の一員としての責任を果たし仕事を営むうえでも必要となる ● しかしこの積極的な動きは同じような積極的な動きと衝突しやすいため，敗北感や罪悪感を引き起こす危険も伴う[16]
Ⅳ 勤勉性 対 劣等感	学童期 （6～12，13歳） 日本では小学校の時期に相当	● どのような文化圏であっても子どもたちはある種の組織的教育を受ける。読み，書き，計算のほか，道具の使用やさまざまな技能，生産技術の基礎を発達させるほか，仲間との集団関係も育成される ● 学ぶよろこび，困難な仕事に取り組み問題を解決していくプロセスで得られるよろこびを支えるものは有能感[*21]や自尊心である。有能感や自尊心は，社会的存在としての自分への信頼を確信していることを意味している	● 知的活動に力を注げなかったり，物事にうまく対処できなかったりする経験が続くと，子どもは自分を不適格であると感じたり，劣等感を抱いたりする ● 自分の能力に失望し孤独に陥ることになる

（次ページへ続く）

表6の続き

段階	期間・特徴	発達的課題	心理社会的危機
Ⅴ 同一性 対 役割混乱	思春期と青年期前期 （13～22歳ごろ） 中学校から大学時代に相当する。この時期の前半は特に思春期とよばれる	●「自分は何者なのか，どうあるべきか」を模索し，親や教師，友人とも異なる自分自身を見つけること，つまり**アイデンティティ（同一性）**[*22]の確立がこの時期の課題である ●しかしながら，第二次性徴といわれる思春期の身体的変化は著しく，自己意識が育つとともに自己と他人との間の関係に敏感になり，身体の成長に精神の成長が追いつかずしばしば心が不安定になる	●この段階における危機は社会的役割の混乱である。多くの場合，若い人たちは職業に関する同一性を最終的に固めることができずに悩む ●現代の日本の社会のように多様な価値を許し，多様な社会的役割や社会的存在を許している社会においては，若者にとって「自分は何者であるか」を確立することは非常に難しい課題である。そのため高度に発達した文明社会では，この時期の心理社会的危機を保証するように長い期間が与えられている。つまり，高等教育，大学教育がそれに相当する。同一性形成のためのこの保護された時間をエリクソンは**モラトリアム**[*23]とよんでいる ●最近では，大学を卒業してからも職業につくことが難しくモラトリアムの長期化が問題となっている
Ⅵ 親密性 対 孤立	青年期後期 （22歳ごろ～ 30歳代前半） 子どもが誕生することにより新たなライフサイクルが自分自身のライフサイクルと交錯する時期	●多くの場合，性的な関係が内実を伴って実現し，結婚，出産を経て新たな家族を形成する。親密性とは自己を失う危機にさらされても自己を失わず，他者と親密な関係をつくりあげる能力のことである[13] ●自分は誰なのか，何を思い何を大事にしているのか，といった確固たる価値観や思想をもっていれば親密性を獲得することが可能となる	●自己の喪失を恐れさまざまな状況における対人関係を回避すると，深刻な孤独感にとらわれるようになり，やがて自己に埋没する結果となる ●親がこの時期の危機をうまく乗り越えなければ，子どもも自身のライフサイクルにおける危機にうまく対処できていけない危険がある。鑪[13]は，現代日本における離婚の問題，家族の崩壊といったことについて，ライフサイクル上の親密性における心理社会的危機として見直してみる必要性があると述べている

（次ページへ続く）

*21 有能感
自己を信頼し，自己を統制していく力があることを信頼して，仕事に取り組む際の土台となる心の状態。優越感とは異なる。有能感は社会的存在としての自分への信頼を確信していることを意味している[13]。

*22 アイデンティティ（同一性）
人格における存在証明または同一性。ある人の一貫性が時間的・空間的に成り立ち，それが他者や共同体からも認められていること。自己の存在証明。自己同一性。同一性[11]。

*23 モラトリアム
人間が成長して，なお社会的義務の遂行を猶予される期間。また，その猶予にとどまろうとする心理状態。エリクソンが提唱[11]。日本では，「社会的責任のある大人になりたがらない青年」「大人になるのを拒む青年心理」などの意味合いで，責任回避というマイナスのイメージが先行する用語として一般的に用いられている。そのきっかけとなったのが，1977（昭和52）年，『中央公論』誌に掲載された当時慶應義塾大学助教授だった精神医学・心理学者の小此木啓吾（1930～2003年）の『モラトリアム人間の時代』である。小此木は，「豊かな社会に育ち組織に属さない青年」を「モラトリアム人間」と名づけ，「モラトリアム」という言葉は学術用語を超えて流行語となった。

表6の続き

段階	期間・特徴	発達的課題	心理社会的危機
Ⅶ 生殖性 対 停滞	成人期（30～50歳代） 次の世代を育て導く時期	●エリクソンは、生殖性は本来次世代を確立させ導くことへの関心であり、生殖性の概念は生産性や創造性のようなより一般的な同意語の概念をも含む包括的なものであるとした ●結婚して子どもを産み育てることだけではなく、創造的な仕事やアイディアを生み育てること、社会的な業績や知的財産を生み育てることなども含まれる。つまり、生殖性とは次の世代のために仕事を行うことを意味し、生産性あるいは世代性という言葉にも置き換えられる ●ここで大事なことは、単に生む、つくることではなく、生んだものを世話し育てるということである。成人になることは親密性の危機を超え、世代性（生殖性）の危機に直面することであり、生んだもの、つくったものに責任をもつということである[13]	自分自身にしか関心がもてず、他者とのかかわりのない世界に入ってしまうと、停滞と退廃を生む
Ⅷ 自我の統合 対 絶望	老年期前期（60,70歳代） これまでの7つの段階の果実が徐々に実る段階[12]	●この段階をエリクソンは「自我の統合」と表現している ●物事や人々の世話を何とかし終えて、子どもの創作者になり、あるいは物や思想の生産者になることに付随する勝利や失望に適応してきた人間が迎えられる ●自分の唯一の人生を、そうあらねばならなかったもの、取り替えを許されないものとして受け入れることである。このことは、「老い」や「死」をどのように受け入れるかによってはっきりと示される	●自我の統合が欠如、あるいは失われると死の恐怖が頭をもたげる ●人生をもう一度やり直す、あるいは統合へ到達する別の道を試みるには時間がないといった焦りが絶望感をまねく。自我の統合の難しさは老年期の自殺率の高さにも現われており、ちょうど定年を迎える時期に自殺が多い傾向がある[12]

● **第9の段階：老年期後期（80歳代以降）**

　エリクソンは、『ライフサイクル、その完結』[14]のなかで、老年期といっても80歳代後半から90歳代の人生周期の最後の段階はそれまでとは異なる問題が生じるとして、新たに第9の段階を設定し、理解しようと試み、次のように解説している。

> 第8の段階で出没し始めた絶望は、第9の段階では、切っても切れない道連れとなる。人の手を借りずに動けたり、自分の身体を思い通りにコントロールすることが覚束なくなるに従って、自尊心と自信が崩れ始める。希望と信頼は、かつては堅固な精神的支えとなったものだが、もはや往時のような確固たる支柱にはならない。八〇歳代や九〇歳代の老人は、両親や伴侶、時に自分の子どもなどたくさんの喪失経験に見舞われてきている。自分自身の死の扉がそれほど遠くないところに開いているという明確な予告だけでなく、その他にも、向き合わなくてはならない多くの悲しみがある。
>
> （E・H・エリクソン, J・M・エリクソン 著, 村瀬孝雄・近藤邦夫 訳：ライフサイクル, その完結, みすず書房, 2001.より許可を得て掲載）

試験対策 Point

- エリクソンがつくり上げた人生の8つの段階とそれぞれの段階における課題（肯定的側面と否定的側面）をしっかりおさえておこう。
- また、人間にとって最も重要な時期とされる第Ⅴ期とはどのような時期なのか理解しよう。

しかし、どんなにつらく悲しいことも乗り越え、自分の人生を生き抜く力をわれわれはもっている。それは人生の出発点から与えられている「**基本的信頼感**」という恵みであるとエリクソンはいう。

> もしあなたがまだ、生への願望や、更なる恵みや光となるものへの希望に満ちているのならば、あなたは生きる理由を持っている。もし老人が第九の段階の人生経験に含まれる失調要素を甘受することができるのならば、老年的超越性（gerotranscendence）に向う道への前進に成功すると、私は確信している。
>
> （E・H・エリクソン，J・M・エリクソン 著，村瀬孝雄・近藤邦夫 訳：ライフサイクル、その完結，みすず書房，2001．より許可を得て掲載）

アクティブラーニング④ 自分自身が今、人生におけるどの段階にいるか、課題と危機はどのようなものか、理解しよう。

■ 作業療法への応用

● 表裏一体

「発達」というとよりよい方向、より高い能力の獲得といったプラスのイメージが先行しがちであるが、エリクソンの理論からは実際、発達あるいは人生の節目節目にはリスクも伴っていることに気づかされる。つまり、エリクソンのいう肯定的側面と否定的側面は常に背中合わせであり、かかわり方いかんでどちら側にも転ぶ可能性があることを示している。このことはわれわれに、対象児（者）とかかわるとき、その人が今おかれている段階においてどのようなことが目標になるのかという視点だけではなく、同時にそれがうまく達成できない場合どのようなリスクをはらむのかを考える視点を与えてくれる。

● 人との信頼関係（人を信じること，自分を信じること）

赤ちゃんはみな屈託なく、希望に満ちた存在にみえる。しかし、人生にはいいことばかりではなく、苦しいこと、辛いこと、悲しいことも起こる。そうした苦難を乗り越えられるのは、親からの愛情を一身に受けて育ち、人を信じること、自分をしっかりもつことができてこそであるとエリクソンはいう。われわれ作業療法士は、対象児をひとつの人格をもったひとりの人間としてとらえ、発達（全般）を促すことを求められるが、幼児期にはとりわけ人との信頼関係を築くことを大切にする必要があるだろう。特に母親との愛着関係を結ぶことは非常に重要であるといわれるが、母親がいない場合でもそれに代わる特定の人との関係づくりを意識的に促すことは重要な意味があると考える。「**信頼感**」は、その先のさまざまな困難を乗り越える支えとなるだろう。

● 交わるライフサイクル

発達障害領域における作業療法では、子どもだけではなく、その親、家

族などとかかわりをもつ．そこには，子ども自身の問題，親の立場，周囲の立場，それら相互の問題など複雑に絡み合う問題が存在する．**ライフサイクルが交錯したときに生じる危機を理解しておくことは，複雑な問題を解決する鍵となる．**

● 生涯発達

エリクソンの発達理論は，子どもが成人するまでという限定された期間ではなく，人が生まれてから死を迎えるまでの生涯を視野に入れたものである．新生児期から終末期までを対象とする作業療法においては，どのような分野・領域においても役立つ理論である．ことに，寿命が延び，1つの大きな仕事（役割）を終えてからの人生が長くなった現代，この長い老年期をどう生きるかは一人ひとりの大きな課題であり，作業療法士としても考えていかなくてはならない課題の1つである．

5 おわりに

本項で取り上げた3者，ゲゼル，ピアジェ，エリクソンの理論は，いずれも自身の実践・研究から長い年月をかけて構築されたものであり，説得力のあるものである．

それぞれに独自の視点をもって発達を論じているが，いずれも自身の理論を絶対的なものとして堅持してはいない．それは，人というものが複雑なものであることを十分に知っているがゆえだろう．また，3者の思想から子ども・人に対する愛情が感じられる点も共通しているように思われる．

われわれ作業療法士にとっては，理論は単に覚えるものではなく理解し活用するものである．対象児（者）それぞれと向き合い課題に対処していく段階でこれらの理論は役立つであろう．作業療法への応用として少し例を挙げたが，まだまだ応用できる点は多くある．自分自身がぶつかった課題について各々考えていただきたい．

【引用文献】
1) ギャーリー・キールホフナー 著，山田 孝 監訳：作業療法の理論 原書第3版，医学書院，2008．
2) 諸岡啓一：発達の理論－ゲゼルの成熟優位説とピアジェの認知発達説，小児科臨床，53(7)：1381-1390，2000．
3) 新井清三郎：ゲゼル発達理論再考，淑徳大学紀要(20)：1-13，1986．
4) 新井清三郎：ゲゼル，A. L.〈別冊発達〉発達の理論をきずく，村井潤一 編，p105-125，ミネルヴァ書房，1986．
5) 伊藤正夫，ほか 総編集：医学大辞典第2版，医学書院，2010．
6) A. ゲゼル 著，依田 新，岡 宏子 訳：乳幼児の発達と指導，家政教育社，1967．
7) 浅見千鶴子：保育者のための児童発達講座(1) 発達の原理．幼児の教育62，(1)：37-42，1963．(https://teapot.lib.ocha.ac.jp/records)/19182#/.YPpFvlBcUnF)（2021年5月時点）
8) J. ピアジェ，ほか 著，赤塚徳郎 監訳：遊びと発達の心理学，黎明書房，2000．
9) 麻生 武：ピアジェ．〈別冊発達20〉発達の理論－明日への系譜（浜田寿美男 編），p16-32，ミネルヴァ書房，1996．

10) 岡本夏木：ピアジェ，J.〈別冊発達〉発達の理論をきずく，村井潤一 編，p127-161，ミネルヴァ書房，1986．
11) 新村　出 編：広辞苑第六版，岩波書店，2008．
12) 上田礼子：生涯人間発達学，三輪書店，2005．
13) 鑪　幹八郎：エリクソン，E. H.〈別冊発達〉発達の理論をきずく，村井潤一 編，p194-215，ミネルヴァ書房，1986．
14) E.H.エリクソン，J.M.エリクソン 著，村瀬孝雄・近藤邦夫 訳：ライフサイクル，その完結，みすず書房，2001．
15) 平井正三：エリクソン．心理臨床大事典（氏原　寛，ほか 編），p1375，培風館，2006．
16) E.H.エリクソン 著，仁科弥生 訳：幼児期と社会Ⅰ，みすず書房，1977．

✓ チェックテスト

Q
① 発達の順序と環境要因についてゲゼルの基本的な考えはどのようなものか（☞p.305）。 基礎
② 「同化」と「調節」を説明せよ（☞p.310）。 基礎
③ ピアジェ理論の「感覚運動的構造」から「表象的構造」へ発達が進むということは，どういうことをさしているのか（☞p.311）。 基礎
④ エリクソンがいう「危機」とはどういうものか（☞p.315）。 基礎
⑤ 「人生の8つの段階」とそれぞれの発達課題（対の言葉）を挙げよ（☞p.316〜318）。 基礎
⑥ 「自我の同一性」や「モラトリアム」はどの時期の特徴を示す言葉か（☞p.317）。 基礎
⑦ さまざまな理論を作業療法に応用する際の留意点は何か（☞p.320）。 臨床

作業療法の理論，モデル，ツール

4 作業科学

柴田貴美子

> **Outline**
> ● 作業科学は作業と作業的存在を探求する学問である。
> ● 作業の見方には，作業の基礎構造，形態，機能，意味がある。

1 はじめに

　作業療法は，人々の健康と幸福を促進するために，医療，保健，福祉，教育，職業などの領域で行われる作業に焦点を当てた治療，指導，援助であり，作業とは，対象となる人々にとって目的や価値をもつ生活行為を指す[1]。その人にとって目的があり，価値のある作業に焦点を当て，治療，指導，援助することで，「人がそれぞれよりよい作業的存在となることができる」[2]ことは，作業療法士にとっては自明の理である。

　『広辞苑』によると，作業は「肉体や頭脳を働かせて仕事をすること。また，その仕事」と定義され，作業療法士の使う作業とは似て非なるものである。そのため，作業療法士が対象者はもちろんのこと，他の専門職に対し，作業を説明することが難しいといわれている。本項では作業に焦点を当てた学問である作業科学（occupational science）について，歴史的背景，作業の定義や視点などについて紹介する。「作業療法も作業に焦点を当てているが，作業療法は専門職であり，作業科学は学問分野である」[3]という違いを念頭に読み進めていただきたい。

2 歴史的背景

　作業科学の誕生は，作業療法の歴史を振り返ると必然的に生まれてきたものであることがうかがえる。詳細は多くの成書[2,4,5]に書かれているため，ここでは簡単に触れることとする（表1）。

■ 作業療法のはじまり

　作業療法の歴史は古代ギリシャ，Hippocrates（ヒポクラテス）やGalenos（ガレノス）が病気の回復に作業や運動を推奨したことまでさかのぼる。そして，作業や運動は心身の養生法や鍛練法として用いられていた。

　「治療」「療法」としての作業療法の源流は，18・19世紀の道徳療法にあるといわれている。当時の精神病院では，患者は鎖で拘束され，監護人による折檻もまれではなかったようである。自由と平等を求めたフランス革

表1 作業療法の変遷と作業科学の起こり

時代	人物	主な出来事
古代ギリシャ	Hippocrates / Galenos	病気の回復に作業・運動を勧める
	作業 → 作業・運動は心身の養生法や鍛錬法として用いられていた	
18・19世紀	Phillippe Pinel（フランス）	精神病者を鎖から開放
	Benjamin Rush（米国）	精神病者に対し，非拘束と作業を中心とした治療を実践
	作業 → 非人間的な扱いから解放し，規則正しい生活を送れるよう仕事や作業を提供 → 「道徳療法」	
19世紀半ば	作業 → 医学者の関心が生物学的要因に移り変わり，道徳療法の衰退 → 作業の活用の衰退	
20世紀初頭	作業 → アーツ・アンド・クラフツ運動により，作業自体の見直し，治療に役立てる動き	
1960年代	作業 → 2度の大戦により負傷者増，作業遂行技能（身体能力）を重視，作業の活用の衰退	
1970年代	Mary Reilly	疾患を対象とせず，患者の生産性や創造性の発揮を目標とすべき
	Elizabeth Yerxa	専門職としての自立を目指すよう呼びかけ
	作業 → 作業に焦点を当てる作業療法に回帰，作業科学の幕開け	
1989年		南カリフォルニア大学博士課程に作業科学設置 → 作業科学という言葉の誕生
1995年	佐藤 剛	全国研修会で初めて「作業科学」を取り上げる

命を経て，Philippe Pinelが精神病者を鎖から解き放ち，人道的な処遇を実践した。米国でも，イギリス留学から帰国したBenjamin Rushが，精神病者に対して非拘束と作業を中心とした治療を実践した。このような非人間的な扱いから解放し，規則正しい生活を送れるよう仕事や作業を提供するような指導を道徳療法という。19世紀半ばになると医学者の関心が人道主義から生物学的要因へと移り変わり，道徳療法は衰退し，それとともに作業の活用も衰退していった。

その後，産業革命によって工業化が進んだことに対し，人間の尊厳を取りもどそうとするアーツ・アンド・クラフツ運動（Arts and Crafts Movement）が起こった。これを機に20世紀初頭，再び作業が見直され，特に米国でアーツ・アンド・クラフツ運動組織が盛んにつくられた。手工芸，音楽などの作業を，治療に役立てようとする試みが展開され，作業治療（occupational cure），仕事治療（work cure）とよばれた。作業治療において，作品の制作プロセスを重視する人々が，後の作業療法の創始者となった。

■ 医科学偏重から作業科学へ

その後，2度にわたる世界大戦で復員軍人のためのリハビリテーションが盛んになり，身体障害領域における作業療法の礎を築くこととなる。医学の進歩や専門分化も相まって，1960年代までは医学モデルを中心とした作業療法が実践されていた。筋力がどれくらいついたのか，関節の可動

> **＊1 作業遂行技能**
> 「米国作業療法協会（AOTA）統一用語集第3版」では、作業療法の評価と介入の範囲を作業遂行領域、作業遂行要素、作業遂行文脈という3つに区分している。作業遂行技能はこのなかの作業遂行要素と同様のものであり、感覚運動要素、認知統合および認知要素、心理社会的技能および心理的技能が含まれる。

> **＊2 作業的存在**
> 作業科学とは、「環境において生涯にわたり、日常の諸作業に従事したり、それらを調整する必要性及び能力を含めての、作業的存在としての人間の研究である」といわれている。人は、基本的に作業欲求をもつことから作業的存在という。

域がどれくらい拡大したのかなどの**作業遂行技能**＊1の改善に主眼が置かれていた。つまり、再び作業の活用が衰退したのである。1970年代になると米国では消費者運動が活発化し、作業療法に類似した治療法も展開され、作業療法の存在意義を問われるようになった。そのようななか、Mary Reillyは、作業療法は疾患を相手にするのではなく、患者の生産性や創造性の発揮を目標とすべきであると主張した。Elizabeth Yerxaは専門職としての自立を目指して医科学から離脱すべきであるとよびかけた。再々度、作業に焦点を当て、創始者たちが創り上げてきた作業療法に回帰することとなった。これが作業科学の幕開けとなる。作業科学という言葉自体は、作業に焦点を当てた新しい学問体系として1989年に誕生した。アメリカ・南カリフォルニア大学の博士課程に作業科学が設置され、その後、作業科学では人を「**作業的存在（occupational being）**＊2」としてとらえ、さまざまな研究法を駆使して人間と作業を幅広く研究しようとする学問として発展を遂げるのである（**表1**）。

■ わが国の作業科学

わが国では、1995年、札幌医科大学教授の佐藤　剛が、作業療法士協会主催の全国研修会のテーマに「作業科学」を取り上げたことが最初である。これを機に、札幌医科大学が中心となって1997年から作業科学セミナーが開催された。当初は30名ほどの参加者であったが、全国各地で開催されるようになり、参加者も増え、2006年には日本作業科学研究会が発足した。また、1998年に初めて作業科学講座が札幌医科大学に設置された。

3 作業と作業的存在

作業科学は、作業と作業的存在を探求する学問である。しかし、作業の定義は、これまでのところ一致した見解がない。**表2**にこれまで発表された作業の定義の一部を示す[6]。近年、米国作業療法士協会（2020）[7]は『Occupational Therapy Practice Framework: Domain and Process — Fourth Edition』の中で、「作業は、特定のクライエントによる日常生活の出来事への個人的に有意義な関与を意味する」と定義した。作業科学の創始者の1人であるヤークサは、「作業とは人の行動の継続のなかにみられる特定の活動の一群であり、文化の語彙のなかで名づけられる」と定義している。つまり、作業とは、ある個人にとって文化的もしくは個人的に意味のある活動のかたまりであることがわかる。

では、活動とは何を指すのか。米国作業療法士協会[7]は、「活動は、客観的で特定のクライエントの関与や文脈とは関係のない行動の形態を意味する」とし、個人の主観性がなく、誰しもが見てわかるものが活動といえる。Helen Polatajkoは、作業の階層性を作業、活動、課題、行為、随意

エリザベス・ヤークサ

表2 作業の定義

Yerxa, et al(1989)	作業とは，人の行動の継続のなかにみられる特定の活動の一群であり，文化の語彙のなかで名づけられる
Clark, et al(1991)	作業とは，文化的個人的に意味をもつ活動の一群で，文化の語彙のなかで名づけられ，人間が行うことである
Kielhofner(1995)	作業とは，物理(身体)的および社会的世界で，活動したり行ったりすることである
カナダ作業療法士協会(1997)	作業とは，日々の生活で行われ名づけられている一群の活動や課題で，個人と文化によりその価値と意味が付与されたものをいう。作業とは自分の身の回りのことを自分で行うセルフケア，生活を楽しむレジャー，社会的，経済的活動に貢献する生産活動など，人が行うすべての営みのことである
世界作業療法士連盟(2006)	作業は人々が個人として，家族のなかで，コミュニティとともに行う日々の活動であり，時間を占有し人生に意味と目的をもたらす。作業には人々がする必要があること，したいこと，することが期待されていることが含まれる。人が自分の文化で意味がある行うことのすべてである
米国作業療法士協会(2020)	作業は，特定のクライエントによる日常生活の出来事への個人的に有意義な関与を意味する

(文献6より引用改変)

運動と精神活動の5段階に分け，作業との違いを明確に区別し，「活動とは特定の終了や成果を得る課題の集合」としている[6]。作業の階層性をもとに作業と活動を考えると，映画を観るという作業は，ある人にとっては，日常を忘れリフレッシュする意味をもち，映画館までの移動，チケットの購入といった活動が含まれる。またある人にとっては，友人との交流を深める意味をもち，映画館までの移動やチケットの購入だけでなく，友人を誘う，友人と映画の感想を語るなどの活動が含まれる。同じ作業であっても，個人のとらえ方ややり方が異なるため，含まれる活動も異なってくる。

作業科学では，人を「作業的存在」としてとらえている。作業的存在とは，人は作業をすることで世界に居続ける，存在し続けるという意味合いをもつ[8]。前述のように，作業が個人にとって文化的もしくは個人的に意味のある活動のかたまりと考えると，個人の生活や人生は，作業によって構築されていることがわかる。つまり，朝起きてから寝るまでの1日の作業から生活が成り立ち，さらに日々の作業の積み重ねが人生を形成しているということである。

4 作業の見方

作業を理解するためには，どのように作業をとらえるのかという視点が重要である。ここでは，作業の基礎構造(structure)，形態(form)，機能(function)，意味(meaning)[9]について説明する。

■作業の基礎構造(structure)

作業の基礎構造とは，作業を遂行する際の解剖学的構造，神経学的機能，生理学的機能，認知機能を指す。作業の基礎構造は脳画像，生理機能

検査などのテクノロジーを使用して，観察可能なものとなることが多い．

■ 作業の形態（form）

作業の形態とは直接観察ができるもので，人がしていること，その環境，時間，空間との関係でどのように行っているかをとらえることを指す．作業の形態は，塊（chunks），ルーティン，バランスからとらえることができる．

● 塊

作業の塊とは，始まりと終わりがあるような行為で，一定の意味や目的などで一括りにされた行為の塊のことをさす[8]．塊は，目的や状況に応じて形成することが可能なため，決まったものがあるわけではない．ピアノを弾くことを例に考えると，ピアノの蓋を開けて曲を弾き，蓋を閉めるところまでを塊とする場合や，どのような曲を弾くか楽譜を選ぶところから塊とすることもできる．

● ルーティン

ルーティンとは，一定の規則性をもち，繰り返し行う作業を指す．朝の洗面や着替え，入浴など毎日ある時間帯に行う作業や，毎週，月に1回行う作業といった視点からみることができる．また，ひな人形を飾る，墓参りをするといった季節ごとに行う作業もルーティンであることを忘れてはならない．さらに，毎日時間どおりに起き，同じ電車で通勤するといった規則正しいルーティンを好む人もいれば，そうではない人もいる．

● バランス

作業のバランスとは，いくつもある作業の釣り合いを指す．身辺処理，遊び，仕事，休息のバランス，義務的な作業と願望的な作業のバランス，身体的活動を伴う作業と静的な作業のバランス，社交的な作業と個人的な作業のバランスなど，切り口は多岐にわたる．学生にとって試験勉強は義務的な作業の1つであるが，「今日だけ」と言いながら友人に誘われて遊びに行くこともあるだろう．遊んでいる間は楽しく，気分転換もでき「明日から勉強するぞ」と気合十分であった．しかし，試験勉強は思いのほか大変で，徹夜して臨んだものの，試験当日は睡眠不足で頭も働かず，結局試験は不合格であった．これは義務的な作業と願望的な作業のバランスが崩れた一例である．願望的な作業の比重が大きくなれば，義務的な作業は必然的に小さくなる．しかし，義務的な作業ばかりしていると，気持ちが晴れず，ストレスを溜め込んでしまうこともある．ある1日を切り出して作業バランスがどうであるかみていくことも可能であるが，平日と休日の違いや1週間，1カ月単位などもう少し長いスパンでみていくことも可能で

ある．作業の量だけではなく，質や，後に述べるその人にとっての作業の意味などを勘案することも可能である（図1）．

図1 作業バランスの1例（生活時間）

■ 作業の機能（function）

作業の機能とは，作業を行うことによって個人や集団に及ぼす働きや影響を指す．母親が料理をすることは，母親個人にとっては新たな創作意欲をかきたてる力をもたらし，また，自身の家族を健康に導くことをもたらすかもしれない．子どもにとって料理をすることは，調理器具の使い方の学習，母親との共同作業の喜び，自己肯定感の育成をもたらすかもしれない．

■ 作業の意味（meaning）

作業の意味とは，作業に対する個人的，社会的，文化的な価値や重みを指す[8]．個人的意味について，子どもと遊ぶという作業を例に挙げて考えてみる．Aさんにとって子どもと遊ぶことは，保育士として収入を得るという意味があるかもしれない．Bさんにとって子どもと遊ぶことは，母親として子どもとのつながり，仕事の疲れやストレスを忘れて充実感を得るという意味があるかもしれない．Cさんにとって子どもと遊ぶことは，父親として子どもの成長を知り，喜びを再認識する意味があるかもしれない．一見すると同じ作業でも，行っている本人にしかわからない個人的な価値や重みがある（図2）．

社会的，文化的意味の一例として，ある作業を行うことによって，その社会や文化における役割や地位を示す場合がある。例えば，家計管理という作業は，ある家族では収入を得ている父親の役割という意味もあれば，ある家族では家庭全般の家事を担っている母親の役割という意味をもたらすかもしれない。お祭りで笛を奏でるという作業は，誰でも行うことができることもあれば，伝統的なお祭りでは，地元の名士や地域に貢献した者など，選ばれた者だけができるという意味があるかもしれない。個人や家族，地域といった社会・文化に応じて，作業の意味は異なる。

図2　作業の意味

5　作業的公正と作業的不公正

　人は誰しも，自分にとって価値や重みがある作業をする権利，つまり作業権がある[10]。作業的公正（occupational justice）とはこの作業権が行使されている状態を指す。作業的公正とは，多様なニーズ，強み，個人や集団の能力を考慮することを導き，その一方で，作業の可能化，エンパワーメント，権利，平等も考えるという概念である[11]。作業的不公正（occupational injustice）とは，病気や障害，社会的，文化的要因などからこの作業権が侵害される状態を指す。Ann Wilcock と Elizabeth Townsend は，作業疎外，作業剥奪，作業周縁化，作業不均衡という4種類の作業不公正を示した[6,11]（表3）。

表3　作業的不公正

	内容
作業疎外	今している作業に意味を見出せず，得られるものが何もない状態
作業剥奪	個人の意向と関係なく，自分以外の要因で長期にわたり作業が奪われている状態
作業周縁化	作業をしているものの，個人にとって些末な価値しかない作業を行っている状態
作業不均衡	日々の作業のバランスが損なわれている状態

6 作業科学と作業療法の違い

作業科学は学問分野であり作業療法は専門職による治療であるが[3]，両者の研究内容をみてみるとその違いが明確である。

Clare Hocking[12]（クレア ホッキング）は，

> 「作業療法士は作業を用いて健康とwell-being（幸福）[*3]を促進するが，作業科学者は作業を研究し，作業がどのように健康とwell-beingに影響するかを把握する」

と述べている。

作業療法における研究の参加者は作業療法士，クライエント，学生であり，研究テーマは治療関係や治療過程，評価手法の開発，介入効果である一方，作業科学の研究対象は健康上の問題を抱えている人々やその他の人々であり，研究テーマは日々の作業に関するものである（図3）。つまり，作業科学では疾患の有無にかかわらず，ある特定の対象者に対して作業がどのように健康に影響するのかを研究するのである。例えば，作業療法では，無医村地区に住む高齢者を対象にあるプログラムを実施し，その効果があるかどうかを研究する。それに対し作業科学では，無医村地区に住む高齢者がどのような作業に従事し，その作業が健康とwell-being（幸福）にどう影響するのかを研究する。

> **＊3 well-being**
> well-beingを辞書で引くと「幸福，健康」という意味である。ここでは，「健康的に存在すること」や「健康観」ととらえてほしい。

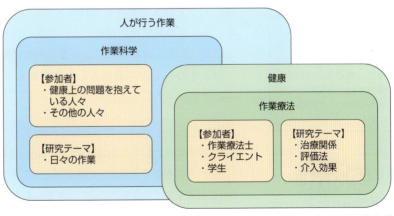

図3 作業科学と作業療法の関係

（文献12を参考に作成）

7 作業に焦点を当てた実践

作業に焦点を当てた実践をする作業療法士となるためには，まず作業的存在としての自分自身に対する理解を深めることから始めるとよいといわれている。

作業的存在としての自分自身を理解することは，決して難しいことではない。これまで自分が経験してきた作業や現在行っている作業は何かを知

り，それらの作業形態，機能，意味を把握する。そして自分はどんな作業をしたいと思っているのかという作業的欲求やニーズを探るとともに，なぜそのようなニーズを生んだのかということを，これまで生きてきた自分の歴史や文化を振り返るなかで理解する。そのうえで，自分の力量や能力と現在の作業との釣り合いから，満足できる作業バランスになるのを妨げているものは何かを考える。

自分自身への理解が深まったところで，その対象を自分から作業療法の対象者へとシフトしていく。自分自身に行ったことと同じように，対象者が経験してきた作業や現在行っている作業とその形態，機能，意味を知る。対象者にとって有意義で満足感をもたらす作業は何か，作業へのニーズや希望は何かなどを考えるのである。

> **アクティブラーニング ①** これまで自分が経験してきた作業について，作業の基礎構造，形態，機能，意味を考えてみよう。

8 作業科学の知識を作業療法に活かす

臨床実習のなかで学生が陥りやすいことの1つに，「身体機能面の回復にばかり着目してしまう」ということがある。麻痺した上肢の回復に気を取られ，対象者は回復した（回復は望めないかもしれない）上肢を使ってどんな作業をしたいのかということには目が向いていないことがある。

古山[13]は，上肢機能の回復を中心にアプローチした過去の事例について，自戒を込め報告している。事例は尺八の奏者（Aさん）であり，脳腫瘍によって軽度片麻痺が残存していた。尺八を吹こうとしないAさんに対して，関節可動域訓練など上肢機能の回復を目標とした作業療法を行っていた。Aさん自身から，これまでの生活歴や作業歴を話され，弟子に会ったときのAさんの毅然とした態度を見てもなお，上肢機能の回復を中心にアプローチしていた。

> 「作業科学の視点をもってAさんの作業療法に取り組んでいたならば，Aさんが作業的存在として生き続けられること，すなわち，たとえ障害をもっていても尺八の奏者であり家元の後継ぎとして今からAさんがすべきこと，したいことを見つける援助ができたのかもしれない」

と述べている。

また，村井[14]は作業科学に出会い，介護老人保健施設において作業療法の説明の仕方や実践内容が変化したと報告している。その実践内容は，

> 「その人にとって生活に必要な作業，できるようになりたい作業，介護者からみてできるようになって欲しい作業を実際の環境のなかで一緒に練習すること」

であった。さらに，他職種の作業療法に対する見方も変化し，在宅生活を

補足
環境へのアプローチ
作業科学の知識は，対象者の存在を理解し，実践方法への示唆を提供するだけでなく，環境へのアプローチまで視野を広げることが可能となる。港[15]は，働くことを希望していながら，地域で十分にその機会が得られない対象者の働くという作業と，地域という環境に働きかけ，雇用創出の機会を提供したと報告している。

試験対策 Point
本項では触れていないわが国における作業療法の歴史を含め，作業療法に関する歴史は，人物と治療・モデルも併せて覚えておこう。

作業療法参加型
臨床実習に向けて

指導者は，どのように対象者のしたい作業，必要な作業，期待される作業を特定しているだろうか。フォーマルな面接や対話を通して人を理解することはもちろんであるが，日々のかかわりのなかでその人の態度や臨む姿勢から理解できることは何かを考えてみよう。対象者の言動や反応など，多くの手がかりを紡ぎ合わせていく過程も学習しよう。

想定した相談を受けることが増えたとのことである。作業科学の知識を活用した作業療法実践は，対象者の満足した生活を可能にするだけではなく，他職種が作業療法の独自性を理解することを促進する。

作業療法は，対象者と家族や介護者といった周囲の人々とともに，したい作業，必要な作業，期待される作業を特定し，作業ができるようになることを通して健康を促進する。対象者を作業的存在として理解することが，作業療法士にとって必要不可欠な見方であり，その基盤となるものが作業科学であると考える。

【引用文献】
1) 日本作業療法士協会：作業療法の定義．(https://www.jaot.or.jp/about/definition/)（2021年4月時点）
2) 鎌倉矩子，ほか：作業療法の世界 第2版，三輪書店，2004．
3) Clark F, Wood W, Larson EA: Occupational Science: Occupational Therapy's Legacy for the 21st Century. Willard & Spackman's Occupational Therapy, 9th ed. [In Neistadt ME & Crepeau EB (eds.)], p13-21, Philadelphia: Lippincott, 1998.
4) 秋元波留夫，富岡詔子（編著）：新作業療法の源流，三輪書店，1991．
5) 吉川ひろみ：作業療法の話をしよう，医学書院，2019．
6) 吉川ひろみ：「作業」って何だろう―作業科学入門― 第2版，医歯薬出版，2017．
7) American Occupational Therapy Association: Occupational Therapy Practice Framework: Domain and Process, Fourth Edition. Am J Occup Ther 74(Suppl 2). 2020.（https://doi.org/10.5014/ajot.2020.74S2001.2020）（2021年4月時点）
8) 近藤知子：作業科学：教えるポイント．作業療法教育研究，13(1)：8-13，2013．
9) Wright-St Clair VA, Hocking C：Occupational science: The study of occupation. Willard & Spackman's Occupational Therapy, 13th ed (Schell AB, Gillen G ed), p124-139, Philadelphia: Lippincott Williams & Wilkins, 2019.
10) WFOT：Position Statement Occupational Therapy and Human Rights (Revised), 2019.（https://www.wfot.org/resources/occupational-therapy-and-human-rights）（2021年4月時点）
11) Stadnyk RL, Townsend EA, Wilcock AA: Occupational justice. Introduction to Occupation: the Art and Science of Living, 2nd ed [In Christiansen CH & Townsend EA (eds.)], p329-358, Upper Saddle River, NJ, Pearson, 2009.
12) Hocking Cl：Current and Future Research in Occupational Science. 日本作業科学研究会第14回作業科学セミナー講演資料，2010．
13) 古山千佳子：クライアントを作業的存在ととらえること―Aさんとの作業療法を振り返りながら―．作業科学研究，2(1)：60，2008．
14) 村井真由美：私の作業療法が変わった―作業科学に出会って―．作業科学研究，2(1)：p61，2008．
15) 港 美雪：働く機会を地域の中で作る取り組み：当事者の意味ある作業への支援．作業療法，26(6)：595-600，2007．

作業療法の理論，モデル，ツール

✓ チェックテスト

Q ①作業の見方には何があるか（☞ p.325〜327）。 基礎
　　②作業不公正にはどのようなものが含まれるか（☞ p.328）。 基礎

作業療法の理論，モデル，ツール

5 作業療法実践のためのモデルとツール

柴田貴美子

> **Outline**
> ●作業療法実践のためのモデルとツールには，作業療法実践の枠組み，作業遂行と結びつきのカナダモデル，生活行為向上マネジメントなどがある。

1 はじめに

　作業療法の専門性や独自性とは何か。米国とカナダの作業療法協会は作業療法を実践するうえで必要な視点や枠組みを説明するために，また，学術性とエビデンスを示すために，いくつかのガイドラインを公表している。これらのガイドラインは，作業科学という学問が発展したことに伴い，作業療法の専門性を示している。残念ながら，わが国には作業科学を活かしたガイドラインはないものの，国の事業を通して生活行為向上マネジメントというツールが開発された。

　本項では，米国作業療法協会が示した作業療法実践の枠組み，カナダ作業療法士協会が示した作業遂行と結びつきのカナダモデル，日本作業療法士協会が示した生活行為向上マネジメントを紹介する。文化や医療制度などの違いから，他国のモデルやツールをそのまま取り入れることは難しい。しかし，各国が大事にしている作業療法実践の視点や内容を知ることで，各自の作業療法士としての専門性を確立する手がかりとなることを期待したい。

2 作業療法実践の枠組み

　米国作業療法協会（AOTA：American Occupational Therapy Association）は，作業療法や作業に関する見方を統一するために，1979年の『AOTA統一用語集』を筆頭に，1999年に『作業療法実践ガイド』，2002年に『作業療法実践の枠組み（Occupational Therapy Practice Framework：Domain and Process）』を作成した。その後改訂がなされ，1994年に『AOTA統一用語集第3版』，2020年に『作業療法実践の枠組み第4版（OTPF-4：The fourth edition of the Occupational Therapy Practice Framework：Domain and Process）』[1]が作成され，時代の潮流に合わせ作業療法の定義や全体像を示してきた。

　「作業療法実践の枠組み」とは，作業療法実践の中心となる概念を説明し，専門職の基本的な信念と展望についての共通の理解を構築するもので

ある．OTPF-4では，作業への積極的な関与を通して，健康と参加を促進し，容易にし，支援し，維持するという専門職の信念を表明している．OTPF-4は，作業療法の領域とプロセスという2つから構成され，用いられている用語についても解説している．この枠組みは，作業療法の分類法，理論，モデルとは異なるが，作業療法を学ぶ学生や一般市民が作業療法を理解する際の価値あるツールとなりうる[1]．以下に，OTPF-4における作業療法の領域とプロセスの概略を示す．

■作業療法の領域

作業療法の領域とは，職域および知識分野を表し，作業療法士による評価，介入の際に焦点を当てる側面を説明するものである．

領域は，作業，文脈，遂行パターン，遂行技能，クライエントの因子という5つの側面から構成されている（表1）．それぞれの側面には細項目が含まれ，用語の説明もなされているため，詳細は原文を当たっていただきたい．「作業療法実践の枠組み」が作成された当初は，作業（当時は，作業遂行区分といわれていた）を上位の理念とし，その下に遂行技能，遂行パターン，最下層に文脈，個人因子という構造を呈していた．しかし，『作業療法実践の枠組み第2版』[2]以降，領域のすべての側面には同等の価値があるとされ，OTPF-4では動的な相互関係をもち，円の内部で同列となる構造となった（図1）．

■作業療法のプロセス

作業療法のプロセスとは，作業療法サービスを提供する際の実践家の行動を説明するものである．作業療法サービスは，先に示した5つの領域について評価し，達成するための介入方法を考え実行し，目標とする成果を得るという過程をたどる．この過程を経て，作業への積極的な関与を通した健康，well-being（幸福），そして人生への参加を促進することを示している（図1）．また，作業療法サービスはクライエント[*1]を中心とし，作業の治療的使用に焦点を当てていることを強調している．

> **＊1 クライエント**
> 「患者」という言葉は非主体的状態を表し，医学モデルのなかで受動的役割を期待されていることを意味している．それに対し，「クライエント」という言葉はその能動的，協業的仲間関係とクライエントに期待される第一意思決定者という役割をより反映させる．

表1 作業療法の領域

作業 occupations	文脈 contexts	遂行パターン performance patterns	遂行技能 performance skills	クライエントの因子 client factors
日常生活活動 手段的日常生活活動 健康維持 休息と睡眠 教育 仕事 遊び 社会参加	環境的因子 個人的因子	習慣 ルーチン 役割 儀礼	運動技能 処理技能 社会交流技能	価値，信念，スピリチュアリティ 心身機能 身体構造

（文献1より引用）

図1 作業療法の領域とプロセス

(American Occupational Therapy Association: Occupational Therapy Practice Framework: Domain and Process — Fourth Edition. Am J Occup Ther 74(Suppl 2), 2020. より転載)

● 評価

評価は，作業プロフィール[3]の作成，作業遂行分析，総括という過程をたどる。

作業プロフィールの作成では，クライエントはなぜ作業療法サービスを求めているのか，作業や日常生活活動（ADL）を行ううえでの現在の懸念，これまでどのような作業で成功していると感じていたのか，といったクライエントのニーズ，作業歴，価値観などを特定する。

作業遂行分析では，作業プロフィールからの情報をもとに，対応が必要な特定の作業や状況を決定したうえで，作業分析（クライエントが実際に作業する文脈のなかで，したいまたはする必要がある特定の作業の分析）や活動分析（文脈に関係のない活動を分析）を実施する（作業と活動の違いについてはp.322，「作業科学」を参照）。

評価の総括では，クライエントの価値観と作業参加の優先順位を決定し，クライエントの作業遂行の強みと弱みに関する仮説を立て，介入の望ましい結果を決定し，クライエントと協同して目標を設定する。

● 介入

介入は，介入計画，介入の実行，介入の振り返りという過程をたどる。

介入のタイプ（**表2**）を選択し，誰が，いつ，どのようなサービス提供をするのかといった計画を立て，クライエントとの協働で合意した目標に向けて，介入を実行する。介入は，特定の作業など，作業療法領域の1つの側面に焦点を当てることもあれば，文脈，遂行パターン，遂行技能など，領域の複数の側面に焦点を当てることもある。介入計画と実行状況を評価し，目標の達成度を検討したうえで，計画の修正，作業療法サービスの継続，終了を検討する振り返りを行う。

表2 介入のタイプ

作業と活動の治療的使用	治療目標を達成しクライエントの心身の根本的なニーズに対応する
作業をサポートするための介入	自助具や福祉機器などを作業や活動を行う準備，治療の一部として，日常的に使用する
教育	クライエントが役に立つ行動，習慣，ルーチンを身につけられるように作業，健康，福祉，参加に関する知識と情報を与える
訓練	現実の応用的な状況において，特定の目標を達成するための具体的なスキルの習得を促進する
アドボカシー	作業的公正を促進し，クライエントの健康，幸福，作業参加を支援するために実践者が行う権利擁護の取り組み
セルフアドボカシー	クライエアントが実践者のサポートを受けながら行う権利擁護の取り組み
グループ介入	集団や社会的相互作用の力学に関する明確な知識と，生涯にわたる学習とスキルの習得を促進するためのリーダーシップ技術を使用する。グループは，サービス提供の方法として使用される
バーチャル介入	遠隔医療のように，物理的な接触を伴わないサービス提供のためのシミュレートされた，リアルタイムの技術の使用

（文献1より改変引用）

> **アクティブラーニング ①** あなたの習慣やルーティンは何だろうか？ なぜその習慣やルーティンを行っているのだろうか？ 習慣やルーティンが滞りなく行われることで，どのような気持ちになるだろうか？ 逆に，習慣やルーティンが崩れることで，感情の変化はあるだろうか？ 自分の生活を振り返り，考察してみよう。

● 成果

　成果とは，作業療法の介入によってクライエントが達成できる結果である。作業療法の成果は多面的であり，領域のすべての側面で生じる可能性がある。成果は評価時と同じ方法で測定し，最終的には，クライエントが希望する作業に従事する能力に反映されるべきである。作業療法で目標とする成果には，作業遂行，予防，健康とウェルネス，生活の質（quality of life），参加（participation），役割遂行能力，ウェルビーイング（幸福），作業的公正が挙げられる。

3 作業遂行と結びつきのカナダモデル

　カナダ作業療法士協会（CAOT：Canadian Association of Occupational Therapists）は，国の健康福祉省などと共同で，質の高い作業療法を提供するためのガイドラインを開発した。1997年に発表したガイドライン「作業療法の視点」[4]の中核は，クライエント中心の実践と作業の可能化である。そのなかで，作業の可能化を人と作業と環境の関係から示した「カナダ作業遂行モデル（CMOP：Canadian Model of Occupational Performance）」，「人–環境–作業モデル」，「作業遂行プロセスモデル」を紹介している。わが国でよく知られている「カナダ作業遂行測定（COPM：Canadian Occupational Performance Measure）」は，ガイドラインの発表以前に，クライエント中心の作業療法の成果測定法として開発された。

2007年に発表されたガイドライン「続・作業療法の視点」[5]では，CMOPを「作業遂行と結びつきのカナダモデル（CMOP-E：Canadian Model of Occupational Performance and Engagement）」へと発展させ，「カナダ実践プロセスの枠組み（CPPF：Canadian Practice Process Framework）」，「クライエント中心の可能化のカナダモデル（CMCE：Canadian Model of Client-Centred Enablement）」の3つを紹介している．AOTA同様，CAOTも精力的に，強固な作業療法実践の基盤を作っていることがうかがえる．以下に，2007年のガイドラインの中核であるCMOP-Eと，成果を測定するCOPMの概略を示す．

■ CMOP-E

　「作業療法の視点」においてCMOPは，人がモデルの中心となりスピリチュアリティを中核として，認知，情緒，身体という3つの要素をもち，人と作業と環境のダイナミックな相互作用の結果としての作業遂行を概念化し，作業遂行に焦点を当てていた[4]．しかし，実際に行動が観察されなくとも，人は作業について考えることや気持ちを向け，つながりを持ち続けることがある．「続・作業療法の視点」[5]では，作業療法士の関心領域は，作業遂行に限定することなく，作業にかかわることや参加するために行うすべてを含めたものとなり，CMOP-Eへと改訂された．

　CMOP-Eの構成要素は，人，作業，環境であり[5]（表3），人の作業は人と作業と環境とのダイナミックな相互作用の結果として生じる．CMOP-Eでは断面図が示され，環境が人よりも大きくなり，作業が中心に描かれている（図2）．これは，作業療法士のかかわる領域は作業を中核とし，作業と関連のない人や環境は，作業療法の領域ではないことを明確に示している．

表3　CMOP-Eの構成要素

構成要素	
人	スピリチュアリティ：その人の存在を示す源，立ち居振る舞い，考え方，作業遂行の仕方，作り上げた作品に現れるその人自身を示すもの 身体的要素：見たり，聞いたり，動くこと 認知的要素：識別したり，判断したり，考えること 情緒的要素：嬉しかったり，悲しかったり，怒ったり，感じること
環境	文化的側面：ある特定の集団に共通する行動パターンや象徴的意味 社会的側面：家族，友人，同僚など周りにいる人々 物理的側面：自然環境，建物，家具，道具など実際に触れることができるもの 制度的側面：人間が作った規則やルール
作業	セルフケア：食事や入浴など日常生活に必要な身の回りのこと 生産活動：仕事や勉強など他者や社会のために貢献すること レジャー：趣味や社交など楽しむために行うこと

（文献6より引用）

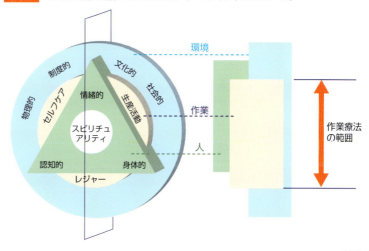

図2 作業遂行と結びつきのカナダモデル（CMOP-E）

（文献5より引用）

■ COPM

COPMは，作業遂行に対するクライエントのとらえ方の継時的な変化を調べることを目的に，作業療法士が使うために作られた個別的な測定ツールである[7]。この測定法は年齢，疾患，障害という枠にとらわれず，作業療法サービスを必要とするすべての人を対象としている。1997年にCAOTが開発して以来，今では36言語に翻訳され，40カ国以上で使用され，第5版まで改訂されている。COPMは，高い信頼性と妥当性が得られ，臨床上の変化を反映する指標として有用性があるといわれている。日本語版は第4版まで訳されているため，以下に第4版の内容を紹介する。

COPMは半構造化面接[*2]によって行われ，慣れている作業療法士ならば15〜30分ほどで実施できるといわれている。以下に実施手順を述べるが，マニュアル[7]にはより詳細な実施方法やQ＆Aが記載されているため，実施に当たっては必ず参照していただきたい。

> *2 半構造化面接
> 面接はその構造から，「構造化面接」「非構造化面接」「半構造化面接」の3つに大別される。半構造化面接は，あらかじめ質問項目も決めておくが，会話の流れに応じて質問の変更や追加を行い，自由な反応を引き出すものである。

● 実施手順

第1段階：問題の決定

最初に，対象者が日常生活のなかで「したい，またはする必要がある，期待されている」という作業を決める。COPMの評価表ではセルフケア，生産活動，レジャーの3領域に分け，各領域をさらに細かく分けているが，この分類や例にとらわれすぎてはいけない。ここでは，クライエントが何を問題だと思っているのか，またクライエントが感じているニーズを知ることが重要である。作業遂行についての全体像を評価する（表4）。

第2段階：重要度の評定

クライエントが「したい，またはする必要がある，期待されている」作業を決めたら，クライエントの生活における重要度を尋ねる。重要度は

表4 COPMの結果（例）

	重要度	初回評価		再評価	
		遂行度	満足度	遂行度	満足度
買い物などの活動が気楽にできる	10	3	1	6	5
仕事をする	10	1	1	5	6
子どもの世話をする	10	3	1	6	6
食事を作る	9	2	1	6	6
洗濯をする	8	4	4	7	7

初回遂行スコア＝13/5＝2.6　　再評価遂行スコア＝30/5＝6
初回満足スコア＝8/5＝1.6　　再評価満足スコア＝30/5＝6

10段階でつける。

第3段階：採点

まず，第2段階の重要度を参考に，クライエントに重要な問題を5つ挙げてもらう。このとき，重要度の高いものから5つでも，これから作業療法を行うに当たって重要なものを挙げてもよい。こうすることで，クライエントが何を重要だと感じているかを確認することができる。

次に，5つの問題に対してその作業が今できるかという遂行度と，そのやり方に満足しているかという満足度を10段階で尋ねる。

最後に，遂行度と満足度の総スコアを計算する。総スコアは，すべての問題の遂行度，あるいは満足度の合計を問題の数で割ることで算出できる。

第4段階：再評価

初回評価の後，クライエントと共に再評価を行う時期を決め，その時期になったら初回評価で決めた問題の遂行度と満足度を再評価する。再評価のスコアから初回評価のスコアを引くことで，遂行度と満足度の変化が計算できる。同様に，遂行スコアと満足スコアの総スコアについても，再評価の値から初回評価の値を引くことで，総合的な遂行度と満足度の変化を計算できる。

4 生活行為向上マネジメント（MTDLP）

日本作業療法士協会は，2008年より厚生労働省老人保健健康増進事業[8]に取り組むなかで，他職種も使え，わかりやすい作業療法のかたちを示すために生活行為向上マネジメント（MTDLP：management tool for daily life performance）を開発した[9]。MTDLPは他職種にも広く活用してもらうことや国民にわかりやすく理解してもらうため，「作業」「作業療法」という表現をあえて用いていない。作業療法士が使っている「作業」は「生活行為」と同義語であり[10]，MTDLPの実践は，作業療法そのものである。つまり，MTDLPは作業療法士の思考過程と作業療法の実践プロセスを定式化した専用シートを用いて具体的に示すツールである。また，対象者と支

援目標を共有し，対象者が積極的に関与できるよう工夫がなされている。

当初の成り立ちからわかるように，MTDLPの適用範囲は主として介護保険領域の高齢者であった。2015年，通所リハビリテーションにおいて生活行為向上リハビリテーション実施加算が新設され，MTDLPは介護保険制度に取り入れられている。現在では，年齢や障害の領域を問わず適用範囲が拡大し，高齢者以外の事例も報告されている。なお，MTDLPは，『作業療法ガイドライン2018年度版』[11]にも簡単に紹介されている。

■ MTDLPの基本的な考え方

MTDLPで用いられる用語の定義を表5に示す。人の生活は，食事やトイレなどのADL，買い物や子どもの世話といった手段的日常生活活動（IADL），賃金を伴う仕事をすること，趣味を行うこと，町内会活動に参加するなどの社会参加といった生活行為の連続で成り立っている。その人にとって意味のある生活行為を遂行しているからこそ，満足感や充実感が得られる。しかし，生活行為は，病気や老化による機能低下や生活上の悪習慣，対人関係のあり方，地域の文化などの社会の価値観，物理的環境，その人の特性などからも影響を受け，生活行為がうまくできないこと，生活行為の幅が狭くなることや縮小することがある。このように生活行為を行ううえでの制約や制限や，障壁を阻害要因という。生活行為の阻害要因をもつ，つまり生活行為の障害がある人に対し，その人が本来もっている能力を引き出し，その能力を生かすことや生かされるような支援を行うことが生活行為向上である。生活行為向上を図るために必要な要素を分析し，改善のための支援計画を立て，それを実行することがMTDLPである。

生活行為向上を図るためには，阻害要因だけではなく，予後予測を含めたアセスメントを行い，介入方法を決定しプログラムを実行する（図3）。介入方法としては，能力の強化や代償といった回復の可能性を模索すること，工夫や学習から新たな実施方法を見出すこと，福祉用具などを用いて能力を補完することが挙げられる。能力の回復や新たな生活行為の開発や獲得については，筋力や認知機能などの心身機能にアプローチする基本的練習，ADLやIADLなど生活行為そのものを模擬的に反復練習する応用的

表5 MTDLP関連用語

用語	定義
生活行為	人が生きていくうえで営まれる生活全般の行為のこと。生活全般の行為とは，セルフケアを維持していくためのADLのほか，IADL，仕事や趣味，余暇活動などの行為すべてを含む
生活行為向上	各生活行為について利用者が本来もっている能力を引き出し，在宅生活で実際にその能力を生かすこと，もしくは生かされるよう，身体的・精神的な支援を行うこと
生活行為向上マネジメント	生活行為向上を図るために必要な要素を分析し，改善のための支援計画を立て，それを実行すること

（文献9, p.14より改変引用）

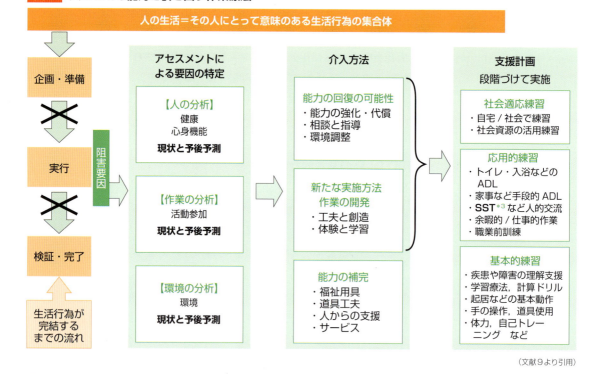

(文献9より引用)

＊3 社会生活技能訓練（SST）

SSTは認知行動療法の技法を利用しながら，自立生活に必要なスキルを習得することで症状の悪化を防いだり，生活の質の向上を目的とした治療・援助技法である。SSTは通常集団で実施し，実際の場面を想定したロールプレイや，スタッフや参加者が示すモデルをみるモデリングによって自分に必要なスキルを学ぶ（p.297参照）。

練習，自宅や職場といった実際の場で実践する社会適応的練習と，プログラムを段階づけて計画し実施する。対象者の生活を過去，現在，未来まで連続したものととらえ，したいと思う生活行為から，できる，する生活行為へと拡がりをもつ包括的な視点が必要である[9]。

■ MTDLPのプロセス

　MTDLPでは，対象者にとって意味のある生活行為に焦点を当てるために，6つのシートを使用する。以下に，MTDLPのプロセスを示しながら，6つのシートを簡単に紹介する。これらのシートのうち，「生活行為聞き取りシート」「生活行為アセスメント演習シート」「生活行為向上プラン演習シート」はメインシートとして必ず作成し，その他のシートは補足として使用してもよいといわれている[10]。なお，6つのシートは，日本作業療法士協会のホームページからダウンロードできる。実施に当たっては，日本作業療法士協会が主催する研修会を受講したうえで，マニュアルを参照いただきたい。

● 生活行為聞き取りシート

　まず，「生活行為聞き取りシート」を用いて，対象者の困りごとや希望を聞き取り，生活行為の目標を明らかにする。対象者が具体的な生活行為の目標を言語化できない場合は，手がかりとして「興味・関心チェックシー

ト」を用い，「してみたい，興味がある」項目の中から，対象者の意向を確認して目標とする生活行為を決める。また，対象者だけではなく家族の考える「できるとよい，できるようになってほしい」生活行為も確認する。

目標とする生活行為が決まったら，その生活行為に対する現在の実行度と満足度を1～10点の範囲で自己評価をし，達成の可能性の有無をチェックする。

● 生活行為アセスメント演習シート

次に，「生活行為アセスメント演習シート」を用いて，目標とした生活行為の遂行を困難にしている要因と現状の能力を（強み）について，ICFに基づいてアセスメントする。アセスメントの際は，「生活行為課題分析シート」を活用するとよい。目標とした生活行為がどのようにすれば可能となるのか，という予後予測の見立ても重要となる。

● 生活行為向上プラン演習シート

アセスメントに基づき，「生活行為向上プラン演習シート」を用いて，具体的な支援計画を立案する。生活行為の目標達成に向けた支援計画は，基本プログラム，応用プログラム，社会適応プログラムと段階づけする。そのうえで，プログラムの実施者を明確にするために，対象者，家族，支援者のそれぞれについて取り組むことや行うことを決定し，プログラムを実行する。

一定期間のプログラム実施後，改めてアセスメントし，プログラムの継続，見直し，終了を決定する。

● 生活行為申し送り表

最後に，対象者が医療機関などから退院した後も，在宅で生活行為の向上に向けて継続した支援が受けられるよう，「生活行為申し送り表」を活用する。「生活行為申し送り表」は，退院後に対象者を支援するチームとの積極的な連携だけではなく，対象者や家族に対する退院時リハビリテーション指導としても活用できる。

> **作業療法参加型臨床実習に向けて**
>
> COPMやMTDLPなどのツールは，学内で十分練習したうえで，実習に臨もう。指導者が対象者に合わせて，どのようにツールを用い，どのような工夫をしているのかを知ることも重要である。

【引用文献】
1) American Occupational Therapy Association: Occupational Therapy Practice Framework: Domain and Process — Fourth Edition. Am J Occup Ther 74(Suppl 2), 2020.（https://doi.org/10.5014/ajot.2020.74S2001）(2021年4月時点)
2) American Occupational Therapy Association : Occupational therapy practice framework: domain & practice, 2nd edition. Am J Occup Ther, 62(6): 625-683, 2008.
3) American Occupational Therapy Association : Occupational Profile .(https://www.aota.org/-/media/corporate/Files/Practice/Manage/Documentation/AOTA-Occupational-Profile-Template.pdf)(2021年7月時点)
4) カナダ作業療法士協会(吉川ひろみ 監訳)：作業療法の視点　作業ができるということ，大学

試験対策 Point

OTPF-4, COPM, MTDLPの概要は，きちんと理解しておこう．

教育出版，2000．
5) カナダ作業療法士協会（吉川ひろみ 監訳）：続・作業療法の視点　作業を通しての健康と公正，大学教育出版，2011．
6) 吉川ひろみ：作業療法の話をしよう，医学書院，2019．
7) 吉川ひろみ 訳：カナダ作業遂行測定 第4版，大学教育出版，2007．
8) 日本作業療法士協会：平成21年度老人保健健康増進等事業「自立支援に向けた包括マネジメントによる総合的なサービスモデル調査研究」報告書，2010．
9) 日本作業療法士協会：作業療法マニュアル66 生活行為向上マネジメント 改訂第3版，2018．
10) 日本作業療法士協会：生活行為向上マネジメント基礎研修2016/10/31配布資料，2016．
11) 日本作業療法士協会：作業療法ガイドライン（2018年度版）．（https://www.jaot.or.jp/files/page/wp-content/uploads/2019/02/OTguideline-2018.pdf）（2021年4月時点）

✓ チェックテスト

Q
①OTPF-4が示す作業療法の領域に含まれているものは何か（☞ p.333）．　基礎
②OTPF-4が示す作業療法の領域のうち，文脈に含まれているものは何か（☞ p.333）．　基礎
③CMOP-Eの構成要素は何か（☞ p.336）．　基礎
④COPMとは何か（☞ p.337）．　臨床
⑤MTDLPとは何か（☞ p.338〜339）．　臨床

7章

作業療法部門の管理

作業療法部門の管理

1 専門職としての職業倫理

里村恵子

Outline

- 医師の職業倫理として「ヒポクラテスの誓い」が紀元前より伝えられてきた。ヒポクラテスの誓いを第二次世界大戦後，1948年に世界医師会が確認したのが，ジュネーブ宣言である。
- 1981年世界医師会で出されたリスボン宣言のなかでは，患者の人権や自己決定権の尊重，インフォームド・コンセントが示されている。
- 寺山が挙げた専門職の条件9項目のなかに，「倫理綱領をもつこと」があり，日本作業療法士協会では，「倫理綱領」12項目，「作業療法士の職業倫理指針」16項目を定めている。

＊1 ヒポクラテスの誓い
ヒポクラテス（紀元前460年頃〜紀元前370年ごろ）は，エーゲ海に面したコス島に生まれた古代ギリシャの医師で哲学者である。ヒポクラテスの誓いは，医師の倫理や責務などについて，ギリシャ神に対しての宣誓文である。患者生命の尊重，プライバシーの保護など現在の医療にも通じる内容が含まれている。16世紀初頭に，ドイツの医学教育で採用された。

◯補足

パターナリズム
患者の最善の利益の決定は医師の権利と責任とし，患者はすべて医師に委ねればよいという考え方。父権主義と訳されている。

試験対策 Point
ジュネーブ宣言，リスボン宣言，インフォームド・コンセントの内容をしっかり理解しておこう。

1 医療の倫理

　倫理とは何か。国語辞典[1]によれば，倫理とは「行動の規範としての道徳観や善悪の区別」と示されている。社会のなかで，他者との円滑な日常生活を送るための常識的な事項や，人間としてどう生きるかといった，内なる声との応答によって形成される内的なものである。

　医療の世界では，紀元前の「医学の祖」と称されているヒポクラテスの弟子たちによって編纂された「ヒポクラテス全集」には，当時の最高峰であるギリシャ医学の姿が書き残されている。そのなかで，医師の職業倫理について書かれたものが**ヒポクラテスの誓い**[＊1]として，医師のあるべき姿として伝えられてきた。ヒポクラテスの誓いを第二次世界大戦後，1948年に世界医師会（WMA：World Medical Association）が確認したのが，ジュネーブ宣言である。このヒポクラテスの誓いについて，渡辺[2]は，これらは「高い倫理性が謳われているが，あくまで医療を与えるものとしての施療者のあり方を述べている」と評した。それに続き「20世紀最後の四半世紀の医療哲学における大きなパラダイムシフトは，このパターナリズムからの脱却で，権威者から与える医療から協働参画の医療へという変革であった。1981年世界医師会で出されたリスボン宣言[3]はその変遷を象徴するもの」と位置づけている。表1[3]に示したリスボン宣言のなかでは，患者の人権や自己決定権の尊重，インフォームド・コンセントが示されている。インフォームド・コンセントとは，対象者や家族へ，治療・援助・支援に関して目的，方法を説明し，同意を得ることである。

表1 患者の権利に関するWMAリスボン宣言（2015年4月）

1981年9/10月，ポルトガル，リスボンにおける第34回WMA総会で採択
1995年9月，インドネシア，バリ島における第47回WMA総会で修正
2005年10月，チリ，サンティアゴにおける第171回WMA理事会で編集上修正
2015年4月，ノルウェー，オスロにおける第200回WMA理事会で再確認

序文

医師，患者およびより広い意味での社会との関係は，近年著しく変化してきた。医師は，常に自らの良心に従い，また常に患者の最善の利益のために行動すべきであると同時に，それと同等の努力を患者の自律性と正義を保証するために払わねばならない。以下に掲げる宣言は，医師が是認し推進する患者の主要な権利のいくつかを述べたものである。医師および医療従事者，または医療組織は，この権利を認識し，擁護していくうえで共同の責任を担っている。法律，政府の措置，あるいは他のいかなる行政や慣例であろうとも，患者の権利を否定する場合には，医師はこの権利を保障ないし回復させる適切な手段を講じるべきである。

原則

1. 良質の医療を受ける権利

a.	すべての人は，差別なしに適切な医療を受ける権利を有する。
b.	すべての患者は，いかなる外部干渉も受けずに自由に臨床上および倫理上の判断を行うことを認識している医師から治療を受ける権利を有する。
c.	患者は，常にその最善の利益に即して治療を受けるものとする。患者が受ける治療は，一般的に受け入れられた医学的原則に沿って行われるものとする。
d.	質の保証は，常に医療のひとつの要素でなければならない。特に医師は，医療の質の擁護者たる責任を担うべきである。
e.	供給を限られた特定の治療に関して，それを必要とする患者間で選定を行わなければならない場合は，そのような患者はすべて治療を受けるための公平な選択手続きを受ける権利がある。その選択は，医学的基準に基づき，かつ差別なく行われなければならない。
f.	患者は，医療を継続して受ける権利を有する。医師は，医学的に必要とされる治療を行うにあたり，同じ患者の治療にあたっている他の医療提供者と協力する責務を有する。医師は，現在と異なる治療を行うために患者に対して適切な援助と十分な機会を与えることができないならば，今までの治療が医学的に引き続き必要とされる限り，患者の治療を中断してはならない。

2. 選択の自由の権利

a.	患者は，民間，公的部門を問わず，担当の医師，病院，あるいは保健サービス機関を自由に選択し，また変更する権利を有する。
b.	患者はいかなる治療段階においても，他の医師の意見を求める権利を有する。

3. 自己決定の権利

a.	患者は，自分自身に関わる自由な決定を行うための自己決定の権利を有する。医師は，患者に対してその決定のもたらす結果を知らせるものとする。
b.	精神的に判断能力のある成人患者は，いかなる診断上の手続きないし治療に対しても，同意を与えるかまたは差し控える権利を有する。患者は自分自身の決定を行ううえで必要とされる情報を得る権利を有する。患者は，検査ないし治療の目的，その結果が意味すること，そして同意を差し控えることの意味について明確に理解するべきである。
c.	患者は医学研究あるいは医学教育に参加することを拒絶する権利を有する。

4. 意識のない患者

a.	患者が意識不明かその他の理由で意思を表明できない場合は，法律上の権限を有する代理人から，可能な限りインフォームド・コンセントを得なければならない。
b.	法律上の権限を有する代理人がおらず，患者に対する医学的侵襲が緊急に必要とされる場合は，患者の同意があるものと推定する。ただし，その患者の事前の確固たる意思表示あるいは信念に基づいて，その状況における医学的侵襲に対し同意を拒絶することが明白かつ疑いのない場合を除く。
c.	しかしながら，医師は自殺企図により意識を失っている患者の生命を救うよう常に努力すべきである。

（次ページへ続く）

表1の続き

	5. 法的無能力の患者
a.	患者が未成年者あるいは法的無能力者の場合，法域によっては，法律上の権限を有する代理人の同意が必要とされる。それでもなお，患者の能力が許す限り，患者は意思決定に関与しなければならない。
b.	法的無能力の患者が合理的な判断をしうる場合，その意思決定は尊重されねばならず，かつ患者は法律上の権限を有する代理人に対する情報の開示を禁止する権利を有する。
c.	患者の代理人で法律上の権限を有する者，あるいは患者から権限を与えられた者が，医師の立場から見て，患者の最善の利益となる治療を禁止する場合，医師はその決定に対して，関係する法的あるいはその他慣例に基づき，異議を申し立てるべきである。救急を要する場合，医師は患者の最善の利益に即して行動することを要する。

	6. 患者の意思に反する処置
	患者の意思に反する診断上の処置あるいは治療は，特別に法律が認めるか医の倫理の諸原則に合致する場合には，例外的な事例としてのみ行うことができる。

	7. 情報に対する権利
a.	患者は，いかなる医療上の記録であろうと，そこに記載されている自己の情報を受ける権利を有し，また症状についての医学的事実を含む健康状態に関して十分な説明を受ける権利を有する。しかしながら，患者の記録に含まれる第三者についての機密情報は，その者の同意なくしては患者に与えてはならない。
b.	例外的に，情報が患者自身の生命あるいは健康に著しい危険をもたらす恐れがあると信ずるべき十分な理由がある場合は，その情報を患者に対して与えなくともよい。
c.	情報は，その患者の文化に適した方法で，かつ患者が理解できる方法で与えられなければならない。
d.	患者は，他人の生命の保護に必要とされていない場合に限り，その明確な要求に基づき情報を知らされない権利を有する。
e.	患者は，必要があれば自分に代わって情報を受ける人を選択する権利を有する。

	8. 守秘義務に対する権利
a.	患者の健康状態，症状，診断，予後および治療について個人を特定しうるあらゆる情報，ならびにその他個人のすべての情報は，患者の死後も秘密が守られなければならない。ただし，患者の子孫には，自らの健康上のリスクに関わる情報を得る権利もありうる。
b.	秘密情報は，患者が明確な同意を与えるか，あるいは法律に明確に規定されている場合に限り開示することができる。情報は，患者が明らかに同意を与えていない場合は，厳密に「知る必要性」に基づいてのみ，他の医療提供者に開示することができる。
c.	個人を特定しうるあらゆる患者のデータは保護されねばならない。データの保護のために，その保管形態は適切になされなければならない。個人を特定しうるデータが導き出せるようなその人の人体を形成する物質も同様に保護されねばならない。

	9. 健康教育を受ける権利
	すべての人は，個人の健康と保健サービスの利用について，情報を与えられたうえでの選択が可能となるような健康教育を受ける権利がある。この教育には，健康的なライフスタイルや，疾病の予防および早期発見についての手法に関する情報が含まれていなければならない。健康に対するすべての人の自己責任が強調されるべきである。医師は教育的努力に積極的に関わっていく義務がある。

	10. 尊厳に対する権利
a.	患者は，その文化および価値観を尊重されるように，その尊厳とプライバシーを守る権利は，医療と医学教育の場において常に尊重されるものとする。
b.	患者は，最新の医学知識に基づき苦痛を緩和される権利を有する。
c.	患者は，人間的な終末期ケアを受ける権利を有し，またできる限り尊厳を保ち，かつ安楽に死を迎えるためのあらゆる可能な助力を与えられる権利を有する。

	11. 宗教的支援に対する権利
	患者は，信仰する宗教の聖職者による支援を含む，精神的，道徳的慰問を受けるか受けないかを決める権利を有する。

(文献3より引用)

> アクティブラーニング ① リスボン宣言成立の経過を調べてみよう。

作業療法参加型臨床実習に向けて
実習の場で，対象者とのかかわりの経験を通して，なぜ，医療従事者に倫理が必要か考えてみよう。

2 専門職とは

　作業療法士は作業に焦点をあてた治療，指導，援助を行う専門職である。何をもって専門職かという疑問に対して，寺山[4]は，その条件として次の9項目を挙げている。

　①理論的知識に基づく技術をもつ
　②高度の教育・訓練を要する
　③職能団体・学術団体としての組織をもち，そこに加入する
　④倫理綱領をもつ
　⑤奉仕的サービス活動である
　⑥能力の審査がある
　⑦決められた報酬基準がある
　⑧クライアントとの契約関係を締結する
　⑨社会的地位が承認されている

　この9項目のなかで，4番目に示した「倫理綱領をもつ」にについて，職能団体，日本作業療法士協会はどのような取り組みをしているのだろうか。日本作業療法士協会では，「作業療法士の倫理性は，個人の倫理観に委ねられるだけでは不十分で，信頼に足る，自立した一人前の専門職として，専門職能団体として，自分たちの基本理念や指針を掲げる責任を有している」[5]との見解を示した。その責任を果たすために，1986（昭和61）年の第21回総会において，「社団法人日本作業療法士協会倫理綱領」[5]を採択した。**表2**に示すように12項目から構成されている。その後，この倫理性が疑われるような事例が発生し，倫理綱領を基礎理念としつつ，行動の指針とするべき事柄をより具体的に示す，16項目からなる「作業療法士の職業倫理指針」（**表3**）[5]を2005（平成17）年に承認した。

　本項では，臨床における倫理を文献5の冊子に示された「社団法人日本作業療法士協会倫理綱領」の12項目とその解説を抜粋して紹介する。これら「倫理綱領」「作業療法士の職業倫理指針」は免許をもった作業療法士が対象になっているが，学生時代から日々心がけ，考えを深めていただきたい。

作業療法部門の管理

表2 倫理綱領（社団法人 日本作業療法士協会，1986（昭和61）年6月12日第21回総会時承認）

1. 作業療法士は，人々の健康を守るため，知識と良心を捧げる。
2. 作業療法士は，知識と技術に関して，つねに最高の水準を保つ。
3. 作業療法士は，個人の人権を尊重し，思想，信条，社会的地位等によって個人を差別することをしない。
4. 作業療法士は，職務上知り得た個人の秘密を守る。
5. 作業療法士は，必要な報告と記録の義務を守る。
6. 作業療法士は，他の職種の人々を尊敬し，協力しあう。
7. 作業療法士は，先人の功績を尊び，よき伝統を守る。
8. 作業療法士は，後輩の育成と教育水準の高揚に努める。
9. 作業療法士は，学術的研鑽及び人格の陶冶をめざして相互に律しあう。
10. 作業療法士は，公共の福祉に寄与する。
11. 作業療法士は，不当な報酬を求めない。
12. 作業療法士は，法と人道にそむく行為をしない。

（文献5より引用）

表3 作業療法士の職業倫理指針（社団法人日本作業療法士協会，2005（平成17）年承認）

第1項	自己研鑽	第9項	記録の整備・保守
第2項	業務上の最善努力義務（基本姿勢）	第10項	職能間の協調
第3項	誠実（良心）	第11項	教育（後輩育成）
第4項	人権尊重・差別の禁止	第12項	報酬
第5項	専門職上の責任	第13項	研究倫理
第6項	実践水準の維持	第14項	インフォームド・コンセント
第7項	安全性への配慮・事故防止	第15項	法の遵守
第8項	守秘義務	第16項	情報の管理

（文献5より引用）

3 倫理綱領（社団法人日本作業療法士協会）

1）作業療法士は，人々の健康を守るため，知識と良心を捧げる。

健康的な生活を送ることは，人間の基本的な権利であり，その実現のために，作業療法士は，高い水準の知識と技術を保ち，自らの人格を高めることに努力する。

2）作業療法士は，知識と技術に関して，つねに最高の水準を保つ。

作業療法士は，保険・医療・福祉における専門職として，日進月歩の知識と技術を高めるための自己研鑽を行うことが重要な社会的責務である。特に卒業後，さまざまな機会を利用し，成長することが，対象者によいサービスを提供できる一歩である。

3）作業療法士は，個人の人権を尊重し，思想，信条，社会的地位等によって個人を差別することをしない。

作業療法士は，すべての人々が有する，人間らしく生きるための，誰か

らも侵されない人権という権利を尊重しなければならない。その際，作業療法士-対象者間の信頼関係が大切で，お互いの人間としての尊厳や価値および自由を認め合うことが必要となる。

4）作業療法士は，職務上知り得た個人の秘密を守る。

「理学療法士及び作業療法士法」で課せられた義務である守秘義務の遵守は，対象者との信頼関係を保つうえで基本的に重要である。対象者の個人的情報は，正当な理由がないかぎり漏らしてはならない。作業療法士を辞めた後も同様の義務が生じている。

5）作業療法士は，必要な報告と記録の義務を守る。

詳細は別項p.351「記録と報告」で示すように，事実に基づく適切な記録を残す責任と，医師をはじめ関係者に対して必要な報告を行う責任がある。

6）作業療法士は，他の職種の人々を尊敬し，協力しあう。

リハビリテーションはチームを組んで仕事をすることが不可欠である。他職種の人々の専門性や業務内容，法的責務を理解し，相互に尊重することが，作業療法士としての責務である。

7）作業療法士は，先人の功績を尊び，よき伝統を守る。

長い歴史的な経過のなかで，多くの先人の成果と業績を学び，その基礎のうえに，時代のニーズに応えるための専門的知識と技術を高めることが大切である。

8）作業療法士は，後輩の育成と教育水準の高揚に努める。

専門職としての発展の鍵は，後輩をいかに育てるかにかかっている。作業療法士の養成機関と臨床現場における教育活動は，その活動内容が有機的な形で連携し合いながら行われることが，後進の指導を効果的かつ効率的なものとし，作業療法全体の治療・援助・支援の質を高める。

9）作業療法士は，学術的研鑽及び人格の陶冶をめざして相互に律しあう。

作業療法士は，生涯学習により学術的知識を習得する必要がある。習得した知識や技術を多くの作業療法士，特に後輩に伝えることも大切である。ともに成長するという視点をもちたいものである。

10）作業療法士は，公共の福祉に寄与する。

作業療法士は，人々の心身の健康を保持増進し，障害を予防する責任を担っており，健康で文化的な生活を享受する権利を擁護することも求めら

作業療法部門の管理

れる。さらに，人々の生命の安全と健康が守られ，安心して生活できるための制度の確立に参画し，よりよい社会づくりに貢献するとともに，社会の変化と人々のニーズに対応できる制度への変革の推進に努める。

11）作業療法士は，不当な報酬を求めない。

　作業療法士が勤務先から得る報酬は，勤務・活動実態に応じた正当なものでなければならない。対象者から金品を受け取ったり，利害関係者からの不当な報酬や接待などに応じてはならない。勤務実態の伴わない名義貸しなどは，法的な罰則の対象である。

12）作業療法士は，法と人道にそむく行為をしない。

　1人の社会人として，自分と他者の人権を尊重することは最も重要なことである。同じ社会に生きる人間同士が，互いに幸福な生活を営むための秩序を守ることは，社会人としての基本的な規範である。そのうえで，人々の信頼のもとで成り立っている専門職業人に対しては，この規範がより強く求められていることをしっかりと認識したい。

【引用文献】
1) 西尾　実，ほか 編：岩波 国語辞典 第4版，岩波書店，1986.
2) 渡辺　直：電子カルテ時代のPOS ─患者志向の連携医療を推進するために．p14, 医学書院，2012.
3) 世界医師会（日本医師会 訳）：患者の権利に関するWMAリスボン宣言，2005.（https://www.med.or.jp/doctor/international/wma/lisbon.html）（2021年5月時点）（参照日2020年12月時点）．
4) 寺山久美子：職業倫理と職場管理．作業療法学全書第1巻　作業療法概論（作業療法士協会 編），p339-341, 協同医書出版社，1990.
5) 日本作業療法士協会：社団法人日本作業療法士協会，倫理綱領，倫理綱領解説，作業療法士の職業倫理指針．（第14刷）．2020.（https://www.jaot.or.jp/files/page/kyoukainituite/rinrisisin.pdf）（2021年5月時点）

✓ チェックテスト

Q
① パターナリズムとは何か（☞p.344）。 **基礎**
② インフォームド・コンセントとは何か（☞p.344）。 **基礎**
③ 社団法人日本作業療法士協会が定めた「倫理綱領」の項目数はいくつか（☞p.347）。 **基礎**

作業療法部門の管理

2 記録と報告

里村恵子

Outline
- 記録には，作業療法計画立案，実施の証拠，関係職種や対象者，家族への情報提供以外にも部門運営，研究資料，教育，法律的な保護といった目的がある。
- 記録の書き方で重要なことは，誰が読んでも理解できるように，正確に記載する。記載内容は，評価結果，目標，具体的なプログラム内容，実施方法，及びその結果を示し，その内容を分析し，解釈，考察を記載する。その際，記載の原則を守る。
- 問題志向型システムによるSOAP方式の記録は，チーム医療に生かせる方法である。
- 報告は，経過や必要な事項に関して要点をまとめ，関係職員や対象者に口頭や文書で伝えることである。報告を実施する時期は，初期評価が終了した時期，カンファレンスを開催する時期，終了時などである。

1 記録

　記録とは，事実経過を保存する目的のために記述したものである。

　医聖として知られるヒポクラテスは，その全集のなかで「文献を正しく研究する能力もまた，医術の大切な部分である。書かれたものを理解して利用すれば，医療に際して大きな失敗をしないですむと思われるからである」と述べているように，記録を行う目的を明確に示している。

　本項では，記録の目的，作成の義務，種類，書き方を述べる。

■記録の目的
　記録の目的には以下が挙げられる。

> ①作業療法計画立案のため
> ②作業療法実施の証拠として
> ③対象者,家族への説明資料として
> ④関係職種への情報提供のため
> ⑤部門運営のため
> ⑥研究の資料として
> ⑦学生や新人に対する教育のため
> ⑧法律的な保護のため
> ⑨考えをまとめ作業療法内容を明確にするため

⑧については,不幸にして作業療法中に事故などが起き,裁判になったときには証拠になり,作業療法士の立場を保護するものでもある。

■ 記録作成の義務

「理学療法士及び作業療法士法」には,記録記載については触れられていない。しかし,医師法第24条には,診療録作成と保存が規定されており,医師の指示の下で,診療の一部を行う作業療法も,記録の作成と保存の必要がある。

「診療録」(いわゆるカルテ)という言葉は医師法によれば,医師が記録するものである。

渡辺[1]は,医師記録のみをカルテと称していた紙カルテの時代から,チーム医療の実践が必須となった実情にあわせ,カルテをほかの職種の記載も含めた**記録の集合体**として定義し直さなければならないと提案している。後述する問題志向型システム(POS:problem oriented system)に基づいたSOAP方式の記録法は,関係する職員が情報を共有するシステムとして有用と思われる。

診療報酬請求のためには,機能訓練の内容の要点および実施時刻(開始時刻と終了時刻),担当者名,点数請求区分の記載が最低限求められている。

■ 記録の種類

記録は,治療に関連したものと,管理・運営のためのものに大きく分かれている。治療に関連した記録の類例は以下のとおりである。

> ①医師からの**処方箋**[*1](依頼箋,指示箋)
> ②各種評価用紙
> ③初期評価記録用紙

---

*1 処方箋
作業療法開始時に,医師が発行する書類。対象者の疾病に関する情報,作業療法目的,禁忌(やってはいけないこと)などが含まれている。

④作業療法計画書
⑤作業療法経過記録
⑥再評価記録用紙
⑦カンファレンス記録用紙
⑧終了時記録用紙，退院時記録用紙

■ 記録の書き方

　記録は誰が読んでもわかるようにしなければならない。例えば，その作業療法の現場にいない人でも，イメージできるようにわかりやすく，正確に記載する必要がある。作業療法士が対象者に対し，どのような治療目標をもって臨んだか，具体的なプログラム内容と実施方法，それを実施してからの結果や対象者の反応が含まれる。また**以上の内容を分析し，解釈，考察した結論を記載する**。特に，精神科領域においては，作業療法士の解釈，考察が重要である。記録の書き方の原則は以下のとおりである。

①簡潔明瞭に，客観的に表現
②日付，実施時刻，記入者の名前の明記
③三人称文体の使用（作業療法学生の場合はOTS ○○と表示）
④適切な医学用語の使用
⑤プライバシーの保護
⑥記入の途中に不要な余白はつくらない。やむをえない場合は斜線を引き「余白」と明記
⑦訂正には修正液の使用はできない。また，訂正した内容がわかるように横棒2本で消す
⑧記入はインクまたはボールペンを用い，鉛筆による記入は認められない
⑨OA機器による記載なども認められている。しかし，作業療法士の自筆署名か記名押印が必要
⑩倫理的配慮がなされた表現
⑪情報源を明記する（例：○月○日，病棟看護師より）

　⑦に示したように，不正な改ざんは厳禁である。
　記録に含むべき記載内容について，**表1**[2)]に医療保険分野，**表2**[2)]に介護保険分野を示す。

■ 問題志向型システムによるSOAP方式の記録

　問題志向型システム（POS）はアメリカのVermont大学のL. Weed（ウィード）により提唱された。対象者のもっている医療上の問題を明確に捉え，その問題解決を論理的に進めていくシステムである。このシステムの目標は質の高い患者中心のケアを提供することにある。POSは①問題志向型記録，②監査（記録をもとに，行動分析をして個別的に提供されたケアの遂行度を

作業療法参加型臨床実習に向けて

使用している記録の種類は確認させてもらい，管理の学習につなげよう。患者記録の閲覧の範囲は施設で厳しく管理されているため，記録そのものの閲覧は難しいと推察されるが，実習施設でこのように，施設で，個人情報保護の原則がどう守られているかを知ることも重要である。
臨床実習では，記録記載の技術を磨く絶好の機会であり，臨床実習指導者と同じ場面を共有している利点を生かし，積極的に記録の指導を求めて実習をする姿勢が必要である。記録の充実には，観察する力の強化や，多方面から考えることができる視野の拡大も心がける。

作業療法部門の管理

表1 医療保険領域の記録：記載方法

診療録の記載にあたって
- 評価・治療・経過のすべてを記入しまとめること
- 治療内容はもちろん，患者に説明したことも具体的に記載すること
- 重要な部分は時系列的に記載すること

> 保険診療ではこれを基にレセプトを作成するため，無記載は不正請求とみなされる

診療録の記載方法（医療保険分野）

整備すべき必須帳票	●医師の指示箋 ●リハビリテーション実施計画書 など ●効果判定表（定期） ●実施記録
記載すべき一般的情報	●カルテ番号 ●患者氏名 ●性別 ●生年月日 ●住所（連絡先） ●電話番号 ●職業 ●保険の種類（費目） ●主治医 ●初診年月日 ●診断名 ●現病歴 ●合併症 ●既往歴 ●家族歴 など
初診時に必要な記載項目	●主訴 ●患者の全体像 ●患者のニーズ ●作業療法評価 ●問題点 ●治療目標 ●治療プログラム ●治療の日付 ●作業療法の種類 ●インフォームド・コンセントについての記載 など
他部門からの情報	●看護部門 ●理学療法部門 ●言語聴覚療法部門 ●ソーシャルワーカー部門 ●介護保険関連職 など
経過	●実施時間（開始・終了時刻）を必ず記載 ●治療の内容および内容変更の記載 ●患者の状態の記載 ●定期的な評価の記載 ●治療に関して，転帰・中止・中断などの記載 ●医師による定期的な診療経過の記載（複写など） ●カンファレンス記録 など

> 特に気にかかったこと，変化などはどんな些細なことでも，できるだけ詳細に記載する

（文献2より改変引用）

表2 介護保険領域の記録：記載方法

サービス記録の記載方法（介護保険分野）

整備すべき必須帳票	●医師の指示箋 ●リハビリテーション実施計画書 ●実施記録 ●介護支援専門員が作成した計画に基づいた事業所の計画書
記載すべき一般的情報	●利用者・入所者氏名 ●性別 ●生年月日 ●住所（連絡先） ●電話番号（緊急連絡先を含む） ●診断名 ●現病歴 ●合併症 ●既往歴 ●禁忌事項 ●介護度 ●職業 ●主治医 ●嗜好品 ●アレルギーに関する情報 ●送迎に関する情報
初診時に必要な記載項目	●主訴 ●利用者・入所者の全体像 ●利用者・入所者のニーズ ●作業療法評価 ●問題点 ●治療目標 ●治療プログラム ●治療の日付 ●インフォームド・コンセントについての記載 など
他部門からの情報	●看護部門 ●理学療法部門 ●言語聴覚療法部門 ●介護福祉士部門 ●ソーシャルワーカー部門 ●介護支援専門員（ケアマネジャー） など
経過	●実施時間（開始・終了時刻）を必ず記載 ●治療の内容および内容変更の記載 ●利用者・入所者の状態の記載 ●定期的な評価の記載 ●治療に関して，転帰・中止・中断などの記載 ●利用者・入所者家族との連携の記録 ●居宅介護支援事業所との連携の記録 ●カンファレンス記録 ●サービス担当者会議録

（文献2より改変引用）

評価する），③修正（記録の形式，内容について修正する）の3つのサブシステムによって構成されている。

①の問題志向型記録はproblem oriented medical record（POMR）とよばれている。POMRは6つの要素で構成されており，作業療法の記録をPOMRに準じて考えてみると以下のようになる。①データベース（作業療法評価や他部門からの情報など），②問題リスト（評価から導かれた問題点，ナンバー（#）で整理する），③初期計画（短期目標，長期目標，達成時期の計画を示す。目標達成のための各問題ごとの具体的な作業療法プログラムを立案する），④経過記録（計画を実施し，各問題ごとに経過を追う），⑤退院時要約（経過の振り返り），⑥監査（実施した作業療法の結果，目標が達成され，問題が解決されたかどうか判定する）。このなかの④経

過記録は，各問題ごとに以下に示すSOAPで記録していく。

> **S：Subjective data（主観的データ）**
> 対象者の訴えや自覚症状，対象者に意図的に面接をして集めた情報を記載する。
> **O：Objective data（客観的データ）**
> 作業療法士が観察して収集した情報，検査を含む評価内容を記載する。
> **A：Assessment（評価）**
> 問題点に関連した情報（S，O）を解釈・分析して目標，問題点，実施方針を記載する。
> **P：Plan（計画）**
> Assessment（評価（A））に沿って具体的な計画を立案する。

　この記録方法は，チーム医療と患者志向を特徴とするリハビリテーションに親和性のある方法である。また，初心者にとって，情報を整理し，作業療法計画立案から，実施，再評価の流れを追うにも有用であろう。現在，紙ベースのカルテだけでなく，電子カルテの普及が進んでいるので，チーム間の連携がより期待できる。施設単位で導入するためには，事前の研修や，その施設に適したシステムの構築などの準備が必要である。

> **試験対策 Point**
> SOAP方式の記録方法の具体的内容を理解しておくことが重要である。処方箋に含まれる項目についても確認しておくこと。

2 報告

　報告はコミュニケーションのために，経過や必要な事項の要点をまとめ，関係職員や対象者に対して口頭で述べたり，文書にして伝えるものである。報告する内容は報告する相手によって異なってくる。

■ 報告を実施する時期と内容

● 1. 初期評価が終了した時期

　診療報酬請求のためには，対象者や家族に「リハビリテーション実施計画書」または「リハビリテーション総合実施計画書」を説明のうえ，同意を得る必要がある。これは報告書としての役割と対象者，家族がリハビリテーションチームと協業しての治療という確認書としての意味をもっている。

● 2. カンファレンスを開催する時期

　作業療法士からみて，評価から示された問題点，作業療法目標，作業療法の方向や方針などを簡潔にまとめ，チームメンバーへ伝達する。

● 3. 終了時

　移行先への報告が必要である（施設間連絡書など）。これは，現在の状態を伝えることで，移行先での治療継続やサービスがスムーズに受けられるよ

> **補足**
>
> **カンファレンス**
>
> 　多職種が集まり，対象者の評価，治療，支援に関して個別に検討する会議。
> 　医療職，福祉職などの専門職，家族などが出席するが，対象者の問題に応じて関係者が出席する。各専門職の立場からの意見交換，チームとしての方針の決定などが行われる。開催されるのは，対象者へのかかわりが始まる時点，経過のなかで問題が起こった時点，終了時などである。

うにするためである。移行先のスタッフ構成を考えて，表現を工夫する。この場合も，プライバシーの保護の遵守と対象者の利益になることの確認が必要である。もちろん，報告書の送付には対象者の了解が不可欠である。

　以上のような報告以外に，処方箋を受領した後の医師への初期評価の報告，対象者に変化が認められたときなど，タイムリーに口頭，文書での報告を心がける。

3　管理的な記録と報告

　作業療法部門は，治療記録や報告書以外に，部門の円滑な運営のための記録や報告を必要としている。

　保険診療の質的向上と適正化を目的として指導・監査が行われるが，そのときに提出を求められる書式，帳票などを**表3**[2)]に示す。作業療法士は，その施設が申請している制度（例えば，p.358，「診療報酬」の項で述べた心大血管疾患リハビリテーション料を申請している施設）で要求されている書式，帳票類を準備する責任を果たすだけでなく，作業療法部門の運営にあわせて工夫することが必要であろう。そのほかに準備したい書式，帳票類は**表4**のような書類である。

表3　監査，指導時に提出を求められる書式，帳票など

①業務に関する書式・帳票
- 施設基準にかかわる届出書
- 作業療法士名簿，および免許証の写し
- 作業療法に使用する専有施設，設備の配置図，および平面図
- 器具目録
- 作業療法業務日誌（作業療法士出勤状況，種目と取り扱い患者数）

②業務の集計
- 1日平均取り扱い患者数

③診療内容および診療上の手続きに関する書式・帳簿
- 診療録
- 作業療法処方箋
- 治療計画書
- 作業療法診療記録
- 作業療法評価（検査）様式
- その他，取得している施設基準に応じた必要書類・帳票（リハビリテーション総合実施計画書など）

④提示を求められることがあるパンフレット，業務に関する説明資料など
- 治療や業務などの患者への説明に用いる資料
- 作業療法士のタイムスケジュール表
- カンファレンス記録など

精神科の監査指導では，上記項目以外に，以下の書式・帳票などの提示が求められる
- 患者出欠表
- プログラム一覧
- 年間レクリエーション計画書
- 集団生活記録
- 作業療法業務日誌に参加者全員の名前の記載
- 金銭授受を伴う作業療法が行われている場合は，その出納記録

（文献2より改変引用）

表4 部門管理に必要なその他の書式，帳票

①出席表	⑥業務日誌	⑪業務予定表
②物品請求用紙，購入計画表	⑦治療スケジュール通知表	⑫年間・月間・週間予定表
③予算報告書	⑧診療報酬請求書	⑬臨床実習関連書類
④棚卸し表	⑨事故報告書	⑭出張命令簿，復命書
⑤貸出台帳	⑩会議記録用紙	

【引用文献】
1) 渡辺　直：電子カルテ時代のPOS, p96, 医学書院, 2012.
2) 日本作業療法士協会：作業療法が関わる医療保険・介護保険・自立支援制度の手引き, 2010.

✔チェックテスト

Q
① 作業療法開始に必要な書類は何か（☞p.352）。 基礎
② 記録のなかで，実習学生は自分のことは何と表現するか（☞p.353）。 基礎
③ 記録を修正するときはどうするか（☞p.353）。 基礎
④ SOAPのSの内容は何か（☞p.355）。 基礎

作業療法部門の管理

作業療法部門の管理

3 診療報酬

里村恵子

> **Outline**
> - 医療保険制度の下，医療機関での治療行為ごとに定められている診療報酬を請求することで，医療機関の経済が成立している。
> - 作業療法の診療報酬が認められたのは，第1回作業療法士国家試験終了8年後の1974年であり，「身体障害作業療法簡単」，「身体障害作業療法複雑」，「精神科作業療法」，「精神科デイ・ケア」であった。
> - 診療報酬は原則2年に1回改定されている。2006（平成18）年には，4つの疾患別の単価設定となり，リハビリテーション料として統一され，レセプト上から「作業療法」の名称がなくなった。

1 診療報酬制度

医療保険制度の下，医療機関，病院や診療所の経済は，治療行為ごとに定められている診療報酬を請求することによって成り立っている。

診療報酬のしくみを図1[1)]に示した。この図にあるレセプトとは，正式には「診療報酬明細書」または「調剤報酬明細書」のことで，保険医療機関が保険者に対して診療報酬を請求するために，患者に対して行った診療内容について具体的に記載するものである。

レセプトでは診療にかかった費用を「診療報酬点数表」に基づいて点数で計算することになっている。1点を10円に換算する。

> **アクティブラーニング** ① 図1を参考に，医療機関で作業療法を受けた患者が一部負担金を支払い後，医療機関が診療報酬の支払いを受けるまでの流れを示してみよう。

2 作業療法の診療報酬制度

1966（昭和41）年に第1回の作業療法士国家試験が行われ，22名の作業療法士が誕生した。しかし，作業療法士関連の診療報酬が認められたのはその8年後の1974（昭和49）年であった。この間，作業療法士を雇用する施設は人件費や作業療法の実施にかかる費用をすべて負担することになり，作業療法の普及に大きな足かせとなっていた。1974（昭和49）年に決められた作業療法関連の診療報酬は，「身体障害作業療法簡単40点，複雑80点」，「精神科作業療法30点」，「精神科デイ・ケア60点」であった。

図1 診療報酬のしくみ

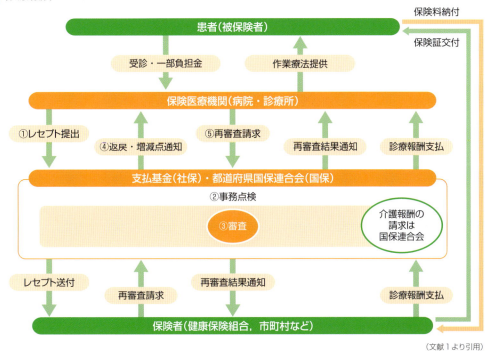

(文献1より引用)

3 診療報酬の改定

診療報酬は，2年に1回改定されている．最新の改定は2020(令和2)年4月である．作業療法の診療報酬新設以来，2020(令和2)年までの大きな改定点をリハビリテーションと精神科専門療法に分けて，概観してみる．

■ リハビリテーション(医科点数表)

- **1990(平成2)年**
  - ▶社会保険診療と老人診療の点数が区別される
  - ▶入院6カ月以内と6カ月を超えての点数が区別される
  - ▶回復期作業療法への評価
- **1992(平成4)年**
  - ▶施設基準による作業療法(Ⅰ)と(Ⅱ)という分類を設ける
  - ▶在宅訪問リハビリテーション指導管理料の新設(在宅医療の重視)
- **1996(平成8)年**
  - ▶発症3カ月以内の対象者に「早期加算60点」が認められる(急性期への対応)
  - ▶難病リハビリテーション料の新設
- **1998(平成10)年**
  - ▶急性期，回復期作業療法の重視
- **2000(平成12)年**
  - ▶回復期リハビリテーション病棟[*1]入院料新設

---

*1 回復期リハビリテーション病棟
ADLの向上による寝たきりの防止と在宅復帰を目的としたリハビリテーションを集中的に行うための病棟．

- **2002(平成14)年**
  - ▶「簡単・複雑」の廃止，「個別・集団」の単位制の導入
    作業療法（Ⅰ）
      個別：1単位20分以上250点。
      集団：1単位20分以上100点
  - ▶回復期リハビリテーション病棟入院料新設
  - ▶療養病棟入院基本料のリハビリテーション料への包括
  - ▶リハビリテーション総合計画評価料新設［2001年国際生活機能分類（ICF：international classification of functioning, disability and health）成立を反映）］
- **2006(平成18)年**
  - ▶脳血管疾患等・運動器・呼吸器・心大血管疾患の4つの疾患別の単価設定
  - ▶単位制となり，リハビリテーション料に統一（レセプト上から作業療法の名称なくなる）
  - ▶算定日数の設定により維持期患者へのサービス低下，集団療法の廃止
- **2008(平成20)年**
  - ▶回復期リハビリテーション病棟入院料の上乗せ制度導入（在宅復帰率，改善度を反映，成果に応じた評価システムの導入）
  - ▶呼吸器リハビリテーション料への作業療法士の職名追記
- **2010(平成22)年**
  - ▶がん患者リハビリテーション料の新設
  - ▶回復期リハビリテーション病棟入院料に休日リハビリテーション提供体制加算
  - ▶亜急性期入院管理料の新設（平成26年9月30日に廃止）
- **2012(平成24)年**
  - ▶回復期リハビリテーション病棟入院料の新たな基準の設定
  - ▶外来リハビリテーション診療料の新設
- **2014(平成26)年**
  - ▶回復期リハビリテーション病棟入院料Ⅰの評価見直し（体制強化加算新設等）
  - ▶心大血管疾患リハビリテーション料への作業療法士の職名追記
  - ▶**地域包括ケア病棟**入院料新設
  - ▶リハビリテーション総合計画提供料新設（地域連携診療計画管理料を算定した患者対象）
  - ▶認知症患者リハビリテーション料新設
- **2016(平成28)年**
  - ▶生活機能に関するリハビリテーション実施場所拡充
  - ▶廃用症候群リハビリテーション料新設

補足

地域包括ケア病棟

地域包括ケアとは，高齢者が自分の住み慣れた地域で，人生の最期まで自分らしい暮らしを維持できるよう支援することである。急性期後の受け入れをはじめ，在宅・生活復帰支援を支える病棟の充実を図るため新設された。リハビリテーションを提供する患者については，1日平均2単位以上提供していることが条件となっている（p.200参照）。

> *2 **アウトカム評価**
> アウトカムとは結果，成果の意味。リハビリテーション実施後，臨床上の成果（改善率や回復率）を数値化すること。

- ▶リンパ浮腫複合的治療料新設
- ▶回復期リハビリテーション病棟の**アウトカム評価**[*2]として機能的自立度評価表（FIM：functional independence measure）導入

● 2018（平成30）年
- ▶回復期リハビリテーション病棟入院料の評価体系にリハビリテーションの実績指数（1日当たりのFIM得点の改善度）を組み込み
- ▶ICUにおける多職種による早期離床・リハビリテーション加算新設

● 2020（令和2）年
- ▶回復期リハビリテーション病棟のリハビリテーション実績指数の水準見直し
- ▶回復期リハビリテーション病棟入院患者に対して日常生活動作の評価に関する取り扱いの見直し
- ▶入院時のFIMおよび目標とするFIMについて，リハビリテーション実施計画書を用いた説明の義務化
- ▶入院時および退院時の日常生活機能評価について，FIMに置き換え可能

■ 精神科専門療法（医科点数表）

前述したとおり，精神科領域の作業療法の診療報酬の開始は，1974（昭和49）年に「精神科作業療法30点」，「精神科デイ・ケア60点」であった。

● 1986（昭和61）年
- ▶精神科ナイト・ケア新設

● 1988（昭和63）年
- ▶精神科デイ・ケアを小規模，大規模の規模別に分けられる
- ▶重度痴呆患者デイ・ケア料新設
- ▶重度痴呆患者収容治療料に入院6カ月以内と，6カ月超えの区別

● 1992（平成4）年
- ▶老人性痴呆疾患治療病棟入院医療管理料の新設（入院3カ月以内，3カ月超えの区別）
- ▶老人性痴呆疾患療養病棟入院医療管理料の新設

● 1994（平成6）年
- ▶入院生活技能訓練療法，新設（SSTの認定）
- ▶**精神科デイ・ナイト・ケア**[*3]新設
- ▶精神科作業療法の点数，220点

● 1996（平成8）年
- ▶入院生活技能訓練療法，入院6カ月以内と6カ月を超えての点数に区別される

● 1998（平成10）年
- ▶精神科退院指導料，精神科退院前訪問指導料，精神科訪問看護・指導

> *3 **精神科デイ・ナイト・ケア**
> 平成8年より精神科専門療法の1つとして診療報酬で認められた。精神障害者の社会生活機能の回復を目的として行うものであり，実施される内容の種類にかかわらず，その実施時間は患者1人当たり1日につき10時間を標準とする。

料（Ⅰ），精神科訪問看護・指導料（Ⅱ）の新設
- **2006（平成18）年**
  ▶精神科作業療法，施設基準の見直し
  ▶1人の作業療法士が助手とともに，患者1人1日2時間を標準として，患者25人を1単位として，1日75人まで請求可能
  ⇨1人の作業療法士が，患者1人1日2時間を標準として，患者25人を1単位として，1日50人まで請求可能（助手規定廃止）

  これは，精神科臨床に働く者にとって**長年の悲願であった施設基準の改定**であった。今後いっそう，急性期や個別のアプローチを要する対象者の増加が予想され，治療的なかかわりが現実化できる基準への第一歩だったと考えている。

- **2008（平成20）年**
  ▶精神科地域移行支援加算，精神科地域移行実施加算の新設

- **2010（平成22）年**
  ▶精神科作業療法「ふさわしい専用の施設」の解釈の追加
  ▶精神科ショート・ケア，精神科デイ・ケア，精神科ナイト・ケア，精神科デイ・ナイト・ケア，重度認知症患者デイ・ケアに1年以内加算

- **2012（平成24）年**
  ▶精神科リエゾンチーム加算新設

  一般病棟における精神医療ニーズの高まりを踏まえ，一般病棟に入院する患者に対して精神科医，専門性の高い看護師，精神保健福祉士，作業療法士等が多職種で連携し，より質の高い精神医療を提供した場合の評価を新設。

- **2014（平成26）年**
  ▶精神科重症患者早期集中支援管理料新設

  2013（平成25）年の「精神保健福祉法」の改正および「障害者総合支援法」の施行内容が反映[2]。

  多職種が計画的な医学管理の下に定期的な訪問診療および精神科訪問看護を実施するとともに，急変時などに常時対応できる体制を整備し，多職種が参加する定期的な会議を開催する内容である。これは，**包括的地域生活支援プログラム（ACT：assertive community treatment）**[*4]や**アウトリーチ**[*5]事業として取り組まれてきたものが診療点数化されたものと考える[2]。
  ▶精神科ショート・ケア，精神科デイ・ケア，精神科ナイト・ケア，精神科デイ・ナイト・ケアに，最初に算定した日から起算して1年を超える場合は，週5日を限度として算定（改定前は3年を超える場合）

- **2016（平成28）年**
  ▶精神科ショート・ケア，精神科デイ・ケア，精神科ナイト・ケア，精神科デイ・ナイト・ケアに，週3日を超えて実施する場合に要件設定

＊4　包括的地域生活支援プログラム（ACT）
重症な統合失調症患者を対象に，24時間365日，多職種からなるチームで在宅生活を継続させ，地域生活を支援する働きかけ。

＊5　アウトリーチ
対象者の生活する場に，関連するスタッフが訪問することによって，対象者の問題を支援するサービス形態である。支援内容は，日常生活の支援，危機介入，家族支援など多岐にわたっている。

● 2018(平成30)年

▶ 精神科在宅患者支援管理料新設(精神科重症患者早期集中支援管理料廃止)

精神科を標榜する保険医療機関への通院が困難な者(精神症状により単独での通院が困難な者を含む。)に対し,精神科医,看護師または保健師,作業療法士,精神保健福祉士等の多職種が,計画的な医学管理の下に月1回以上の訪問診療および定期的な精神科訪問看護を実施するとともに,必要に応じ,急変時等に常時対応できる体制を整備し,多職種が参加する定期的な会議を開催。

● 2020(令和2)年

▶ 依存症集団療法に薬物依存症に加え,ギャンブル依存症の追加

2018年7月,「総合型リゾート(IR)整備推進法」成立,同年10月「ギャンブル依存症対策基本法」成立を背景として,ギャンブル依存症専門医療機関で,医師,看護師,作業療法士の配置を条件とする依存症集団療法が認められた。

表1[3)]に2020年現在のリハビリテーションの主な作業療法士関連の医科点数表,表2[4)]に精神科専門療法の主な作業療法士関連の医科点数表を示す。

補足
総合型リゾート(IR)整備推進法
カジノを含む複合型の大型施設を整備施設誘致するための法律。経済効果が期待できる反面,ギャンブル依存症増加が懸念されている。

試験対策 Point
診療報酬は2年ごとに改定されるため,受験時期における最新の改定内容を確認しておく必要がある。また,**表1,2**に示した料目,区分の内容を理解しておくことが重要である。

表1 リハビリテーション・作業療法士関連の主な診療報酬

料目	区分	点数
心大血管疾患リハビリテーション料	I(1単位)	205
	II(1単位)	125
脳血管疾患等リハビリテーション料	I(1単位)	245
	II(1単位)	200
	III(1単位)	100
廃用症候群リハビリテーション料	I(1単位)	180
	II(1単位)	146
	III(1単位)	77
運動器リハビリテーション料	I(1単位)	185
	II(1単位)	170
	III(1単位)	85
呼吸器リハビリテーション料	I(1単位)	175
	II(1単位)	85
難病リハビリテーション料	1日につき	640
障害児(者)リハビリテーション料	I(6歳未満)	225
	II(6歳以上18歳未満)	195
	III(18歳以上)	155
がん患者リハビリテーション料	1単位	205
認知症患者リハビリテーション料	1日につき	240

I,II,IIIは,施設の面積やスタッフにより決められている。

(文献3を基に作成)

表2 精神科専門療法の作業療法士関連の主な診療報酬

区分		点数	備考
精神科作業療法		220	1日につき
精神科デイ・ケア	大規模	590	6時間を標準
	小規模	700	6時間を標準
精神科ナイト・ケア		540	4時間を標準
精神科デイ・ナイト・ケア		1000	10時間を標準
精神科ショート・ケア	大規模	330	3時間を標準
	小規模	275	3時間を標準
入院生活技能訓練療法	Ⅰ	100	入院から6月以内
	Ⅱ	75	入院から6月を超える
重度認知症患者デイ・ケア料		1040	1日につき

大規模,小規模は,定員,従事する職種や人数で区分されている。

(文献4を基に作成)

本書では,医療保険の診療報酬を紹介したが,介護保険においても介護報酬が定められている。

4 おわりに

身体障害,精神障害への診療報酬改定の経過を概観してみると,以下のような点を挙げることができる。

■ 身体障害

2006(平成18)年度の診療報酬改定で,療法別であった区分が疾患別となった。その後は施設基準や報酬での改定が進められている。また,1単位20分以上とした単位性が取り入れられた。

初期加算,早期加算といった発症から早期にかかわる場合の加算や,発症からの期間によって単位数の上限や標準的日数の設定など,早期に短期間で地域生活への移行を目指す流れが顕著である。

アウトカム評価や実績指数の導入による効率化や適正化が求められている。

■ 精神障害

早期治療,入院期間の短期化を目指す改定は身体障害と共通している。

また,精神科リエゾンチーム加算,精神科在宅患者支援管理料の新設など,多職種連携による取り組みの強化が求められており,作業療法士としてはチームのなかの一員としての役割を積極的に果たしていきたい。

作業療法参加型臨床実習に向けて

実習施設は,どの施設基準を申請しているのか,請求可能な診療報酬と点数を確認してみよう。診療報酬の改定は2年ごとにあるので,最新の情報を確かめておく。

【引用文献】
1) 日本作業療法士協会：作業療法が関わる医療保険・介護保険・自立支援制度の手引き. 2010.
2) 日本作業療法士協会制度対策部：平成26年度診療報酬改定情報(その2), 日本作業療法士協会誌, 26：20-25, 2014.
3) 厚生労働省：令和2年診療報酬改定について 第7部 リハビリテーション. (https://www.mhlw.go.jp/content/12400000/000603758.pdf)(2020年12月時点)
4) 厚生労働省：令和2年診療報酬改定について 第8部 精神科専門療法. (https://www.mhlw.go.jp/content/12400000/000603759.pdf)(2020年12月時点)

【引用文献】
1. 日本作業療法士協会制度対策部：平成26年度診療報酬改定情報(その1). 日本作業療法士協会誌, 25：25-30, 2014.
2. 日本作業療法士協会：作業療法白書2015, 日本作業療法士協会, 2017.
3. 日本作業療法士協会：日本作業療法士協会五十年史, 日本作業療法士協会, 2016.

✓ チェックテスト

Q ①作業療法の診療報酬が認められたのは何年か(☞p.358)。 臨床
②平成26年の改定で作業療法士の職名が追記された診療報酬は何か(☞p.360)。 臨床

作業療法部門の管理

4 リスク管理

里村恵子

> **Outline**
> - リスクとは「損失が発生するかもしれない不確実な要素」と一般にいわれている。作業療法場面では，対象者の安心，安全がまず守れてこそ，作業療法の意義を発揮することができる。
> - 医療安全に関連する用語として，医療事故（アクシデント），医療過誤，ヒヤリ・ハット事例（インシデント）がある。
> - 日本リハビリテーション医学会では，安全管理・推進のためのガイドラインを策定し，リスクの早期発見と注意喚起を目的として，リハビリテーション・リスクマネジメントシートによりリスクと思われる項目を列挙している。
> - 精神科領域では，他の医療職域で指摘されているリスクとともに，離院や自殺企図といったリスクへの注意が必要である。

1 リスクとは何か

　リスクとは「損失が発生するかもしれない不確実な要素」といわれている。作業療法の対象者は障害をもっているか，障害が予測される人である。対象者の安心，安全がまず守れてこそ，作業療法の意義を発揮することができることを学んでほしい。

2 医療安全に関連する用語

　医療における安全の確保は，医療法や医療法施行規則，それぞれの職種に関連した法律によって規定されている。これらの法律では「医療安全」という用語が使用されている。

　2002年，厚生労働省により，医療機関の医療安全体制の義務化が行われ，作業療法部門での組織的リスク管理が進められた。

　厚生労働省の「厚生労働省リスクマネージメントスタンダードマニュアル作成委員会」[1]はリスク関連の用語を以下のように定義している。

1　医療事故

　医療に関わる場所で，医療の全過程において発生するすべての人身事故で，以下の場合を含む。なお，医療従事者の過誤，過失の有無を問わない。
　ア　死亡，生命の危険，病状の悪化等の身体的被害及び苦痛，不安等の精

　　　　神的被害が生じた場合。
　　イ　患者が廊下で転倒し，負傷した事例のように，医療行為とは直接関係しない場合。
　　ウ　患者についてだけでなく，注射針の誤刺のように，医療従事者に被害が生じた場合。
2　医療過誤
　医療事故の一類型であって，医療従事者が，医療の遂行において，医療的準則に違反して患者に被害を発生させた行為。
3　ヒヤリ・ハット事例
　患者に被害を及ぼすことはなかったが，日常診療の現場で，"ヒヤリ"としたり，"ハッ"とした経験を有する事例。
　具体的には，ある医療行為が，（1）患者には実施されなかったが，仮に実施されたとすれば，何らかの被害が予測される場合，（2）患者には実施されたが，結果的に被害がなく，またその後の観察も不要であった場合等を指す。

　医療事故をアクシデント，ヒヤリ・ハット事例をインシデントとよんでいる。

3　日本作業療法士協会による安全性への配慮・事故防止

　日本作業療法士協会による「作業療法士の職業倫理指針」[2]第7項「安全性への配慮・事故防止」のなかでは，「リスクマネジメント」「インシデント・アクシデントの報告および分析」「事故防止マニュアルの作成」「事故発生に対する対応」に分けて記述されており，以下に原文を引用して説明する。

■ リスクマネジメント

　「作業療法士が業務を行う現場において，その安全性を保つことが第一義的に考慮されなければならない。(中略)このため，業務を実施する個人が安全への配慮を十分に行うとともに，作業療法の部門として，そして，病院・施設等全体として，事故を未然に防止するための体制を整備し，システムとして組織的に取り組むことが求められる。」
　また，リスクマネジメントに対する取り組みが目指すこととして，次の3点を挙げている。

①予防可能な事故を減少させること
②万一事故が発生した時に迅速かつ適切な対応が組織的に可能な体制を整備し，医療紛争に発展する可能性を減少させて必要なコストを抑制すること
③作業療法の治療・援助・支援の質を高める

> **補足**
> **インシデント・アクシデント報告書の項目**
> 対象者情報，発生日時，場所，事故内容（経過を含む），事故原因，背景要因，事故対策などが含まれている。

■ インシデント・アクシデントの報告および分析

「リスクマネジメントに対する取り組みを有効に機能させるには，インシデント・アクシデントに関する情報の報告とそれに基づく原因の分析を，病院・施設等全体として日常的かつ組織的に行うことが大切である。」
「また，インシデントやアクシデントに関する情報を，リスクマネジメントの中で適正なものとして扱うためには，これらの情報を安心して，報告・共有することが可能となるような環境を整備する必要があり，このためには，情報の収集及び分析を第三者的視点で行い得るようなシステムが不可欠である。」と述べている。

これらの報告の目的は，関係した職員の失敗の指摘ではなく，あくまで，再発を防止にあることを職員全員が認識し，目的に沿った活用が重要である。

■ 事故防止マニュアルの作成

「リスクマネジメントに対する取り組みを具体化するものとして，事故防止マニュアルの作成が不可欠である。」また，本マニュアルには，「厚生労働省リスクマネジメントスタンダードマニュアル作成委員会」が提示した，以下の内容を含む必要性を述べている。

> a）医療事故防止のための施設内体制の整備
> b）医療事故防止対策委員会の設置および所掌事務
> c）ヒヤリ・ハット事例の報告体制
> d）事故報告体制
> e）医療事故発生時の体制
> f）その他，医療事故防止に関する事項

「このようなマニュアル作成の過程と日常的な活動を通して，リスクマネジメントに関する職員一人一人の意識の高揚・維持に努力することが求められる。」

■ 事故発生に対する対応

「万一事故が発生したときには，上述した事故防止マニュアルで定められたように，事故そのものに関する報告・対処を適切に行うとともに，経過の記録・報告，対象者や家族に対する説明などを，率直かつ真摯に行うべきである。」

4 リスクマネジメント項目

次頁「作業療法部門の管理」で示した「臨床作業療法部門自己評価表」[3]には，Ⅸ 安全管理として，8項目が挙げられており，部門として，最低整備

> **試験対策 Point**
> リスク関連の用語，医療事故，医療過誤，ヒヤリ・ハット事例などの内容を正しく理解しておくことが必要である。また，リスクのある場面で，具体的に作業療法士がどう対応するかの設問への対策も，準備しておこう。事故報告書集などが参考になる。

しなければならない項目が示されている。臨床での整備状況に関して，「作業療法白書2015」[4]によれば，緊急時対応マニュアルを具備している施設は，56.6%にとどまっており，まだ十分ではない。

また，COVID-19感染の広がりへの対応に象徴されるように，特に感染症への対策なくしては，作業療法の実施が困難な時代を迎えている。

5 日本リハビリテーション医学会のガイドライン

日本リハビリテーション医学会診療ガイドライン委員会が関連専門職委員会と協力し，リハビリテーション医療が安全かつ効率的に行われるためのシステムを安全管理マニュアルとして策定した（『リハビリテーション医療における安全管理・推進のためのガイドライン』）[5]。内容の主なものとして，リハビリテーション部門における安全管理，全身状態の悪化，リハビリテーション中止基準，危険因子の管理が挙げられている。

そのなかで，対象者のリスクの早期発見と注意喚起を目的としたリハ・リスクマネジメントシートの提案がなされている。シートの内容は，次の9項目である。

> 1）全身状態の悪化（訓練中の急変，意識障害，血圧低下，呼吸困難，感染など）
> 2）MRSAなどの感染症
> 3）転倒・転落・骨折
> 4）医療行為に起因する外傷，熱傷などの危険性
> 5）誤嚥（窒息）・嘔吐の危険性
> 6）患者の取り違えの可能性
> 7）離院・離棟の可能性
> 8）病名・経過・リハビリテーション目標・リスクなどの説明
> 9）その他のリスク

容易に患者のリスクを把握し，リハビリテーションチーム全体で共有する情報とすることで，リスク軽減をするものである。

6 精神科領域でのリスク

精神科領域では精神科疾患や精神科医療の特殊性からの特に配慮すべきリスク2点を以下に示す。

■ 無断離院

病識[*1]をもっていなかったり，納得が得られない入院である場合に，無断で離院する可能性がある。

> *1 病識
> 自分が疾患であるという意識。自分の状態を客観的に判断できない場合に起こる。

> **作業療法参加型臨床実習に向けて**
>
> 実習施設では，実習開始時に安全管理についてオリエンテーションがなされる。授業内容を復習し，学生として守らなければならない事項を確認しよう。

■ **自殺企図**

うつ病の回復期に起こりやすく，幻聴に支配されて起こることもある。

自殺の徴候（例えば「死にたい」と発言したり，荷物を整理するなどの行動がみられたとき）を発見できるように注意深く観察し，主治医を含めたチームで情報を共有し，対処することが重要である。最も強い予防策は，確実な治療関係を作ることにある。

【引用文献】
1) 厚生労働省：リスクマネージメントマニュアル作成指針，2012．(https://www.mhlw.go.jp/www1/topics/sisin/tp1102-1_12.html)(2020年12月時点)
2) 日本作業療法士協会：倫理綱領・倫理綱領解説　作業療法士の職業倫理指針(第14刷)，2020．(https://www.jaot.or.jp/files/page/kyoukainituite/rinrisisin.pdf)(2021年5月時点)
3) 日本作業療法士協会：作業療法ガイドライン(2018年版)，2018．(https://www.jaot.or.jp/files/page/wp-content/uploads/2019/02/OTguideline-2018.pdf)(2021年5月時点)
4) 日本作業療法士協会：作業療法白書2015，p82，2017．(https://www.jaot.or.jp/shiryou/whitepaper/whitepaper2015/)(2021年5月時点)
5) 日本リハビリテーション医学会安全管理のためのガイドライン策定委員会 編：リハビリテーション医療における安全管理・推進のためのガイドライン，医歯薬出版，2006．

Q ①ヒヤリ・ハット事例とは何か(☞ p.367)。　臨床

作業療法部門の管理

5 作業療法部門の管理

里村恵子

> **Outline**
> - 管理とは，「よい状態であるように気を配り，必要な手段を（組織的に）使ってとりさばくこと」である。
> - 日本作業療法士協会によれば，「人事管理及び経営管理的視点（コスト意識）はますます重要となってきており，対象者への作業療法サービスの低下をきたさないように管理・運営的視点で日常業務を点検することが必要である」。
> - 日本作業療法士協会が挙げる管理・運営項目は，「業務管理」「人事管理」「設備・備品・消耗品管理および作品の取り扱い」「記録（文書・電子データ）管理」「リスク管理」の5つの項目である。
> - 日本作業療法士協会による臨床作業療法部門自己評価表（第2版）は4段階でチェックされる。

1 作業療法管理

　国語辞典によると，管理とは「よい状態であるように気を配り，必要な手段を（組織的に）使ってとりさばくこと」[1]とあり，よい作業療法サービスを提供するために必要な環境を整えることと理解できる。

　日本作業療法士協会は，「特に昨今では，人事管理及び経営管理的視点（コスト意識）はますます重要となってきており，対象者への作業療法サービスの低下をきたさないように管理・運営的視点で日常業務を点検することが必要である」[2]と述べている。続けて，管理・運営については，以下の5項目を挙げている。

> 1. 業務管理
> 2. 人事管理[*1]
> 3. 設備・備品・消耗品管理および作品の取り扱い
> 4. 記録（文書・電子データ）管理
> 5. リスク管理

　さらに同協会の「臨床作業療法部門自己評価表（第2版）」（**表1**）[3]には，作業療法部門で行われる管理を含めた業務全体が網羅されており，「設備・備品・消耗品管理および作品の取り扱い」以外の管理内容が理解できる。自己

---

*1 人事管理
人事管理の内容は，人材確保，人材の教育，評価，人事異動，昇格，配置管理，労働時間の管理など多岐にわたっている。組織の目標達成と，部門構成員が自己の最大の能力を発揮し，自己実現を果たすことが目的である。

371

試験対策 Point

管理・運営の5項目，特に記録管理，リスク管理については，自己評価表のⅧ，Ⅸを参考に，知識を確実にしておく必要がある。

評価表では，人事管理については，福利厚生，リスク管理は安全管理の項目に整理されている。自己評価表に示されていない「設備・備品・消耗品管理および作品の取り扱い」の内容を文献[2]から以下に紹介する。

(1) 作業療法（関連）部門の清掃，消毒，リネン交換，洗濯は定期的に行われているか。
(2) 作業療法（関連）部門における物品等の収納スペースは十分備わっているか。
(3) 作業療法（関連）部門の物品は常に補充されているか。
(4) 作業療法（関連）部門の設備・備品の機能は定期的に保守点検されているか。
(5) 作業療法（関連）部門室内の整理・整頓は行き届いているか。
(6) 作業療法で用いた作業によって出来上がった作品の取り扱いの原則について管理部門との間で確認されており，かつ，作業療法開始時点でその内容が対象者に対して説明され，対象者も了解しているか。

協会はこの自己評価表の活用を通して，部門の自己点検を勧めている。この評価表は，該当せず（0）を含め，はい（3），どちらともいえない（2），いいえ（1）の4段階でチェックされる。自己評価表の点検を通し

表1 臨床作業療法部門自己評価表（第2版）

| 部門名 | | 評価年月日 | | 評価者名 | | 得点 | |

評価　　3：はい　2：どちらともいえない　1：いいえ　0：該当せず

評価項目				
Ⅰ　施設全体における作業療法（関連）部門の位置付け				
1　施設全体における作業療法（関連）部門の位置づけが明らかにされているか	3	2	1	0
2　作業療法（関連）部門を統括するポストに作業療法士が配置されているか	3	2	1	0
3　作業療法士の採用（決定）に作業療法士が関与しているか	3	2	1	0
4　作業療法士（関連）部門における職員の組織図が明らかにされているか	3	2	1	0
5　作業療法士（関連）部門に作業療法士数は充足しているか	3	2	1	0
6　施設内の関係委員会等へ作業療法士が委員として参画しているか	3	2	1	0
7　作業療法（関連）部門へのアクセスは利用者の立場から配慮されているか	3	2	1	0
8　作業療法（関連）部門の物理的空間は十分か	3	2	1	0
Ⅱ　業務管理				
1　作業療法（関連）部門の事業計画は年度初めに職員に明らかにされているか	3	2	1	0
2　作業療法（関連）部門の運営要綱があるか	3	2	1	0
3　作業療法職員の職務（担当・役割）が明らかにされているか	3	2	1	0
4　作業療法（関連）部門の運営会議は定期的にもたれているか	3	2	1	0

（次ページへ続く）

表1の続き

5	毎年の作業療法業務実績は明らかにされているか	3	2	1	0
6	定期的な業務の見直しがされているか	3	2	1	0
7	作業療法倫理綱領や職業倫理指針は遵守されているか	3	2	1	0
8	個人情報保護に関する対応がなされているか	3	2	1	0
9	情報公開に関する対応がなされているか	3	2	1	0
10	権利擁護に関する対応がなされているか	3	2	1	0
Ⅲ	対象者への評価に関すること				
1	評価に必要な各種用具・用紙は整備されているか	3	2	1	0
2	対象者について医学的情報等関連する情報の収集が十分行われているか	3	2	1	0
3	対象者に必要に応じた評価を行っているか	3	2	1	0
4	対象者または家族に評価内容を説明し，了解(同意)を得ているか	3	2	1	0
Ⅳ	対象者への作業療法治療(援助・指導)定義に関すること				
1	対象者に対し作業療法初回プログラムを作成し明示しているか	3	2	1	0
2	対象者に対し必要に応じて作業療法プログラムを組立て直しているか	3	2	1	0
3	治療(援助・指導)に必要な設備，備品，消耗品は整備されているか	3	2	1	0
4	対象者または家族に治療(援助・指導)内容を説明し了解(同意)を得ているか	3	2	1	0
5	対象者に対し，フィードバックを得ながら治療(援助・指導)を進めているか	3	2	1	0
6	治療(援助・指導)技術に関して対象者が評価する体制が備わっているか	3	2	1	0
Ⅴ	対象者の支援に関する役割・機能				
1	対象者一人一人を評価・アセスメントし病気の回復を促すための回復に沿ったプログラムが提供できているか	3	2	1	0
2	心身の両面を評価し，アプローチできているか	3	2	1	0
3	対象者のマネージャー役ができているか	3	2	1	0
4	場と活動が適切に提供できているか	3	2	1	0
5	グループによる集団活動の場が提供できているか	3	2	1	0
6	対象者の健康的な側面に働きかけることができているか	3	2	1	0
7	対象者が安心して自分の能力を回復したり，自信を取る戻す場を提供できているか	3	2	1	0
8	退院のための援助ができているか	3	2	1	0
9	病院と地域の橋渡し役ができているか	3	2	1	0
10	就労支援や社会参加の機会が提供できているか	3	2	1	0
Ⅵ	病院内での職種としての役割・機能				
1	リハビリテーションにおける中心的機能を果たせているか	3	2	1	0
2	病院内のチーム医療をうまくコーディネートする役割を果たせているか	3	2	1	0
3	地域生活を安定させるために地域支援につなげるよう各関係者と連携し，支援できているか	3	2	1	0
4	他職種に作業療法の視点を提供できているか	3	2	1	0
Ⅶ	他部門・他機関との連携				
1	対象者について作業療法への処方又は依頼に関する書類が保管されているか	3	2	1	0
2	対象者について他部門との間で治療(援助・指導)の方針は合意されているか	3	2	1	0

(次ページへ続く)

表1の続き

3	カンファランス，症例検討等は定期的に行われているか	3	2	1	0
4	対象者の作業療法に関わるスケジュール変更等の連絡方法は確立しているか	3	2	1	0
5	個々の対象者に対し，治療初期から他機関との連携をとる体制が備わっているか	3	2	1	0
Ⅷ	記録(文書)管理				
1	作業療法実施件数は毎回記録されているか	3	2	1	0
2	毎回の作業療法について年月日，時間，作業療法実施内容，担当者名が記録されているか	3	2	1	0
3	カンファランス，症例検討等の内容は毎回記録され，保管されているか	3	2	1	0
4	他部門，他機関への報告の写しは保管されているか	3	2	1	0
5	全ての作業療法記録は必要保存期間に従って保管されているか	3	2	1	0
Ⅸ	安全管理				
1	緊急時対応器具類は配備されているか	3	2	1	0
2	施設内感染防止対策は実施されているか	3	2	1	0
3	治療(援助・指導)器具類は定期的に点検をし，安全に管理されているか	3	2	1	0
4	医療安全管理マニュアルは整備されているか	3	2	1	0
5	作業療法(関連)部門に**リスクマネージャー**が定められているか	3	2	1	0
6	緊急時対策は明示されているか(マニュアルが備えられているか)	3	2	1	0
7	防災訓練は定期的に実施されているか	3	2	1	0
8	作業療法(関連)部門の設備・備品の機能は定期的に保守点検されているか	3	2	1	0
Ⅹ	教育・研修・研究				
1	作業療法学生の臨床教育(実習)を実施しているか	3	2	1	0
2	作業療法士の新人教育を実施しているか	3	2	1	0
3	部門内研修，施設内研修等は定期的に実施されているか	3	2	1	0
4	外部の研修会・講習会等への参加が保証されているか	3	2	1	0
5	業務上必要な図書は整備されているか	3	2	1	0
6	研究に関する指導体制は整備されているか	3	2	1	0
Ⅺ	福利厚生				
1	作業療法(関連)部門の産児休暇・育児休暇者の代替員の雇用制度があるか	3	2	1	0
2	作業療法(関連)部門の休職者の代替員の雇用制度があるか	3	2	1	0
3	作業療法士(関連)部門職員の健康診断は定期的に実施されているか	3	2	1	0
4	作業療法(関連)部門の職員が休息するための時間，空間等が十分確保されているか	3	2	1	0
5	作業療法士(関連)部門の職員の年次休暇はとられているか	3	2	1	0

(文献3より引用)

> **補足　権利擁護**
> 知的障害，精神障害，認知機能の低下などのために，自分で判断する能力が不十分だったり，意志や**権利**を主張することが難しい人たちのために，代理人が**権利**の主張や自己決定をサポートしたり，代弁して**権利**を擁護したり表明したりする。

アクティブラーニング ① 自己評価表Ⅳ，Ⅴの項目を，患者と接する時の自分を振り返る際に役立たせてみよう。また，卒業時の就職活動を考える際にも参考にしてみよう。

て，部門の優れている点，解決すべき課題を明確にすることができる。また，この点検を，部門に属する職員で共有することが，対象者へのサービス向上に繋がっていく。

2 作業療法管理学を学ぶ意義

2020年入学の学生から適応されている「理学療法士・作業療法士学校養成施設カリキュラム等改善検討会報告書」[4]のなかの「作業療法管理学」については，本書p.232，「学校養成施設の新規カリキュラム」の項に詳しく述べられている。「より質の高い作業療法を提供するために，保健，医療，福祉に関する制度(医療保険・介護保険制度を含む)の理解，組織運営に関するマネジメント能力を養うとともに，作業療法倫理，作業療法教育について理解を深める必要がある」と作業療法管理学の強化が定められた。

よい作業療法サービスの土台になる環境整備を担う管理と臨床活動は，作業療法活動の両輪として関心を深めていただきたい。

> **補足**
>
> **リスクマネジャー**
> 「リスクを把握・評価して組織的に対策を立てること(事故防止活動)」と「事故が発生したら適切に対応して損害を最低限にすること(事故の対応)」の両方を含む取り組みを，他職と横断的に協働しながら管理する者。

> **作業療法参加型臨床実習に向けて**
> 実習施設で施設での部門の5つの管理がどのように実施されているか指導者を通して学習してみよう。

【引用文献】
1) 西尾　実，ほか：岩波 国語辞典 第4版，岩波書店，1986．
2) 日本作業療法士協会：日本作業療法士協会五十年史，p184，2016．
3) 日本作業療法士協会：作業療法ガイドライン(2018年版)，2018．(https://www.jaot.or.jp/files/page/wp-content/uploads/2019/02/OTguideline-2018.pdf)(2021年5月時点)
4) 厚生労働省：理学療法士・作業療法士学校養成施設カリキュラム等改善検討会報告書．(https://www.mhlw.go.jp/file/05-Shingikai-10801000-Iseikyoku-Soumuka/0000193703.pdf)(2020年12月10日時点)

✓チェックテスト

Q ①日本作業療法士協会が示した5つの管理項目を挙げよ(☞p.371)。　臨床
②権利擁護とは何か(☞p.374)。　臨床
③リスクマネジャーの役割は何か(☞p.375)。　臨床

8章

作業療法研究

作業療法研究

1 研究の種類

里村恵子

> **Outline**
> - 研究とは，「物事を深く考え，調べ，明らかにすること」である。
> - 研究の種類として，推論による分類として質的研究，量的研究があり，研究手法による分類として，文献研究，調査研究，実験研究，事例研究がある。

1 作業療法における研究

　研究とは，「物事を深く考え，調べ，明らかにすること」[1]である。

　前章「作業療法部門の管理」で紹介した日本作業療法士協会による「作業療法士の職業倫理指針」[2]の第1項「自己研鑽」では，「知識・技術・実践水準の維持・向上，生涯研鑽，継続的学習，能力増大のための機会追求，専門職としての資質向上，専門領域技術の向上・開発」がうたわれている。正しく根拠に基づいた作業療法を行うための専門職としての自覚が求められており，自らが行った実践や研究の吟味や検証の必要性が強調されている。また，新たな専門的知識や技術を，同僚や後輩へ伝達することの重要性も述べている。

2 研究の種類

■推論による分類

●質的研究

　科学的研究の1つとして帰納的推論がある。これは，研究者自身が，研究対象の現象のなかに入り，観察し，現実にある真実を明らかにすることである。そのため，フィールドでの関与が中心になり，対象者の「語り」や行動の変化の観察から新たな見方や仮説・理論を創ることになる[3]。これを質的研究といっている。質的研究としては，保健医療分野でよく利用される**グラウンデッド・セオリー**[*1]や民俗学や文化人類学から発展した**エスノグラフィー**[*2]などがある。

●量的研究

　一方，演繹的推論は，研究者は現象の外に位置して，客観的に観察し発見していく推論方法である。帰納的手続きによって見出された仮説を検証するために，意図的な方法で，複数のデータを集めて，統計的に検証する研究を量的研究といっている[3]。実験研究が代表的なものである。

＊1 グラウンデッド・セオリー
社会学者のストラウスとグレイザーによって開発された，質的調査データなどの分析手法の1つ。面接や観察で得られたデータを文章化し，文章を細かく分析した内容にラベルをつけて，そのラベルをさらにグループ化したり関連付けたりすることで，最終的に理論化をめざす。

＊2 エスノグラフィー
対象者の生活環境に調査者が身を置いて，対象者と行動をともにすることで相手を深く知る方法。フィールドワークや参与観察などの調査を通して，異なる文化に生きる人々の社会生活について記述する。

図1 科学的な研究方法

（文献3より引用）

質的研究と量的研究の関係を**図1**³⁾に示す。

■ 研究手法による分類

● 文献研究

　次項の「研究の流れ」で触れる「文献レビュー」は，研究疑問から研究計画に進むために，過去の関連の文献を精読する作業である．文献レビューと文献研究について，宮前[4]は，「文献レビューをより組織的かつ包括的に行いまとめたものを文献研究（総説，レビュー）といってよい」としている．文献研究のなかでも，明確に設定された疑問に関連する質の高い研究に対して系統的に分析することをシステマティックレビュー（系統的文献レビュー）という．総説では研究者の主観で選択した論文のみを引用するため内容の偏りの懸念があるが，システマティックレビューでは，文献の選択基準が示され，客観性の高い結果が得られる．エビデンスに基づく実践（EBP：evidence-based practice）が求められる時代に，システマティックレビューは重要な手法となっている．

● 調査研究

　調査研究とは，川口[5]は，「十分な文献検討をふまえて，研究対象となる事象や現象のなかに潜む概念や問題を整理したうえで，データを量的に記述し，あらかじめ設定した変数間にどんな関係性があるか，または，そのなかに潜む新しい変数は何かについて究明していく研究」と定義している．データ収集の方法としては，観察法，面接法，質問紙法などがある．

　また，観察法のなかにも，あらかじめ観察の視点を限定して，特定の行動や事象の変化をとらえようとする組織的観察法と，できるだけ構造化しない非偶発的観察法がある．また，研究者が対象の集団に構成員として参加し，行動をともにしながら観察する参与観察法と，研究者は第三者として観察する非参与観察法がある．

　面接法については，質問内容や回答内容の記録方式が決められている構造的面接と，あらかじめ質問内容を規定せず，研究者と対象者との自由な会話から情報を集める方法である非構造的面接がある．かかわり方としては，個別面接，グループ面接があり，対面による面接や電話による面接がある．

また調査研究でよく使われるのが質問紙調査である。調査目的に沿った質問紙を作成し，質問項目に答えてもらう方法である。調査の実施方法として，個別訪問面接，郵送調査，集合調査(対象者を特定の場所に集め，質問紙を配布し，回答後に回収する)，電話調査，留置調査(調査者が対象者を訪問し，質問紙を渡しておき，一定期間後に回収する)などがある。質問紙の作成にあたっては，できるだけ協力を得やすく，対象者の意向を反映できるよう，設問内容をわかりやすくしたり，回答の型や選択肢の工夫をしたりすることなどが求められる。

対象者の選択では，標本抽出(サンプリング)を行う。標本抽出とは，研究対象となる母集団(研究対象になる人々)に含まれるすべての標本を対象とすることが困難である場合，母集団を代表するような標本を効果的に抽出し，全体を推論する方法である。

質問紙回収後は，データの集計，分析，考察，論文作成へと進める(次項「研究の流れ」参照)。

● 実験研究

実験研究とは，仮説の真偽を検証(テスト)する形式の研究のことを意味する[6]。

「A(独立変数)ならばB(従属変数)である」ことを証明するために，Aを変化させ，その結果Bがどのように変化するかを操作的に調べる目的で行われる研究である。

実験研究には，操作上の定義の必要性，実験群と統制群の設定，妥当性と信頼性の確保，倫理的な問題(事象をコントロールするために起こる問題)など，考慮すべき項目も多い。

・シングルシステムデザイン

量的単一事例研究法，シングルケース実験法などともよばれている。前述のように，実験研究では実験群と統制群に分けることについての倫理的問題があるので，その問題の回避のために，単一または少数を対象として治療介入し，変化を追っていく研究法である。図2[7]に示すように，具体的実施方法は，はじめに治療の目標となっている行動を設定し，何の治療も行わない状態(A期，ベースライン)で評価項目について測定を行う。次に治療的介入を行い(B期)，同じ評価項目を測定する。図2に示したABデザイン以外に，ABAデザイン，ABABデザインなどがある。

● 事例研究

事例研究とは，作業療法経過を後ろ向き(事後的)に振り返り，具体的な事象や状況を全体的あるいは焦点化した視点で仮説を立て，探索的に考察し，新しい概念を抽出する研究方法である[8]。なぜ事例研究を行いたいのかといった問題意識を認識することが重要である。作業療法士が，「事例報告」「症例報告」「ケーススタディ」といった形で自分の臨床活動を振り返

補足

変数
統計学で分析する対象の属性を表すものである。独立変数は，説明変数ともよばれ，結果に影響を与える因子のことをいう。従属変数は説明変数ともよばれ，結果そのものや影響を受ける因子のことである。

試験対策 Point
さまざまな研究の内容を確実に理解しておく。特に，シングルシステムデザインについては，よく理解しておくこと。

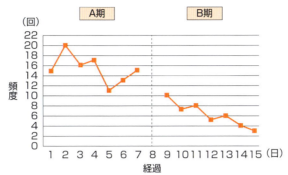

図2 シングルシステムデザイン（ABデザイン）

A期はベースライン期，B期は治療的介入期。

（文献7より引用）

作業療法参加型臨床実習に向けて

実習期間中に見学したり，かかわりのあった患者について，**表1**の事例報告の項目に沿って指導者に質問をしながら，まとめてみよう。

り，報告したことは，他者とともに検討を加える作業を基礎にして，事例研究へ発展させることができる。臨床実習においても，この事例報告を経験することができる。事例報告に含める項目とその内容を**表1**[8]に示す。

表1 事例報告の項目

①報告の目的	●事例報告の目的を述べ，その目的に沿って論点を絞り，介入が長期にわたる場合はある一定期間に限定して報告する ●種々の問題に介入した場合は，標的問題を中心に報告するなどの工夫をする
②事例紹介	●年齢，疾患名，既往歴，現病歴，作業療法の対象となるまでの経緯，社会的背景など，本事例の作業療法方針に関連する個人因子と環境因子について述べる
③作業療法評価	●対象者の標的問題を中心とした評価（問題点，潜在能力，経過予測）を述べ，介入前の障害像，特に報告の目的にかかわる主要な問題点を提示する ●評価指標は既存のもの以外に独自に作成したものを使用した場合は，その内容を具体的に記述する ●観察評価を中心とする場合には，観察の始点，観察された事実情報を具体的に記述する
④介入の基本方針	●作業療法介入の基本方針について，目標あるいは目的達成のためにどのような方針で作業療法を進めたのかを具体的に述べる ●いくつかの基本方針を順次進める場合と，同時進行させる場合とがあるが，基本方針が複数にわたる場合にはわかりやすい記述に努める ●介入のもとにした作業療法の実践モデルがある場合には，モデルや理論の名称を記載する
⑤作業療法実施計画	●実施課題（作業活動），実施形態（個別，集団，訪問など），実施頻度（1回時間，週の回数など），実施期間など，作業療法士が何を手段としてどのようにかかわったのかを明記する ●用いた作業活動の選択理由，利用・活用方法，指導・援助方法など，目的達成のためにどのような意図をもって作業療法を実施したのかを述べる
⑥介入経過	●どのような経過をたどったのかを述べ，経過が長い場合や介入項目が多い場合は，期間をいくつかの期に分け，項目ごとに整理するなどして読者に伝わりやすい表現を工夫する ●主要な介入方法は詳細に述べ，読者が追試を試みようとするときに役立つ情報を提供する ●プログラムの変更があった場合には，その理由を述べ，予期せぬ変化等についても述べる
⑦結果	介入によって得られた評価指標（数値）の変化，あるいは作業療法によって生じた対象者の生活や行動上の変化などを具体的に述べる
⑧考察	●結果で述べた対象者の変化について解釈を記述する ●作業療法（介入）は対象者の標的問題にどのような変化（効果）をもたらしたのか，あるいはもたらさなかったのか，そしてそれらはどのような理由によるものかなどを，利用した評価指標の変化との関連から考察する ●実践した作業療法が対象者の生活にどのような変化をもたらしたのか，対象者にとっての意味や価値という視点，活動や参加，生活の質といった視点についても考察する
⑨文献	●言及もしくは引用した文献とその箇所について記述する

（文献8より引用）

 ① 学術誌から自分の興味ある論文を選び,その論文が本項で述べたどの種類の論文かを検討してみよう。

【文献】
1) 西尾 実,ほか:岩波国語辞典 第4版,岩波書店,1986.
2) 日本作業療法士協会:作業療法ガイドライン(2018年版). 2018.
3) 川口孝泰:看護研究ミニマム・エッセンシャルズ,p5,医学書院,2020.
4) 宮前珠子:文献レビュー. 作業療法士のための研究法入門(鎌倉矩子,ほか編),p54-60,三輪書店,1997.
5) 川口孝泰:看護研究,p22-23,医学書院,2020.
6) 清水 一:実験的研究. 作業療法士のための研究法入門(鎌倉矩子,ほか編),p83-107,三輪書店,1997.
7) 日本作業療法士協会:シングルシステムデザイン. 作業療法マニュアル 68 作業療法研究法マニュアル 改訂第3版,p36,日本作業療法士協会,2019.
8) 日本作業療法士協会:事例報告の作成. 作業療法マニュアル 68 作業療法研究法マニュアル 改訂第3版,p33,34,日本作業療法士協会,2019.

✓ チェックテスト

Q ①調査研究で行うデータ収集の方法を挙げよ(☞p.379〜380)。 基礎

作業療法研究

2 研究の流れ

里村恵子

Outline
- 研究は，研究疑問から始まり，文献レビュー，研究計画書の作成，倫理審査申請書の作成，研究の実施（データ収集），結果の整理・分析，発表といった流れで行われる。
- 研究計画書に含まれるものは，題目，研究者名，研究背景，目的，方法，予想される結果，意義，期間，文献である。

試験対策Point
研究の流れに沿った各ステップに関連する用語を確実に覚えるようにする。また，研究の経験として，どのステップで何を行ったかを整理しておくとよい。

研究を実施するには，図1に示すような段階がある。以下に流れに沿って解説する。

図1 研究の流れ

研究疑問の設定
↓
文献レビュー
↓
研究計画書作成
↓
倫理審査申請書作成，申請
↓
研究の実施（データ収集）
↓
データの整理，分析
↓
発表（誌上発表，学会発表）

1 研究疑問の設定

作業療法士として，臨床活動を含めさまざまな活動をするなかで，「なぜだろう」「どうしたら解決できるのか」といった疑問が湧いてくる。まさにこれが，研究の出発点である。この素朴な疑問をそのままにしないで，仮説に発展させることが必要である。

仮説とは，「ある現象を統一的に説明するためにたてた仮定」[1]のことである。研究疑問のタイプとして，代表的な2つを紹介すると，例えば「片麻痺患者のBrumstromステージとADL自立度には関係がある」といったタイプの研究疑問は仮説がすでに明らかなので，仮説を検証するタイプである。また，「うつ病回復者が復職を継続できる因子は何か」といった研究疑問は，仮説を探求するタイプである。このタイプによって，研究手法が

選択される。前者は量的研究が取られ，後者は，質的研究が採用される。

2 文献レビュー

　研究疑問に関して，現在どこまで研究が蓄積されているかを確認する作業が文献レビューである。設定した疑問についてもう研究がなされていれば，研究をする必要はないからである。

　文献の検索には，直接，書籍や雑誌を探索するマニュアル検索とインターネット検索がある。

　医学文献のインターネット検索の代表的なデータベースとしては，国内の医学中央雑誌（医中誌web），海外のMEDLINE（PubMed）が主なものである。この2つ以外に海外の看護領域でのCINAHLや作業療法領域のOT seekerなどがある。インターネット検索については，養成校に図書館司書が勤務していれば，利用方法を教授してもらうこともよい方法である。また，文献検索に関連した成書[2]等を参考に，実際に経験を積み重ねることを勧めたい。インターネット検索では，キーワードを手掛かりにするので，日本作業療法士協会のキーワード集[3]を参考にしてほしい。

　　文献レビューをしっかり行うことが，充実した研究計画に発展していくことを認識してほしい。そのためには，集めた資料を十分読み込み，クリティークを行う。クリティークとは，集めた文献の分析的評価のことである。クリティークの視点には，質的研究と量的研究では違いがあるが，重要な点は，その研究が何を明らかにしているか（新しい見方・考え方・発見あるいは仮説の検証），新しい展望が記されているか，である。まずは，疑問点，批判点を整理し，研究疑問解決への研究に発展させられるよう深めることである。文献を読む際，重要な部分にアンダーラインを引いたり，カードにまとめておくなどの作業を行うことが，最終的な論文執筆に役立ってくる。

3 研究計画書作成

　研究計画書は，立案した研究を実現していく道筋を示すものである。計画書に記載する内容について，以下に説明する。

①研究題目

　題目は，研究内容を正確に簡潔に表現し，第三者が読んで，研究内容が予想できるように工夫する。

②研究者名

　研究責任者のほか，研究実施者，共同研究者なども記載する。

③研究の背景

　文献レビューにより，今までに行われた先行研究により，すでに解明されたこと，まだ解明されていないことを示し，これから実施しようとしている研究の課題を述べる。

作業療法参加型臨床実習に向けて

実習中に疑問をもったこと，興味をもったことに関して，文献レビューをしてみよう。キーワードを手掛かりに，インターネット検索を実施してみよう。

④研究目的

　この研究で解明したい内容を述べる。

⑤研究方法

　研究方法のなかに研究対象が含まれており，母集団と標本抽出方法，人数，属性などを記載する。

　測定に用いる機器，調査項目，実際の質問用紙，実施方法，結果の分析方法，利用する統計分析方法を述べる。結果が出てから分析方法を考えるのではなく，研究計画の段階で検討しておくことが必要である。

⑥予想される結果

　研究結果の仮説を示す。

⑦研究の意義

　この研究の成果が，どのように，何に貢献できるかを明記する。

⑧研究期間

　最終的な研究の終結の期日。加えて実験装置の完成の期日，実験終了期日，結果の分析期日，論文執筆終了期日などの予定を示しておくと，研究進行の目安になる。

⑨文献

　先行研究の文献レビューを行ったなかで，重要な文献を記載する（記載の方法については，日本作業療法士協会発行の学術誌「作業療法」の執筆要領[4]参照）。第三者が情報源に直接たどり着けるように記載する必要がある。一般的に，書籍の場合，著者名，著書名，引用開始−終了ページ，出版社名，発行年を表示する。雑誌の場合，著者名，論文名，雑誌名，巻数，開始−終了ページ，発行年を記載する。具体例は，日本作業療法士協会の学術誌「作業療法」の執筆要領にある10の引用文献リストの書き方[4]を参考にするとよい。また，次項「研究の倫理」の著作権の節でも触れているのであわせて学習していただきたい。

4 倫理審査申請書作成，申請

　次項「研究の倫理」で述べるが，研究活動が倫理的に実施されるように，研究実施前に各所属にある倫理審査委員会へ倫理審査申請書を提出し，承認を得なくてはならない。倫理審査申請書に含まれる事項としては，前述した研究計画書の各項目に加えて，以下のような項目が必要である。

　①インフォームド・コンセントの方法，②個人情報の管理方法と廃棄方法，③予想されるリスクと事故に対する対応方法，④対象者の利益（謝礼など），⑤研究費用の調達方法，⑥利益相反（詳しくは，p.390，「研究の倫理」の項参照），⑦研究結果の公開方法。

　各施設で倫理審査の書類が準備されているが，日本作業療法士協会の「課題研究助成制度」で使用される「課題研究倫理審査申請書」の書式を例に挙げる[5]。審査では，この「課題研究倫理申請書」以外に対象者に行った説

明内容を示し，対象者から同意を得た証明となる書類である「同意説明文書」「同意書」も申請書に添付する。同意書には，対象者の署名，同意説明書には，説明をした研究者の署名が必要である。その書類は2部作成し，対象者，研究者両者で保管する。対象者が同意して，撤回する自由を保障するための「同意撤回書」の準備も研究者の責任である。「課題研究倫理申請書」内の研究Ⅰは課題研究助成制度の日本作業療法士協会で指定する指定課題であり，研究Ⅱは自由課題のことである。

養成校における卒業研究については，各養成校がそれぞれの方針の下に倫理審査を行っている。指導教員と連名で，養成校の倫理審査委員会に申請する養成校もある。就職した施設に倫理審査委員会が設置されていないが研究をしたい場合は，卒業した養成校に相談してみるとよい。研究の実施は，倫理審査委員会で受理されてから開始する。受理されると，承認番号が与えられ，論文投稿の際は，論文に明記することになる。

5 研究の実施（データ収集）

研究計画書，研究方法に沿って実施する。

6 データの整理，分析

集まったデータを記述し，研究目的に応じた統計処理や検定を行い，考察のための整理，分析を行う。統計や検定の必要性について，対馬[6]は3点挙げている。①被験者数は最小限に絞る，②データは信頼性と妥当性が高いものに絞る，③解析は，結果が偏らないように無駄なく行う。この信頼性とは，測定値が，繰り返し測定しても同じ値となり，一貫性と再現性があるということである。また，妥当性とは，測定結果が，測ろうとする概念を的確に測っているかを意味する。本書では，さまざまな具体的な統計方法や検定方法については紙面の都合で取り上げられないため，統計学の授業や成書[7]を参考にしていただきたい。

7 研究成果の発表（誌上発表，学会発表）

研究成果を多くの人と共有するのが，誌上発表（論文発表）であり，学会発表である。

いずれの場合も，読んでもらう人，聞いてもらう人，見てもらう人にわかりやく伝えることを心がける。発表者の研究テーマについて初めて接する人もいることを意識する。川口[8]は，「上手に話す」「わかりやすく見せる」「論理的に書く」をそのための要素として挙げている。

■誌上発表（論文発表）
●論文の種類
投稿しようとする学術雑誌により異なる。日本作業療法士協会の発行す

る学術誌「作業療法」の投稿規定にある「論文の種別と規定枚数について」[9]を参考のこと．総説，原著論文，実践報告，短報の4つがある．

● **論文構成**

『作業療法』の論文の構成は，標題（日本語・英語），著者情報（日本語・英語），抄録（要旨，日本語・英語），キーワード（日本語・英語），本文と文献，図・表となっている．以下に，主な点を「作業療法」執筆要領に沿って説明する．

①標題

前述の研究計画書作成の「①研究題目」を参照．

②著者情報（日本語・英語）

著者名，会員番号（非会員は職種），著者全員のメールアドレス，所属機関名．

③抄録（要旨，日本語・英語）

原則として，目的，方法，結果，結論が明らかになるよう求めており，日本語は300字以内，英語は100～250ワードとなっている．

④キーワード

論文内容を代表させるような単語を記載する．文献レビューの節で示したように，論文が掲載後，検索される際の手掛かりになるものであるので，的確に検索されるように吟味して選択する．単語の数は学術誌によって異なるが，多くても5個程度である．

⑤本文

一般的に本文の構成は，序文（はじめに），目的，方法，結果，考察，研究の限界・今後の課題，結論，謝辞，で構成される．

1. 序文（はじめに）

研究計画書でふれた研究動機や研究疑問に基づく先行研究の文献レビュー，研究背景，研究の意義を述べる．

2. 目的

明らかにしたい目的を述べる．

3. 研究方法

研究計画書作成の「⑤研究方法」で述べた内容を，他の研究者が検証できるように，具体的に記述する．研究倫理上の配慮をどのように行ったか，インフォームド・コンセントの方法もここで述べておく．倫理審査委員会の承認を得た場合は承認番号を書いておく．

4. 結果

研究方法に従って実施し，出されたデータを記載する．わかりやすいように，表や図を利用する．

5. 考察

結果から導き出された解釈を述べ，先行研究，研究仮説との関連

を検討する。得られた知見の意義を述べる。

6. 研究の限界・今後の課題

　研究で未達成な課題，達成できなかった理由，今後の取り組み内容や課題を述べる。

　[質的研究の論文：質的研究の論文についても，1~6の流れで構成されるが，4, 5は「結果と考察」としてまとめられることがある。]

7. 結論

　研究によって得られた結果が，研究目的や研究疑問にとってどのような意味をもつのか，研究課題について何がわかったのかを述べるのが結論である。学会規定によっては，考察に含まれる場合もある。

8. 謝辞

　調査や実験に協力してくれた研究対象者，オーサーシップを満たさなかった協力者への謝辞を述べる。また，研究の資金援助を受けた場合(科学研究費など)は，その助成名を書く。

⑥文献

　それぞれの投稿しようとする学会や学会誌の投稿規定，執筆要綱に沿った出典の明示が求められている。研究計画書作成の「⑨文献」を参照のこと。

> **補足**
> **オーサーシップ**
> 学術研究倫理においては，論文の著者や共著者，実験やデータ分析などにかかわった人が記載されるべきとされている。

■学会(学術集会)発表

　発表までの流れであるが，まず研究者は，研究内容によってどの学会に発表するかを決定する。抄録を作成し，学会事務局へ登録，受付後，査読(学会発表にふさわしいかの判断)を受ける。その結果，採択，不採択の連絡を受ける。採択されれば，発表の資料作成という手順で進めていく。採択通知時に，発表の種類が通知されるのが一般的であるが，学会によっては，発表の種類を発表者が選択できる場合もある。主に口述発表，ポスター発表，オンラインによる発表の3種類がある。

● 1. 口述発表

　誌上発表の構成と同様に，序文，目的，方法，結果，考察の流れで，スライドを作成し，聴衆の理解を深める工夫をする。日本作業療法学会では，7分が発表時間として与えられている。スライド1枚に約1分の時間を必要とするので，6枚から7枚を目安に作成する。1枚のスライドに情報を盛り込みすぎないことも注意点である。聴衆の立場に立って，文字の大きさや行数，文字や背景の色にも配慮する。

● 2. ポスター発表

　ポスター発表は，主催者側から与えられたパネル(日本作業療法学会では縦150cm，横90cm)に研究成果のスライドを貼り付ける。参加者が約

2mの距離から見ることを考え，スライドの配置や，字の大きさ，図表の工夫などが必要になる。ポスター発表の形式には，①ポスター掲示のみ，②決められた時間にポスター掲示者としてポスターの脇に立ち，ポスターを見た参加者と意見を交換する，③ポスターセッションとして，座長の司会でポスターを示しながら発表をして参加者と意見交換する，といったやり方がある。

3. オンラインによる発表

COVID-19の感染防止のため，ライブ配信と**オンデマンド配信**(録画視聴)*1による学会開催が行われるようになった。web会議ツールで口頭発表を行い，スライド画面も共有する形で発表し，オンラインで質疑応答の機会を設けたり，ポスター発表はそれぞれの発表ごとに設けたweb会議ツールで行ったりと，質疑応答やポスター発表もオンライン上で完結させる。臨場感には乏しいが，現地に行く必要がないため，多くの人の学会参加が可能になるというメリットがある。

> *1 **オンデマンド配信**
> 視聴者の要求に応じて，動画を配信する形式。視聴者のタイミングで希望する動画を視聴できる。学会や研修会などにも利用されている。動画作成にあたっては何度でも撮り直しが可能であり，十分な準備ができる。

> **アクティブラーニング①** 学術誌から自分の興味ある論文を選び，文献レビューで示したように論文を読み，疑問点，批判点を挙げ，その疑問点や批判点について他の文献で調べてみよう。

【文献】
1) 西尾 実，ほか：岩波国語辞典 第4版．岩波書店，1986．
2) 小島原典子，河合富士美：PICOから始める医学検索のすすめ．南江堂，2019．
3) 日本作業療法士協会：作業療法キーワード集(2020年10月改訂)．(https://www.jaot.or.jp/academic_journal/key-word/)(2020年12月時点)
4) 日本作業療法士協会：執筆要領(2020.7.1改訂，2021.7.1更新)．作業療法，40(2)：268-269，2021．(https://www.jaot.or.jp/academic_journal/gakujutsushi_toukoukitei/)(2021年7月時点)
5) 日本作業療法士協会学術部：倫理審査申請書，2019．(https://www.jaot.or.jp/files/page/wp-content/uploads/2010/08/kadaikenkyu-tebiki-1.5.pdf)(2020年12月時点)
6) 対馬栄輝：医療統計解析 使いこなし実践ガイド．羊土社，2020．
7) 新谷 歩：今日から使える医療統計．医学書院，2015．
8) 川口孝泰：看護研究ミニマム・エッセンシャルズ，p115．医学書院，2020．
9) 日本作業療法士協会：投稿規定(2020.7.1改訂，2021.5.31更新)．作業療法，40(2)：267，2021．(https://www.jaot.or.jp/academic_journal/gakujutsushi_toukoukitei/)(2021年7月時点)

✓ チェックテスト

Q ①研究をするときには，何から始めるか(☞ p.383)。 **基礎**

作業療法研究

3 研究の倫理

里村恵子

Outline

- ドイツ労働者党の行った虐殺や無差別人体実験の歴史への反省から，ニュルンベルグ倫理綱領が定められた。その内容は，人体実験の被験者には，自発的同意を得るということであった。
- 1964年，世界医師会によるヘルシンキ宣言が発表された。ヘルシンキ宣言の主旨は，人間を対象とする医学研究の倫理的原則を文書として勧告したものである。
- 厚生労働省，文部科学省から，人を対象とする医学系研究に関する倫理指針が発表されている。また，日本作業療法士協会による「作業療法士の職業倫理指針」には，「研究倫理」，「インフォームド・コンセント」の2項が研究関連として明記されている。
- 「研究倫理」では，作業療法士が人を対象とする臨床研究を実施する際，対象者に対して，研究の目的，方法，予想される効果，危険性，およびそれがもたらすかもしれない不快さの説明の必要性と同意を得てからの実施を求めている。

「7章 作業療法部門の管理」の「専門職としての職業倫理」(p.344)で述べた，対象者に対する医療における基本的な倫理は，研究においても守らなければならない。

1 研究倫理の変遷

第二次世界大戦では，国家社会主義ドイツ労働者党(ナチ党)により，障害者や高齢者，ユダヤ人の虐殺や無差別の人体実験が行われた。戦後，1945年からそれらの行為についてニュルンベルク軍事裁判が行われ，人体実験の存在が確認され，その反省に立ちニュルンベルク倫理綱領が定められた。その第1条は，人体実験の被験者には自発的同意を得ることであった。その後，「作業療法部門の管理」の項で紹介した，ジュネーブ宣言，世界医師会の設立などを経て，1964年，世界医師会によるヘルシンキ宣言[1]が発表された。ヘルシンキ宣言の意義は，人間を対象とする医学研究の倫理的原則を文書として勧告したことである。重要な項目としては，1. 患者・被験者福利の尊重，2. 本人の自発的・自由意思による参加，3. インフォームド・コンセント取得の必要，4. **倫理審査委員会**[*1]の存

補足

倫理綱領
一般に，専門職団体が，専門職としての社会的責任，職業倫理を行動規範として成文化したもの。倫理綱領をもつことが，専門職である証でもある。

*1 **倫理審査委員会**
医療行為や医学的研究行為が行われる際に，被験者の人間としての尊厳，人権の尊重など，倫理的視点や科学的観点を調査審議するために設置されたもの。構成員には，第三者を含めることが求められている。

在，などである。

学術論文に「ヘルシンキ宣言に基づき，本人の同意を得た」といった表現をみることがある。これは，このような原則を守った論文であるという意味である。

> **アクティブラーニング ①** ニュルンベルク軍事裁判からヘルシンキ宣言に至る過程の年表を作成して整理してみよう。

> **アクティブラーニング ②** 学術論文のなかで「ヘルシンキ宣言」の遵守がどのように表現されているか調べてみよう。

2 国による倫理指針

作業療法参加型臨床実習に向けて
実習施設では，施設独自の研究倫理指針を保持しているか，研究倫理審査委員会を設置しているかどうかを，指導者に質問してみよう。実習施設で人を対象に研究する場合は，どのような手続きが必要であるかについても，質問してみよう。

文部科学省と厚生労働省は，平成26(2012)年に「人を対象とする医学系研究に関する倫理指針」[2]を，令和3(2021)年4月には「人を対象とする医学系研究に関する倫理指針ガイダンス」[3]を発表した。そのなかで述べられている基本方針を**表1**に示す。研究者は，この指針を遵守して研究を進めなければならない。

表1 「人を対象とする医学系研究に関する倫理指針」の目的及び基本方針

この指針は，人を対象とする医学系研究に携わる全ての関係者が遵守すべき事項を定めることにより，人間の尊厳及び人権が守られ，研究の適正な推進が図られるようにすることを目的とする。全ての関係者は，次に掲げる事項を基本方針としてこの指針を遵守し，研究を進めなければならない。
① 社会的及び学術的な意義を有する研究の実施
② 研究分野の特性に応じた科学的合理性の確保
③ 研究対象者への負担並びに予測されるリスク及び利益の総合的評価
④ 独立かつ公正な立場に立った倫理審査委員会による審査
⑤ 事前の十分な説明及び研究対象者の自由意思による同意
⑥ 社会的に弱い立場にある者への特別な配慮
⑦ 個人情報等の保護
⑧ 研究の質及び透明性の確保

(文献3より引用)

3 日本作業療法士協会による研究倫理

「7章 作業療法部門の管理」の項で紹介した「作業療法士の職業倫理指針」[4]のなかで，研究に関連した項目は，第13項「研究倫理」，第14項「インフォームド・コンセント」である。

■第13項「研究倫理」

「研究方法に関すること（被験者に対する配慮）」と「著作権に対する配慮」が説明されている。

● 研究方法に関すること（被験者に対する配慮）

作業療法士が人を対象とする臨床研究を実施する際，対象者に対して，研究の目的，方法，予想される効果，危険性，およびそれがもたらすかも

しれない不快さ等の説明を行い，同意を得てから実施することを求めている。また，対象者のプライバシーの保護，個人情報漏洩防止への配慮を求めている。

● 著作権に対する配慮

引用文献，資料等は投稿規定に基づいて出典を明記するなど，研究のオリジナリティや著作権に対しての配慮を求めている。

現在，インターネット情報の活用が盛んであるが，その情報源が信頼に値するかどうかは慎重に判断しなければならないことは当然である。また，インターネットでも著作権に対する配慮が必要である。

■ 第14項「インフォームド・コンセント」

「評価・サービスに先駆けてのインフォームド・コンセント」と「臨床研究に際してのインフォームド・コンセント」が説明されている。

● 評価・サービスに先駆けてのインフォームド・コンセント

作業療法の対象者や家族へ，治療・援助・支援に関して目的・方法を説明し，同意を得なければならない。リハビリテーションにおける対象者や家族は，職員と同じ目標に向かう連携を取る存在という視点から考えると，治療・援助・支援を効果的に行う不可欠な手続きといえよう。

● 臨床研究に際してのインフォームド・コンセント

前述の「国による倫理指針」には「被験者からインフォームド・コンセントを受ける手続」と「代諾者からインフォームド・コンセントを受ける手続」について解説されている。代諾者とは，未成年者その他の行為能力がないとみられる被験者が臨床研究への参加する際，当該被験者の法定代理人等被験者の意思及び利益を代弁できると考えられる者をいう。

そのほか論文執筆の際に留意すべき倫理項目は，学術誌『作業療法』の「論文投稿に関する倫理指針」[5]を参考にしていただきたい。

4 利益相反（COI）

利益相反（COI：conflict of interest）とは，「外部との経済的な利益関係等によって，公的研究で必要とされる公正かつ適正な判断が損なわれる，又は損なわれるのではないかと第三者から懸念が表明されかねない事態」[6]のことである。例えば，実験に使用する器具を特定の業者から提供を受け，結果が歪められるといった事例である。

論文では，例えば「本論文に関して，開示すべき利益相反関係にある特定団体はない」といった表現で文末などに記載することで，適正な研究であることを著者が表明する。

試験対策 Point
研究倫理に関連した重要な用語，歴史的な事実を理解しておこう。

【文献】
1) 日本医師会:ヘルシンキ宣言.(https://www.med.or.jp/doctor/international/wma/helsinki.html)(2020年12月10日時点)
2) 厚生労働省・文部科学省・経済産業省:人を対象とする生命科学・医学系研究に関する倫理指針(https://www.mhlw.go.jp/content/000757566.pdf)(2021年7月時点)
3) 厚生労働省・文部科学省・経済産業省:人を対象とする生命科学・医学系研究に関する倫理指針ガイダンス(https://www.mhlw.go.jp/content/000769923.pdf)(2021年7月時点)
4) 日本作業療法士協会:倫理綱領・倫理綱領解説 作業療法士の職業倫理指針(第14刷.2020.(https://www.jaot.or.jp/files/page/kyoukainituite/rinrisisin.pdf)(2021年7月時点)
5) 日本作業療法士協会:学術誌「作業療法」論文投稿に関する倫理指針.(https://www.jaot.or.jp/academic_journal/gakujutsushi_rinri/)(2020年12月10日時点)
6) 厚生労働省:科学研究における利益相反(Conflict of Interest:COI)の管理に関する指針.(https://www.mhlw.go.jp/file/06-Seisakujouhou-10600000-Daijinkanboukouseikagakuka/0000152586.pdf)(2021年6月時点)

✓チェックテスト

Q ①作業療法士が人を対象とする臨床研究を実施する際,対象者にどのような説明が必要か(☞p.391～392)。 臨床

②利益相反とは何か(☞p.392)。 基礎

事例集

事例1　精神障害のケース（地域）：うつ病性障害（うつ病）

■ うつ病発症後，家に引きこもっていたが地域資源を利用して就労を開始した事例

　30歳代男性，Aさん。両親と同居している。20歳ごろ気分の落ち込みがあり，大学に通えなくなり家に引きこもるようになった。近医を受診しうつ病と診断を受け，服薬しながら何とか通学をしたが，卒業後は家に引きこもるようになった。28歳で「このままではいけない」と考え若者サポートステーション[※1]や地域の引きこもり支援をしている施設[※2]の利用を開始した。施設利用開始時は，ほぼ1日中家の中で過ごすが，コミュニケーションは取れていた。

※1：引きこもりなどで社会に踏み出せない人とその家族が，相談や支援を受けられる機関
※2：働くことに悩みを抱える若者の就労を支援する機関

● 医師からの処方

　引きこもり支援施設利用開始時には，医療機関は利用しておらず服薬はしていなかった。

● 作業療法評価

- 外見：下を向いて話し，視線を合わせようとしないため，暗い印象。
- 日常生活：朝起きられず生活は不規則。食事の用意や家事は家族が行っている。
- コミュニケーション：挨拶はない。問いに対しての返答は可能だが，自分の気持ちを言語化することが非常に苦手。伝え方の手段が少なく，まとめるのにも時間がかかる。
- 精神機能：15分程度の時間内でもきょろきょろする，同時に複数の事物の処理ができないなど注意の維持，分配が悪い。情動は安定しているが，何事に対しても興味関心が薄い。すべてに対して回避的に考える傾

図1　国際生活機能分類（ICF）

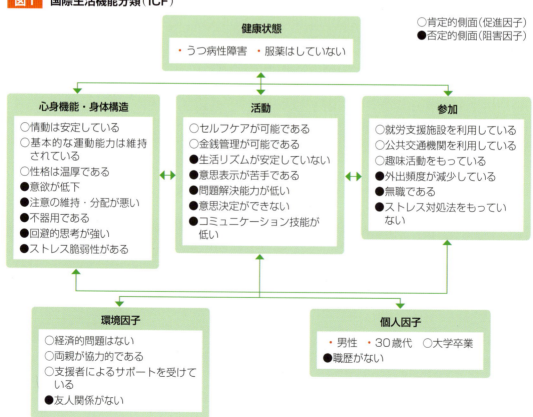

向が強い。助言を貰えるまでは自ら問題を解決しようとはせず，問題解決能力は低い。
- 身体的側面：30分程度の外出で疲労し，引きこもりによる体力の低下が認められる。
- ストレス耐性：ストレスが起こると，不安や混乱が生じ，回避的になるなどストレス耐性は低い。

● **国際生活機能分類（ICF）**
図1参照。

● **作業療法プログラム**
■ **ストレス脆弱性に対してのアプローチ**
- ストレス対処技能の獲得と問題解決能力の向上を目的とし，グループディスカッションや心理教育を実施した。
- 本人が自分で行えるストレス対処法を見つけることを目的とし，楽しめる体験の提案と実施を行った。

■ **意思表示が苦手であることに対してのアプローチ**
- 意思表示ができるようになることを目的にsocial skills training（SST）を用いて，コミュニケーションの具体的な場面の練習を行った。
- 個別面接により，本人が苦手な対人関係場面が起こっても相談できる機会を提供した。

■ **注意機能向上に向けてのアプローチ**
- 注意の維持を目的として，短時間での認知機能トレーニングを実施した。

● **経過**
　プログラム開始時は，ストレス対処技能が低く，問題に対してはすべて回避する方法を取っていた。プログラムを通して対処技能を獲得し，問題に対して挑戦する気持ちがもてるようになっていった。また，自分の気持ちを他者に伝えることができるようになった結果，ストレスが生じても，他者に相談できるようになり，就職活動に対しても前向きに取り組めるようになった。

　引きこもり支援施設利用開始2年後にはアルバイトを開始し，週2，3日の仕事を現在まで継続している。現在も，職場の対人関係で悩んだり，仕事がうまくいかなかったりすることはあるものの，周囲に相談できるようになっている。また，SSTやグループディスカッションを続けており，今後正社員を目指していく予定である。

- 日常生活：休日はほとんど寝ているが，仕事の日は朝起きられる。
- コミュニケーション：基本的な挨拶は可能。積極的ではないが，自分の気持ちを言語化できる。職場や仲間と雑談を楽しむことができる。話をまとめるのに時間はかかる。
- 精神機能：注意の維持，分配が悪いが，仕事中は意識して30分程度集中し，休憩を挟むようにしている。情動は安定している。回避的思考はあるが，周囲と相談して問題解決に取り組むことができる。
- 身体的側面：疲労はあるが1日4，5時間の立ち仕事ができる。
- ストレス耐性：ストレス耐性は低いが，対処できない際は周囲に相談するなどして，溜め込みすぎないようにしている。

● **現在の作業療法プログラム**
■ **ストレス脆弱性に対してのアプローチ**
- ストレス対処技能の獲得と問題解決能力のさらなる向上を目的とし，グループディスカッションを実施している。

■ 意思表示が苦手であることに対してのアプローチ
- 職場での意思表示ができるようになりより快適に就労を継続できることを目的にSSTを実施している。

● 今後
- 仕事を継続していくなかで，起こってくる問題に対して本人がより自分の力で対処できるようになっていくために，作業療法プログラムは今後も有効と考えられる。
- うつ症状については落ち着いているが，気分の落ち込みはあることから，今後何らかのストレスが掛かった際には，再発する危険性がある。そのためにも，問題解決能力のさらなる向上を目指すとともに，引きこもり支援施設終了後の相談機関を見つけておくこと，職場内で対人関係を構築して身近に相談できる人を作っておくことなどが必要と考えられる。

事例2 精神障害のケース（院内）：統合失調症

■ 衝動性のコントロールの改善を目的に入院した思春期発症の統合失調症患者の事例

10歳代後半女性，Bさん。高校入学後クラスで仲間はずれとなるが，ときどき休みながらも登校していた。しかし，バイト先で出会った男性に振られた後，授業中に泣き出すなどの行動がみられ不登校となる。その後，体調不良を訴え内科を受診するが身体的異常はみられなかったため，精神科を紹介され外来通院を開始するが，臥床がちとなりリストカットを繰り返す。「バイト先でうわさされている」「人が怖い」「私のなかにいる女の子が助けてと話しかけてくる」などの発言が聞かれ，壁を殴るなどの自傷行為がみられたため救急搬送され，閉鎖病棟に**医療保護入院**[*1]となった。

● 患者プロフィール
- 主訴：不安になるとそれを抑えられなくなるので直したい。学校に戻ることは不安だが高卒の資格が欲しい。
- 家族歴：両親，弟の4人暮らし，遺伝負因なし，家族関係は良好で母親が2日に1回面会のため来院。
- 高校は休学中。

● 医師からの情報
- 入院目的：薬物調整，休養，衝動性のコントロール，不安・不眠の改善。
- 服薬状況：リスパダール®（非定型抗精神病薬）12mg，アキネトン®（副作用改善薬）6mg，レキソタン®（抗不安薬）6mg，レンドルミン®（睡眠薬）0.25mg。
- 作業療法処方目的：基本的生活リズムの回復，症状の軽減，楽しむ体験，対人技能の改善。
- 現在の状況：被害妄想，幻聴などの陽性症状は薬物療法により軽減したが，不安，対人恐怖，情動不安定，不眠がある。

● 看護師からの情報
- 看護方針：基本的生活リズムの安定。衝動性を服薬によりコントロールしながら，**ストレスコーピング**[*2]の強化を図り，不安な感情を言語化する練習を行う。
- 現在の病棟での様子：散歩，作業療法参加などにより，起床，就寝時間は整ってきているが，他患との交流はみられない。

● 臨床心理士からの情報
- ロールシャッハテスト：現実の人間関係の逃避傾向，観念内容が敵対的・恐怖的。
- WAIS-R 82　言語理解＞知覚推理。

● 作業療法評価（初期評価）
- 認知／作業遂行特性：革細工に興味関心をもつ。道具の使い方など口頭説明のみでは理解が難しい工程もあるが，行動で手本を示すと理解することができる。しかし，本人自身が作業を正しい方法で実施することへの認識が不足しており，理解不十分のまま自己流に進め，仕上がりはやや雑なものとなるが完成度への感想はなく，「できてよかった」との発言が聞かれるのみである。
- 心理的特性：革細工作品のかがりの工程でねじれが生じても「このままでいい」と修正せずに淡々と進めている。スポーツ場面では「足を引っ張っている気がする」「迷惑をかけている」「バレーボールは下手だけど楽しい」などの気持ちを作業療法士に言語化することができるが，表情の変化には乏しい。
- 身体的特性：革細工には1時間程度の耐久

[*1] 医療保護入院
本人の同意がなくても，精神保健指定医による診断と家族などの同意により入院となる制度。

[*2] ストレスコーピング
ストレスの元にうまく対処しようとすること。問題焦点コーピングと情動焦点コーピングに分けられる。

性はあるが，疲労や眠気の度合いにより作業への集中力，進行速度に差がみられる。下絵の写しやハトメ抜きによる穴あけなどの方法を理解できた際には，両手動作の協調性や巧緻性は特に問題がみられない。スポーツプログラムは，ストレッチ，練習，ゲームの通常プログラムに参加できる。バレーボールは，レシーブやサーブを手に当てることはできるが，相手コートへ届かないことが多い。

● 対人交流

スタッフには過去の自殺未遂の話，バイト先で会計やおつりを間違えることが多くよく注意をされていた話などを自らしてくるが，他患との交流は乏しく，話しかけられても口数少なく応じる程度である。母親が面会に来ると笑顔で1時間くらい話をしている。弟からの漫画の差し入れは毎回読んでおり，「今まで読んだことがない漫画だけれど面白い」と話す。

● 国際生活機能分類（ICF）

図1参照。

● 作業療法プログラム

作業に集中して取り組む経験，他患と一緒に活動する体験などを通して，心身の耐久性，ストレス対処能力の向上を図った。

(1) 興味をもてる作業・スポーツを通して，楽しいと感じる経験をする。
(2) 作業に集中できる時間を延ばし，心身の耐久性を向上させる。
(3) 作業の方法，工程を理解し，考えながら正

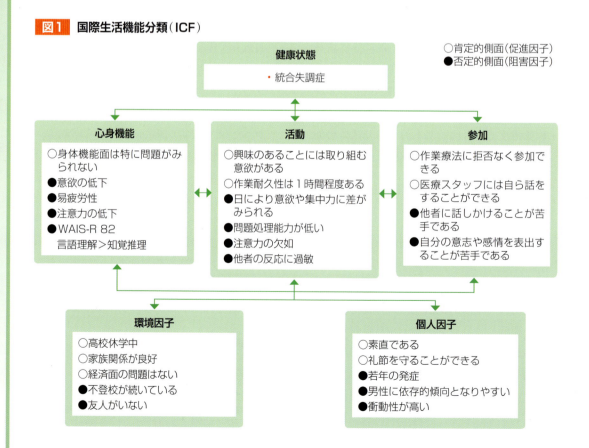

図1 国際生活機能分類（ICF）

しく実施する意識をもつ。
(4) スポーツプログラムで対人交流を経験し，仲間意識を感じられるようにする。

● 経過

革細工のキーケースを父親と母親にプレゼントをしたいといってきた。本を見ながら模様を考えているが決めることが難しい。近くで革細工をしている他患の作品が気になりじっと見ているが，自ら声をかけることができない。作業療法士が介入し，模様の組み合わせ方，色ムラにならない染色方法などを教えるときちんとお礼を言うことはできた。染色方法について「できるか不安です」と作業療法士に伝えることができ，1つひとつ説明を受けながら注意深く丁寧に染色を実施し，「ちゃんとやるときれいにできるんですね」と笑顔を見せた。途中疲労を訴え少し休憩するが，かがりの工程でねじれた際も「プレゼントだから直す」と修正して完成させた。他患から作品を褒められると「ありがとうございます」と恥ずかしそうに返答した。

スポーツプログラムの時，最初は準備・片付け方法がわからず，人にも聞けないため1人で立っていたが，作業療法士から声掛けをして一緒に行うとそれ以降は他患達と一緒に行うことができた。サーブはまだ入らないが，レシーブは少しずつ上にあげることができ，チームメンバーがフォローし返球して得点につながるとハイタッチして喜んだ。

● 今後の展開

精神症状は薬物療法により軽減し，日中の生活リズムは少しずつ整ってきているが，作業の集中力，意欲は日により差がみられるため，現在の作業を継続しながら「作業活動を通して心身の耐久性をアップすること」「考えながら取り組むことをする」を本人との共有目標として作業療法に参加できるようにかかわることが必要である。今後，言語表出を通してのストレス対処技能や衝動性のコントロールの改善，自信の回復などを目標とするために，集団活動，社会生活技能訓練（SST：social skills training）などのプログラムに参加し，自己を振り返り内省する経験なども必要となる。

退院後は，再燃に注意をしながら安定した生活リズムの継続，家庭内で役割をもち生活できること，**外来作業療法**[*3]または**デイケア**[*4]に参加しいろいろな経験を積み重ねながら生活支援すること，モチベーション維持のためにも，本人が希望している高卒資格取得の実現に向け，時期をみてその選択肢を医療スタッフ，家族と一緒に検討し，それに向けて目標を再設定することが必要と考えられる。

【参考文献】
1. 上野武治 編：標準理学療法学・作業療法学 精神医学 第4版，医学書院，2015．
2. 厚生労働省：e-ヘルスネット（https://www.e-healthnet.mhlw.go.jp/）（2021年3月時点）
3. 一般社団法人SST普及協会（http://www.jasst.net/）（2021年3月時点）
4. 山口芳文 編：作業療法学ゴールド・マスター・テキスト 精神障害作業療法学 改訂第2版，メジカルビュー社，2015．

[*3] **外来作業療法**
入院プログラムに外来で参加する作業療法。

[*4] **デイケア**
多職種でチームを構成し，集団プログラムで社会生活面の準備性を向上するために援助する厚生労働省の定める基準に適合した施設。

事例3 発達障害のケース（小児，地域）：自閉スペクトラム症

■ 母子間の身体を介した遊びを通じて，母子関係が改善した一事例

4歳6カ月の男児Cくんとその母親（30歳代）である。Cくんは3歳10カ月時に自閉スペクトラム症の診断を受けた。母親は，Cくんの叩くこと，蹴ることに対して困っていた。そのため，4歳3カ月時に相談支援事業所に相談し，児童発達支援事業の利用を開始した。3歳10カ月時の田中ビネー知能検査では発達指数74である。

● 作業療法評価

- **感覚調整機能**：日本版感覚プロファイル短縮版では，「非常に高い」が低反応・感覚探求，「高い」が触覚過敏性，聴覚フィルタリングである。

- **粗大運動**：全身的に低緊張であり，姿勢反応や抗重力伸展活動，体軸内回旋は不十分である。身体をぶつけやすく身体図式の未熟さがみられる。さらに，空間の中での円滑な動きの乏しさや，同じ失敗を繰り返すことから運動企画の未熟さもみられる。

- **巧緻動作**：手指の分離運動は不十分で操作性が乏しい。力のコントロールが不十分で細かい道具の操作が難しい。

- **注意機能**：視覚的な注意の転導性の高さや，文脈にあった注意の選択に難しさがあり，視野に入ったものへの接近や接触が多い。一方で，動物などの好きなものから注意を切り替えることに時間がかかる。

- **コミュニケーション**：日常的に使用する会話の理解はできるが，複雑な指示の理解は難しい。言語表出は二語文が可能だが，一方的な表現が多く，他者との円滑なコミュニケーションが難しい。

- **遊び**：動物のおもちゃでの一人遊びや，高いところに登る，他者に抱きつくことが多い。人への関心は高く自らかかわるが，他者が遊びに入ろうとすると嫌がる。また，他者からの遊びの提案を受け入れることは難しく，身体を触られて遊びに誘導されることを嫌がる。

- **母子関係**：アタッチメント行動チェックリスト（ABCL：attachment behavior checklist）[1]では，こころの理解27/45，感情調節不全30/45，安全基地19/30である。Cくんは不快な気持ちを伝えるときに叩いたり，蹴ったりすることが多い。母親はAくんのかかわりに応答しようとするが，否定的な発言になりやすい。また，褒めるなどの共感的なかかわりもみられるがCくんに伝わらないことが多い。

> **補足　アタッチメント行動チェックリスト**
> - こころの理解：養育者の意図・意志を理解し，それに協力できるかを示す。
> - 感情調節不全：感情調節能力の低さを示す。
> - 安全基地：養育者をどれくらい安全基地として利用しているかを示す。

● 国際生活機能分類－児童版－（ICF-CY）
図1を参照。

● 作業療法目標

母親とCくんとの関係について目標設定を行い，「叩く，蹴ることで訴えないで言葉で気持ちを伝えることができるようになる」とした。母親に，目標に対する主観的な遂行度を10段階で点数化してもらった結果，3/10であった。

● 作業療法プログラム

小林[2]は，コミュニケーションは象徴的コミュニケーション[*1]と情動的コミュニケーション[*2]の二重構造であり，情動的コミュニケ

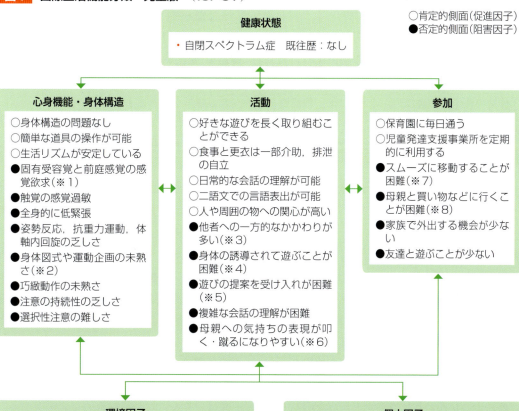

図1 国際生活機能分類－児童版－（ICF-CY）

※：作業療法プログラムと対応

＊1 象徴的コミュニケーション
言葉，身振り，声などの伝達手段を用いて相互にやり取りを行うコミュニケーション。

＊2 情動的コミュニケーション
主として対面する二者関係において，その心理的距離が近いときに，一方または，双方の気持ちや情動のつながりと共有を目指しつつ，関係を取り結ぼうとするさまざまな営み。

ーションこそ，コミュニケーションの本態であるとした。今回は，発達初期から行われる身体を使った遊びを通じて，母子間の情動的コミュニケーションの再構築を図り，象徴的コミュニケーションの改善につなげることとした。

①Cくんの感覚欲求（体性感覚や前庭感覚）を充足できるような身体を使った遊びを通じ

て快反応を引き出し，二者関係を構築した（図1※1〜※3）。
②身体接触や身体の誘導を多く用いることで，非言語的な相互性のある関係性の向上を図った（図1※3〜※5）。
③作業療法士との遊び方が定着（以下，作業療法士との遊び期）した後に，遊びの対象を徐々に母親に移し，母子での遊びに展開（以下，母子での遊び期）させた。作業療法士は，母子間の遊びが成功するように介入した（図1※6〜※13）。

● 経過
約2週間に1回の頻度で，合計4回各60分の介入を行った。
①作業療法士との遊び期（介入初回〜2回目）：作業療法士との身体を触れ合った遊びや，トランポリンなどの遊具を使用した遊びのなかで快反応が増えた。また，作業療法士のかかわりに期待する反応を示したり，自ら作業療法士に要求する行動も増えた。サーキット遊び[*3]に展開し，作業療法士の身体の誘導を受け入れながら遊ぶことができるようになった。
②母子での遊び期（介入3回目〜4回目）：初め，母親は身体を使った遊びや遊具を使った遊びがうまく行えなかったが，作業療法士の模倣をしながらCくんとかかわるなかで，徐々にCくんの快反応を引き出すことができるようになった。また，サーキット遊びもCくんの身体の動きを誘導することが難しいが，作業療法士と一緒に行うことでCくんの身体の動きの誘導が向上した。最終的に，母親は作業療法士のかかわりがない状態でCくんと身体を介して遊べるようになった。

● 結果（変化がある部分のみ記載）
- 粗大運動：空間の中での動きが向上し，動きの修正もできるようになった。
- 注意機能：注意の持続性が向上し，文脈にあった注意の選択が増える。好きなものからの注意の切り替えも円滑になった。
- コミュニケーション：挨拶やお礼，他者の意見を確認するなどの他者を意識した言語表出が増えた。
- 遊び：他者からの遊びの提案を受け入れることが増え，簡単なやりとりのある遊びが行えるようになった。身体を触られて遊びに誘導されることも受け入れることができるようになった。
- 母子関係：ABCLは，こころの理解が9点増加，感情調節不全が10点減少した。母親はCくんに対して肯定的な発言が増え，母親の共感的なかかわりにCくんの笑顔も増えた。また，母親からの遊びの提案が増え，Cくんも受け入れることが増えた。その結果，母子間での相互的な遊びの時間が長くなった。Cくんは母親に言葉を用いて要求を伝えることが増え，叩いたり蹴ったりすることが顕著に減少した。
- 母親の目標に対する主観的な遂行度は8/10に向上し，母親は「以前は拒否されている気がしたが，今はCくんとかかわることができて嬉しい」と語った。

【引用文献】
1) 青木　豊，ほか：アタッチメント行動チェックリスト Attachment Behavior Checklist：ABCLの開発に向けての予備的研究－児童養護施設におけるアタッチメントを評価するために－．小児保健研究，73(6)：790-797，2014．
2) 小林隆児：自閉症とことばの成り立ち，ミネルヴァ書房，p26-28，2004．

*3 サーキット遊び
いろいろな遊具を組み合わせた運動遊び。

事例4 発達障害のケース（支援学級）：自閉スペクトラム症・知的障害

■ 特別支援学校で集団生活や学習に参加が困難な自閉スペクトラム症・知的障害の診断をもつ生徒の事例

高校1年生男子，Dくん。特別支援学校に通学している。1歳半検診から様子観察となり，幼少期は地域のセンターに通所をしていた。小学校からは特別支援学校に入学となり，同じ学校で高等部への進学となった。

●担任の教員からの情報と依頼内容

家庭環境は両親との3人暮らし。母はDくんを大切にしているが，父はDくんの暴力に対して，手が出てしまうこともあるとのこと。

基本的に無表情で発語がない。小学部のころから学校内で同級生や教員へ手が出てしまったり，髪を引っ張ったり，噛みついたりといった暴力的な行為があった。授業への参加が難しく，離席したり，着席している際ももう1人の教員が付き添いの状態で一つひとつ促しが必要であった。

暴力行為への対応と，授業参加への改善について検討していきたい。

●作業療法評価

- 筋緊張：生育歴を確認すると，もともと筋緊張の低さがあったようである。現在もそれに伴う姿勢保持の難しさ，力や位置の調整の難しさが認められる。
- 触覚：髪の毛を触られることや洗うことを非常に嫌がる。見たことがないものに触れることも拒否的。人とすれ違いに少し触れると相手につかみかかってしまうこともある。しかし，背中や下肢に触れてもまったく気がつく様子がない。人に甘える様子などはなし。敏感さと鈍感さがあり，感度調整が難しい様子。
- 前庭感覚：さまざまな方向への動きに対して不安が強く，ロボットのように平行移動をしているような感じで移動を行う。
- 食事：偏食がかなり強い。付き添いで一口分ずつスプーンに乗せて渡す。食べるときと，投げてしまうときがある。皿ごと渡すと，手でおかずをより分けて食べられる物だけ食べる。
- 更衣：ほぼ全介助。非常に嫌がるので，本人の動きに合わせて教員が少しずつ袖や足を通したりする。
- 排泄：オムツ使用。トイレに座ることを非常に嫌がる。
- 入浴：家で両親が押さえつけながらシャワーをしているとのこと。
- 整容：全介助。

●国際生活機能分類（ICF）

図1参照。

●作業療法士からの実践アドバイス

触覚の敏感さと鈍感さの調整が難しく，触れられることへの強い不快感・恐怖心があることが，暴力的な行為や生活動作の難しさにつながっていると考えられる。徐々に人といること・人に触れていることは安心と感じていけるように，少しずつ「安心できる環境のなか」で，ふれあい遊びやコミュニケーションのなかでボディタッチを行ってみることを担任の教員にアドバイスした。

また，変化の大きい動きに対する苦手さや姿勢の不良もあるため，他の生徒がランニングを行う時間は，築山の登り下りやサーキットトレーニングなどを行ってみてはどうかとアドバイスした。

図1　国際生活機能分類（ICF）

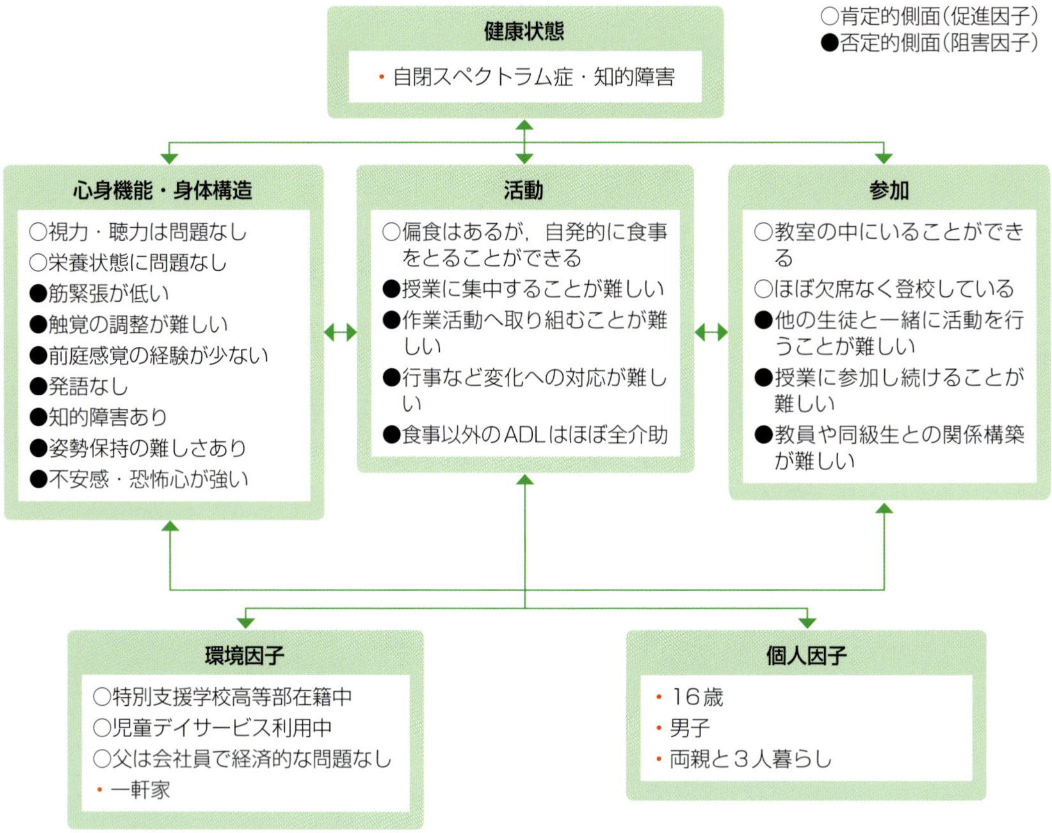

○肯定的側面（促進因子）
●否定的側面（阻害因子）

健康状態
・自閉スペクトラム症・知的障害

心身機能・身体構造
○視力・聴力は問題なし
○栄養状態に問題なし
●筋緊張が低い
●触覚の調整が難しい
●前庭感覚の経験が少ない
●発語なし
●知的障害あり
●姿勢保持の難しさあり
●不安感・恐怖心が強い

活動
○偏食はあるが，自発的に食事をとることができる
●授業に集中することが難しい
●作業活動へ取り組むことが難しい
●行事など変化への対応が難しい
●食事以外のADLはほぼ全介助

参加
○教室の中にいることができる
○ほぼ欠席なく登校している
●他の生徒と一緒に活動を行うことが難しい
●授業に参加し続けることが難しい
●教員や同級生との関係構築が難しい

環境因子
○特別支援学校高等部在籍中
○児童デイサービス利用中
○父は会社員で経済的な問題なし
・一軒家

個人因子
・16歳
・男子
・両親と3人暮らし

●経過

・1カ月後（高校1年）

　教員への頭突きなどをしても，まったく動じなかった生徒が，頭突きの後に痛くて泣くようになってきた。教員に手が出ることが減ってきたので，教員がけがをすることも少なくなったとのこと。

・1年後（高校2年）

　不安定なときはあるものの，授業に参加できるようになってきた。作業の課題なども自分から手を伸ばす場面が増えてきた。オムツに排尿しても気がつかなかったが，不快さを感じるような様子がみられるようになった。更衣動作では服を持っていると自分から手足を入れてくるようになってきた。

・2年後（高校3年）

　教員から褒められることへの喜びを感じられるようになり，笑顔もみられるようになってきた。授業の時間は自分から移動し，内容によっては援助が必要だが，着席して教員の話に耳を傾けていられるようになった。着替えは，着替えの入ったカゴを1人で持ち，更衣室に向かい，教員の見守りがなくとも教室に帰ってくることができるようになった。

●考察（今後）

　卒業後は，生活介護事業所に通所する予定である。生活リズムが変わること，対応する職員が変わることなど変化が大きいなかで本人の不安が大きくなると，以前のような他害

などの行動が出る可能性もある。今までのかかわり方の工夫やアプローチしてきた内容を事業所の職員と共有することや，Dくんが参加できる活動や作業の可能性について相談しておくことで，安心できる生活，本人の力を最大限発揮できる生活につなげていけたらと考えている。

そのために架け橋となる担任教員とともに，Dくんについての情報・経過の整理をしていきたい。

事例5　身体障害のケース（院内）：急性心筋梗塞術後

■ 術後早期から活動レベルの自己管理法を教育し定着を目指した急性心筋梗塞の事例

50歳代男性，Eさん。専業主婦の妻（40歳代）と娘（中学生），息子（小学生）の4人暮らしである。Eさんは建設関連の会社経営者で，3カ月前に，会議中に突然強い胸痛に襲われて意識を消失した。すぐに救急搬送され，心電図検査で急性心筋梗塞と診断された。冠状動脈造影術で左冠状動脈に高度の狭窄を認め，直ちに経皮的冠インターベンション（PCI：percutaneous coronary intervention）[*1]による再灌流術が施行された。手術により狭窄は改善し，術後翌日より急性心筋梗塞14日間クリニカルパス[*2]に従い理学療法・作業療法が処方された。

● 初回受診時の医師（リハ医）からの処方箋
- 術後の急性期は心破裂や合併症に注意。
- 治療内容：内科的治療；降圧薬（β遮断薬，利尿薬）。
- 術後せん妄[*3]がみられるため，安全に活動レベルの向上を図ること。
- 術後急性期の全身状態のリスク管理を厳行。
  急性期（第7病日目まで）：モニター心電図を常時装着し全身状態を管理。
  回復期（退院予定の第14病日まで）：活動レベルの自己管理法を教育し定着へ。
- 作業療法処方内容：
  急性期：①負荷量を考慮した日常生活活動（ADL）の指導，②ストレス管理。
  回復期：在宅生活支援（自己管理法指導），可能であれば復職指導を含めること。

● 初回時作業療法評価
- 全身状態：医学的管理下。安静度はベッド上臥床。安静。全身耐久性低下あり。
- 精神機能：見当識（日付・場所・人）の混乱や入院や術後の不安・死の恐怖などあり。
- 心身機能：筋力・巧緻性・協調性・感覚機能，いずれも良好。
- 身体構造：関節可動域制限なし。
- ADL：急性心筋梗塞術後のクリニカルパスにより，飲水以外全介助。
- 生活関連活動：家事は妻が実施。以前は不定期で日曜大工を実施。
- 参加：入院のため以前の社会参加（町内会の役員）や趣味（ゴルフ）参加が未実施。
- 環境：人的環境は良好（妻の協力あり）。物的環境は一軒家でベッドあり。段差が多い。
- 個人因子：50歳代の男性。会社経営者で，重要な作業は仕事・家族を養うことである。
- 問題点：心筋梗塞術後急性期後の全身耐久性低下。ADL未自立。就労困難。入院および術後の混乱（術後せん妄）や不安や死の恐怖など高ストレスの状態。

● 国際生活機能分類（ICF）
図1 参照。

● 作業療法プログラム
- 目標：活動レベルの自己管理下でのADL自立。社会復帰（復職を含む）。
- 介入の基本方針：全身のリスク管理を進め，安全に段階的にADLの獲得を計画する。せん妄や心理的ストレスを考慮し，自己管理法の教育を促進する。復職や社会復帰に向けて，生活関連活動や趣味活動の拡大も含む。

[*1] PCI
経皮からカテーテルを挿入し冠状動脈閉塞の再灌流を図る術式。

[*2] クリニカルパス
治療や検査の実施内容やスケジュールを記載した職種間共通のシート。

[*3] 術後せん妄
手術後に一時的にみられる，意識状態や認知機能の障害。

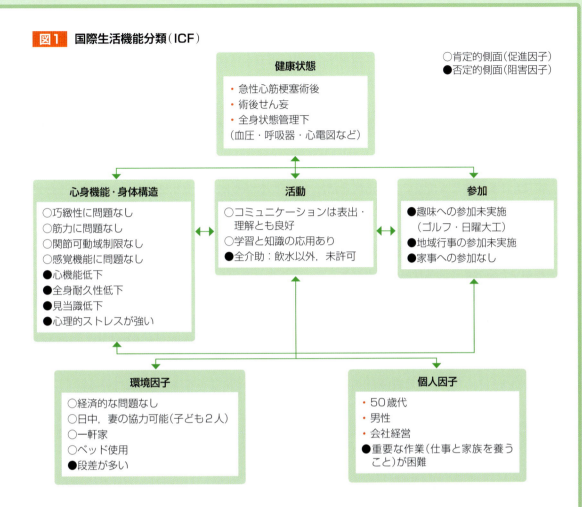

図1 国際生活機能分類（ICF）

(1) 全身耐久性向上練習。
(2) ADL練習。
(3) リスク管理法（脈拍測定・**自覚的運動強度**[*4]・ストレス状態の回避）の教育指導。
(4) 生活関連活動および趣味活動の拡大。

● 経過

　Eさんは急性心筋梗塞の術後せん妄状態で場所や日付が混乱し，不安や死の恐怖も感じていた。そこでリスク管理とととともに，日付・場所などをボードで示し，術後せん妄の回復を促した。

[*4] **自覚的運動強度**
自覚的な運動の強さの指標。

　術後2日目には見当識が回復し，許可が出た受動座位を，血圧測定と自覚的運動強度で確認し漸増的に進めた。また受動座位での食事摂取開始となり，ベッド上での座位姿勢をクッションやカットアウトテーブルで保持し促進した。

　術後3日目には自力座位が許可され，座位でのストレッチを導入した。この動作は呼気時に実施し，血圧・脈拍や呼吸数上昇の回避を指導した。

　術後4日目には座位での呼気時の更衣（上衣）動作練習を開始したところ，Eさん自ら休息を入れ，安全に実施できた。

　術後5日目に車椅子での院内移動やトイレ

の使用が許可され，下衣を「足部の動作を座位」「殿部の上下動作を立位」と分けて脱着する練習を実施した．Eさんは笑みや発話が増加し作業療法に意欲的となった．

術後7日目の運動負荷心電図検査でモニター管理は終了となった．ADLも入浴，階段昇降以外は院内での活動が許可された．

術後8日目に作業療法室での生活関連活動および趣味活動の拡大を開始した．Eさんは革細工に興味を示し，皮革の打刻練習から作品作りへと段階的に進めた．作業の前後には脈拍測定と自覚的運動強度の確認をEさん自身が実施し記録した．術後9日目は栄養士による食事指導があり，Eさんは指導された食事を「自分で作りたい」と言い，調理練習を導入した．調理練習では，活動における安静と活動のバランスをリスク管理法（脈拍測定・自覚的運動強度・ストレス状態の回避）を基にEさん自身が計画し進めた．術後10日目以降は，調理以外の洗濯や掃除動作も段階的に練習を進めた．その結果，各動作とも適切な休息と効率のよい動作方法を安全に獲得できた．

●**結果および転帰**

Eさんは，全身状態を脈拍や自覚的運動強度を目安に，疲労時に適切に休息を取り入れるなど自己管理が学習された．屋内でのADLはすべて自立し，退院後の生活への不安が減少しストレス管理が可能となった．退院後は復職までは妻がEさんの会社にパート勤務し，Eさんが家事を担当することになった．

予定どおり，術後14日目に退院し，現在は月1回の循環器外科の診察と外来リハビリテーションにより復職を目指している．

事例6　身体障害のケース(地域)：脳血管障害(くも膜下出血)術後

■動画教材と自助具の活用で発症前の家庭内役割の再開が可能となった事例

　50歳代女性，Fさん。夫(50歳代)と娘(30歳代)の3人暮らしである。家庭では家事全般を担い，趣味のほか，地域での活動など社会参加もみられた。5年前に自宅で家事中に強い頭痛から意識障害をきたし救急搬送された。CT検査では左頭部のくも膜下に出血があり，開頭血腫除去術を受けた。術後に意識障害，右片麻痺と失語症の障害が残存し，翌日から，理学療法・作業療法・言語聴覚療法が開始され，6カ月後に自宅復帰となった。退院5年後に，娘から保健所へFさんの健康状態と社会参加について相談があり介入となった。

● 初回受診時の医師(リハ医)からの処方箋
- 発症から5年経過し全身状態は安定しており，再発は低リスクの状態。
- 全身状態：血圧正常域(服薬コントロール良好)。
- ブルンストローム片麻痺回復段階(Br-stage：Brunnstrom stage)：右片麻痺Ⅲ-Ⅱ-Ⅲ(麻痺は重度で回復困難)。
- 移動能力：T字杖とプラスティック型短下肢装具で屋内移動自立。
- 失語症：中等度の運動性失語であるが，家族や近縁者との日常会話は可能。
- 日常生活：おおむね自立しているが，発症前の役割や社会参加ができていない状況である。
- 処方内容：作業療法による主婦業としての役割拡大が目標。利き手の右手が麻痺しており，左手での利き手交換により動作獲得を目指すこと。

● 初回時作業療法評価
- 全身状態：問題なし(バイタルサインは正常範囲)。
- 精神機能：問題なし。
- 非麻痺側機能：筋力[徒手筋力テスト(MMT：manual muscle testing)すべて5レベル，握力25kg]・巧緻性・協調性，いずれも良好。
- 関節可動域(ROM：range of motion)：制限なし。
- 感覚機能：問題なし。
- 麻痺側機能：Br-stage Ⅲ-Ⅱ-Ⅲ。
- 筋緊張：右上下肢亢進(痙縮)。
- 失語症：運動性失語。理解はやや良好だが発話にはジェスチャーや絵など工夫が必要。
- ADL：バーセル・インデックス(BI：Barthel index)85点。減点：歩行・階段昇降。
- 生活関連活動：家事動作未自立(調理・洗濯・掃除・買物)。
- 参加：以前の役割や趣味参加が未実施。継続実施は友人の来訪による交流のみ。
- 環境：人的環境は良好(夫・娘の協力あり)。物的環境は一軒家でベッド利用であるが，段差が多い。
- 個人因子：50歳代の女性で主婦の役割があるが，重要な作業(調理)が片手で困難。
- 問題点：右片麻痺(麻痺側上肢の使用なし)。右上下肢筋緊張亢進。運動性失語(理解や表出に工夫が必要)。家事未自立。

● 国際生活機能分類(ICF)
　図1参照。

● 作業療法プログラム
- 目標：主婦業への復帰。
- 主婦業への復帰：Fさんに重要な作業である調理動作の復帰を目指す。
- 介入の基本方針：非麻痺側である左手を利き手とした各動作の獲得を計画する。麻痺

図1　国際生活機能分類（ICF）

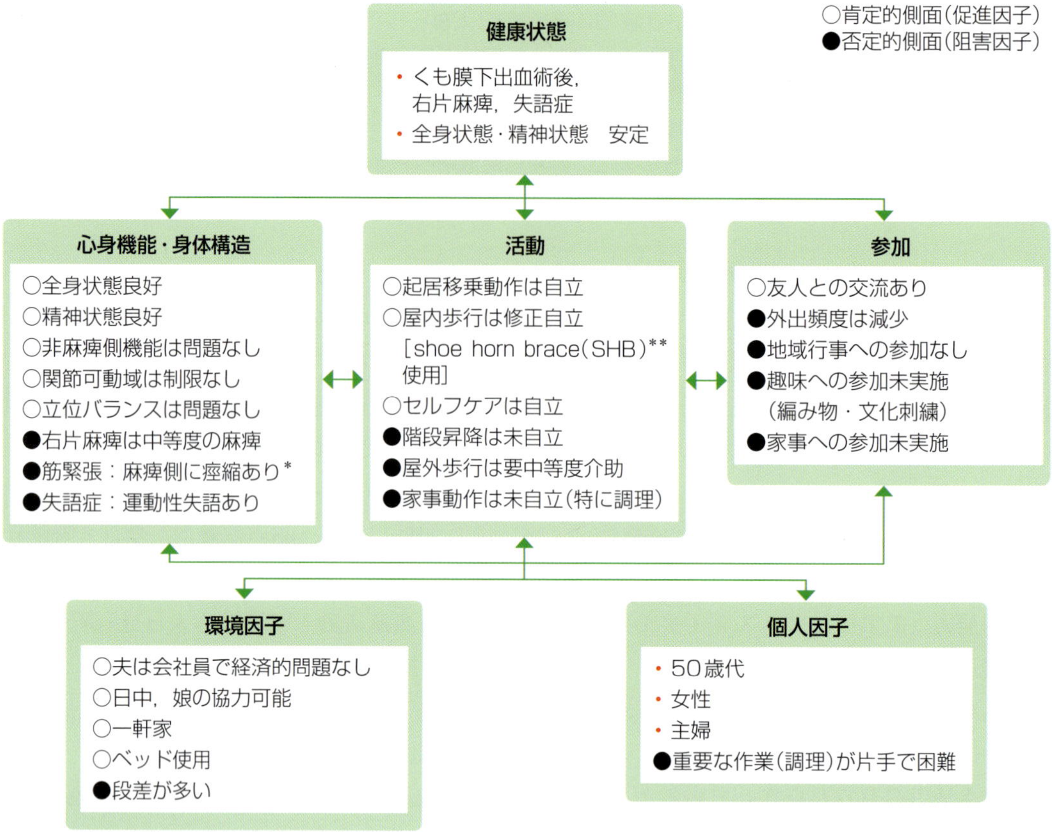

○肯定的側面（促進因子）
●否定的側面（阻害因子）

健康状態
- くも膜下出血術後，右片麻痺，失語症
- 全身状態・精神状態　安定

心身機能・身体構造
- ○全身状態良好
- ○精神状態良好
- ○非麻痺側機能は問題なし
- ○関節可動域は制限なし
- ○立位バランスは問題なし
- ●右片麻痺は中等度の麻痺
- ●筋緊張：麻痺側に痙縮あり*
- ●失語症：運動性失語あり

活動
- ○起居移乗動作は自立
- ○屋内歩行は修正自立 [shoe horn brace（SHB）** 使用]
- ○セルフケアは自立
- ●階段昇降は未自立
- ●屋外歩行は要中等度介助
- ●家事動作は未自立（特に調理）

参加
- ○友人との交流あり
- ●外出頻度は減少
- ●地域行事への参加なし
- ●趣味への参加未実施（編み物・文化刺繍）
- ●家事への参加未実施

環境因子
- ○夫は会社員で経済的問題なし
- ○日中，娘の協力可能
- ○一軒家
- ○ベッド使用
- ●段差が多い

個人因子
- 50歳代
- 女性
- 主婦
- ●重要な作業（調理）が片手で困難

＊痙縮：筋緊張が亢進した状態。
＊＊SHB：プラスティック製の短下肢装具。

側上肢の痙縮には，関節可動域練習など自己管理指導を行う。失語症を考慮し，ジェスチャーや資料，動画などの教材を用意する。
(1) 家事動作練習（調理動作の実動作練習）
(2) 麻痺側上肢への自己管理法指導（片麻痺体操の自主練習法指導）
(3) 実用的コミュニケーション練習（上記2つのプログラムにおける模擬的指導）

●**経過**
- 週1回（1時間），10週間実施。
- 初回：症例の調理経験を確認。片手での調理パンフレット（方法・自助具など）で指導。麻痺側手の痙縮は増悪回避目的での体操指導とイラスト・動画教材の提供。
- 2回目：動画教材（片手での皮むき・切る動作）を参照し練習。釘付きまな板を提供し娘との下ごしらえを自宅練習課題に設定。
- 3回目（ポテトサラダ）・4回目（肉じゃが）・5回目（カレー）：動画教材を参照し練習。
- 6回目：3～5回目の実施動画を供覧し，調理時間短縮を台所内動線の確認から検討し，調理食材・道具の配置を決定し，家族への説明をジェスチャーとイラストで模擬的に練習。
- 7回目（だし巻き卵）・8回目（味噌汁）・9回目（朝食づくり）：Fさんが準備・計画した

調理内容の訓練を実施。動画を撮影し振り返りを実施。
- 10回目：肉じゃがを作り，台所からダイニングテーブルへの移動と調理に伴う，準備片付け(道具の洗浄，拭き掃除など)と簡単な洗濯の練習実施。最終評価振り返りを実施。

●最終作業療法評価
- 全身状態・精神機能：問題なし。
- 非麻痺側機能：握力35kg。
- 関節可動域・感覚機能：問題なし。
- 麻痺側機能：変化なし。
- 筋緊張：右上下肢亢進(痙縮)。
- 失語症：運動性失語。理解は改善。発話にはジェスチャーなど工夫が必要。
- ADL：BI 95点。減点：階段昇降(要監視)。
- 生活関連活動：家事動作未自立(掃除・買い物)。
- 参加：新規に参加実施は家事(調理・洗濯)。
- 環境：物的環境として，玄関と階段に手すりを設置。
- 個人因子：片手で重要な作業(調理)ができ，主婦の役割復帰。
- 問題点：右片麻痺(麻痺側上肢の使用なし)。右上下肢筋緊張亢進。運動性失語(表出に工夫が必要)。家事一部未自立(掃除・買い物)。

●転帰
今回，Fさんは目標とした片手での調理活動を獲得した。練習では動作の獲得に動画教材を用いたが，現在は本やテレビでメニューを探し，提供した片手での調理パンフレットを活用し，片手でのレシピ開発をしているようだ。また洗濯など一部の家事参加ができた。現在，買い物は家族だが，将来は1人で外出し買い物したいそうだ。今後は，買い物のための移動能力や片手での金銭管理や店員とのコミュニケーションの向上が課題となるだろう。

事例7 高齢者のケース（地域）：アルツハイマー型認知症

■ 繰り返しの入退院でアルツハイマー型認知症（AD）を発症した患者の事例

90歳代女性，Gさん。娘（70歳代）と2人暮らしである。無職で要介護度4，自宅は一軒家，娘はフルタイムで働いている。元々，生活全般は自立し認知機能に問題はなかったが，3年前に自宅前で転倒し左橈骨遠位端骨折（保存療法）後，肺炎にて入退院を繰り返し，徐々に認知機能が低下したため神経内科を受診，アルツハイマー型認知症と診断され，1年前より服薬による治療が開始となる。退院直後よりデイサービスは週3回利用していたが，最近では疲労の訴えが強くデイサービスは休みがちとなり，廃用予防と精神賦活目的で訪問リハビリテーション（訪問リハ）による作業療法が開始となった（週1回）。

● 医師（リハ医）からの処方箋
- 既往歴・合併症：左橈骨遠位端骨折，肺炎。
- 服薬状況：抗認知症薬（レミニール®OD錠 4mg 2錠 朝・夕）。
- 医師からの指示：
  ・廃用予防と精神賦活。
  ・整形外科は終了，神経内科は定期的に外来フォロー中である。
  ・障害高齢者の日常生活自立度（寝たきり度）：A2準寝たきり。
  ・認知症高齢者の日常生活自立度 判定基準：Ⅱb。
  ・中核症状：見当識障害（時間），記憶障害（短期記銘力），実行機能障害。
  ・周辺症状：意欲・自発性の低下。
  ・中核症状と周辺症状はアルツハイマー型認知症初期段階。
- 主訴：「特にやりたいことはない。今の生活に満足している」
- 家族のニード：デイサービス利用の継続と寝たきりの予防。
- 基本情報：長年経理職に就いていた。3年前までは家事全般が行えていた。社交的な性格で老人会の副会長を経験した。元々の趣味は読書や畑づくり，現在疲労感が強く日中は臥床しテレビを見ている。自宅居室は1階で購入のベッド（柵なし）を使用。一部手すりを設置（居室〜トイレまでと階段，玄関上がり框）。

● 作業療法評価
- バイタルサイン：問題なし。
- 改定長谷川式簡易知能評価スケール（HDS-R）：8/30点，MMSE（mini-mental state examination）：11/30点（減点項目：日時の見当識，計算・逆唱，言葉の遅延再生，即時記憶，視空間認知）。
- コミュニケーション：難聴でゆっくりであれば意思疎通可能。昔の話（幼少期）を繰り返す。
- 関節可動域（ROM）：左上肢制限（肩関節屈曲・外転，前腕回内，手関節掌屈・背屈，手指屈曲）。
- 徒手筋力テスト（MMT）：上肢右2〜3，その他3〜4レベル。
- 握力：右9kg/左6kg。
- 感覚：正常。
- 姿勢・バランス・移動動作：やや前傾姿勢で平衡反応は減弱。フリーハンドで片脚立位は困難。屋内は伝い歩き，屋外はT字杖歩行見守りだが，5m程度で息切れが出現し長距離は車椅子全介助で移動する。
- 基本動作：自立。
- 日常生活活動（ADL）：排泄はパッド・紙パンツ内失禁あり，ときに声かけが必要。入浴は軽介助，嚥下機能に問題はない。その他の動作はセッティングにて自立。
- その他：家事動作は行っていない。テレビ鑑賞以外日中は臥床時間が長い。
- 機能的自立度評価表（FIM：functional

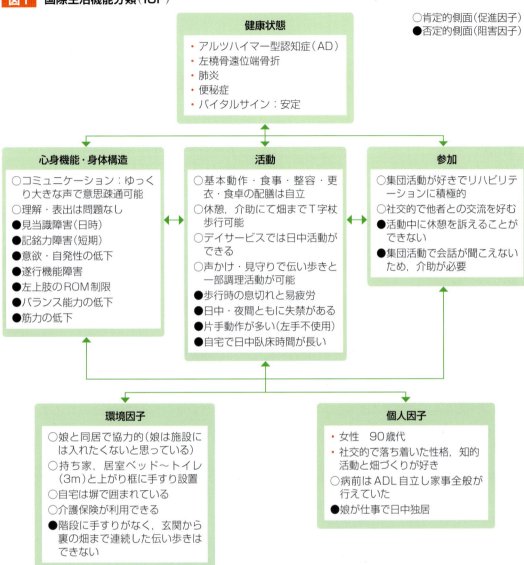

図1 国際生活機能分類（ICF）

independence measure）：108/126点（運動項目82/91点，認知項目26/35点）。
- 老研式活動能力指標（instrumental ADL）：3/13点（得点：知的ADLのみ）。

●国際生活機能分類（ICF）
　図1参照。

●問題点，目標，作業療法プログラム
■問題点：
- デイサービス利用時の休憩不足と自宅での臥床時間の延長（社交的な性格で頑張りすぎる）。
- 左上肢のROM制限。
- 意欲や自発性，体力の低下。
- 活動範囲の低下に伴う自信や役割の喪失。

■目標：日中の適度な活動を再獲得すること

で，自宅で役割をもった生活ができる。
- 認知機能の改善。
- 左上肢のROMの拡大。
- 全身の運動や活動で体力向上を図る。
- 役割の再獲得（家事動作の一部）。

■**プログラム：**
- 関節可動域，筋力，バランストレーニング。
- 屋外歩行練習。
- 家事動作練習。
- 住宅改修。
- 棒体操。
- 歌。
- 脳トレ（計算，線つなぎ，かな拾い，間違い探し）。

●**作業療法プログラムと経過**
- 開始当初は症例との馴染みの関係を作るため，検査は行わずGさんの話を傾聴した。娘より事前に情報を収集し，コミュニケーション時にGさんが返答に困らないようにした。なるべく快の感情が表出される会話（幼少期の勉強の話，子育て中の笑い話など）を中心にかかわると，徐々に表情がいきいきとしてきた。
- 運動や歩行時には息切れと疲労の訴えがあり，軽負荷の運動から開始し，休憩時はGさんが得意な脳トレを行った。運動と脳トレを交互に組み合わせることで，連続の活動時間が確保され座位の耐久性や体力の向上につながった。
- 環境面では，娘やケアマネジャーと相談し介護保険にて手すりを設置することで，自宅裏の畑までT字杖で連続歩行を可能とした。Gさんは日々育っていく野菜を見て季節や料理の話をするようになり，日中の臥床時間短縮も図られた。
- Gさんがこれまで毎日行っていた仏壇の水を取り替える，娘の帰宅に合わせて畑で採れた野菜を調理する，食卓の配膳や冷蔵庫からおかずを出すなどの家事動作の直接的練習を行った。娘にはポジティブな声かけをお願いし，休日はGさんと一緒に調理や散歩を行い役割の再獲得と活動範囲の拡大を図った。
- ケアマネジャーに依頼してサービス担当者会議を開催し，目標達成のために一時デイサービス利用を減らし，訪問リハを増やした。Gさんの体力や認知機能の改善が認められたので，再度会議を開催し，デイサービスの回数を元に戻した。多職種協働で，デイサービスでは，日中の臨床時間を確保し，活動中小まめに休憩が取れるよう促した。利用中のお手伝いへのポジティブな声かけ，脳トレの継続，両側上肢運動への意識づけを依頼した。
- 最終的には，Gさんは笑顔で「娘が働いているんだもん，準備くらいしないとね」と話し，娘が遅いときは以前のように食卓の配膳を行うようになり，デイサービスを継続できるようになった。
- 今後もGさんの認知症の進行やキーパーソンである娘の状況に合わせて，多職種連携のもとサービス調整をしながら生活をサポートしていく必要がある。

事例8　高齢者のケース（施設）：アルツハイマー型認知症

■ **暴言の多い閉じこもり状態の認知症高齢者の事例**

80歳代女性，Hさん。5年前から調理中の火の消し忘れなど「軽度認知障害」「過集中」のため，介護老人保健施設の通所リハビリテーションで作業療法を受けていた。作業療法では，視覚探索の低下[1]がわずかにあり，注意の移動（見えないタイマーに注意を向ける）練習（図1）により，視覚探索の改善，火の消し忘れが改善した[2]。しかし，1年前から怒りっぽくなり，息子や近隣住民への暴言が増えた。不穏になることが増えたため，介護老人保健施設に入所した。

● 医師からの処方箋

- 主訴：早く自宅に帰りたい。
- ニード：精神的な安定による暴言の減少。
- 職業：主婦。
- 既往歴：特になし。
- 入所前・後のADL：一通りの家事が可能であったが，徐々に外出が減り，買い物に行かなくなった。
- 家庭内役割の変化：家事を行っていたが，調理時に鍋を焦がすことがあり，掃除後に掃き残しがあった。
- 目標　長期目標：在宅復帰（家事軽介助）。
　　　短期目標：精神的な安定による暴言の減少。

● 作業療法の経過：入所1日目〜2週目

■ **主な問題**

拒否が強く，食事・トイレ以外は自室に閉じこもっていた。不安が強く，落ち着かず，ナースステーションで何度も息子に電話をするように要求した。作業に集中することができない。

■ **作業環境までの対象者の誘導方法**

①沈静化のためのマッサージ

混乱して疲れているときは，ベッドサイドで四肢や背部へマッサージをすると閉眼して落ち着く。穏やかになった後で作業の提案をHさんに行った。

②環境依存傾向を対象者の誘導に利用

言葉を介して誘導すると拒否が多いため，環境依存傾向になっていることを利用して，作業療法への誘導をした。まず自室とトイレの間のデイルームのテーブルで他の利用者3人が作業を行った。その後，Hさんの部屋に伺い，お茶の時間であることを伝えた。自室から出てきてもらい，作業を行っているテーブルに座ってお茶を飲んでもらった。ほかの人が作業をやっているなら自分も作業をやっ

図1　過集中を抑制するための注意の移動（見えないタイマーに注意を向ける）練習の例

見えないところに置いたタイマー　　　3カ月後に時間に注意を向けることが可能となる

てみるということで，その環境に限って作業への拒否は減った。

■作業療法計画：1点集中作業：三つ編み
①目的：作業に集中することで情緒的な安定を図る。居場所作り。
②環境設定：混乱を減らすために，選択肢の少ない集中しやすい単純作業(なじみのある三つ編み[3])を行った。ぼんやりして集中しにくいときは間欠性言語指示[4]で課題に集中させた。
③作業集中時間：0～5分間
④経過：認知症行動障害尺度（DBD：dementia behavior disturbance scale）16点
同室者と徐々に顔なじみになり，デイルームの自席が居場所となった。その後，作業に取り組む頻度が増えた。

■作業療法士が行ったケアマネジメント
ケアカンファレンスで，不安，混乱，帰宅願望が強いときは，介護職，作業療法士は握手や肩に触れるなどのスキンシップで安心させながら傾聴することを方針とした。

■他部署との連携
自室から出てくる条件（タイミングなど）の情報を共有し，接し方を統一した。本人が受け入れやすい誘い方を看護，介護，作業療法士で検討し，統一した。

● 作業療法評価：入所3週目
拒否が強く検査実施困難で観察評価が中心となった。

■心身機能
①精神認知機能面
長谷川式簡易知能評価スケール（HDS-R）20/30，DBD 12点，臨床的認知症尺度（CDR：clinical dementia rating）1点。
易怒性，暴言あり：1つのことに固執し，帰宅や食事など同じ質問を繰り返す。過集中，帰宅願望強く，1人では自室に戻れない。スタッフに暴言あり，息子と会話ができない。スタッフに対して拒否が強く，特に入浴とリハビリテーションで拒否が強い。
訴え：自宅に帰りたい，息子が無理やり入院させた。
②身体機能面
開眼片足立ち：右10秒，左5秒。
筋力低下なし，可動域制限なし。

■活動
①ADL
身の回りのADL自立だが，調理，清掃は介助が必要。屋外歩行自立。FIM 115点。
②作業遂行能力
簡単な工程の作業(三つ編みなど)は促せば5分間未満可能だが，拒否が多い。

■参加
①テレビばかり見ていて対人交流が少ない。
②外出機会の減少。
③近所付き合いの減少。病前は，近所付き合いがあり，近隣住民との交流があった。
④家族との対話減少。
⑤趣味：以前は編み物，現在はなし。

■個人因子，環境因子
同居の息子は日中仕事のため不在。

● 国際生活機能分類（ICF）
図2参照。

● 現在の作業療法プログラム：入所3～6週目
■主な問題
1つのことに固執し，帰宅や食事など同じ質問を繰り返す。暴言，過集中。
■作業療法計画：注意移動練習(手本図柄どおりに1cm^{3}のブロックを並べる課題)
①目的：訴えを繰り返すなど1つのことに集中しすぎるため，注意を移動させる練習を

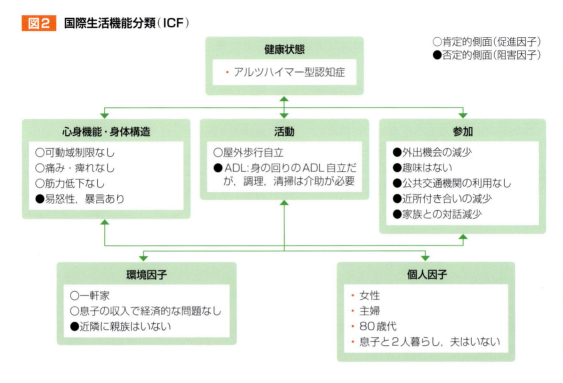

図2 国際生活機能分類(ICF)

実施。
②環境設定:不安を減らすため,作業時は選択肢を減らす。例えば手本選びは2択でどちらかを選択してもらう。

■運動プログラム:施設周囲の屋外散歩
①目的:活動性の向上,気分転換,注意の分割。
②条件:本人の好きな童謡を歌いながら歩く。または,昔を回想しながら歩く。

■生活リハビリテーション:家事
　介助を要する調理,清掃を他の入所者と一緒に生活の中で時間を決めて取り組む。
①目的:対人関係の改善,注意の移動。
②環境設定:相性のいい人の協力を得る。
　故郷や住まいの共通する話題のある人との会話を促し,繰り返しの多い質問から注意を移動させる。利用者同士が毎日生活のなかで会話ができるように座席を設定した。

■地域連携:近隣住民との面会交流
①目的:退所後,自宅で生活支援者とコミュニケーションが取れるようにするため。

②環境設定:入所者との会話が可能になった後,退所後の近隣住民の声かけが必要なため,民生委員に依頼をして近隣住民と交流する機会も設定した。
③連携:サービス担当者会議に介護支援専門員,民生委員,息子に出席してもらい,退所後に日中の声かけ,見守りを民生委員に依頼した。

●再評価:入所7週目
■精神認知機能面
　HDS-R 20,DBD 6点(同じことを何度も聞くことが減る)。過集中が減り,行動の抑制が可能となり,精神的に穏やかになったため在宅復帰の準備を開始した。
　作業集中時間:30分間前後。
　生活のなかで清掃,花の水やりや調理(お菓子作り)の手伝いが可能となり,入所者との会話が増えた。

● まとめ

全職種でケア対応方法を何度もカンファレンスで検討し統一させた．1人の不適切な対応で対象者を不穏にしてしまうため，定期的に接し方を伝え合った．

認知症が重度になると作業集中時間は短縮するため，軽度での作業集中時間の延長が必要であった．

● 今後の課題：CDR0（健康）の時点での行動（過集中）抑制練習の必要性

Hさんは軽度認知障害（MCI）の段階で，過集中（時間を忘れて作業に集中）を抑制できず，展望記憶（コンロの火を消すという予定記憶）の低下を生じていた．MCIの段階で，1つの作業に集中しすぎ，行動の抑制低下と展望記憶の低下の関連が示唆されていた．

MCIの段階で，過集中を抑制するための注意移動練習で消し忘れがなくなった．しかしながら，その練習を継続せず，Hさんの希望する余暇活動を行っていた．

その後，認知症の進行に伴い，同じ話を繰り返す，一方的に話すなどさまざまな行動の抑制障害を生じたことから，MCIまたはCDR0の時点から過集中抑制のための注意移動練習を継続する必要があった．

このように，MCIの時点で，過集中に伴う展望記憶低下を生じていたため，CDR0の段階から，過集中を抑制させる注意移動練習が展望記憶の維持，行動の抑制に有効か検証する必要がある．

【引用文献】
1) 池田浩二：痴呆性高齢者における視覚的注意評価の試み－Teller Acuity Cards（TAC）とMMSEとの関連の検討．日本痴呆ケア学会大会，2003．
2) 池田浩二，里村恵子：火の消し忘れが改善された認知症疑い患者の一例．日本保健科学学会誌，15（Suppl）：p29，2012．
3) アクティビティ研究会：アクティビティと作業療法，三輪書店，2010．
4) 日本作業療法士協会 編：作業療法学全書 高次神経障害/作業治療学5（改訂第2版）．協同医書出版社，1999．

索引

索引

あ

アーツ・アンド・クラフツ運動	323
アイシング	284
アイデンティティ	317
アウェアネス	179
アウトカム評価	361
アウトリーチ	362
アクシデント	368
アクティブラーニング	252
アサーティブコミュニケーション	230
アシュワーススケール	135
アスクレピアデス	28
アスクレピオス	18
アタッチメント行動チェックリスト	402
アテトーゼ型（脳性麻痺）	133
アドヒアランス	212, 236
アルツハイマー型認知症	117, 172
アンガーマネジメント	230
アンドリー	29

い

医学モデル	13
イギリス作業療法士協会	31
維持	282
意識の情報処理モデル	179
意識障害	179
移導療法	34
意味ある作業	8
医療安全	366
医療過誤	367
医療観察制度	208
医療観察法病棟	209
医療事故	366
医療保険制度	166
インクルーシブ教育	215
インシデント	368
インフォームド・コンセント	103, 392

う

ウィルコック	328
ウォルプ	294
動きの協調性	281
うつ病	20
運動学習	285
運動企画能力	151
運動発達の状況	127

え

栄養学	235
易疲労性	282
エリクソン	164, 314
エリス	295
演繹	313
円熟型（加齢による性格の変容）	164

お

オーサーシップ	388
大島の分類	145
小田部荘三郎	54
オペラント条件付け	293
園城寺式乳幼児分析的発達検査	127
オンデマンド配信	389
オンラインによる発表	389

か

カークブライト	31
介護支援専門員	275
介護保険制度	166
介護老人福祉施設	165
介護老人保健施設	165
改正児童福祉法	222
改善	282
階層化	311
階段昇降機	7
回内握り	313
介入	335
――計画の立案	108
外部専門家導入事業	217
回復期	211, 282
――リハビリテーション病棟	359
学習活動	129
覚醒	179
拡大型（加齢による性格の変容）	164
喀痰等の吸引	235
下肢装具	148
臥褥療法	30
画像評価	235
片足立ちバランス	150
片手笛	139
片麻痺	202
学校コンサルテーションのモデル	219
加藤普佐次郎	35
カナダ作業遂行測定	7, 168, 337
カナダ作業遂行モデル	335

カナダ作業療法士協会	335
カナダ実践プロセスの枠組み	336
カリエス	44
加齢	282
ガレノス	19, 28, 322
ガワーズ徴候	147
感覚記憶	186
感覚統合技能	290
感覚運動的段階	311
眼球運動	127
──評価	152
環境因子	130
観察	103
観察学習	286
関節可動域	127, 281
観念失行	190
観念運動失行	190
カンファレンス	356
管理運営	237

き

記憶障害	186
記憶の分類	186
危機介入	121
機能回復	4
機能再建助手	33
気分障害	117
基本的信頼感	319
逆行チェイニング	287
キュア	167
救急医学	237
急性期	210
──病院	3
協応	313
共同運動	284
興味・関心チェックリスト	168
起立性低血圧	163
記録の目的	351
記録作成の義務	352
筋ジストロフィーに対する作業療法	147
筋緊張	127

く

クライエント	333
──中心の可能化のカナダモデル	336
クライシスプラン	211
グラウンデッド・セオリー	378
クリニカルパス	408

クリュッペルハイム	42
グループワークモデル	109
呉　秀三	34

け

ケア	167
──会議	211
ケアマネジャー	7, 275
痙直型四肢麻痺型（脳性麻痺）	134
痙直型片麻痺型（脳性麻痺）	139
痙直型（脳性麻痺）	132
痙直型両麻痺型（脳性麻痺）	136
ゲゼル	303
血管性認知症	117
結晶性知能	163
見学	238
元気回復行動プラン	229
研究疑問の設定	383
研究計画書作成	384
研究結果の発表	386
研究の実施	386
研究の種類	378
研究倫理	390
研究の流れ	383
限局性学習症	151
健康寿命	162
原始反射	127

こ

更衣動作の練習	138
行為の障害	189
口腔運動機能評価	128
高次脳機能障害	14, 175
──者支援モデル事業	176
──の診断基準	177
拘縮	145, 266
口述発表	388
拘束性障害	144
行動・心理症状	170
行動の評価	131
高齢社会	160
高齢期の課題	165
高齢者の定義	161
国際生活機能分類	87, 106, 283
固縮型（脳性麻痺）	132
個人因子	130
コノリー	30
コミュニケーション障害	151

423

コミュニケーション指導	273	自殺企図	370
固有（感覚）受容器	285	自助具	6, 169, 235, 412
固有受容性神経筋促通法	284	姿勢の援助	137
混合型（脳性麻痺）	132	姿勢の特徴	127
		姿勢反応	127

さ

座位姿勢	142	肢節運動失行	190
再評価	112	肢体不自由教育	220
サイレントアスピレーション	143	肢体不自由児	38
作業活動	89, 111	疾患別リハビリテーションの対象疾患	100
作業遂行と結びつきのカナダモデル	336	実験研究	380
作業の意味	328	失行の分類	190
──と範囲	88	失語症	189
作業の機能	327	実施	238
作業負荷量	75	失調型（脳性麻痺）	132
作業科学	322	質的研究	378
作業遂行技能	324	失認	187
作業種目	119	指定入院医療機関	209
作業遂行	110	児童局	46
作業的公正	328	児童憲章	46
作業的存在	324	児童指導員	277
作業的不公正	328	児童福祉法	46
作業バランス	8	自閉スペクトラム症	151
作業療法介入プロセスモデル	282	ジモン	30, 35
作業療法管理	371	社会学習理論	293
作業療法士自身の利用	120	社会生活技能訓練	289, 297, 340
作業療法指針	60	社会資源	170
作業療法推進全国協議会	32	社会的学習理論	286
作業療法の対象者	88	社会的入院	167
作業療法の定義	92	社会復帰期	211
作業療法の流れ	101	社会復帰調整官	214
作業療法の目標	107	シャラード分類	146
作業療法のプロセス	333	重症心身障害児	304
作業療法の範囲	13	──への作業療法	143
サルコペニア	22	就職促進指導官	277
三間表	129	集団関係技能	290
三位一体	43	──評価表	292
		集団の活用	119
		重度作業療法	77
		就労移行支援事業	225

し

ジーク	293	手段的日常生活活動	168
シェマ	312	循環反応	311
視覚失認	187	順行チェイニング	287
自覚的運動強度	409	障害児通所支援	222
弛緩型（脳性麻痺）	132, 141	障害者基本法	224
自己同一性技能	290	障害者雇用促進法	224
自己意識	179	障害者雇用納付金制度	227
自己教示法	286	障害者総合支援法	201, 224
事故防止マニュアル	368	障害者の権利に関する条約	215

障害福祉計画	118
少産少死社会	161
上肢の機能	128
少子高齢社会	161
象徴遊び	313
象徴的コミュニケーション	403
情動的コミュニケーション	403
情報収集	102
職業カウンセラー（職業相談員）	277
職業訓練	71
──指導員	277
食事介助	141
食事動作	273
──訓練	235
褥瘡	163
職能療法	69
書字	129
ジョブコーチ支援事業	225
処方箋	352
事例研究	380
事例報告	381
新型コロナウイルス感染症	21
シングルシステムデザイン	380
神経心理ピラミッド	179
神経発達的治療	284
神経発達的アプローチ	283
人口構造	160
人事管理	371
心身機能	283
心身喪失	208
心神耗弱	208
人生の8つの段階	314
身体障害	2
身体障害領域の作業療法	99
身体障害領域の評価体系	105
身体構造	283
心的結合	311
心理社会的危機	315
診療参加型臨床実習	238
診療報酬	358

す

随意運動	144, 281
遂行機能障害	190
スキナー	292
スキャターグッド	31
スクリーニング	103
図地弁別	109

ストレスマネジメント	229
砂原茂一	63, 80
スヌーズレン	145
スノグラフィー	378
スレイグル	31

せ

成果	335
生活関連活動	99, 103
生活技能	297
生活行為アセスメント演習シート	341
生活行為向上マネジメント	7, 106, 338
生活行為向上プラン演習シート	341
生活行為申し送り表	341
生活指導	36
生活習慣記録表	229
生活療法	36
生活行為聞き取りシート	340
生活指導員	277
生活モデル	13
生産活動	95
整肢療護園	45
精神科ソーシャルワーカー	274
精神科デイ・ナイト・ケア	361
精神障害	2
──者数	117
精神発達遅滞	149
精神病床数	117
生体工学（力学）的アプローチ	283
性的同一性技能	290
性的欲動	315
生理的老化	171
世界作業療法士連盟	34, 94, 238
関根真一	61
摂食嚥下	143
──訓練	235
絶対臥褥	299
セルフケア	95, 108
先天性股関節脱臼	41
前頭側頭葉型認知症	172
全般性注意	182
専門職間連携	218

そ

総合型リゾート（IR）整備推進法	363
装着型サイボーグ	229
相貌失認	187
ソーシャルワーカー	7

組織化	311	つまみの発達	128
咀嚼運動	142		

て

粗大運動技能	127, 151	低緊張	136
粗大運動行動	305	デイケア	8
ソラヌス	28	デイサービス	8
		データの整理	386

た

対象行為	208	適応技能	289
対人関係	129	手の操作評価	128
タウンセンド	328	テューク	30
高木憲次	38	てんかん	143

と

田澤鐐二	54	同化	309
多産少死社会	161	動機づけ	108
多産多死社会	160	道具的条件付け	293
多職種チーム	210	統合失調症	117
多職種連携	235	統合性の獲得	164
立ち直り反応	127	同時失認	187
田村春雄	69	道徳療法	30, 323
短下肢装具	148	登攀性起立	147
短期記憶	186	動揺性歩行	147
短期目標	107	ドーパミン	19
ダントン	26, 33	ドールン	53
		特別支援学級	217

ち

地域作業療法の対象者	195	特別支援学校	215
地域包括ケアシステム	119, 200, 232	トレイシー	32
地域包括ケア病棟	360	トロンブリー	283

な

地域リハビリテーションの定義	195	長山泰政	35

に

知覚認知機能	129	ニーズ	126, 288
知的障害	150	二者関係技能	290
知的能力障害教育	221	日常生活活動	4, 99, 168, 334
知能検査	130	ニッティングエイド	6
知能の発達曲線	164	二分脊椎症への作業療法	146
注意行動評価尺度	183	日本語版デンバー式発達スクリーニング検査	
注意欠如・多動症	151		127
注意障害	181	尿路結石	163
中核症状	170	認知技能	290
長下肢装具	148	認知機能障害	176
長期記憶	186	認知行動療法	229, 294
長期入院	118	認知症	170
長期目標	108	認知神経リハビリテーション	287
調査研究	379	認知能力の階層構造	178
調節	309	認知理論	293
調理の工夫	5		

つ

通所リハビリテーション	238

の

脳の機能局在	177
脳血管性認知症	172
脳室周囲白質軟化症（PVL）	136
脳性麻痺	125, 1332
脳卒中	264
野村　実	53

は

パーソナリティー	307
バートン	32, 86
背景因子	288
廃用症候群	163
ハス	31
バスボード	7
パターナリズム	344
発達障害	2, 150
──支援法	216
発達性協調運動症	151
発達段階	310
発達年齢	304
発達評価法（表）	304
ハノイの塔	191
パブロフ	292
濱野規矩雄	57
バランス	327
バリアフリー	169
般化（汎化）	313
半構造化面接	337
反射	311
バンジューラ	292
半側空間無視	184
反動型（加齢による性格の変容）	164
反応プロンプト	287
反応の型	307

ひ

ピア・カウンセリング	169
ピアジェ	309
東日本大震災	21
微細運動行動	305
非対称性緊張性頸反射（ATNR）	140
ピタゴラス	28
人を対象とする医学系研究に関する倫理指針	391
ピネル	29, 323
ヒポクラテス	18, 322, 344
ヒヤリ・ハット事例	367
評価中のポイント	104, 334
病識	369
標準高次視知覚検査	179, 185
標準高次動作性検査	190
標準失語症検査	189
標準注意検査法	183
表象	310
表象的思考段階	311

ふ

ファシリテーションテクニック	284
フェーディング	287
福祉的就労	225
福祉用具	285
復職支援デイケア	228
不随意運動型（脳性麻痺）	132, 140
ブラッシング	284
フランシスク	83
フレイル	22
フレデリックスの定義	187
フロイト	314
ブロック練習	286
文献研究	379
文献レビュー	384
分散運動	284

へ

平均寿命	161
平衡反応	127
米国作業療法協会	332
閉塞性呼吸障害	144
ベック	295

ほ

保育所等訪問支援	222
包括的地域生活支援プログラム	362
方向性注意	184
報告	355
訪問リハビリテーション	202, 238
ホープ	288
保護伸展反応	127
補助具	157
補助的手段	110
ポスター発表	389
保存	313
ボバース法	108
ポラタイコ	324

ま

ポンスフォード	183

ま

マーチ	31
マイヤー	31
マインドフルネス	295

み

水野祥太郎	68
宮本　忍	61

む

無断離院	369

め

名称独占	14
面接	102
メンタルプラクティス	286
メンタルヘルス	21

も

目的活動	110
モジュール	298
モゼイの理論	289
モデリング	286, 297
模倣	238
──による学習	286
モラトリアム	317
森田療法	299
問題志向型システム	352

や

ヤークサ	324

よ

ヨーロッパ諸国作業療法士会	31
余暇活動	129
予防医学	236

ら

ライフサイクル	315
ライリー	324
ライル	30
ラッシュ	323
ラマツィーニ	29
ランダム練習	286

り

リープマンの分類	189
リーマンショック	20
利益相反	392
理学療法士及び作業療法士学校養成施設指定規則	232
リスクマネジメント	367
リスクマネジャー	375
リハビリテーション栄養	235
リハビリテーション学院	80
リハビリテーションゴールの設定	106
リハビリテーション的アプローチ	285
流動性知能	163
量的研究	378
臨床薬学	236
臨床実習指導者	239, 269
倫理綱領	348, 390
倫理指針	391
倫理審査委員会	390
倫理審査申請書作成	385

れ

レクリエーション療法	36
レスポンデント条件付け	292
レビー小体型認知症	172
連合反応	284

ろ

老化	162
老年期障害	2
ロールプレイ	297
ロリエール	30
論文の種類	387
論文構成	387

A

ABCモデル	295
activities of daily living(ADL)	4, 70, 129, 168
activities parallel to daily living(APDL)	103
adaptive skill	289
American Occupational Therapy Association (AOTA)	332
Andry	29
Arts and Crafts Movement	323
Asclepiades	28

Asklepios	18
assertive community treatment(ACT)	362

B

Bandura	292
Barton	32, 86
Beck	295
behavioral and psychological symptoms of dementia(BPSD)	170
behavioural assessment of the dysexecutive syndrome(BADS)	191
BIT行動性無視検査日本版	185
Bobath法	108
Brunnstromの運動療法	284

C

Canadian Association of Occupational Therapists(CAOT)	335
Canadian Model of Client-Centred Enablement(CMCE)	336
Canadian Model of Occupational Performance and Engagement(CMOP-E)	336
Canadian Model of Occupational Performance(CMOP)	335
Canadian Occupational Performance Measure(COPM)	7, 168, 337
Canadian Practice Process Framework(CPPF)	336
care program approach(CPA)	213
clinical assessment for attention(CAT)	183
cognitive behavioral therapy(CBT)	229
cognitive dysfunction	176
cognitive function	176
cognitive skill	290
communication ADL test(CADL)	189
community based rehabilitation(CBR)	197
conflict of interest(COI)	392
Conolly	30
constraint-induced movement therapy (CI療法)	287

D

Dorn	53
Dunton	26, 33
dyadic skill	290
dysexecutive questionnaire(DEX)	191

E

Ellis	295
Erikson	164, 314

F

facilitation technique	284
Franciscus	83
Frederiksの定義	187
Freud	314

G

Galenos	19, 28, 322
Gesell	303
Glasgow coma scale(GCS)	180
Gowers徴候	147
group interaction skill	290

H

Hass	31
Hippocrates	18, 322
Hocking	329
Hybrid Assistive Limb® (HAL®)	229

I

instrumental activities of daily living(IADL)	14, 168
international classification of functioning, disability and health(ICF)	87, 94, 106, 283

J

Japan coma scale(JCS)	180

K

Kirkbride	31

L

leisure	95
Liepmannの分類	189

M

management tool for daily life performance(MTDLP)	106, 338
March	31
Meyer	31
modified Ashworth scale(MAS)	135
moral treatment	30
Moseyの理論	289

motivation ... 108
multidisciplinary team(MDT) ... 210, 213

N

neurodevelopmental treatment(NDT) ... 284

O

occupational being ... 324
occupational injustice ... 328
occupational justice ... 328
occupational science ... 322
occupational therapist ... 2
occupational therapy ... 69, 86
occupational therapy intervention process model(OTIPM) ... 282

P

Pavlov ... 292
Penfield map ... 17
physical therapist ... 3
Piaget ... 309
Pinel ... 29, 323
Polatajko ... 324
Ponsford ... 183
problem oriented medical record(POMR) ... 354
problem oriented system(POS) ... 352
productivity ... 95
proprioceptive neuromuscular facilitation(PNF) ... 284
psychiatric social worker(PSW) ... 274
Pytagoras ... 28

Q

QOLテスト ... 168

R

Rail ... 30
Ramazzini ... 29
range of motion(ROM) ... 281
reconstruction aid ... 33
Reilly ... 324
Rollier ... 30
Roodのアプローチ ... 284
Rush ... 323

S

Scattergood ... 31
self help device(SHD) ... 6, 169
self-care ... 95
self-identity skill ... 290
sensory integration skill ... 290
sexual identity skill ... 290
Sharrard分類 ... 146
Siek ... 293
Simon ... 30, 35
Skinner ... 292
Slagle ... 31
SOAP ... 355
social skills ... 297
social skills training(SST) ... 289, 294, 297
Soranus ... 28
SPTA ... 190
standard language tedt of aphasia(SLTA) ... 189

T

the Catherine bergigo scale(CBS) ... 185
Tinker Toyテスト ... 191
Townsend ... 328
Tracy ... 32
trail making test日本版（TMT-J） ... 183
Trombly ... 283
Tuke ... 30

V

visual perception test for agnosia(VPTA) ... 185

W

well-being ... 329
wellness recovery action plan(WRAP) ... 229
Western aphasia battery(WAB) ... 189
Wilcock ... 328
Wolpe ... 294
World Federation of Occupational Therapists（WFOT） ... 34, 94, 238

Y

Yerxa ... 324

第3版
作業療法学　ゴールド・マスター・テキスト
作業療法学概論

2012年 3月20日	第1版第1刷発行
2015年 1月30日	第2版第1刷発行
2021年10月 1日	第3版第1刷発行

- 監　修　長﨑重信　ながさき　しげのぶ
- 編　集　里村恵子　さとむら　けいこ
- 発行者　三澤　岳
- 発行所　株式会社メジカルビュー社
  〒162-0845 東京都新宿区市谷本村町2-30
  電話　03(5228)2050(代表)
  ホームページ　https://www.medicalview.co.jp

  営業部　FAX　03(5228)2059
  　　　　E-mail　eigyo@medicalview.co.jp

  編集部　FAX　03(5228)2062
  　　　　E-mail　ed@medicalview.co.jp

- 印刷所　シナノ印刷株式会社

ISBN 978-4-7583-2041-2 C3347

©MEDICAL VIEW, 2021. Printed in Japan

・本書に掲載された著作物の複写・複製・転載・翻訳・データベースへの取り込みおよび送信（送信可能化権を含む）・上映・譲渡に関する許諾権は，（株）メジカルビュー社が保有しています．

・JCOPY〈出版者著作権管理機構 委託出版物〉
本書の無断複製は著作権法上での例外を除き禁じられています．複製される場合は，そのつど事前に，出版者著作権管理機構（電話 03-5244-5088，FAX 03-5244-5089，e-mail：info@jcopy.or.jp）の許諾を得てください．

・本書をコピー，スキャン，デジタルデータ化するなどの複製を無許諾で行う行為は，著作権法上での限られた例外（「私的使用のための複製」など）を除き禁じられています．大学，病院，企業などにおいて，研究活動，診察を含み業務上使用する目的で上記の行為を行うことは私的使用には該当せず違法です．また私的使用のためであっても，代行業者等の第三者に依頼して上記の行為を行うことは違法となります．

第3版 作業療法学 ゴールド・マスター・テキスト シリーズ

監修 長﨑 重信　文京学院大学 保健医療技術学部 作業療法学科 教授

改訂のポイント

さらに学習しやすく教えやすいテキストになりました！
① 紙面のフルカラー化
② 試験対策がさらに充実
③ 考える力を養う囲み記事「アクティブラーニング」を新設
④ 新しい実習形式である作業療法参加型臨床実習の解説を新設
⑤ 事例提示（「Case Study」）内に，授業や自習で活用できる問題（「Question」）を追加
⑥ 事例などのWeb動画，事例集の追加

※ Web動画，事例集については，収載されない巻もあります

全巻構成（全12巻）

作業療法学概論 ■B5判・448頁・定価4,840円（本体4,400円＋税10％）	**発達障害作業療法学** ■B5判・336頁・定価5,170円（本体4,700円＋税10％）
作業学 ■B5判・392頁・定価5,280円（本体4,800円＋税10％）	**老年期作業療法学**
作業療法評価学	**地域作業療法学**
身体障害作業療法学	**日常生活活動学（ADL）**
高次脳機能障害作業療法学	**福祉用具学**
精神障害作業療法学 ■B5判・388頁・定価4,840円（本体4,400円＋税10％）	**義肢装具学** NEW!